숨마쿰라우데®
[국어 문제집]

어휘력 강화

이룸이앤비
Education & Books

SUMMA CUM LAUDE 어휘력 강화

COPYRIGHT

숨마쿰라우데® [어휘력 강화]

이 책을 집필한 선생님들

윤여웅 / 야탑고
김효진 / 세교고
안희진 / 서울사대부고

1판 6쇄 발행일 : 2025년 1월 6일
펴낸이 : 이동준, 정재현
기획 및 편집 : 김성준, 정혜진
디자인 : 굿월디자인

펴낸곳 : (주)이룸이앤비
출판신고번호 : 제379 – 2024 – 000051호
주소 : 경기도 성남시 수정구 위례광장로 21-9 KCC 웰츠타워 2층 2018호(우13646)
대표전화 : 02 – 424 – 2410
팩스 : 070– 4275– 5512
홈페이지 : www.erumenb.com
ISBN : 978 – 89 – 5990 – 364 – 1

THINK MORE ABOUT YOUR FUTURE

INTRODUCTION

세월이 흘러간다는 것은 내가 그만큼 성장하고 커 가고 있다는 이야기…….
시간은 흘러가되 그 시간과 함께 흘러가지 못하고 제자리에만 머물러 있다면
그것은 도태의 다른 말에 불과합니다.
그대로 서 있다 보면 서 있음에 지쳐 주저앉고, 결국 쓰러지게 마련입니다.
더 이상 몸을 가눌 수 없게 되면, 그것이 인생의 끝은 아닐지언정
다른 이의 등을 빌릴 수밖에 없습니다.
서 있는 한 그루 나무는 그 자리에 서서 깊게 뿌리내리고 하늘로 가지를 뻗고 있습니다만,
우리는 인간이기에 마냥 서 있을 수만은 없습니다.
하늘로 뻗을 수 없다면 앞으로 가야 합니다.
가는 길이 평탄치 못하면 돌을 치우고 땅을 일구면 됩니다.
힘들고 지쳐 쓰러질 것 같으면 잠시 나무 옆에 앉아 휴식을 취하면 됩니다.
그 순간 눈에 비친 세상은 참으로 아름다울 것입니다.
내가 앞으로 나아갈 수 있는 하루하루가 있다는 것이 행복할 것입니다.

하루하루가 지나갈수록 더 나은 당신으로 거듭날 수 있기를…….
더 많은 세상과 만나 하늘을 덮고 땅을 끌어안는 커다란 나무가 될 수 있기를…….

지은이들

SUMMA CUM LAUDE 어휘력 강화

STRUCTURE

[구성 및 특징]

1 대표 어휘 1,016개, 총 882개 문항 수록

· 사전식 어휘 구성: 대표 어휘 **1,016**개
· 문제은행식 문항 수록: 총 **882**개 문항

고등학교 주요 국어 교과서를 통해 고유어, 한자어, 관용어, 속담, 한자 성어 등의 대표 어휘 **1,016**개를 추출하여 다양한 유형의 어휘 문제로 구성하였습니다. 총 **882**개의 문제를 통해 내신은 물론 수능에 필요한 필수 어휘들을 빠짐없이 학습할 수 있도록 구성하였습니다.

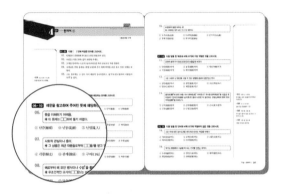

2 최적의 학습 시스템, '일차별, 3회독 반복 학습'

· 일차별 학습 시스템: 3회독 채점표
· 반복 학습 시스템: 3회독 학습 계획표

수록된 대표 어휘를 한 번의 학습으로 완벽하게 마무리할 수는 없습니다. 따라서 문제를 한 번만 풀어 보는 것이 아니라 꾸준히 반복하여 학습할 수 있도록 '3회독 채점표'와 '3회독 학습 계획표'를 수록하였습니다. 이를 통해 약점을 보완하여 더욱 탄탄한 어휘 실력을 갖출 수 있도록 하였습니다.

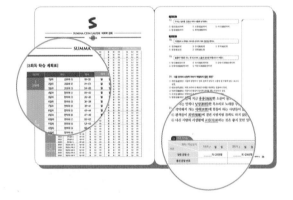

3 단답형 · 선택형 · 문장 완성형 · OX형 등 다양한 문제 유형

· 문제 해결 능력 강화: 단답형 · 선택형 · 문장 완성형 · OX형 등을 통한 문제 유형별 대처 능력 배양
· 내신 · 수능 1등급 대비: 기출문제를 활용한 문제 구성

주요 어휘들을 지루하지 않게 익힐 수 있도록, 단답형 · 선택형 · 문장 완성형 · OX형 등 다양한 유형의 문제로 구성하였습니다. 이를 통해 어휘 문제 해결 능력을 강화할 수 있도록 하였습니다. 또 수능 · 평가원 · 교육청 모의고사에서 발췌한 어휘와 예문을 활용하여 내신 및 수능 1등급을 위한 어휘력 향상에 만전을 기하였습니다.

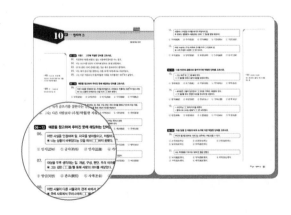

THINK MORE ABOUT YOUR FUTURE

STRUCTURE

4 적용 문제로 수능 미리보기

어휘별·유형별 문제를 학습한 후 수능형 문제에 적용해 볼 수 있도록
수능·평가원·교육청 모의고사 기출문제와 그 변형 문제를 수록하였습
니다. 실제 수능 국어 영역에서 출제된 다양한 유형의 문제와 그 변형 문
제를 풀어 봄으로써 어휘 학습 정도를 스스로 점검하는 한편, 수능에 대
한 감각을 익히고 실전에 대비할 수 있도록 하였습니다.

5 정답 및 해설(秘 서브 노트)

- 정답 풀이 및 오답 풀이 정독 학습: 사전적 의미와 한자의 뜻풀이를 통한 어
  휘의 의미 파악, 다양한 예문을 통한 어휘의 쓰임 파악
- 어휘력 Up: 어휘의 유래, 유의어, 반의어, 동음이의어 등 관련 어휘 설명

혼자서 학습할 수 있도록 정답 풀이 및 오답 풀이를 충실하게 구성하
였습니다. 또한 각 어휘와 관련된 예문을 통해 어휘의 쓰임을 익힘으로
써 해당 어휘를 완전히 자신의 것으로 소화할 수 있도록 하였습니다.
'어휘력 Up'에서는 다양한 어휘들의 유래와 유의어, 반의어, 동음이의
어, 관련 어휘 등에 관한 설명을 제시하여 어휘력을 더욱 향상할 수 있
도록 하였습니다.

SUMMA CUM LAUDE 어휘력 강화

CONTENTS

[차 례]

THINK MORE ABOUT YOUR FUTURE

CONTENTS

SUMMA CUM LAUDE 어휘력 강화

CONTENTS

THINK MORE ABOUT YOUR FUTURE
CONTENTS

SUMMA CUM LAUDE 어휘력 강화
CONTENTS

Ⅵ 헷갈리는 어휘

THINK MORE ABOUT YOUR FUTURE
CONTENTS

[책 속의 책] ㊙ 서브 노트 정답 및 해설

SUMMA CUM LAUDE 어휘력 강화

PLANNER

[3회독 학습 계획표]

대단원	차시		쪽수	1회독 / 틀린 문항 수			2회독 / 틀린 문항 수			3회독 / 틀린 문항 수		
I 고유어	1일차	고유어 ①	18~20	월	일 /	문항	월	일 /	문항	월	일 /	문항
	2일차	고유어 ②	21~23	월	일 /	문항	월	일 /	문항	월	일 /	문항
	3일차	고유어 ③	24~26	월	일 /	문항	월	일 /	문항	월	일 /	문항
II 한자어	4일차	한자어 ①	30~32	월	일 /	문항	월	일 /	문항	월	일 /	문항
	5일차	한자어 ②	33~35	월	일 /	문항	월	일 /	문항	월	일 /	문항
	6일차	한자어 ③	36~38	월	일 /	문항	월	일 /	문항	월	일 /	문항
	7일차	한자어 ④	39~41	월	일 /	문항	월	일 /	문항	월	일 /	문항
	8일차	한자어 ⑤	42~44	월	일 /	문항	월	일 /	문항	월	일 /	문항
	9일차	한자어 ⑥	47~49	월	일 /	문항	월	일 /	문항	월	일 /	문항
	10일차	한자어 ⑦	50~52	월	일 /	문항	월	일 /	문항	월	일 /	문항
	11일차	한자어 ⑧	53~55	월	일 /	문항	월	일 /	문항	월	일 /	문항
	12일차	한자어 ⑨	56~58	월	일 /	문항	월	일 /	문항	월	일 /	문항
	13일차	한자어 ⑩	59~61	월	일 /	문항	월	일 /	문항	월	일 /	문항
	14일차	한자어 ⑪	64~66	월	일 /	문항	월	일 /	문항	월	일 /	문항
	15일차	한자어 ⑫	67~69	월	일 /	문항	월	일 /	문항	월	일 /	문항
	16일차	한자어 ⑬	70~72	월	일 /	문항	월	일 /	문항	월	일 /	문항
	17일차	한자어 ⑭	73~75	월	일 /	문항	월	일 /	문항	월	일 /	문항
	18일차	한자어 ⑮	76~78	월	일 /	문항	월	일 /	문항	월	일 /	문항
III 단어의 의미 관계	19일차	단어의 의미 관계 ①	82~84	월	일 /	문항	월	일 /	문항	월	일 /	문항
	20일차	단어의 의미 관계 ②	85~87	월	일 /	문항	월	일 /	문항	월	일 /	문항
	21일차	단어의 의미 관계 ③	88~90	월	일 /	문항	월	일 /	문항	월	일 /	문항
	22일차	단어의 의미 관계 ④	91~93	월	일 /	문항	월	일 /	문항	월	일 /	문항
	23일차	단어의 의미 관계 ⑤	94~96	월	일 /	문항	월	일 /	문항	월	일 /	문항
IV 관용어 · 속담	24일차	관용어 ①	100~102	월	일 /	문항	월	일 /	문항	월	일 /	문항
	25일차	관용어 ②	103~105	월	일 /	문항	월	일 /	문항	월	일 /	문항
	26일차	속담 ①	106~108	월	일 /	문항	월	일 /	문항	월	일 /	문항
	27일차	속담 ②	109~111	월	일 /	문항	월	일 /	문항	월	일 /	문항
	28일차	속담 ③	112~114	월	일 /	문항	월	일 /	문항	월	일 /	문항
V 한자성어	29일차	한자성어 ①	118~120	월	일 /	문항	월	일 /	문항	월	일 /	문항
	30일차	한자성어 ②	121~123	월	일 /	문항	월	일 /	문항	월	일 /	문항
	31일차	한자성어 ③	124~126	월	일 /	문항	월	일 /	문항	월	일 /	문항
	32일차	한자성어 ④	127~129	월	일 /	문항	월	일 /	문항	월	일 /	문항
	33일차	한자성어 ⑤	132~134	월	일 /	문항	월	일 /	문항	월	일 /	문항
	34일차	한자성어 ⑥	135~137	월	일 /	문항	월	일 /	문항	월	일 /	문항
	35일차	한자성어 ⑦	138~140	월	일 /	문항	월	일 /	문항	월	일 /	문항
VI 헷갈리는 어휘	36일차	헷갈리는 어휘 ①	144~146	월	일 /	문항	월	일 /	문항	월	일 /	문항
	37일차	헷갈리는 어휘 ②	147~149	월	일 /	문항	월	일 /	문항	월	일 /	문항
	38일차	헷갈리는 어휘 ③	150~152	월	일 /	문항	월	일 /	문항	월	일 /	문항
	39일차	헷갈리는 어휘 ④	153~155	월	일 /	문항	월	일 /	문항	월	일 /	문항
	40일차	헷갈리는 어휘 ⑤	156~158	월	일 /	문항	월	일 /	문항	월	일 /	문항

THINK MORE ABOUT YOUR FUTURE

INDEX

SUMMA CUM LAUDE 어휘력 강화

INDEX

THINK MORE ABOUT YOUR FUTURE

INDEX

SUMMA CUM LAUDE 어휘력 강화

INDEX

I. 고유어

고유어는 우리말 어휘 중 다른 나라에서 들어온 한자어와 외래어를 제외한 우리 고유의 말을 가리킨다. 순우리말, 토박이말이라고도 하며, 한자어에 비해 기본적이고 자주 쓰이는 일상어가 많은 편이다. 고유어는 우리말의 기본 바탕을 이루고 우리 민족의 얼과 문화를 담고 있기 때문에 우리의 감정이나 정서를 표현하기에 알맞다.

1 일차 ◦ 고유어 ①

• 정답 및 해설 2쪽

01~04 다음 ( ) 안에 적절한 단어를 고르시오.

01. 그는 나이가 (지긋이/지그시) 들어 보인다.

02. 내가 장기로 그와 승부를 (겨루면/겨누면) 승산*이 있다.

03. 제철에 비가 안 오면 밭농사는 며칠 사이에 (결딴/아퀴)이/가 난다.

04. 나는 피로에 지친 그에게 기력을 (복되어/북돋워) 주기 위해 쉴 곳을 마련해 주었다.

• **승산** 이길 勝 셈할 算
이길 수 있는 가능성. 또는 그런 속타산.

05~08 예문을 참고하여 주어진 뜻에 해당하는 단어를 고르시오.

05.
> 아주 사소한 일까지 속속들이.
> 예 철수는 자신의 여행 계획에 대해 (　　　　　) 떠들었다.

① 소담하게　② 하릴없이　③ 시나브로　④ 헐레벌떡　⑤ 미주알고주알

06.
> 물건들을 요리조리 들추며 자꾸 뒤지다.
> 예 그는 옷장 속의 옷을 (　　　　　) 무언가를 찾고 있었다.

① 대들며　　　　　② 다다르며　　　　　③ 도독하며
④ 되작거리며　　　⑤ 희번덕거리며

07.
> 길을 인도해 주는 사람이나 사물. 나아갈 방향이나 목적을 실현하도록 이끌어 주는 지침*을 비유적으로 이르는 말.
> 예 텔레비전 토론회는 유권자*의 판단에 좋은 (　　　　　)가 된다.

① 길잡이　② 다잡이　③ 모잡이　④ 앞잡이　⑤ 드잡이

• **지침** 가리킬 指 바늘 針
생활이나 행동 따위의 지도적 방법이나 방향을 인도하여 주는 준칙.

• **유권자** 있을 有 권세 權 사람 者
선거할 권리를 가진 사람.

08.
> 수레나 쟁기를 끌기 위하여 마소의 목에 얹는 구부러진 막대. 쉽게 벗어날 수 없는 구속이나 억압을 비유적으로 이르는 말.
> 예 그는 백정이라는 (　　　　　)을/를 쓰고 평생을 천대와 멸시 속에서 살았다.

① 너울　② 깜냥　③ 동티　④ 멍에　⑤ 오금

09~12 다음 밑줄 친 단어와 바꿔 쓰기에 가장 적절한 것을 고르시오.

09.
> 못 하나가 나무 밖으로 돌출(突出)되어 있다.

① 놓여나와　　　② 뛰쳐나와　　　③ 빠져나와
④ 튀어나와　　　⑤ 흘러나와

10.
> 여러분께 기쁨을 선사(膳賜)할 수 있다면 좋겠습니다.

① 깰　　　② 뛸　　　③ 덜　　　④ 뺄　　　⑤ 줄

11.
> 아무리 견고(堅固)한 나무라도 도끼질을 계속하면 쓰러지게 마련이다.

① 걸걸한　　　② 똑똑한　　　③ 빽빽한　　　④ 털털한　　　⑤ 튼튼한

12.
> 대학에서 개발된 기술들은 실제 제품 생산에 활용(活用)되는 경우가 많다.

① 고이는　　　② 닦이는　　　③ 섞이는　　　④ 쓰이는　　　⑤ 엮이는

13, 14 다음 밑줄 친 단어와 바꿔 쓰기에 적절하지 않은 것을 고르시오.

13.
> 그에게 바람을 맞은 것이 심히 불쾌(不快)하게 느껴졌다.

① 언짢게　　　② 거북하게　　　③ 마뜩잖게
④ 골골하게　　　⑤ 못마땅하게

14.
> 그 물건은 우리 가게에서 이미 품절(品切)된 지 오래입니다.

① 동난　　　② 떨어진　　　③ 바닥난　　　④ 없어진　　　⑤ 지워진

15, 16 다음 밑줄 친 단어의 쓰임이 적절하지 않은 것을 고르시오.

15.
① 동전 한 닢으로도 남을 도울 수 있다.
② 어머니께서 달걀 한 꾸러미를 삶고 계신다.
③ 이제 몇 땀만 더 뜨면 바느질이 끝이 난다.
④ 창을 열자 수많은 가닥의 햇살이 쏟아졌다.
⑤ 그 도시에 사는 사람이 만 접은 족히 넘을 것 같다.

16.

① 네가 바로 말하면 용서해 주겠다.
② 그는 짜장 사실인 것처럼 이야기를 한다.
③ 열심히 운동을 해서인지 그는 힘이 엄청 세다.
④ 화려한 불꽃놀이는 축제 분위기를 한껏 높였다.
⑤ 그의 목소리를 듣자마자 생각이 혹시 떠올랐다.

17~19 문맥상 빈칸에 적절한 단어를 고르시오.

17. 그는 성공하기 위해 마음을 □□□ 먹기로 했다.

① 모나게   ② 모르게   ③ 모질게   ④ 무디게   ⑤ 무르게

• 사사건건 일 事 일 事 물건 件
물건 件

「1」 해당되는 모든 일 또는 온갖
사건.
「2」 해당되는 모든 일마다. 또는
매사에.

18. 사사건건* 참견하는 그녀가 □□□□였다.

① 눈가리개   ② 눈검정이   ③ 눈물단지   ④ 눈엣가시   ⑤ 눈자라기

19. 이 채소는 □□(이)라 그런지 좀 시들었다.

① 타래   ② 떨기   ③ 떨새   ④ 떨이   ⑤ 다발

수능 기출

20. 〈보기〉의 A, B에 들어갈 말로 가장 적절한 것은?

● 보기 ●
그녀가 손가락으로 가야금을 (A) 시작하자, 그는 채로 장구를 (B) 시작했다.

	A	B			A	B
①	뜯기	치기		②	치기	켜기
③	타기	퉁기기		④	켜기	두드리기
⑤	퉁기기	타기				

📖 3회독 채점표

회독 / 학습일자 채점	1회독 / 월 일	2회독 / 월 일	3회독 / 월 일
맞힌 문항 수	_____개 / **20문항**	_____개 / **20문항**	_____개 / **20문항**
틀린 문항 번호			

· 정답 및 해설 5쪽

01~04 다음 ( ) 안에 적절한 단어를 고르시오.

01. 그는 한눈팔지 않고 (올곧게/옹골지게) 외길을 걸어왔다.

02. 난로에서 (새어/세어) 나오는 불빛이 마루를 비추고 있다.

03. 따스한 봄날에는 아물아물* (모지랑이/아지랑이)가 피어오른다.

04. 시험 때문에 긴장을 해서인지 어젯밤에는 내내 (선잠/단잠)을 잤다.

> • 아물아물
> 작거나 희미한 것이 보일 듯 말 듯
> 하게 조금씩 자꾸 움직이는 모양.

05~07 예문을 참고하여 주어진 뜻에 해당하는 단어를 고르시오.

05.
> 크게 한 판.
> 예 이웃집에서 삼대독자가 없어졌다고 (   ) 난리가 났다.

① 한가득　　② 한걱정　　③ 한달음　　④ 한고비　　⑤ 한바탕

06.
> 몸이 뒤집혀 갑자기 거꾸로 내리박히는 일.
> 예 비탈*이 급해서 자칫하면 (   )을 할 수 있다.

① 가늠질　　② 달구질　　③ 풀무질　　④ 곤두질　　⑤ 삿대질

> • 비탈
> 산이나 언덕 따위가 기울어진 상
> 태나 정도. 또는 그렇게 기울어진
> 곳.

07.
> 말이나 행동 따위가 실속은 없이 겉만 그럴듯하다.
> 예 그는 말을 얼마나 (   ) 잘하는지 모두 깜박 속아 넘어갔다.

① 반갑게　　　　　　② 반듯하게　　　　　　③ 반둥거리게
④ 반지르르하게　　　⑤ 반짝반짝하게

08~10 다음 빈칸에 공통으로 들어가기에 적절한 단어를 〈보기〉에서 찾아 쓰시오.

08.
> • 그 아이는 □□□를 하늘로 치켜들었다.
> • 버스의 □□□를 쫓아갔지만 결국 올라타지 못했다.

09.
- 겨울 동안 □□□를 했던 식량이 다 떨어졌다.
- 바쁜 일이 생겨 옆 사람에게 남은 일의 □□□를 부탁했다.

10.
- 흙으로 만든 □□□에서 끊임없이 열기가 뿜어져 나온다.
- 우리나라 축구 대표팀이 월드컵 4강에 진출한 것은 온 국민을 감격의 □□□로 몰아넣었다.

● 보기 ●
갈무리   꽁무니   도가니

11~13 다음 빈칸에 공통으로 들어가기에 적절한 단어를 고르시오.

11.
| 갈□□, 봄□□, 윗□□, 높새□□, 돌개□□, 하늬□□ |

① 바람   ② 빛깔   ③ 자랑   ④ 차림   ⑤ 타령

12.
| 군□□, 땐□□, 헛□□, 밭은□□, 볼멘□□, 억지□□ |

① 기침   ② 꼬리   ③ 다리   ④ 소리   ⑤ 치레

13.
| 겉□□, 살□□, 쓴□□, 너털□□, 염소□□, 함박□□ |

① 눈썹   ② 마음   ③ 울음   ④ 웃음   ⑤ 얼음

14~18 다음 밑줄 친 부분과 바꿔 쓰기에 가장 적절한 것을 고르시오.

14.
| 나뭇잎 타는 <u>연기의 냄새</u>가 골짜기에 가득하다. |

① 풋내   ② 냇내   ③ 탄내   ④ 군내   ⑤ 향내

15.
| 학교 가는 <u>길의 가장자리</u>에 어느새 잎사귀가 돋아 있다. |

① 길섶   ② 밭섶   ③ 맞섶   ④ 앞섶   ⑤ 울섶

16.
| 일을 열심히 하려면 <u>수북하게 많이 담은 밥</u>을 먹어야 한다. |

① 가맛밥   ② 고두밥   ③ 도낏밥   ④ 머슴밥   ⑤ 눈칫밥

17. 국이 제맛이 나지 않고 몹시 싱거워 간장으로 간을 맞추었다.

① 만만해   ② 맥맥해   ③ 먹먹해   ④ 막막해   ⑤ 밍밍해

18. 김 선수가 이번에는 다루기가 힘에 겨운 상대를 만났다.

① 의뭉한   ② 올곧은   ③ 버거운   ④ 살가운   ⑤ 야멸찬

19, 20 다음 밑줄 친 단어의 쓰임이 적절하지 <u>않은</u> 것을 고르시오.

19.
① 그 건물의 높이가 <u>가늠</u>이 안 된다.
② 허리를 <u>늦추</u> 세우고 앉는 것이 건강에 이롭다.
③ 그 친구가 <u>달포</u>나 연락이 되지 않아 걱정이 된다.
④ 음식에 심한 <u>가탈</u>을 부리는 것은 좋지 않은 버릇이다.
⑤ 아이의 신과 아버지의 신이 나란히 놓여 있는 <u>섬돌</u>의 모습이 정겹다.

20.
① <u>성마른</u> 사람이 실수가 많다고들 한다.
② 온 산천에 진달래가 <u>흐드러지게</u> 피었다.
③ <u>굼뜨게</u> 행동하지 말고 부지런히 움직여라.
④ 그 사람은 <u>칠칠해서</u> 하는 일마다 실수투성이다.
⑤ 나를 모르는 체하는 것이 <u>고까운</u> 생각이 들었다.

3 일차 ─○ 고유어 ③

·정답 및 해설 7쪽

01, 02 밑줄 친 단어에 적절한 고유어를 찾아 연결하시오.

01. 장마철 호우로 물이 급작스레 불어났다. •   • ㉠ 부끄러움

02. 자괴심이 끓어올라 잠을 이루지 못했다. •   • ㉡ 큰비

03~06 다음 중 고유어가 <u>아닌</u> 것을 고르시오.

03.
① 모시   ② 양말   ③ 삼베   ④ 신발   ⑤ 털옷

04.
① 설마   ② 실컷   ③ 온통   ④ 잔뜩   ⑤ 하필

05.
① 가쁜하다   ② 깨끗하다   ③ 반짝하다
④ 솔깃하다   ⑤ 솔직하다

06.
① 가든하다   ② 기특하다   ③ 나긋하다
④ 수고하다   ⑤ 훌륭하다

07~11 다음 ( ) 안에 적절한 단어를 고르시오.

07. 그의 모습은 아침과는 (사뭇/자못) 달라 보였다.

08. 나쁜 소문일수록 (금새/금세) 퍼지는 법이다.

09. 그는 (애오라지/아우라지) 부모님이 건강하시기만을 바랐다.

10. 며칠을 자지도 씻지도 못한 그의 몰골은 몹시 (추레했다/가무렸다).

11. 나긋나긋한 그 애의 목소리가 (새삼스럽다/곱살스럽다).

12~15 예문을 참고하여 주어진 뜻에 해당하는 단어를 고르시오.

12.
밤사이에 사람들이 모르게 내린 눈.
예 아침에 눈을 뜨니 푸짐한 □□□이 와 있었다.

① 가루눈　　② 가랑눈　　③ 도둑눈　　④ 싸락눈　　⑤ 함박눈

13.
갑자기 소름이 끼치도록 무섭고 끔찍하다.
예 혼자 세수를 하는데 문득 등골*이 □□□□.

① 곰살맞다　　　　② 섬뜩하다　　　　③ 스산하다
④ 얌전하다　　　　⑤ 옹골지다

수능 기출
14.
한창 바쁠 때에 쓸데없는 일로 남을 귀찮게 구는 짓.
예 계집애가 나물을 캐러 갔으면 갔지 남 울타리 엮는데 □□□을 하는 것은 다 뭐냐.

① 가댁질　　② 딸꾹질　　③ 동냥질　　④ 자맥질　　⑤ 쌩이질

15.
맨 처음으로 물건을 파는 일. 또는 거기서 얻은 소득.
예 오후 한 시가 넘도록 □□□□도 못 했다.

① 걸음걸이　　　　② 낚시걸이　　　　③ 마수걸이
④ 발등걸이　　　　⑤ 어깨걸이

• 등골
등 한가운데로 길게 고랑이 진 곳.

16, 17 다음 빈칸에 공통으로 들어가기에 적절한 단어를 고르시오.

16.
겉□, 물□, 민□, 첫□, 풋□

① 낟　　② 날　　③ 낫　　④ 낮　　⑤ 낯

수능 기출
17.
샛□, 잔□, 꼬리□, 별똥□, 길잡이□, 붙박이□

① 강　　② 꽃　　③ 별　　④ 길　　⑤ 콩

18, 19 다음의 밑줄 친 부분과 바꿔 쓰기에 가장 적절한 것을 고르시오.

18.

> 오래 쓴 나무 주걱의 끝이 반이나 닳아서 <u>없어졌다.</u>

① 모지라졌다. ② 두남두다. ③ 버성겼다.
④ 물쿠었다. ⑤ 시새웠다.

19.

> 내 선물을 받고 기뻐할 그의 모습을 생각하니 <u>마음에 흡족하게 흐뭇하다.</u>

① 갸웃하다 ② 매몰차다 ③ 야무지다
④ 오달지다 ⑤ 재우치다

20. 다음 밑줄 친 단어의 쓰임이 적절하지 <u>않은</u> 것은?

① 이제 그만 옛일을 <u>버르집도록</u> 하자.
② 기름기가 많은 음식을 먹었더니 속이 <u>니글거린다.</u>
③ 걱정이 많은 탓인지 밤새 <u>궁싯거리며</u> 잠들지 못했다.
④ 그는 위기 상황에서 적절히 <u>도두봐서</u> 이번에도 위기를 넘겼다.
⑤ 친구들을 많이 초대했으니 음식을 <u>낫잡아서</u> 마련하는 것이 좋겠다.

🔲 3회독 채점표

채점 회독 / 학습일자	1회독 / 월 일	2회독 / 월 일	3회독 / 월 일
맞힌 문항 수	_____개 / **20**문항	_____개 / **20**문항	_____개 / **20**문항
틀린 문항 번호			

적용 문제 ·정답 및 해설 10쪽

1 어휘를 분류하는 활동을 하면서 〈보기〉를 완성하고자 한다. 이와 관련한 내용 중 잘못된 것은?

• 보기 •

들릴 듯 말 듯하게 말함.

감정 상태 / 대화 상대	불만스러움.	불만스럽지 않음.
불필요함.	A	B
필요함.		C

① A에는 '구시렁거리다'를 포함시키자.
② A에는 '투덜거리다'도 가능한 것 같아.
③ B에는 '수군거리다'를 포함시키자.
④ B에는 '웅얼거리다'도 가능한 것 같아.
⑤ C에는 '속닥거리다'를 포함시키자.

2 밑줄 친 단어 중, ㉠의 상황을 표현하는 데 쓰일 수 없는 것은?

현대 사회에서도 연민은 생길 수 있으며 연민의 가치 또한 커질 수 있다. 그 이유를 세 가지로 제시할 수 있다. 첫째, 현대 사회는 과거보다 안전한 것처럼 보이지만 실은 도처에 위험이 도사리고 있다. 둘째, 행복과 불행이 과거보다 사람들의 관계에 더욱 의존하고 있다. ㉠친밀성은 줄었지만 사회·경제적 관계가 훨씬 촘촘해졌기 때문이다. 셋째, 교통과 통신이 발달하면서 현대인은 이전에 몰랐던 사람들의 불행까지도 의식할 수 있게 되었다. 물론 간접 경험에서 연민을 갖기가 어렵다고 치더라도 고통을 대면하는 경우가 많아진 만큼 연민의 필요성이 커져 가고 있다. 이런 정황에서 볼 때 연민은 그 어느 때보다 절실히 요구되며 그만큼 가치도 높다.

① 그 사람과는 너나들이하는 사이다.
② 그들은 데면데면하게 수인사를 나누었다.
③ 그는 사람들과 어울리지 못하고 이방인처럼 겉돈다.
④ 석 달 동안 헤어져 있었대서 설면할 것은 없으련마는.
⑤ 그 일이 있은 후로 그 사람과 서먹서먹하게 지내고 있어.

3 ㉠의 의미는 결여되어 있으면서 ㉡의 의미는 들어 있는 단어로 가장 적절한 것은?

> 그는 좋은 성품을 얻는 것을 기술을 습득하는 것에 비유한다. 그에 따르면, 리라(lyra)*를 켬으로써 리라를 켜는 법을 배우며 말을 탐으로써 말을 타는 법을 배운다. 어떤 기술을 얻고자 할 때 처음에는 교사의 지시대로 행동한다. 그리고 반복 연습을 통하여 그 행동이 점점 더 하기 쉽게 되고 마침내 제2의 천성이 된다. 이와 마찬가지로 어린아이는 어떤 상황에서 어떻게 행동해야 ㉠진실되고 관대하며 ㉡예의를 차리게 되는지 일일이 배워야 한다. 훈련과 반복을 통하여 그런 행위들을 연마하다 보면 그것들을 점점 더 쉽게 하게 되고, 결국에는 스스로 판단할 수 있게 된다.
>
> *리라(lyra): 고대 그리스의 작은 현악기.

① 빈말   ② 너스레   ③ 생트집
④ 어깃장   ⑤ 인사치레

4 글의 내용으로 보아 ㉠~㉤의 뜻풀이로 가장 적절한 것은?

> 찰찰하신 노(老)주인이 조석으로 물을 준다, 거름을 준다, 손아(孫兒)들을 데리고 ㉠일삼아 공을 들이건마는 이러한 간호만으로는 병들어 가는 화단을 어찌하지 못하였다.
>
> 그 벌벌하고 탐스럽던 수국과 옥잠화의 넓은 잎사귀가 모두 누릇누릇하게 뜨기 시작하고 불에 데인 것처럼 부풀면서 말라들었다.
>
> "빗물이나 수돗물이나 물은 마찬가질 텐데……."
>
> 물을 주고 날 때마다, 화단에서 ㉡어정거릴 때마다 노인은 자못 섭섭해 하였다.
>
> 비가 왔다. 소나기라도 한줄기 쏟아졌으면 하던 비가 사흘이나 ㉢순조로 내리어 화분마다 맑은 물이 가득가득 고이었다.
>
> 노인은 비가 개인 화단 앞을 거닐며 몇 번이나 혼자 수군거리었다.
>
> "그저 하눌 물이라야…… 억조창생(億兆蒼生)이 다 비를 맞아야……."
>
> 만지기만 하면 가을 가랑잎 소리가 날 것 같던 풀잎사귀들이 기적과 같이 소생하였다. 노랗게 뜸이 들었던 수국잎들이 시꺼멓게 ㉣약이 오르고 나오기도 전에 옴츠러지던 꽃봉오리들이 부르튼 듯 탐스럽게 열리었다. 노인은 기특하게 여기어 잎사귀마다 들여다보며 어루만지었다.
>
> 원래 서화를 좋아하는 어른으로 화초를 끔찍이 사랑하는 노인이라, 가만히 보면 그의 손이 가지 않은 나무가 없고 그의 공이 들지 않은 가지가 없다. 그 중에도 석류나무 같은 것은 철사를 사다 층층이 테를 두르고 곁가지 샛가지를 자르기도 하고 휘어 붙이기도 하여 사층 나무도 되고 오층으로 된 나무도 있다. 장미는 홍예문같이 틀어 올린 것도 있고 복숭아나무는 무슨 비방으로 기른 것인지 키가 한 자도 못 되는 어린 나무에 열매가 도닥도닥 맺히었다. 노인은 가끔 ㉤안손님들까지 사랑 마당으로 청하여 이것들을 구경시켰다. 구경하는 사람마다 희한해 하였다.
>
> — 이태준, 「화단(花壇)」

① ㉠: 뜻하던 일은 못하고   ② ㉡: 주의 깊게 살필   ③ ㉢: 세차게
④ ㉣: 은근히 화가 나고   ⑤ ㉤: 여자 손님

II. 한자어

한자어는 중국의 글자인 한자에 기초하여 만들어진 말을 가리킨다. 우리말 어휘 중 60% 정도의 큰 비중을 차지하는 말로, 고유어에 비해 개념어나 추상어가 많은 편이고 높임말로 사용되는 경우도 많다. 따라서 한자어의 의미와 쓰임을 익히는 것은 어휘력을 높이는 중요한 관건이 된다고 할 수 있다.

4일차 ─○ 한자어 ①

·정답 및 해설 11쪽

01~05 다음 (   ) 안에 적절한 단어를 고르시오.

01. 인형들이 진열대에 한 줄로 (나열/사열)되어 있다.

02. 사실을 (가감/진퇴) 없이 전달해 주세요.

03. 고개를 넘어가는 도로의 (굴곡/부침)을 따라 조심조심 차를 몰았다.

04. 선생님은 무용 동작을 (개정/교정)해 주기 위해 학생들 손을 잡고 직접 시범을 보였다.

05. 그는 결국에는 그 일이 자기 때문에 성사되었다고 (공치사/생고생)하여 사람들의 빈축°을 샀다.

• **빈축** 찡그릴 嚬 닥칠 蹙
남을 비난하거나 미워함.

06~10 예문을 참고하여 주어진 뜻에 해당하는 단어를 고르시오.

06.
> 뜻을 이해하기 어려움.
> 예 이 문제는 □□하여 풀기 어렵다.

① 난감(難堪) ② 난동(亂動) ③ 난입(亂入) ④ 난처(難處) ⑤ 난해(難解)

07.
> 사회적 관심이나 흥미.
> 예 그 상품은 최근 대중들로부터 □□을/를 받고 있다.

① 각광(脚光) ② 관계(關係) ③ 구미(口味) ④ 유망(有望) ⑤ 취미(趣味)

• **수법** 손 手 법 法
수단과 방법을 아울러 이르는 말.

08.
> 예로부터 해 오던 방식이나 수법°을 좇아 그대로 행함.
> 예 무조건적인 과거의 □□은/는 바람직하지 않다.

① 고수(固守) ② 답습(踏襲) ③ 모의(模擬) ④ 습득(習得) ⑤ 추종(追從)

09.
> 몸을 움직임. 또는 그런 짓이나 태도.
> 예 너무 지쳐 □□이 힘들 정도이다.

① 거동(擧動) ② 미동(微動) ③ 생동(生動) ④ 유동(流動) ⑤ 자동(自動)

10.

도망하여 몸을 피하는 곳.
예 그에게는 집이 곧 □□□인 셈이다.

① 도주로(逃走路)　　② 도피처(逃避處)　　③ 안식처(安息處)
④ 유배지(流配地)　　⑤ 피서지(避暑地)

11~13 다음 밑줄 친 부분과 바꿔 쓰기에 가장 적절한 것을 고르시오.

11.

공연의 분위기가 한껏 무르익어 아름답게 보였다.

① 간단(簡單)하게　　② 농염(濃艶)하게　　③ 명료(明瞭)하게
④ 치밀(緻密)하게　　⑤ 희미(稀微)하게

12.

그는 고장이 난 물건을 고칠 수 있는 방법을 곰곰이 생각하고 있다.

① 감안(勘案)하고　　② 검안(檢案)하고　　③ 고안(考案)하고
④ 입안(立案)하고　　⑤ 제안(提案)하고

13.

홍진(紅塵)*에 묻힌 분들 이내 생애(生涯)* 어떠한고? 옛사람 풍류(風流)*를 미칠까 못
미칠까? 천지간(天地間) 남자(男子) 몸이 나만한 이 많건마는 산림(山林)에 묻혀 있어
지락(至樂)*을 모르는가.

① 근거(根據)할까　　② 근면(勤勉)할까　　③ 근소(僅少)할까
④ 근엄(謹嚴)할까　　⑤ 근접(近接)할까

- **홍진** 붉을 紅 티끌 塵
번거롭고 속된 세상을 비유적으로
이르는 말.

- **생애** 날 生 물가 涯
살아 있는 한평생의 기간.

- **풍류** 바람 風 흐를 流
멋스럽고 풍치가 있는 일. 또는 그
렇게 노는 일.

- **지락** 이를 至 즐길 樂
더할 나위 없는 즐거움.

14, 15 다음 밑줄 친 단어와 바꿔 쓰기에 적절하지 않은 것을 고르시오.

14.

그는 어제 낡은 상수도관을 새것으로 바꾸는 작업을 하였다.

① 개조(改造)하는　　② 교체(交替)하는　　③ 교환(交換)하는
④ 대리(代理)하는　　⑤ 수리(修理)하는

15.

여기는 병원에서 수술할 때 쓰는 기구를 다루는 곳이다.

① 누설(漏泄)하는　　② 생산(生産)하는　　③ 제작(製作)하는
④ 취급(取扱)하는　　⑤ 판매(販賣)하는

16.

> 그는 계속된 사업 실패로 절망의 □□에 떨어졌다.

① 나락(奈落)　② 비축(備蓄)　③ 쇠락(衰落)　④ 아류(亞流)　⑤ 향연(饗宴)

17.

> 그는 문학 · 예술 · 체육 등 □□□에 재능이 있다.

① 공염불(空念佛)　　② 다방면(多方面)　　③ 무진장(無盡藏)
④ 문외한(門外漢)　　⑤ 옹고집(壅固執)

18.

> 사태가 □□하게 돌아가자 모두들 긴장하고 있었다.

① 경박(輕薄)　② 긴박(緊迫)　③ 소중(所重)　④ 유연(柔軟)　⑤ 정중(鄭重)

19. 다음 단어의 사전적 의미가 적절한 것은?

① 개괄적(概括的): 중요한 내용이나 줄거리를 대강 추려 내는. 또는 그런 것.
② 미온적(微溫的): 앞뒤를 생각하지 않고 내닫거나 덤비는. 또는 그런 것.
③ 부수적(附隨的): 태도가 미적지근한. 또는 그런 것.
④ 우회적(迂廻的): 주된 것이나 기본적인 것에 붙어서 따르는. 또는 그런 것.
⑤ 저돌적(猪突的): 곧바로 가지 않고 멀리 돌아서 가는. 또는 그런 것.

20. 다음 밑줄 친 단어의 쓰임이 적절하지 않은 것은?

① 감기에 걸리면 푹 쉬는 게 최선(最善)이다.
② 그를 시초(始初)로 우리 선수들의 해외 진출이 늘었다.
③ 잘못을 했어도 두둔(斗頓)만 하니까 아이가 버릇이 없어진다.
④ 알림판에 게양(揭揚)된 행사 일정표를 참고해서 계획을 세워야 한다.
⑤ 이 부분이 그런 뜻으로 곡해(曲解)된 결과는 전체 내용을 뒤바꿀 정도였다.

📖 **3회독 채점표**

회독 / 학습일자 채점	1회독 / 월　일	2회독 / 월　일	3회독 / 월　일
맞힌 문항 수	_____개 / **20문항**	_____개 / **20문항**	_____개 / **20문항**
틀린 문항 번호			

5 일차 한자어 ②

· 정답 및 해설 14쪽

01~04 다음 빈칸에 적절한 단어를 찾아 서로 연결하시오.

01. ㉠ 요즘 옷은 성별의 ☐☐이 없는 경우가 많다. • • 구별(區別)

㉡ 서정*과 서사*의 ☐☐은 상대적이다. • • 구분(區分)

02. ㉠ 경치가 좋은 곳을 관광지로 ☐☐하려고 한다. • • 개발(開發)

㉡ 적성을 찾아 소질을 ☐☐하려고 노력해야 한다. • • 계발(啓發)

03. ㉠ 통일을 위한 ☐☐이/가 한창 진행 중이다. • • 논란(論難)

㉡ 양측의 입장이 달라 ☐☐이/가 예상된다. • • 논의(論議)

04. ㉠ 모내기는 ☐☐ 5월에 한다. • • 대강(大綱)

㉡ 시간이 없어 일을 ☐☐ 마무리했다. • • 대개(大槪)

05~09 다음 빈칸에 적절한 단어를 〈보기〉에서 찾아 쓰시오.

05. 관리들이 심하게 세금을 수탈해 백성들이 ☐☐에 빠졌다.

06. 그의 패배 소식에 우리는 ☐☐(으)로 쾌재*를 불렀다.

07. 우리나라의 현재 교육 여건은 10년 전의 상태를 그대로 ☐☐하고 있다.

08. 우리 어머니들은 그 어려운 시절을 ☐☐(으)로 버텨 오셨다.

09. 나이 팔십의 ☐☐(으)로 저렇게 높은 산에 오르기는 쉽지 않다.

━━━━● 보기 ●━━━━

강단(剛斷)   내심(內心)   노구(老軀)   답보(踏步)   도탄(塗炭)

• 서정 풀 抒 뜻 情
주로 예술 작품에서, 자기의 감정이나 정서를 그려 냄.

• 서사 차례 敍 일 事
사실을 있는 그대로 적음.

• 쾌재 쾌할 快 어조사 哉
일 따위가 마음먹은 대로 잘되어 만족스럽게 여김. 또는 그럴 때 나는 소리.

10~14 예문을 참고하여 주어진 뜻에 해당하는 단어를 고르시오.

10.

> 어떤 시기나 기회가 닥쳐옴.
> ㉠ 새 시대의 □□을/를 알리는 국민의 함성이 들린다.

① 도래(到來)　　② 도용(盜用)　　③ 도색(塗色)　　④ 도전(挑戰)　　⑤ 도치(倒置)

11.

> 꽃이 활짝 많이 피어 화려함.
> ㉠ 꽃이 □□하게 피어 있다.

① 거만(倨慢)　　② 난만(爛漫)　　③ 오만(傲慢)　　④ 산만(散漫)　　⑤ 방만(放漫)

12.

> 괴로움과 즐거움을 아울러 이르는 말.
> ㉠ 그의 태도는 마치 인생의 □□을/를 다 겪어 본 것 같았다.

① 격락(激落)　　② 고락(苦樂)　　③ 타락(墮落)　　④ 퇴락(頹落)　　⑤ 행락(行樂)

13.

> 보고 들음, 보거나 듣거나 하여 깨달아 얻은 지식.
> ㉠ 여행을 통하여 □□을/를 넓힐 수 있다.

① 견문(見聞)　　② 견인(牽引)　　③ 견장(肩章)　　④ 견지(堅持)　　⑤ 견책(譴責)

14.

> 애정, 정열, 흥분 따위의 기분이 가라앉음. 또는 가라앉힘.
> ㉠ 무역 마찰로 두 나라 관계가 □□되었다.

① 냉각(冷却)　　② 냉담(冷淡)　　③ 냉대(冷待)　　④ 냉방(冷房)　　⑤ 냉엄(冷嚴)

15~19 다음 밑줄 친 부분과 바꿔 쓰기에 적절한 것을 고르시오.

15.

> 그는 세상과 인연을 끊고 산속으로 들어갔다.

① 거절(拒絶)하고　　　　② 곡절(曲節)하고　　　　③ 단절(斷絶)하고
④ 요절(夭折)하고　　　　⑤ 훼절(毀節)하고

16.

> 법률을 고쳐서라도 이 문제를 해결해야 한다.

① 가정(假定)해서라도　　② 개정(改正)해서라도　　③ 단정(斷定)해서라도
④ 선정(選定)해서라도　　⑤ 판정(判定)해서라도

17.

우리는 일본을 <u>거쳐서</u> 어제 서울에 도착했다.

① 경유(經由)하여　　② 소통(疏通)하여　　③ 이수(履修)하여
④ 활강(滑降)하여　　⑤ 회전(回轉)하여

18.

직원들의 노력에도 회사의 손익이 계속 <u>떨어질</u> 뿐이다.

① 경감(輕減)될　　② 경시(輕視)될　　③ 경직(硬直)될
④ 경질(更迭)될　　⑤ 경화(硬化)될

19.

훌륭한 작품은 어느 한 요소라도 <u>소홀히 한다면</u> 만들어지기 어렵다.

① 멸시(蔑視)한다면　　② 천시(賤視)한다면　　③ 등한시(等閑視)한다면
④ 문제시(問題視)한다면　　⑤ 이단시(異端視)한다면

20. 다음 단어의 사전적 의미가 적절하지 <u>않은</u> 것은?

① 개연성(蓋然性): 사물의 관련이나 일의 결과가 반드시 그렇게 될 수밖에 없는 요소나 성질.
② 대표성(代表性): 어떤 조직이나 대표단 따위를 대표하는 성질이나 특성.
③ 연관성(聯關性): 사물이나 현상이 일정한 관계를 맺는 특성이나 성질.
④ 유연성(柔軟性): 딱딱하지 아니하고 부드러운 성질. 또는 그런 정도.
⑤ 형평성(衡平性): 균형이 맞는 상태를 이루는 성질.

21. 다음 밑줄 친 단어의 쓰임이 적절하지 <u>않은</u> 것은?

① 우리 마을에 지금 흉흉(洶洶)한 소문이 돌고 있다.
② 그녀는 언제나 낭랑(朗朗)한 목소리로 노래를 부른다.
③ 각박해져 가는 세태(世態)에 힘들어 하는 사람들이 많다.
④ 관객들이 최면(催眠)에 걸린 사람처럼 꼼짝도 하지 않는다.
⑤ 다른 사람의 사생활에 교섭(交涉)하는 것은 좋지 못한 일이다.

📖 3회독 채점표

채점 \ 회독 / 학습일자	1회독 / 　월　　일	2회독 / 　월　　일	3회독 / 　월　　일
맞힌 문항 수	_____개 / **21문항**	_____개 / **21문항**	_____개 / **21문항**
틀린 문항 번호			

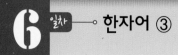
01~05 다음 빈칸에 적절한 단어를 찾아 서로 연결하시오.

01. 그 지역은 식수의 ☐☐(으)로 어려움을 겪고 있다.   •   • ㉠ 동향(動向)

02. 물건의 ☐☐이/가 제때 이루어지지 않고 있다.   •   • ㉡ 고길(枯渴)

03. 그는 승리에 결정적인 ☐☐을/를 하는 선수이다.   •   • ㉢ 기여(寄與)

04. 여당은 선거를 앞두고 여론의 ☐☐을/를 파악하고 있다. •   • ㉣ 납품(納品)

05. 그는 타성*과 ☐☐에 젖어 있었다.   •   • ㉤ 나태(懶怠)

• **타성** 게으를 惰 성품 性
오래되어 굳어진 좋지 않은 버릇.

06~10 다음 빈칸에 공통으로 들어가기에 적절한 단어를 〈보기〉에서 찾아 쓰시오.

06.
• 나무의 ☐☐에는 나이테가 있다.
• 사회의 어두운 ☐☐을/를 보면 마음이 아프다.

07.
• 그들의 ☐☐은/는 밤늦도록 계속되었다.
• 내일 대통령의 ☐☐이/가 발표될 예정이다.

08.
• 문이 열려 있어서 방의 ☐☐이/가 들여다보인다.
• 개혁이 성공하려면 ☐☐에서부터 동의를 얻어야 한다.

• **불합리** 아닐 不 합할 合
다스릴 理
이론이나 이치에 합당하지 아니함.

09.
• 그는 그녀의 이야기가 전부 ☐☐(이)라고 느꼈다.
• 불합리*한 ☐☐와/과 협박에는 굴복*하지 않겠다.

• **굴복** 굽을 屈 옷 服
힘이 모자라서 복종함.

10.
• 교통사고를 예방하기 위해 ☐☐을/를 계속해야 한다.
• 실패한 이야기를 통해 세상에 대한 ☐☐을/를 삼아야 한다.

┌─────────── ● 보기 ● ───────────┐

경계(警戒)   공갈(恐喝)   내부(內部)   단면(斷面)   담화(談話)

11~15 예문을 참고하여 주어진 뜻에 해당하는 단어를 고르시오.

11.

> 매우 훌륭한 작품.
> 예 당시 작품 중 □□만을 모아 전시회를 열었다.

① 걸작(傑作)　② 대작(代作)　③ 습작(習作)　④ 위작(僞作)　⑤ 졸작(拙作)

12.

> 집단이나 조직의 내부에서 자기들끼리 일으킨 분쟁.
> 예 역사를 보면 많은 나라들이 □□(으)로 패망*하였다.

① 내공(內功)　② 내사(內査)　③ 내정(內定)　④ 내외(內外)　⑤ 내홍(內訌)

13.

> 외침이나 박수 따위로 찬양이나 환영의 뜻을 나타냄.
> 예 선수들의 묘기*에 관중석에서 □□이/가 쏟아졌다.

① 갈구(渴求)　② 갈등(葛藤)　③ 갈증(渴症)　④ 갈채(喝采)　⑤ 갈취(喝取)

14.

> 가슴속에서부터 터져 나오는 듯한 큰 소리로 외쳐서 꾸짖음.
> 예 외할머니의 □□ 호령*에 사람들은 쥐 죽은 소리도 못 했다.

① 대갈(大喝)　② 대경(大驚)　③ 대곡(大哭)　④ 대명(大名)　⑤ 대지(大地)

15.

> 다른 사람과 어울리어 사귀지 아니하거나 도움을 받지 못하여 외톨이로 됨.
> 예 폭설로 우리는 마을로부터 며칠째 □□되어 있었다.

① 고립(孤立)　② 기립(起立)　③ 대립(對立)　④ 성립(成立)　⑤ 조립(組立)

• **패망** 패할 敗 망할 亡
싸움에 저서 망함.

• **묘기** 묘할 妙 재주 技
교묘한 기술과 재주.

• **호령** 부르짖을 號 하여금 令
큰 소리로 꾸짖음.

16~18 다음 중 한자어를 고르시오.

16.

① 갈비　② 곰국　③ 과자　④ 나물　⑤ 찌개

17.

① 고래　② 기린　③ 사슴　④ 염소　⑤ 지네

18.

① 그네　② 동전　③ 이불　④ 치마　⑤ 팔찌

19~21 다음 중 한자어가 <u>아닌</u> 것을 고르시오.

19.

① 김치   ② 냉채   ③ 산적   ④ 우유   ⑤ 잡채

20.

① 까치   ② 낙타   ③ 사자   ④ 수달   ⑤ 하마

21.

① 골무   ② 난로   ③ 의자   ④ 필통   ⑤ 철사

22. 다음 단어의 사전적 의미가 적절하지 <u>않은</u> 것은?

① 관건(關鍵): 어떤 사물이나 문제 해결의 가장 중요한 부분.
② 과용(過用): 잘못 사용함.
③ 침해(侵害): 침범하여 해를 끼침.
④ 폐해(弊害): 폐단으로 생기는 해.
⑤ 획정(劃定): 경계 따위를 명확히 구별하여 정함.

23. 다음 밑줄 친 단어의 쓰임이 적절하지 <u>않은</u> 것은?

① <u>가급적(可及的)</u> 빠른 시일 안에 일을 끝내는 것이 좋겠다.
② 그는 너무 화가 나 <u>격정적(激情的)</u>인 어조로 말하기 시작하였다.
③ 눈앞의 일만 보지 말고 <u>미시적(微視的)</u>인 안목을 가져야 한다.
④ 집안의 가구는 <u>능률적(能率的)</u>으로 배치할 때 사용하기가 좋다.
⑤ 문제를 해결할 수 있는 방법을 <u>다각적(多角的)</u>으로 강구*해야 한다.

• **강구** 외울 講 연구할 究
좋은 대책과 방법을 궁리하여 찾
아내거나 좋은 대책을 세움.

📖 3회독 채점표

회독 / 학습일자 채점	1회독 / 월 일	2회독 / 월 일	3회독 / 월 일
맞힌 문항 수	_____개 / **23**문항	_____개 / **23**문항	_____개 / **23**문항
틀린 문항 번호			

7일차 ─○ 한자어 ④

•정답 및 해설 19쪽

01~05 다음 ( ) 안에 적절한 단어를 고르시오.

01. 지갑을 잃어버렸다니, 이것 참 (낭패/행패)로군.

02. 설날에는 세배를 드리고 (좌담/덕담)을 나눈다.

03. 그에게는 구두쇠라는 (낙인/직인)이 붙어 다녔다.

04. 영화 감상 동아리에 (가입/유입)을 신청했다.

05. 김 형사는 범죄자 색출*에만 (출몰/골몰)하였다.

> • **색출** 찾을 索 나올 出
> 샅샅이 뒤져서 찾아냄.

06~10 다음 빈칸에 적절한 단어를 찾아 서로 연결하시오.

06. 이 학생은 우리나라 체조의 □□□입니다. •

07. 신춘문예*는 젊은 소설가들의 □□□(이)다. •

08. 김 노인이 □□□을/를 과시했다. •

09. 참석자의 □□□이/가 그 안건*에 찬성하였다. •

10. □□□이/가 기승*을 부리고 있다. •

• ㉠ 과반수(過半數)

• ㉡ 동장군(冬將軍)

• ㉢ 노익장(老益壯)

• ㉣ 기대주(期待株)

• ㉤ 등용문(登龍門)

> • **신춘문예** 새 新 봄 春 글월 文 기예 藝
> 매해 초 신문사에서 주로 신인 작가를 발굴할 목적으로 벌이는 문예 경연 대회.
>
> • **안건** 책상 案 사건 件
> 토의하거나 조사하여야 할 사실.
>
> • **기승** 기운 氣 이길 勝
> 기운이나 힘 따위가 성해서 좀처럼 누그러들지 않음. 또는 그 기운이나 힘.

11~15 예문을 참고하여 주어진 뜻에 해당하는 단어를 고르시오.

11.
> 정해진 날짜.
> 예 무슨 일이 있더라도 □□ 내에 이 일을 끝마쳐라.

① 금일(今日)　② 기일(期日)　③ 매일(每日)　④ 명일(明日)　⑤ 연일(連日)

12.
> 후보자의 추천이나 천거*에서 떨어짐.
> 예 삼촌의 □□ 소식에 가장 가슴 아파한 사람은 할아버지셨다.

① 낙담(落膽)　② 낙제(落第)　③ 낙찰(落札)　④ 낙천(落薦)　⑤ 낙후(落後)

> • **천거** 천거할 薦 들 擧
> 어떤 일을 맡아 할 수 있는 사람을 그 자리에 쓰도록 소개하거나 추천함.

13.

겉으로 드러나지 아니한 일의 속 내용.
㉲ 자세한 □□을 알기 위해 조사를 시작했다.

① 개막(開幕)　② 내막(內幕)　③ 서막(序幕)　④ 자막(字幕)　⑤ 장막(帳幕)

14.

일정한 사항을 장부나 대장에 올림. 또는 서적이나 잡지 따위에 실음.
㉲ 사전에 □□하려면 일정한 서류를 준비해야 한다.

① 등극(登極)　② 등기(登記)　③ 등용(登用)　④ 등장(登場)　⑤ 등재(登載)

15.

꼴이 볼만하다는 뜻으로, 남의 언행이나 어떤 상태를 비웃는 뜻으로 이르는 말.
㉲ 잘난 체하는 꼴이 정말 □□이다.

① 가관(可觀)　② 경관(景觀)　③ 방관(傍觀)　④ 외관(外觀)　⑤ 직관(直觀)

16~19 다음 밑줄 친 단어와 바꿔 쓰기에 가장 적절한 단어를 고르시오.

16.

이곳은 최신 설비*를 갖춘 공장이다.

① 구비(具備)한　　② 대비(對備)한　　③ 미비(未備)한
④ 방비(防備)한　　⑤ 예비(豫備)한

17.

외부인의 출입을 막아야 한다.

① 금기(禁忌)해야　　② 금주(禁酒)해야　　③ 금식(禁食)해야
④ 금지(禁止)해야　　⑤ 금연(禁煙)해야

18.

우리는 유적을 발굴*하기 위해 그곳을 다녀왔다.

① 감사(勘查)했다.　　② 고사(考査)했다.　　③ 답사(踏査)했다.
④ 수사(搜査)했다.　　⑤ 심사(審査)했다.

19.

젊은 시절을 값 없는 일에 낭비하지 않도록 주의해야 한다.

① 가격(價格)　② 가치(價值)　③ 대금(代金)　④ 액수(額數)　⑤ 요금(料金)

• **설비** 베풀 設 갖출 備
필요한 것을 베풀어서 갖춤. 또는
그런 시설.

• **발굴** 필 發 팔 掘
땅속이나 큰 덩치의 흙, 돌 더미
따위에 묻혀 있는 것을 찾아서 파
냄.

20~21 다음 밑줄 친 단어의 활용이 적절하지 <u>않은</u> 것을 고르시오.

수능 기출

20.

① 기다리고 있으면 내가 금방 <u>갈게</u>.
② <u>매몰</u>*됐던 광부를 열흘 전에 <u>구조</u>했대.
③ 신속한 구조 활동으로 선원 모두 무사히 <u>구명</u>되었다.
④ 인류를 고통에서 <u>구원</u>하는 것이 종교의 역할이야.
⑤ 시민과 경찰이 힘을 합해 인질범에게서 아이를 <u>구제</u>했다.

21.

① 이번 성과는 <u>독자적</u>(獨自的) 노력으로 이루어 낸 것이다.
② 그가 이 지역의 자원을 <u>독존적</u>(獨尊的)으로 차지하고 있다.
③ 우리나라는 외래*의 문화를 <u>독창적</u>(獨創的)으로 발전시켰다.
④ 그의 가장 큰 약점은 지나치게 <u>독선적</u>(獨善的)이라는 데 있다.
⑤ 그 사람은 이 분야에서 <u>독보적</u>(獨步的)인 존재로 알려진 인물이다.

• **매몰** 묻을 埋 가라앉을 沒
보이지 아니하게 파묻히거나 파묻음.

• **외래** 밖 外 올 來
밖에서 옴. 또는 다른 나라에서 옴.

📖 **3회독 채점표**

채점 회독 / 학습일자	1회독 / 월 일	2회독 / 월 일	3회독 / 월 일
맞힌 문항 수	_____개 / **21**문항	_____개 / **21**문항	_____개 / **21**문항
틀린 문항 번호			

8 일차 → 한자어 ⑤

•정답 및 해설 22쪽

01~05 다음 ( ) 안에 적절한 단어를 고르시오.

01. 너저분하게 늘어져 있던 장난감을 (결렬/정렬)로 세웠다.

02. 아무리 좋은 일일지라도 그에 따르는 부작용을 (간과/간주)해서는 안 된다.

03. 그는 대대로 유명한 (청백리/청산리) 집안의 자손이다.

04. 톱니바퀴의 (마모/소모)가 심해서 기계가 잘 돌아가지 않는다.

05. 그와 나는 오늘 만나기 전까지는 (일면식/일견식)도 없는 사이였다.

06~10 다음 빈칸에 적절한 단어를 찾아 서로 연결하시오.

06. ㉠ 그는 결국 공원묘지에 □□되었다.   •   • 매립(埋立)

㉡ 호수를 흙으로 □□하여 유원지로 만들었다. •   • 매장(埋葬)

07. ㉠ 최근 복지 정책에 국민들의 □□이 심하다. •   • 반발(反撥)

㉡ 그 주장은 □□의 여지*가 없이 완벽하다.   •   • 반박(反駁)

• **여지** 남을 餘 땅 地
어떤 일을 하거나 어떤 일이 일어
날 가능성이나 희망.

08. ㉠ 은행에서 사업 자금을 □□했다.   •   • 차용(借用)

㉡ 회사에서 신입 사원을 □□했다.   •   • 채용(債用)

09. ㉠ 걱정과 근심은 □□ 털어 버립시다.   •   • 일절(一切)

㉡ 이곳은 출입을 □□ 금하고 있습니다.   •   • 일체(一切)

10. ㉠ 청소를 하고 나니 힘이 다 □□되었다.   •   • 미진(未盡)

㉡ 마음 한 구석 뭔가 □□한 게 남아 있다.   •   • 소진(消盡)

11~15 다음 빈칸에 적절한 단어를 〈보기〉에서 찾아 쓰시오.

11. 나는 아쉽게도 그 방면에 □□□이다.

12. 이 팀의 수비는 가히 □□□이다.

13. 그 노인은 나이가 들수록 □□□을 부린다.

14. 고등학교 시절이 인생의 □□□이라고 한다.

15. 그 방법은 □□□에 불과하다.

● 보기 ●

미봉책(彌縫策)   옹고집(壅固執)   철옹성(鐵甕城)   문외한(門外漢)   분수령(分水嶺)

16~19 예문을 참고하여 주어진 뜻에 해당하는 단어를 고르시오.

16.
어떤 형상을 이룸.
예 청소년기는 인격을 □□하는 데에 매우 중요한 시기다.

① 형색(形色)   ② 형성(形成)   ③ 형식(形式)   ④ 형용(形容)   ⑤ 형질(形質)

17.
관련성이 없이 서로 다름.
예 그녀는 자신의 삶과 어머니의 삶은 □□라고 생각했다.

① 별개(別個)   ② 별거(別居)   ③ 별도(別途)   ④ 별리(別離)   ⑤ 별차(別差)

18.
진리나 사실, 입장 따위를 드러내어 밝힘.
예 개혁의 의지를 세계만방에 □□하다.

① 변명(辨明)   ② 증명(證明)   ③ 천명(闡明)   ④ 판명(判明)   ⑤ 해명(解明)

19.
학문이나 기술 따위를 배워서 자기 것으로 함.
예 그 교육을 수료*하면 기술 □□에 도움이 된다.

① 터득(攄得)   ② 납득(納得)   ③ 습득(習得)   ④ 체득(體得)   ⑤ 취득(取得)

•**수료** 닦을 修 마칠 了
일정한 학과를 다 배워 끝냄.

20.

① 굴지(屈指): 매우 뛰어나 수많은 가운데서 손꼽힘.
② 방심(放心): 마음을 다잡지 아니하고 풀어 놓아 버림.
③ 생경(生梗): 두 사람 사이에 불화가 생김.
④ 울화(鬱火): 근심스럽거나 답답하여 활기가 없음.
⑤ 혜안(慧眼): 사물을 꿰뚫어 보는 안목과 식견*.

• 식견 알 識 볼 見
학식과 견문이라는 뜻으로, 사물을 분별할 수 있는 능력을 이르는 말.

21.

① 갹출(醵出): 같은 목적을 위하여 여러 사람이 돈을 나누어 냄.
② 남발(濫發): 어떤 말이나 행동 따위를 자꾸 함부로 함.
③ 후천(後天): 태어난 뒤에 여러 가지 경험이나 지식에 의하여 지니게 된 것.
④ 잉여(剩餘): 쓰고 난 후 남은 것.
⑤ 현학(衒學): 학식이 많고 깊은 사람.

22.

① 기저(基底): 사물의 뿌리나 밑바탕이 되는 기초.
② 난무(亂舞): 함부로 나서서 마구 날뜀을 비유적으로 이르는 말.
③ 도태(淘汰): 여럿 중에서 불필요하거나 부적당한 것을 줄여 없앰.
④ 탁견(卓見): 올바르지 못하고 요사*스러운 생각이나 의견.
⑤ 호출(呼出): 전화나 전신 따위의 신호로 상대편을 부르는 일.

• 요사 요사할 妖 간사할 邪
요망하고 간사함.

23.

① 결함(缺陷): 다른 것에 비하여 특별히 눈에 뜨이는 점.
② 과대(誇大): 작은 것을 큰 것처럼 과장함.
③ 당파(黨派): 주의, 주장, 이해를 같이하는 사람들이 뭉쳐 이룬 단체나 모임.
④ 탐닉(耽溺): 어떤 일을 몹시 즐겨서 거기에 빠짐.
⑤ 폄하(貶下): 가치를 깎아내림.

🔖 3회독 채점표

채점	회독 / 학습일자	1회독 / 월 일	2회독 / 월 일	3회독 / 월 일
맞힌 문항 수		_____개 / **23**문항	_____개 / **23**문항	_____개 / **23**문항
틀린 문항 번호				

적용 문제

· 정답 및 해설 24쪽

1 ⓐ와 바꾸어 쓰기에 가장 적절한 단어는?

> 우리 모두는 특정 개인과 특별한 친분 관계를 유지하면서 살아간다. 상대가 가족인 경우는 개인적 인간관계의 친밀성과 중요성이 매우 강하다. 가족 관계라 하여 상대에게 ⓐ특별한 개인적 선호를 표현하는 행동이 과연 도덕적으로 정당화될 수 있을까? 만약 허용된다면 어느 선까지 가능할까?

① 각별한   ② 고유한   ③ 독특한
④ 상이한   ⑤ 특이한

2 ㉠과 바꾸어 쓰기에 가장 적절한 것은?

> 근대 사진은 현실과 영상 사이에 ㉠벌어져 있는 이 틈을 미처 발견하지 못했다. 현실이 곧 사진이요, 사진이 곧 현실이라고 생각했다. 현대 사진은 현실과 영상 사이에 벌어져 있는 이 틈을 발견한 데서 출발한다. 그 틈을 정확히 보고, 자기 나름대로 채색도 하고 두께도 만들어 활용하는 것이 현대 사진인 것이다.

① 괴리(乖離)   ② 단절(斷絶)   ③ 상충(相衝)   ④ 격리(隔離)   ⑤ 차별(差別)

3 ㉠과 ㉡에 공통적으로 들어가기에 가장 적절한 단어는?

> 우리 몸은 단백질의 합성과 분해를 끊임없이 반복한다. 단백질 합성은 아미노산을 연결하여 긴 사슬을 만드는 (㉠)인데, 20여 가지의 아미노산이 체내 단백질 합성에 이용된다. 단백질 합성에서 아미노산들은 DNA 염기 서열에 담긴 정보에 따라 정해진 순서로 결합된다. 단백질 분해는 아미노산 간의 결합을 끊어 개별 아미노산으로 분리하는 (㉡)이다. 체내 단백질 분해를 통해 오래되거나 손상된 단백질이 축적되는 것을 막고, 우리 몸에 부족한 에너지인 포도당을 보충할 수 있다.

① 과락(科落)   ② 과실(過失)   ③ 과오(過誤)   ④ 과정(過程)   ⑤ 과제(課題)

4, 5 다음 글을 읽고 물음에 답하시오.

나는 숨을 죽이고 지그시 아픔을 견디며, 하나의 아픈 날을 ⓐ회상한다. 꼭 이만큼이나 아팠던 날을. 그것은 아마 나의 고가(古家)가 헐리던 날이었을 게다.

남편은 결혼식을 치르자 제일 먼저 고가의 철거를 주장했다. 터무니없이 넓은 대지에 불합리한 구조로 서 있는 ⓑ음침한 고가는 불필요한 방들만 많고 손댈 수 없이 퇴락했으니, 깨끗이 헐어 내고 대지의 반쯤을 처분해서 쓸모 있는 (㉠   ) 양옥을 짓자는 것이었다.

너무도 당연한 소리였다. 반대할 이유라곤 없었다.

고가의 철거는 신속히 이루어졌다. 나는 그 해체를 견딜 수 없는 아픔으로 지켰다.

우아한 추녀와 드높은 용마루는 헌 기왓장으로 해체되고, 웅장한 대들보와 길들은 기둥목, 아른거리던 바둑마루는 허술한 장작더미처럼 나자빠졌다.

숱한 애환을 가려 주던 〈亞〉자 창들이 문짝 장사의 손구루마에 ⓒ난폭하게 실렸다.

남편은 이런 장사꾼들과 몇 푼의 돈 때문에 큰소리로 삿대질까지 해 가며 영악하게 흥정을 했다.

남편 하나는 참 잘 만났느니라고 사돈댁—지금의 동서—은 연신 뻐드러진 이를 드러내고 내 등을 쳤다.

이렇게 해서 나의 고가는 완전히 해체되어 몇 푼의 돈으로 바뀌었나 보다.

아버지와 오빠들이 그렇게도 사랑하던 집, 어머니가 임종의 날까지 그렇게도 집착하던 고가. 그것을 그들이, 생면부지의 낯선 사나이가 산산이 해체해 놓고 만 것이다.

그러나 생각해 보면 고가의 해체는 행랑채에 구멍이 뚫린 날부터 이미 비롯된 것이었고 한번 시작된 해체는 누구에 의해서고 끝막음을 보아야 할 것 아닌가.

다시, 다시는 아침 햇살 속에 기왓골에 서리를 이고 서 있는 ⓓ숙연한 고가를 볼 수 없다니.

그러나 나는 나 자신의 육신이 해체되는 듯한 아픔을 ⓔ의연히 견디었다. 실상 나는 고가의 해체에 곁들여 나 자신의 해체를 시도하고 있었는지도 모를 일이었다.

— 박완서, 「나목(裸木)」

4 문맥과 단어의 의미를 고려할 때, ㉠에 들어가기에 가장 적절한 단어는?

① 간편(簡便)한: 간단하고 편리한.
② 견고(堅固)한: 굳고 단단한.
③ 팽팽(膨膨)한: 분위기 따위가 한껏 부풀어 있는.
④ 풍요(豊饒)한: 흠뻑 많아서 넉넉함이 있는.
⑤ 화려(華麗)한: 환하게 빛나며 곱고 아름다운.

5 ⓐ~ⓔ의 뜻풀이로 적절하지 않은 것은?

① ⓐ: 지난 일을 돌이켜 생각한다.
② ⓑ: 분위기가 어두컴컴하고 스산한.
③ ⓒ: 이럴 수도 없고 저럴 수도 없어 처신하기 곤란하게.
④ ⓓ: 고요하고 엄숙한.
⑤ ⓔ: 의지가 굳세어서 끄떡없이.

9일차 — 한자어 ⑥

• 정답 및 해설 25쪽

01~05 다음 ( ) 안에 적절한 단어를 고르시오.

01. 그 사람은 대화의 (맥락/계통)을 잘 잡지 못하는 것 같아.

02. 이제 고등학생이 되었으니 (구별/분별) 있게 행동해야지.

03. 열심히 공부하는 것은 꿈을 (실현/단행)하는 하나의 수단*이다.

04. 지도자들은 (민심/심정)을 잘 읽어야 좋은 정치를 할 수 있다.

05. 개인의 자유를 (억압/강박)하는 것은 바람직하지 않다.

• **수단** 손 手 층계 段
어떤 목적을 이루기 위한 방법. 또는 그 도구.

06~12 다음의 의미에 적절한 단어를 고르시오.

06.
어떤 문제에 대한 하나의 논리적 판단 내용과 주장.

① 문제(問題)　② 명제(命題)　③ 제목(題目)　④ 제호(題號)　⑤ 표제(標題)

07.
받아들이지 아니하고 물리쳐 제외함.

① 박제(剝製)　② 유제(類題)　③ 부제(副題)　④ 배제(排除)　⑤ 도제(徒弟)

08.
여럿이 함께 무슨 일을 하거나 함께 책임을 짐.

① 협동(協同)　② 연대(連帶)　③ 단결(團結)　④ 단합(團合)　⑤ 결속(結束)

09.
사실과 다르게 해석하거나 그릇되게 함.

① 조작(造作)　② 허구(虛構)　③ 왜곡(歪曲)　④ 위조(僞造)　⑤ 변조(變造)

10.
둘 사이에서 양편의 관계를 맺어 줌.

① 매개(媒介)　② 소개(紹介)　③ 추천(推薦)　④ 안내(案內)　⑤ 중재(仲裁)

11.
어떤 것을 이루어 보려고 계획하거나 행동함.

① 시도(試圖)　② 의도(意圖)　③ 구상(構想)　④ 예상(豫想)　⑤ 준비(準備)

12.

자기의 마음을 반성하고 살핌.

① 각성(覺醒)　② 고찰(考察)　③ 숙고(熟考)　④ 재고(再考)　⑤ 성찰(省察)

13~15 다음 빈칸에 공통으로 들어가기에 적절한 단어를 고르시오.

13.

• 그가 범인이라는 것은 너무나도 □□한 사실이다.
• 계약 기간에 관한 규정이 □□한지 잘 살펴야 한다.

① 진솔(眞率)　② 확고(確固)　③ 진실(眞實)　④ 명확(明確)　⑤ 정직(正直)

14.

• 우리 사회에는 물질 만능주의가 □□해 있다.
• 법을 지키지 않아도 된다는 의식이 □□한 사회는 질서를 잃게 될 것이다.

① 만연(蔓延)　② 유행(流行)　③ 확산(擴散)　④ 파급(波及)　⑤ 허다(許多)

15.

• 분위기를 □□할 필요가 있다.
• 영희는 나빠진 이미지를 □□하기 위해 애를 썼다.

① 개혁(改革)　② 쇄신(刷新)　③ 갱신(更新)　④ 혁명(革命)　⑤ 보수(補修)

16~20 다음 밑줄 친 부분과 바꿔 쓰기에 가장 적절한 단어를 고르시오.

16.

단백질을 가열하거나 압력, 진동 등을 주면 성질이 변하게 될 수 있다.

① 변천(變遷)할　　② 변신(變身)할　　③ 변경(變更)될
④ 변모(變貌)될　　⑤ 변성(變性)될

평가원 기출

17.

가장 효율*적인 작업 동선*을 만들 수 있도록 방법을 찾아야 합니다.

① 물색(物色)해야　　② 색출(索出)해야　　③ 모색(摸索)해야
④ 검출(檢出)해야　　⑤ 수색(搜索)해야

18.

이런 일이 다시는 생기지 않도록 친구들과 사이좋게 지내라.

① 생성(生成)하지　　② 부상(浮上)하지　　③ 발생(發生)하지
④ 유래(由來)하지　　⑤ 발발(勃發)하지

• **효율** 본받을 效 비율 率
들인 노력과 얻은 결과의 비율.

• **동선** 움직일 動 선 線
건축물의 내외부에서, 사람이나 물건이 어떤 목적이나 작업을 위하여 움직이는 자취나 방향을 나타내는 선.

19.

> 이 일을 하려면 <u>앞서 시행되는</u> 작업이 있어야 한다.

① 선행(先行)되는   ② 선발(先發)되는   ③ 전횡(專橫)되는
④ 서행(徐行)되는   ⑤ 진행(進行)되는

20.

> 장자는 기이한 모습을 한 새에 넋을 잃고 쫓아갔다.

① 혼미(昏迷)해서   ② 미혹(迷惑)해서   ③ 실추(失墜)해서
④ 산란(散亂)해서   ⑤ 혼잡(混雜)해서

21. 다음 단어의 사전적 의미가 적절한 것은?

① 기이(奇異): 일정한 상태나 처지에서 완전히 벗어남.
② 지배(支配): 남의 명령이나 의사를 그대로 따라서 좇음.
③ 도전(挑戰): 어떤 분야의 종전* 최고치나 최저치를 깨뜨림.
④ 보급(普及): 널리 펴서 많은 사람들에게 골고루 미치게 하여 누리게 함.
⑤ 해설(解說): 상대편이 이쪽 편의 이야기를 따르도록 여러 가지로 깨우쳐 말함.

• **종전** 좇을 從 앞 前
지금보다 이전.

22. 다음 밑줄 친 단어의 활용이 적절하지 않은 것은?

① 남에게 책임을 <u>전가</u>하면 안 된다.
② 그와는 오래 <u>밀접</u>하여 연락처도 모른다.
③ 그 곳은 연구소로서의 <u>구색</u>을 어느 정도 갖추었다.
④ 나는 도서관에 가다가 옛 친구를 <u>조우</u>하였다.
⑤ 컴퓨터의 사용으로 <u>색인</u>하는 작업이 간편해졌다.

3회독 채점표

채점 \ 회독 / 학습일자	1회독 / 월 일	2회독 / 월 일	3회독 / 월 일
맞힌 문항 수	_____개 / **22**문항	_____개 / **22**문항	_____개 / **22**문항
틀린 문항 번호			

· 정답 및 해설 29쪽

01~05 다음 (　　) 안에 적절한 단어를 고르시오.

01. 직접적인 (연관/연합)도 없는 사람에게 물어볼 수는 없지.

02. 나는 보고서를 300부 더 복사해 달라고 (요청/권장)했다.

03. (각자/상호) 간에 신뢰를 쌓는 일은 매우 중요하다고 생각한다.

04. 나는 내가 글쓰기를 잘한다는 점을 (부각/자각)하기로 마음먹었다.

05. 그는 다른 사람보다 (우월/탁월)한 지위를 차지했지만 자만˙하지 않았다.

· **자만** 스스로 自 거만할 慢
자신이나 자신과 관련 있는 것을 스스로 자랑하며 뽐냄.

· **일련** 한 一 잇닿을 連
하나로 이어지는 것.

06~12 예문을 참고하여 주어진 뜻에 해당하는 단어를 고르시오.

06.
> 어떤 사실을 인정하여 앎. 자극을 받아들이고, 저장하고, 인출하는 일련˙의 정신 과정.
> 예 나는 상황이 바뀌었다는 것을 미처 □□하지 못했다.

① 인지(認知)　② 긍지(矜持)　③ 인식(認識)　④ 가식(假飾)　⑤ 투지(鬪志)

07.
> 대상을 두루 생각하는 일. 개념, 구성, 판단, 추리 따위를 행하는 인간의 이성 작용.
> 예 그는 깊은 □□을/를 통해 사랑의 의미를 깨달았다.

① 명상(冥想)　② 관조(觀照)　③ 사색(思索)　④ 사유(思惟)　⑤ 전망(展望)

08.
> 어떤 사물이 다른 사물과의 관계 속에서 가지는 위치나 상태.
> 예 국제 사회에서 우리나라의 □□을/를 강화해야 한다.

① 관점(觀點)　② 지점(地點)　③ 위상(位相)　④ 계급(階級)　⑤ 위계(位階)

09.
> 이성을 잃어 적절한 분별이나 판단을 못하는 일.
> 예 그는 □□(으)로 열중했던 권력을 잃고 크게 낙심했다.

① 몰두(沒頭)　② 주목(注目)　③ 몰입(沒入)　④ 주시(注視)　⑤ 맹목(盲目)

10.
> 어떤 일이 끝난 뒤에 남아 미치는 영향.
> 예 체육대회의 □□ 때문에 학급 분위기는 여전히 들떠 있었다.

① 파란(波瀾)　② 여파(餘波)　③ 풍파(風波)　④ 분란(紛亂)　⑤ 여운(餘韻)

11.

> 세금이나 부담금 따위를 매기어 부담하게 함.
> ⑩ 정부는 생필품의 수출입에는 관세 □□을/를 없앨 예정이다.

① 부과(賦課)　② 부가(附加)　③ 전가(轉嫁)　④ 사명(使命)　⑤ 가중(加重)

12.

> 어떤 사실이나 주장 따위에 근거를 두어 그 입장에 섬.
> ⑩ 나의 주장은 사실에 □□한 것이다.

① 처지(處地)　② 당면(當面)　③ 표명(表明)　④ 논증(論證)　⑤ 입각(立脚)

13~15 다음 빈칸에 공통으로 들어가기에 적절한 단어를 고르시오.

13.

> • 그는 독선°과 □□에 빠져 있다.
> • □□을/를 버리고 넓게 세상을 보아야 한다.

① 집념(執念)　② 오기(傲氣)　③ 아집(我執)　④ 억지(抑止)　⑤ 애착(愛着)

° 독선 홀로 獨 착할 善
자기 혼자만이 옳다고 믿고 행동
하는 일.

14.

> • 속마음은 그렇지 않으면서 □□(으)로 가득찬 사람들이 있다.
> • □□을/를 벗고 진정한 자신을 만나야 할 시점이다.

① 혐의(嫌疑)　② 위선(僞善)　③ 양심(良心)　④ 정체(正體)　⑤ 본색(本色)

15.

> • 수진이는 □□하게 지각을 하였다.
> • 할머니와 그녀는 왕래가 □□한 사이였다.

① 빈번(頻繁)　② 빈출(頻出)　③ 소원(疏遠)　④ 무지(無知)　⑤ 무성(茂盛)

16~20 다음 밑줄 친 부분과 바꿔 쓰기에 가장 적절한 단어를 고르시오.

16.

> 타인의 물건을 함부로 가져가는 경우에는 처벌 받을 수 있다.

① 소지(所持)하는　② 보전(保全)하는　③ 수취(收取)하는
④ 보유(保有)하는　⑤ 유지(維持)하는

17.

> 나는 학생들을 가르치는 일에 온 힘을 다했다.

① 도모(圖謀)했다.　② 빙자(憑藉)했다.　③ 의탁(依託)했다.
④ 기탁(寄託)했다.　⑤ 매진(邁進)했다.

• **기치** 기 旗 기 幟
일정한 목적을 위하여 내세우는
태도나 주장.

18.

> 개혁의 기치°에 꼭 들어맞는 인물을 새로이 뽑고자 합니다.

① 동조(同調)하는   ② 찬동(贊同)하는   ③ 호응(呼應)하는
④ 부합(符合)하는   ⑤ 타결(妥結)하는

19.

> 아무 잘못도 없는 사람을 감옥에 가두어서는 안 된다.

① 무고(無辜)한   ② 청렴(淸廉)한   ③ 강건(剛健)한
④ 무탈(無頉)한   ⑤ 순결(純潔)한

20.

> 자기 중심으로 세상을 바라보면 다른 사람의 입장을 이해하기 어렵다.

① 법규(法規)로   ② 본위(本位)로   ③ 척도(尺度)로
④ 범주(範疇)로   ⑤ 표준(標準)으로

21. **다음 단어의 사전적 의미가 적절하지 않은 것은?**

① 습성(習性): 습관이 되어 버린 성질.
② 국면(局面): 어떤 일이 벌어진 장면이나 형편.
③ 기습(奇襲): 어떤 일 따위가 뜻밖에 갑자기 들이침.
④ 요식(要式): 일정한 규정이나 방식에 따라야 할 양식.
⑤ 선도(先導): 사람이나 물건을 목적한 장소나 방향으로 이끎.

22. **다음 밑줄 친 단어의 쓰임이 적절하지 않은 것은?**

① 재시험은 치르지 않는 것으로 낙착되었다.
② 시대가 바뀌면서 효에 대한 가치관이 많이 변환하였다.
③ 모서리에 작은 조각을 넣어 고급스러운 느낌을 가미했다.
④ 소문이 윤색되어 사실과는 다른 이야기가 널리 퍼지게 되었다.
⑤ 자네가 곡진한 말로 동생을 타일렀는데도 말을 듣지 않으니 이제 포기하게.

📖 3회독 채점표

채점 \ 회독 / 학습일자	1회독 / 월 일	2회독 / 월 일	3회독 / 월 일
맞힌 문항 수	_____개 / **22문항**	_____개 / **22문항**	_____개 / **22문항**
틀린 문항 번호			

11 일차 → 한자어 ⑧

• 정답 및 해설 32쪽

01~05 다음 ( ) 안에 적절한 단어를 고르시오.

01. 저는 그 일을 해낼 수 있는 (역량/용량)이 부족합니다.

02. 고객들의 불만을 해결할 획기적인 (강령/방안)이 필요합니다.

03. 일을 벌여놓기만 하고 (수습/수탈)하지 않으면 어쩌자는 것이냐?

04. 거대한 폭풍우로 고대 도시 국가가 흔적도 없이 (멸절/요절)하였다.

05. 그의 말은 (경지/이치)에 맞는 말이었지만 나는 바로 수긍*할 수는 없었다.

> • **수긍** 머리 首 옳이 여길 肯
> 옳다고 인정함.

06~12 예문을 참고하여 주어진 뜻에 해당하는 단어를 고르시오.

06.
> 연습을 많이 하여 능숙하게 익힘.
> ⓔ 이제는 □□이 되어서 광어를 잘 손질할 수 있다.

① 세련(洗練)　② 숙련(熟練)　③ 수양(修養)　④ 성숙(成熟)　⑤ 숙성(熟成)

07.
> 권력이나 폭력으로 남을 꼼짝 못 하게 강제로 누름.
> ⓔ 그 어떤 폭력이나 □□도 우리의 마음까지 지배할 수는 없다.

① 구속(拘束)　② 억류(抑留)　③ 제한(制限)　④ 압제(壓制)　⑤ 한도(限度)

08.
> 논하는 말이나 글의 뜻이나 의도.
> ⓔ 이 글은 □□을/를 알 수 없다.

① 논란(論難)　② 반론(反論)　③ 추궁(追窮)　④ 토로(吐露)　⑤ 논의(論意)

09.
> 주된 것이나 기본적인 것에 붙어서 따름. 또는 그러한 것에 붙어 따르게 함.
> ⓔ 기본적인 업무 외에 □□ 업무가 많아 고달프다.

① 전념(專念)　② 선동(煽動)　③ 부수(附隨)　④ 부착(附着)　⑤ 주도(主導)

10.
> 어떤 처지나 상태에 부닥침.
> ⓔ 회사의 경영난 □□(으)로 CEO가 자리에서 물러나게 되었다.

① 상봉(相逢)　② 봉착(逢着)　③ 착수(着手)　④ 상충(相衝)　⑤ 장착(裝着)

11.

> 기운차게 일어나거나 대단히 번성*함.
> ⑩ 역사 시간에 한 국가의 □□와/과 멸망에 대해 배웠다.

① 발육(發育)　② 소생(蘇生)　③ 생장(生長)　④ 융화(融和)　⑤ 융성(隆盛)

12.

> 사사로운 이익을 위하여 아첨하며 좇음.
> ⑩ 그는 약삭빠르게 세태에 □□하여 출세를 했다.

① 영합(迎合)　② 순진(純眞)　③ 항거(抗拒)　④ 시인(是認)　⑤ 용납(容納)

13~15 다음 빈칸에 공통으로 들어가기에 적절한 단어를 고르시오.

13.

> • 그까짓 돈에 □□이/가 되면 진정한 친구가 될 수 없다.
> • 주식을 비싼 값으로 □□했다.

① 매각(賣却)　② 매수(買收)　③ 매입(買入)　④ 구매(購買)　⑤ 구입(購入)

14.

> • 지나친 □□은/는 사회관계를 파괴한다.
> • 많은 사람들이 그 □□ 정책을 반대했다.

① 반발(反撥)　② 배타(排他)　③ 충돌(衝突)　④ 굴복(屈服)　⑤ 대치(對峙)

15.

> • 성적 □□ 결과 그녀가 1등이었다.
> • 생산량 □□ 방식이 도무지 이해가 가지 않는다.

① 연산(演算)　② 회계(會計)　③ 가산(加算)　④ 산출(算出)　⑤ 타산(打算)

16~20 다음 밑줄 친 부분과 바꿔 쓰기에 가장 적절한 단어를 고르시오.

평가원 기출

16.

> 공포가 내면화*되면 사람들은 소극적 자기 방어 행동에만 <u>온 정신을 기울이게</u> 된다.

① 전락(轉落)하게　　② 탐닉(耽溺)하게　　③ 분산(分散)하게
④ 몰두(沒頭)하게　　⑤ 경도(傾倒)하게

17.

> 지금처럼 하다가는 이 상태를 그대로 <u>지탱하는</u> 것도 어려울 것 같다.

① 견지(堅持)하는　　② 이행(履行)하는　　③ 수비(守備)하는
④ 방비(防備)하는　　⑤ 유지(維持)하는

18.

> 올림픽 준비위원회는 고심* 끝에 새로운 개최지를 뽑았다.

① 감정(鑑定)했다.　　② 판정(判定)했다.　　③ 인정(認定)했다.
④ 선정(選定)했다.　　⑤ 검정(檢定)했다.

19.

> 이 책상은 조립이 매우 쉬운 것이 장점이다.

① 난해(難解)한　　② 용이(容易)한　　③ 원만(圓滿)한
④ 온당(穩當)한　　⑤ 안일(安逸)한

평가원 기출
20.

> 삶의 풍요와 편의를 위해 위험을 내버려 두면 안 된다.

① 방치(放置)하면　　② 축출(逐出)하면　　③ 방지(防止)하면
④ 숙청(肅淸)하면　　⑤ 수수(收受)하면

21. 다음 단어의 사전적 의미가 적절하지 않은 것은?

① 특유(特有): 일정한 사물만이 특별히 가지고 있음.
② 지칭(指稱): 어떤 대상을 가리켜 이르는 일.
③ 인내(忍耐): 정도에 넘지 아니하도록 알맞게 조절하여 제한함.
④ 결박(結縛): 몸이나 손 따위를 움직이지 못하도록 동이어 묶음.
⑤ 여간(如干): 그 상태가 보통으로 보아 넘길 만한 것임을 나타내는 말.

22. 다음 밑줄 친 단어의 쓰임이 적절하지 않은 것은?

① 그는 불편한 기색을 내비쳤다.
② 금값이 점점 오르고 있는 추세이다.
③ 이번 사태의 책임은 모두 내가 지겠다.
④ 언니의 동태를 잘 살피라는 아버지의 지시를 받았다.
⑤ 주인에게서 귀중한 물건의 의탁을 받아 보관하고 있다.

3회독 채점표

채점 　　　　회독 / 학습일자	1회독 / 　월　일	2회독 / 　월　일	3회독 / 　월　일
맞힌 문항 수	_____개 / **22문항**	_____개 / **22문항**	_____개 / **22문항**
틀린 문항 번호			

12 일차 → 한자어 ⑨

·정답 및 해설 35쪽

01~05 다음 ( ) 안에 적절한 단어를 고르시오.

01. 최근에 있었던 정부의 발표는 사회에 큰 (반증/반향)을 불러일으켰다.

02. 그는 조각상에 깃든 초자연적 힘을 보자 (외경/외람)하는 마음이 일어났다.

03. 그 국회 의원이 제안한 법은 상위법에 (배치/안배)하는 부분들이 다소 많다.

04. 이 시의 화자는 울고 있는 새에게 감정을 (이입/전입)하여 시상을 전개하고 있다.

05. 이 내용은 학생들이 이해하기 어려우니 (개연/부연) 설명이 필요할 것 같네요.

06~11 예문을 참고하여 주어진 뜻에 해당하는 단어를 고르시오.

• **융통성** 녹을 融 통할 通 성품 性
「1」 금전, 물품 따위를 돌려쓸 수 있는 성질.
「2」 그때그때의 사정과 형편을 보아 일을 처리하는 재주. 또는 일의 형편에 따라 적절하게 처리하는 재주.

06.
> 융통성*이 없이 올곧고 고집이 세다.
> 예 그는 남의 의견은 무조건 배척하면서 □□하게 자기주장만 한다.

① 완고(頑固)　② 강직(剛直)　③ 강건(剛健)　④ 불손(不遜)　⑤ 근엄(謹嚴)

07.
> 어떤 대상이 친숙하지 못하고 낯이 설다.
> 예 그 단어는 나에게 □□하여 의미를 짐작하기가 어려웠다.

① 노련(老鍊)　② 숙지(熟知)　③ 미숙(未熟)　④ 생소(生疏)　⑤ 능란(能爛)

08.
> 격이 낮고 속되다.
> 예 □□한 말은 고운 말로 바꾸어 쓰자.

① 비속(卑俗)　② 야비(野卑)　③ 비루(鄙陋)　④ 남루(襤褸)　⑤ 비상(非常)

09.
> 말하는 투가, 듣는 사람의 감정이 상하지 않도록 모나지 않고 부드럽다.
> 예 나는 □□한 말투로 그의 잘못을 지적했다.

① 원만(圓滿)　② 유려(流麗)　③ 완곡(婉曲)　④ 유창(流暢)　⑤ 온건(穩健)

10.
> 동일한 성질을 가진 부류나 범위.
> 예 같은 □□에 속하는 단어들끼리 묶어 보자.

① 개념(槪念)　② 범주(範疇)　③ 구획(區劃)　④ 분류(分類)　⑤ 세목(細目)

11. 논리나 사고방식 따위가 그 차례나 단계를 따르지 아니하고 뛰어넘음.
예 실수 한번 한 것을 가지고 그 사람의 성격을 모두 파악했다고 하는 것은 ☐☐이다.

① 궤변(詭辯)　　② 오류(誤謬)　　③ 비약(飛躍)　　④ 억설(臆說)　　⑤ 오해(誤解)

12~14 다음 빈칸에 공통으로 들어가기에 적절한 단어를 고르시오.

12.
• 우리나라는 ☐☐한 역사를 가지고 있다.
• ☐☐한 어조로 경건한 분위기를 조성하고 있다.

① 유구(悠久)　　② 무궁(無窮)　　③ 영구(永久)　　④ 무한(無限)　　⑤ 유장(悠長)

13.
• 사안*의 ☐☐에 따라 행정 관서의 지원에 차별이 있을 수 있다.
• 효과적인 말하기를 위해서는 ☐☐을/를 조절하는 것이 좋다.

① 이완(弛緩)　　② 해이(解弛)　　③ 완급(緩急)　　④ 완충(緩衝)　　⑤ 완화(緩和)

• **사안** 일 事 책상 案
법률이나 규정 따위에서 문제가 되는 일이나 안.

14.
• 심판의 ☐☐(으)로 금메달을 놓쳤다.
• 그의 ☐☐은/는 회사의 큰 손실로 이어졌다.

① 혼동(混同)　　② 오심(誤審)　　③ 착시(錯視)　　④ 오판(誤判)　　⑤ 차질(蹉跌)

15~19 다음 밑줄 친 부분과 바꿔 쓰기에 가장 적절한 것을 고르시오.

수능 기출

15. 오늘날에는 미적 감수성*을 깊이 있는 지혜의 하나로 보는 견해가 있다.

① 심각(深刻)한　　② 미묘(微妙)한　　③ 심오(深奧)한
④ 묵중(黙重)한　　⑤ 고상(高尚)한

• **감수성** 느낄 感 받을 受 성품 性
외부 세계의 자극을 받아들이고 느끼는 성질.

16. 운수가 좋게도 이번 시험을 통과할 수 있었다.

① 요긴(要緊)하게도　　② 간절(懇切)하게도　　③ 절실(切實)하게도
④ 시급(時急)하게도　　⑤ 요행(僥倖)하게도

17. 그녀는 슬픔에 빠져 있는 사람들을 어루만지며 달래고 있었다.

① 종용(慫慂)하고　　② 위무(慰撫)하고　　③ 회유(懷柔)하고
④ 사주(使嗾)하고　　⑤ 치하(致賀)하고

18.

> 집에서 학교까지는 걸어서 15분 정도 걸리는 거리이다.

① 저축(貯蓄)되는　　② 소비(消費)되는　　③ 허비(虛費)되는
④ 소요(所要)되는　　⑤ 적발(摘發)되는

평가원 기출

19.

> 사실을 과장하거나 왜곡*해서 받아들이면 안 된다.

① 수용(受容)하면　　② 도입(導入)하면　　③ 신봉(信奉)하면
④ 신뢰(信賴)하면　　⑤ 접수(接受)하면

• 왜곡 기울 歪 굽을 曲
사실과 다르게 해석하거나 그릇되게 함.

수능 기출

20. 다음 단어의 사전적 의미가 적절하지 않은 것은?

① 개입(介入): 자신과 직접적인 관계가 없는 일에 끼어듦.
② 확산(擴散): 흩어져 널리 번짐.
③ 소지(所持): 얻어 내거나 얻어 가짐.
④ 피력(披瀝): 생각하는 것을 털어놓고 말함.
⑤ 간주(看做): 상태, 모양, 성질 따위가 그와 같다고 봄. 또는 그렇다고 여김.

21. 다음 밑줄 친 단어의 쓰임이 적절하지 않은 것은?

① 나는 부회장에게 내 모든 권한을 용인하였다.
② 나는 그 일을 없던 것으로 무마하려고 애썼다.
③ 그는 친구들과 오랜 시간 동안 돈독한 관계를 유지했다.
④ 힘으로만 하지 말고 요령을 익히면 일을 더 쉽게 할 수 있다.
⑤ 이 차는 연식이 오래되어 팔아도 좋은 값을 받지 못할 것이다.

📖 3회독 채점표

회독 / 학습일자 채점	1회독 / 월 일	2회독 / 월 일	3회독 / 월 일
맞힌 문항 수	_____개 / **21문항**	_____개 / **21문항**	_____개 / **21문항**
틀린 문항 번호			

13 일차 → 한자어 ⑩

· 정답 및 해설 38쪽

01~05 다음 ( ) 안에 적절한 단어를 고르시오.

01. 지나가다 물을 맞다니, 이게 무슨 (모멸/봉변)이람?

02. 그에게 이런 소년 같은 (면모/용모)가 있는 줄은 몰랐다.

03. 나는 학원에서 (만성/속성)으로 기술을 배워 금방 취직하였다.

04. 그 사람은 나를 올바른 사람이 되도록 (유도/인도)해 준 위인이다.

05. 3년 동안 들었던 적금의 (만기/만료)가 얼마 남지 않아 마음이 설렌다.

06~12 예문을 참고하여 주어진 뜻에 해당하는 단어를 고르시오.

06.
> 두 가지 이상의 것을 한곳에 나란히 두거나 설치함.
> 예 큰 방과 작은 방의 □□ 구조는 집을 좁아 보이게 할 수도 있다.

① 장치(裝置)　② 설립(設立)　③ 가설(假設)　④ 병치(併置)　⑤ 부설(附設)

07.
> 넌지시 알림. 또는 그 내용.
> 예 그 꿈은 신이 나에게 내려 준 일종의 □□(이)라고 볼 수 있지 않을까?

① 암시(暗示)　② 언질(言質)　③ 조언(助言)　④ 내포(內包)　⑤ 함축(含蓄)

08.
> 사람들의 일상생활, 풍습 따위에서 보이는 세상의 상태나 형편.
> 예 할머니는 요즘 사람들의 각박한 □□에 혀를 찼다.

① 세파(世波)　② 시국(時局)　③ 세태(世態)　④ 세간(世間)　⑤ 속세(俗世)

09.
> 마음에 간절히 생각하고 기원* 함. 또는 그런 것.
> 예 통일은 우리의 오래된 □□이다.

① 비망(非望)　② 염원(念願)　③ 촉망(囑望)　④ 예기(豫期)　⑤ 포부(抱負)

• **기원** 빌 祈 원할 願
바라는 일이 이루어지기를 빎.

10.
> 뜻이 높고 고상함.
> 예 그의 죽음이 가져다준 □□한 교훈을 우리는 영원히 잊지 못할 것이다.

① 숭고(崇高)　② 신성(神聖)　③ 존엄(尊嚴)　④ 미천(微賤)　⑤ 우아(優雅)

11.

> 도덕, 질서, 규범 따위가 어지러움.
> 예 기강의 □□은 좋지 않은 결과를 가져온다.

① 퇴락(頹落)　② 문란(紊亂)　③ 탈선(脫線)　④ 일탈(逸脫)　⑤ 방탕(放蕩)

12.

> 사물이나 현상의 모양이나 상태.
> 예 사건의 □□이/가 점점 복잡해지고 있었다.

① 자태(姿態)　② 풍채(風采)　③ 신수(身手)　④ 외양(外樣)　⑤ 양상(樣相)

13~15 다음 빈칸에 공통으로 들어가기에 적절한 단어를 고르시오.

13.

> • 그 회사는 거래처에 공문을 □□하였다.
> • 상품을 온라인으로 주문했는데 □□이 늦어져 아직도 받지 못했다.

① 발신(發信)　② 송신(送信)　③ 발송(發送)　④ 수신(受信)　⑤ 전송(電送)

14.

> • 기업인들의 대거 국회 □□은/는 앞으로의 정책 변화를 야기할 것으로 예상된다.
> • 전봉준은 동학 농민 운동 중 전주성 □□을/를 이끌었다.

① 입장(入場)　② 철수(撤收)　③ 철야(徹夜)　④ 사임(辭任)　⑤ 입성(入城)

15.

> • 나는 너를 돌보아 줄 □□이/가 있다.
> • 그는 대통령 선거에 출마*할 □□을/를 밝혔다.

① 의의(意義)　② 사상(思想)　③ 취지(趣旨)　④ 용의(用意)　⑤ 심경(心境)

16~20 다음 밑줄 친 부분과 바꿔 쓰기에 가장 적절한 것을 고르시오.

수능 기출

16.

> 흰 까마귀가 하나라도 있다면, 모든 까마귀는 검다는 지식은 귀납*에 의해 참임을 <u>보여 줄</u> 수 없다.

① 추출(抽出)할　　　② 예측(豫測)할　　　③ 입증(立證)할
④ 추정(推定)할　　　⑤ 예견(豫見)할

17.

> 앞에서 일어난 접촉 사고가 교통 체증을 <u>일으켜서</u> 약속에 늦고 말았다.

① 격발(激發)해서　　② 남발(濫發)해서　　③ 도발(挑發)해서
④ 촉발(觸發)해서　　⑤ 유발(誘發)해서

• **출마** 날 出 말 馬
선거에 입후보함.

• **귀납** 돌아갈 歸 들일 納
개별적인 특수한 사실이나 원리로부터 일반적이고 보편적인 명제 및 법칙을 유도해 내는 일. 추리 및 사고방식의 하나로, 개연적인 확실성만을 가진다.

18.

> 이왕* 이렇게 된 거 빨리 대책이나 세우자.

① 건립(建立)하자.　② 설립(設立)하자.　③ 수립(樹立)하자.
④ 옹립(擁立)하자.　⑤ 적립(積立)하자.

• **이왕** 이미 已 갈 往
이왕에. 이미 정하여진 사실로서 그렇게 된 바.

19.

> 그의 뛰어난 그림 실력은 태어날 때부터 타고난 것 같아.

① 본능적(本能的)으로　② 선험적(先驗的)으로　③ 계획적(計劃的)으로
④ 선천적(先天的)으로　⑤ 충동적(衝動的)으로

20.

> 그곳은 전략적으로 아주 중요한 곳이니 적에게 빼앗겨서는 안 된다.

① 요충지(要衝地)　② 저수지(貯水池)　③ 유적지(遺跡地)
④ 도래지(渡來地)　⑤ 정착지(定着地)

21. 다음 단어의 사전적 의미가 적절하지 않은 것은?

① 우매(愚昧): 어리석고 사리에 어두움.
② 기약(期約): 때를 정하여 약속함. 또는 그런 약속.
③ 효험(效驗): 일의 좋은 보람. 또는 어떤 작용의 결과.
④ 기우(杞憂): 앞일에 대해 쓸데없는 걱정을 함. 또는 그 걱정.
⑤ 신기(神技): 꿈과 환상이라는 뜻으로, 허황한 생각을 이르는 말.

22. 다음 밑줄 친 단어의 쓰임이 적절하지 않은 것은?

① 이 옷감은 신축성이 좋아서 잘 늘어난다.
② 나는 그것이 다른 나라의 관습이지만 이질성을 느꼈다.
③ 그것은 공인된 기관이 발표한 것이 아니라 신뢰성이 떨어진다.
④ 그 사건은 복잡성을 띠고 있어 진위를 판별하기가 매우 어렵다.
⑤ 모든 현상은 절대적인 것이 아니라 상대성을 가지고 있는 것이다.

3회독 채점표

채점　　　　회독 / 학습일자	1회독 /　월　일	2회독 /　월　일	3회독 /　월　일
맞힌 문항 수	_____개 / **22문항**	_____개 / **22문항**	_____개 / **22문항**
틀린 문항 번호			

1 문맥을 고려할 때, ㉠~㉤을 바꾸어 쓴 것으로 적절하지 않은 것은?

> '묵적'은 인간이 이기적인 존재이기 때문에 자기 자신과 자기 집단만의 이익을 ㉠추구하여 개인 간의 갈등과 사회의 혼란이 생긴다고 보았다. 그는 '의'를 개인과 사회 전체의 이익을 ㉡충족하는 것으로 보아, '의'를 통해 이러한 개인과 사회의 혼란을 해결할 수 있다고 하였다. 모든 사람을 차별 없이 똑같이 서로 사랑하면 '의'가 ㉢실현되어 사회의 혼란이 ㉣해소될 것이라고 본 것이다. 아울러 그는 이러한 '의'의 실현이 만물을 ㉤주재하는 하늘의 뜻이라고 하여 '의'를 실천해야 할 당위성을 강조하였다.

① ㉠: 좇아   ② ㉡: 채우는   ③ ㉢: 이루어져서   ④ ㉣: 없어질   ⑤ ㉤: 맡기는

2 밑줄 친 부분이 ㉠~㉤의 문맥적 의미와 다른 의미로 쓰인 것은?

> 우주에서 지구의 북극을 내려다보면 지구는 시계 반대 방향으로 빠르게 자전하고 있지만 우리는 그 사실을 잘 ㉠인지하지 못한다. 지구의 자전 때문에 일어나는 현상 중 하나는 지구 상에서 운동하는 물체의 운동 방향이 ㉡편향되는 것이다. 이러한 현상의 원인이 되는 가상적인 힘을 전향력이라 한다.
> 전향력은 지구가 자전하기 때문에 나타난다. 구 모양인 지구의 둘레는 적도가 가장 길고 위도가 높아질수록 짧아진다. 지구의 자전 ㉢주기는 위도와 상관없이 동일하므로 자전하는 속력은 적도에서 가장 빠르고, 고위도로 갈수록 속력이 느려져서 남극과 북극에서는 0이 된다.
> 적도 상의 특정 ㉣지점에서 동일한 경도 상에 있는 북위 30도 지점을 목표로 어떤 물체를 발사한다고 하자. 이때 물체에 영향을 주는 마찰력이나 다른 힘은 없다고 가정한다. 적도 상의 발사 지점은 약 1,600km/h의 속력으로 자전하고 있다. 북쪽으로 발사된 물체는 발사 속력 외에 약 1,600km/h로 동쪽으로 진행하는 속력을 동시에 갖게 된다. 한편 북위 30도 지점은 약 1,400km/h의 속력으로 자전하고 있다. 목표 지점은 발사 지점보다 약 200km/h가 더 느리게 동쪽으로 움직이고 있는 것이다. 따라서 발사된 물체는 겨냥했던 목표 지점보다 더 동쪽에 있는 지점에 도달하게 된다. 이때 지구 표면의 발사 지점에서 보면, 발사된 물체의 이동 ㉤경로는 처음에 목표로 했던 북쪽 방향의 오른쪽으로 휘어져 나타나게 된다.

① ㉠: 나는 옷에 얼룩이 묻은 것을 인지하지 못한 채 집을 나섰다.
② ㉡: 현상에 대해 편향적인 시각을 가지면 갈등을 일으키기 쉽다.
③ ㉢: 올림픽과 월드컵은 모두 4년 주기로 돌아온다.
④ ㉣: 그 카페는 옆 동네에 지점을 낼 정도로 잘 되었다.
⑤ ㉤: 화물의 운송 경로를 파악하기가 어려워 애를 먹었다.

3 ㉠~㉤의 사전적 의미로 적절하지 <u>않은</u> 것은?

천대를 받아도 얻어맞는 것보다는 낫다! 그도 그럴 것이다. 미친 체하고 떡목판에 엎드러진다는 셈으로 미친 체하고 어리광 비슷한 수작을 하거나, 스라소니 행세를 하거나 하여, 어떻든지 저편의 호감을 사고 저편을 웃기기만 하면 목전에 닥쳐오는 ㉠<u>핍박</u>은 면할 것이다. 속으로는 요놈 하면서라도 얼굴에만 웃는 빛을 띠면 당장의 급한 욕은 면할 것이다. 공포, 경계, 미봉, 가식, 굴복, 도회, 비굴 …… 이러한 모든 것에 숨어 사는 것이 조선 사람의 가장 유리한 생활 방도요, 현명한 처세술이다. 실상 생각하면 우리의 이러한 생활 철학은 오늘에 ㉡<u>터득</u>한 것이 아니요, 오랫동안 봉건적 성장과 관료 전제 밑에서 더께가 앉고 굳어 빠진 껍질이지마는, 그 껍질 속으로 점점 더 파고들어 가는 것이 지금의 우리 생활이다.

"어떻든지 그저 내지인과 동등한 대우만 해 주면 나중엔 어찌 되든지 살아갈 수 있겠죠."

청년은 무엇에 쫓겨 가는 사람처럼 차 안을 휘휘 돌려다 보고 나서 목소리를 한층 낮추어서 다시 말을 잇는다.

"가령 공동묘지만 하더라도 내지에도 그런 법률이 있다 하면 싫든 좋든 우리도 따라가는 수밖에 없겠죠. 하지만 우리에게는 또 우리의 ㉢<u>유풍</u>이 있지 않습니까? 대관절 내지에도 그런 법이 있나요?"

의외에 이 장돌뱅이도 공동묘지 이야기를 꺼낸다. 나는 아까 형님한테 한참 설법을 듣고 오는 길에 또 이러한 질문을 받고 보니, 언제 규정이 된 것이요 어떻게 시행하라는 것인지는 나로서는 알고 싶지도 않고, 그까짓 것은 아무렇거나 상관이 없는 일이지마는, 아마 요사이 ㉣<u>경향</u>에서 모여 앉으면 꽤들 문젯거리, 화젯거리가 되는 모양이다. 나는 한번 껄껄 웃어 주고 싶었으나 그리할 수는 없었다.

"일본에도 공동묘지야 있다우."

나 역시 누가 듣지나 않는가 하고 아까부터 수상쩍게 보이던 저편 뒤로 컴컴한 구석에 금테를 한 동 두른 모자를 쓴 채 외투를 뒤집어쓰고 누웠는 일본 사람과, 김천서 나하고 같이 오른 양복쟁이 편을 돌려다 보았다. 나의 말이 조금이라도 총독 정치를 ㉤<u>비방</u>하는 것은 아니지만, 그중에서 무슨 오해가 생길지 그것이 나에게는 염려되는 것이었다.

"정말 내지에도 공동묘지가 있어요? 하지만 행세하는 사람야 좀 다르겠죠?"

"그야 좀 다르겠지마는, 어떻든지 일본에서는 주로 화장을 지내기 때문에 타고 남은 …… 아마 목구멍 뼈라든가를 갖다가 묻고 목패든지 비석을 세운다우. 그러지 않아도 살아 있는 사람도 터전이 좁아서 땅 조각이 금 조각 같은데, 죽는 사람마다 넓은 터전을 차지하다가는 이 세상에는 무덤만 남고 말지 않겠소, 허허허."

– 염상섭, 「만세전」

① ㉠: 바싹 죄어서 몹시 괴롭게 굶.
② ㉡: 깊이 생각하여 이치를 깨달아 알아냄.
③ ㉢: 옛날부터 전하여 내려오는 풍속.
④ ㉣: 서울과 시골을 아울러 이르는 말.
⑤ ㉤: 공개하지 않고 비밀리에 하는 방법.

14 일차 ◦→ 한자어 ⑪

•정답 및 해설 42쪽

01~08 다음 빈칸에 적절한 단어를 〈보기〉에서 찾아 쓰시오.

01. 정부는 학계의 ☐☐을/를 통해 환경 보호 구역을 정하였다.

02. 우리 사회의 발전을 저해°하는 지역 이기주의를 ☐☐해야 한다.

03. 전문가들은 여러 지표를 분석한 결과, 경기가 풀릴 ☐☐을/를 보인다고 말했다.

04. 그 화가의 나이가 어리다고 해서 그의 작품까지 함부로 ☐☐할 수는 없다.

05. 한국 팀은 전반에 다섯 골을 넣어 공격 축구의 ☐☐을/를 보여 주었다.

06. 그 사람에 대한 마을 사람들의 ☐☐은/는 어떤가?

07. 담당자의 ☐☐(으)로 문제가 발생하였다.

08. ☐☐에 떠도는 소문을 모두 믿지는 마라.

> **• 보기 •**
>
> 진수(眞髓)   항간(巷間)   자문(諮問)   폄하(貶下)
>
> 평판(評判)   타파(打破)   조짐(兆朕)   착오(錯誤)

• **저해** 막을 沮 해할 害
막아서 못하도록 해침.

09~13 다음 밑줄 친 단어와 바꿔 쓰기에 가장 적절한 것을 고르시오.

09.
> 그녀는 붉어진 얼굴에 <u>비웃음</u>인지 소리 없는 웃음인지 분간할 수 없는 쓰디쓴 웃음을 보였다.

① 미소(微小)   ② 조소(嘲笑)   ③ 실소(失笑)   ④ 비소(非笑)   ⑤ 고소(苦笑)

평가원 기출

10.
> 편협°한 자아를 잊었다는 것은 편견과 아집°에서 벗어나 세계와 소통하는 합일의 경지에 도달할 수 있음을 의미한다.

① 초월(超越)하여   ② 초연(超然)하여   ③ 초탈(超脫)하여

④ 탈피(脫皮)하여   ⑤ 탈속(脫俗)하여

• **편협** 치우칠 偏 좁을 狹
한쪽으로 치우쳐 도량이 좁고 너그럽지 못함.

• **아집** 나 我 잡을 執
자기중심의 좁은 생각에 집착하여 다른 사람의 의견이나 입장을 고려하지 아니하고 자기만을 내세우는 것.

11.

> 소비자 운동의 여파*가 우리 마을까지 미쳤다.

① 전달(傳達)되었다.　　② 전이(轉移)되었다.　　③ 보급(普及)되었다.
④ 파급(波及)되었다.　　⑤ 하달(下達)되었다.

12.

> 원래 군자는 정치적 지배 계층을 <u>가리키는</u> 말로, 일반 서민을 가리키는 소인과 대비되는 개념이었다.

① 지칭(指稱)하는　　② 지명(指名)하는　　③ 지정(指定)하는
④ 지휘(指揮)하는　　⑤ 지령(指令)하는

13.

> 설명적 연관으로 '정합*적이다'를 정의하게 되면 함축* 관계를 이루는 명제*들까지도 아우를 수 있는 장점이 있다.

① 응집(應集)할　　② 종합(綜合)할　　③ 합성(合成)할
④ 포괄(包括)할　　⑤ 배합(配合)할

14. 다음 밑줄 친 단어의 쓰임이 적절하지 <u>않은</u> 것은?

① 근로자의 근무 의욕을 <u>제고(提高)</u>하기 위한 방책*을 강구했다.
② 기술 개발을 <u>연체(延滯)</u>하면 산업 발전에 많은 차질*을 빚게 된다.
③ 체육은 튼튼한 몸과 강인한 정신을 <u>함양(涵養)</u>하는 것이 목적이다.
④ 인생의 황금 같은 시기를 이렇게 <u>태만(怠慢)</u>하게 보내서는 안 된다.
⑤ 국민으로부터 신뢰받는 지도자가 나서서 부정부패를 <u>척결(剔抉)</u>해야 한다.

15. 다음 밑줄 친 단어의 사전적 의미가 적절하지 <u>않은</u> 것은?

① 시험 일자를 빨리 <u>확정하자</u>.
　→ 일을 확실하게 정하다.
② 노사 간에 <u>타협하여</u> 문제를 해결해야 한다.
　→ 어떤 일을 서로 양보하여 협의하다.
③ 이제는 환상에서 벗어나 현실을 <u>직시할</u> 때이다.
　→ 사물의 진실을 바로 보다.
④ 성인의 하루 언어량은 사회 집단에 따라 <u>현저한</u> 차이를 보일 것이다.
　→ 뚜렷이 드러나 있다.
⑤ 그는 일을 하면서 새로운 기술을 <u>터득해</u> 나갔다.
　→ 드러나지 않은 사물이나 현상 따위를 찾아내거나 밝히기 위하여 살피어 찾다.

• **여파** 남을 餘 물결 波
「1」큰 물결이 지나간 뒤에 일어나는 잔물결.
「2」어떤 일이 끝난 뒤에 남아 미치는 영향. '남은 영향'으로 순화.

• **정합** 가지런할 整 합할 合
이론의 내부에 모순이 없음.

• **함축** 머금을 含 모을 蓄
겉으로 드러내지 아니하고 속에 간직함.

• **명제** 목숨 命 제목 題
어떤 문제에 대한 하나의 논리적 판단 내용과 주장을 언어 또는 기호로 표시한 것. 참과 거짓을 판단할 수 있는 내용이라는 점이 특징이다.

• **방책** 모 方 꾀 策
방법과 꾀를 아울러 이르는 말.

• **차질** 미끄러질 蹉 거꾸러질 跌
하던 일이 계획이나 의도에서 벗어나 틀어지는 일.

16~20 다음 빈칸에 적절한 단어를 〈보기〉에서 찾아 쓰시오.

한자어의 뜻	예문
16. 마음에 있는 것을 죄다 드러내어서 말함.	나는 가장 친한 친구에게 그동안의 고민과 서러움을 □□했다.
17. 새로운 문화 현상, 학설 따위가 당연한 것으로 사회에 받아들여짐.	새로운 제도가 □□하기에는 아직 시간이 필요하다.
18. 일반적으로 널리 통하는 개념.	그 예술품은 사회적인 □□을/를 넘어서는 것이었다.
19. 사람이 갖추어야 할 위엄이나 기품.	그분은 성격이 점잖고 □□이/가 있어 보인다.
20. 어떤 사물이나 사실을 실제와 다르게 지각하거나 생각함.	꿈에 본 사람을 실제로 만난 것 같은 □□이/가 든다.

─● 보기 ●─

착각(錯覺)   품위(品位)   토로(吐露)   통념(通念)   정착(定着)

21~24 다음 사전적 의미를 고려하여 (   )에서 적절한 단어를 고르시오.

21. 말이나 행동 따위가 참되지 않고 터무니없다. (당황하다/황당하다)

22. 상처나 헌데 따위를 치료함. (처치/처방)

23. 사물이 발전하거나 나아가지 못하고 한자리에 머물러 그침. (정체/정지)

24. 연극이나 영화 따위를 다시 상연하거나 상영함. 한 번 하였던 행위나 일을 다시 되풀이함. (재연/재현)

3회독 채점표

회독 / 학습일자 채점	1회독 / 월 일	2회독 / 월 일	3회독 / 월 일
맞힌 문항 수	_____개 / **24**문항	_____개 / **24**문항	_____개 / **24**문항
틀린 문항 번호			

15 일차 ─ 한자어 ⑫

·정답 및 해설 44쪽

01~05 다음 ( )안에 적절한 단어를 고르시오.

01. 그들의 노력에도 불구하고 공사는 별다른 (전진/진척)을 보지 못했다.

02. 임금 인상 문제를 둘러싼 노조와 회사 측의 협상은 (파산/파탄) 위기에 처했다.

03. 그는 기자에게 사건의 진상*을 즉각 (변명/해명)하였다.

04. 눈치를 보니 자칫 잘못하면 큰 싸움이 날 것 같아 나는 그 두 사람의 (중재/중개)에 나섰다.

05. 대중들이 예술 (향연/향유) 계층으로 올라설 수 있도록 적극적으로 기회를 제공해야 한다.

• **진상** 참 眞 서로 相
사물이나 현상의 거짓 없는 모습이나 내용.

06~10 다음 단어와 사전적 의미를 서로 연결하시오.

06. 탐구(探究) •   • ㉠ 바람직하지 않은 일을 더 심해지도록 부추김.

07. 조장(助長) •   • ㉡ 머뭇거리며 망설임.

08. 주저(躊躇) •   • ㉢ 진리, 학문 따위를 파고들어 깊이 연구함.

09. 폐단(弊端) •   • ㉣ 주의나 여론, 생각 따위를 불러일으킴.

10. 환기(喚起) •   • ㉤ 어떤 일이나 행동에서 나타나는 옳지 못한 경향이나 해로운 현상.

11~14 다음 빈칸에 적절한 단어를 고르시오.

11.
| 우리는 작업의 □□을/를 보아 가며 이후의 계획을 세우기로 했다. |

① 추이(推移)   ② 추진(推進)   ③ 촉진(促進)   ④ 이체(移替)   ⑤ 이행(移行)

12.
| 정부는 수출 부진*을 □□하기 위해 새로운 경기 부양*책을 내놓았다. |

① 처분(處分)   ② 타개(打開)   ③ 평정(平定)   ④ 정리(整理)   ⑤ 처리(處理)

• **부진** 아닐 不 떨칠 振
어떤 일이 이루어지는 기세나 힘 따위가 활발하지 아니함.

• **부양** 뜰 浮 날릴 揚
가라앉은 것이 떠오름. 또는 가라앉은 것을 떠오르게 함.

13.
| 그 기업의 유통 과정 □□은/는 결국 비용 절감의 원동력이 되었다. |

① 갱신(更新)   ② 수정(修訂)   ③ 변조(變造)   ④ 개정(改正)   ⑤ 혁신(革新)

14.

> 불안감이 사회 전체에 □□해 있다.

① 팽창(膨脹)   ② 번성(蕃盛)   ③ 성행(盛行)   ④ 팽배(澎湃)   ⑤ 창성(昌盛)

평가원 기출

15. 다음 단어의 사전적 의미가 적절하지 <u>않은</u> 것은?

① 방치(放置): 내버려 둠.
② 연대(連帶): 여럿이 함께 무슨 일을 하거나 함께 책임을 짐.
③ 표출(表出): 겉으로 나타냄.
④ 전락(轉落): 도덕, 질서, 규범 따위가 어지러움.
⑤ 몰입(沒入): 깊이 파고들거나 빠짐.

수능 기출

16. 다음 밑줄 친 단어를 한자어로 바꿔 쓴 것으로 적절하지 <u>않은</u> 것은?

① 이어폰으로 스테레오 음악을 <u>들으면</u> 두 귀에 약간 차이가 나는 소리가 들어온다. → 청취(聽取)하면
② 음원이 청자의 오른쪽으로 <u>치우치면</u> 소리는 오른쪽 귀에 먼저 도착한다. → 치중(置重)하면
③ 도착 순서와 시간 차이는 음원의 수평 방향을 <u>알아내는</u> 중요한 단서*가 된다. → 파악(把握)하는
④ '소리 그늘'이라고 불리는 현상은 주로 고주파 대역*에서 <u>일어난다.</u> → 발생(發生)한다
⑤ 주파수 분포의 변형은 간섭에 의해 어떤 주파수의 소리는 <u>작아지고</u> 어떤 주파수의 소리는 커지기 때문에 생긴다. → 감소(減少)하고

• **단서** 끝 端 실마리 緖
어떤 문제를 해결하는 방향으로 이끌어 가는 일의 첫 부분.

• **대역** 띠 帶 지경 域
어떤 폭으로써 정해진 범위.

17~21 **다음의 설명이 맞으면 ○, 틀리면 ×를 하시오.**

17. '탁월(卓越)하다'는 '남보다 두드러지게 뛰어나다.'를 의미한다. (   )
18. '판단(判斷)'이란 '서로 다른 일이나 사물을 구별하여 가름.'을 의미하는 한자어이다. (   )
19. '체결(締結)'은 '얽어서 맺음.' 또는 '계약이나 조약 따위를 공식적으로 맺음.'을 의미하는 한자어이다.(   )
20. '포착(捕捉)'은 '요점이나 요령을 얻음.' 또는 '어떤 기회나 정세를 알아차림.'을 의미하는 한자어이다.(   )
21. '호황(好況)'은 '사치스럽고 화려함.'을 의미하는 한자어이다. (   )

22. 〈보기〉에서 적절한 단어를 찾아 단어 퍼즐을 완성하시오.

1			3
1	2		
	2		
3			

▶ 가로 열쇠 ◀

1. 말이나 행동에 아무런 꾸밈이 없이 그대로 나타날 만큼 순진하고 천진함.
2. 어떤 일에 온 힘을 기울임.
3. 형편이나 조건 따위가 편하고 좋음.

▶ 세로 열쇠 ◀

1. 어떤 조건에 적합한 대상을 책임지고 소개함.
2. 사회의 모순을 변화와 개혁을 통하여 점진*적으로 해결해 나가려는 사고방식.
3. 자신이나 자신과 관련 있는 것을 스스로 자랑하며 뽐냄.

● 점진 점점 漸 나아갈 進
「1」 조금씩 앞으로 나아감.
「2」 점점 발전함.

┌─────────────── ● 보기 ● ───────────────┐
│ 사고방식(思考方式)   진보주의(進步主義)   편의(便宜) │
│ 이기주의(利己主義)   천진난만(天眞爛漫)   추천(推薦) │
│ 주력(主力)   자긍(自矜)   추첨(抽籤)   자만(自慢) │
└───┘

16 ^{일차} ─○ 한자어 ⑬

·정답 및 해설 47쪽

01~06 예문을 참고하여 주어진 뜻에 해당하는 단어를 고르시오.

01.
> 어떤 결과를 자기가 생기게 함. 또는 제 스스로 끌어들임.
> ㉶ 급하게 서두르다가 그만 실수하는 □□을/를 저지르고 말았다.

① 자청(自請)   ② 자체(自體)   ③ 자초(自招)   ④ 자립(自立)   ⑤ 자생(自生)

02.
> 일의 이치로 보아 옳다.
> ㉶ 그는 자신의 주장에 대한 □□□ 근거를 제시했다.

① 당연(當然)한   ② 타당(妥當)한   ③ 적합(適合)한
④ 적당(適當)한   ⑤ 적절(適切)한

03.
> 예리한 관찰력으로 사물을 꿰뚫어 봄.
> ㉶ 그녀는 사물에 대한 깊은 □□을/를 중시한다.

① 주시(注視)   ② 주목(注目)   ③ 응시(凝視)   ④ 통찰(洞察)   ⑤ 통달(通達)

04.
> 사물이나 능력, 책임 따위가 실제 작용할 수 있는 범위. 또는 그런 범위를 나타내는 선.
> ㉶ 그는 이미 자신의 □□을/를 느끼고 있었다.

① 한계(限界)   ② 경계(境界)   ③ 범주(範疇)   ④ 정도(程度)   ⑤ 한정(限定)

05.
> 긴장이나 규율 따위가 풀려 마음이 느슨함.
> ㉶ 면접이 끝나자 긴장의 □□ 때문인지 발을 헛디딜 뻔했다.

① 해제(解除)   ② 해이(解弛)   ③ 저조(低調)   ④ 태만(怠慢)   ⑤ 완충(緩衝)

06.
> 자로 재는 길이의 표준. 평가하거나 측정할 때 의거˙할 기준.
> ㉶ 미의 □□은/는 시대마다 달랐다.

① 규격(規格)   ② 모범(模範)   ③ 규범(規範)   ④ 목표(目標)   ⑤ 척도(尺度)

• **의거** 의지할 依 근거 據
어떤 사실이나 원리 따위에 근거
함.

07~11 다음 빈칸에 적절한 단어를 〈보기〉에서 찾아 쓰시오.

07.
- 문학은 자신의 감정을 가장 진실하게 □□한 것이라 할 수 있다.
- 이번 사건에 대한 두 사람의 □□이/가 엇갈려 의혹˚이 증폭˚되고 있다.

08.
- 물의 □□을/를 막기 위하여 신발에 비닐을 덧대었다.
- 외국 자본의 국내 시장 □□이/가 날로 심각해져 가고 있다.

09.
- 내일 정오를 기하여 적 진지로의 폭탄 □□을/를 실시할 예정이다.
- 오염된 강도 사람들의 노력이 □□되면 본래의 모습을 되찾을 수 있다.

10.
- 모두의 노력으로 회사 사정이 점차 □□될 기미˚가 보이고 있다.
- 그는 지난달 오랜 병세의 □□으로 퇴원할 수 있었다.

11.
- 우리는 로켓 □□ 장치 중 하나인 고성능 엔진을 개발할 계획이다.
- 공사는 예정대로 순조롭게 □□되고 있다.

─── 보기 ───
호전(好轉) 침투(浸透) 추진(推進) 투하(投下) 진술(陳述)

12~16 다음 밑줄 친 단어와 바꿔 쓰기에 가장 적절한 것을 고르시오.

평가원 기출
12. 백성들이 지닌 덕을 밝혀 새로운 사람이 될 수 있도록 <u>가르쳐야</u> 한다.

① 감독(監督)해야　　② 육성(育成)해야　　③ 지도(指導)해야
④ 유도(誘導)해야　　⑤ 통솔(統率)해야

평가원 기출
13. 군주는 군주다운 덕성˚을 갖추고 그에 <u>맞는</u> 예를 실천해야 한다.

① 합당(合當)한　　② 가당(可當)한　　③ 정당(正當)한
④ 명확(明確)한　　⑤ 분명(分明)한

14. 검찰은 사태의 민감한 성격을 감안해 공개적인 언급은 되도록 <u>꺼려</u> 왔다.

① 변통(變通)해　　② 피신(避身)해　　③ 회피(回避)해
④ 탈피(脫皮)해　　⑤ 도피(逃避)해

- **의혹** 의심할 疑 미혹할 惑
의심하여 수상히 여김. 또는 그런 마음.

- **증폭** 더할 增 폭 幅
사물의 범위가 늘어나 커짐. 또는 사물의 범위를 넓혀 크게 함.

- **기미** 몇 幾 작을 微
낌새.

- **덕성** 덕 德 성품 性
어질고 너그러운 성질.

15.
> 칸트는 미적 감수성이 어떤 원리에 의거하여 결코 이성에 못지않은 가치를 지닌다는 주장을 펼친다.

① 피력(披瀝)한다.　　② 구술(具述)한다.　　③ 공포(公布)한다.
④ 선포(宣布)한다.　　⑤ 통고(通告)한다.

16.
> 정부는 가뭄이 심해지자 대책 마련에 들어갔다.

① 봉착(逢着)했다.　　② 착안(着眼)했다.　　③ 착수(着手)했다.
④ 천착(穿鑿)했다.　　⑤ 당면(當面)했다.

17~20 다음 (   ) 안에 적절한 단어를 고르시오.

17. 방송 중에 신호를 내보내는 시설의 이상으로 (장애/장해)가 발생했다.

18. 그는 의견 (추돌/충돌)을 피하기 위해 애를 썼다.

19. 이것은 내가 (참관/참견)할 문제가 아닌 것 같다.

20. 시내버스 노선의 (조정/조종)이 필요한 실정이다.

21. 다음 단어의 사전적 의미가 적절하지 않은 것은?

① 화복(禍福): 재화(災禍)°와 복록(福祿)°을 아울러 이르는 말.
② 집정(執政): 군주가 직접 통치할 수 없을 때에 군주를 대신하여 나라를 다스림.
③ 개간(開墾): 거친 땅이나 버려 둔 땅을 일구어 논밭이나 쓸모 있는 땅으로 만듦.
④ 위상(位相): 어떤 사물이 다른 사물과의 관계 속에서 가지는 위치나 상태
⑤ 아성(牙成): 아주 중요한 근거지°를 비유°적으로 이르는 말.

22. 다음 밑줄 친 단어의 사전적 의미가 적절하지 않은 것은?

① 표결의 결과는 우리의 승리였다. → 투표를 하여 결정함.
② 양편의 입장이 너무 확고해서 타협점°을 찾을 수가 없다. → 바르고 확실하다.
③ 첨단 산업이 잘 발달하여야 나라의 경쟁력이 강화될 것이다.
　　→ 시대 사조, 학문, 유행 따위의 맨 앞장.
④ 회담을 조기에 타결하여 쌍방의 피해를 최소화하였다.
　　→ 의견이 대립된 양편에서 서로 양보하여 일을 마무르다.
⑤ 한 달에 한 번씩 갖는 친구들과의 모임은 나에게 삶의 활력이 된다. → 살아 움직이는 힘.

• 재화 재앙 災 재앙 禍
재앙(災殃)과 화난(禍難)을 아울러 이르는 말.

• 복록 복 福 녹 祿
타고난 복과 벼슬아치의 녹봉이라는 뜻으로, 복되고 영화로운 삶을 이르는 말.

• 근거지 뿌리 根 근거 據 땅 地
활동의 근거로 삼는 곳.

• 비유 견줄 比 깨우칠 喩
어떤 현상이나 사물을 직접 설명하지 아니하고 다른 비슷한 현상이나 사물에 빗대어 설명하는 일.

• 타협점 온당할 妥 화합할 協 점 點
어떤 일을 서로 양보하는 마음으로 협의할 수 있는 점.

📖 3회독 채점표

채점	회독 / 학습일자	1회독 /　월　일	2회독 /　월　일	3회독 /　월　일
맞힌 문항 수		_____개 / 22문항	_____개 / 22문항	_____개 / 22문항
틀린 문항 번호				

· 정답 및 해설 50쪽

01~05 다음의 설명이 맞으면 ○, 틀리면 ×를 하시오.

01. '회상(回想)'은 '지난 일을 돌이켜 생각함. 또는 그런 생각.'을 의미하는 한자어이다.
( )

02. '초조(焦燥)'란 '애가 타서 마음이 조마조마함.'을 의미하는 한자어이다. ( )

03. '폭압(暴壓)'은 '난폭한 행동.'을 의미하는 한자어이다. ( )

04. '획일적(劃一的)'은 '모두가 한결같아서 다름이 없는. 또는 그런 것.'을 의미하는 한자어이다. ( )

05. '해박(該博)하다'는 '크게 놀랄 정도로 매우 괴이하고 야릇하다.'를 의미한다.
( )

06~10 다음 빈칸에 적절한 단어를 〈보기〉에서 찾아 쓰시오.

한자어의 뜻	예문
06. 어떤 현상이나 사물이 진전하지 못하고 제자리에 머무름.	경기(景氣)는 앞으로 한동안 □□이/가 계속될 것이라고 전망*된다.
07. 어떠한 사물이나 현상을 이루기 위하여 먼저 내세우는 것.	그들은 결혼을 □□(으)로 사귀고 있다.
08. 현실적인 기초나 가능성이 없는 헛된 생각이나 공상.	그는 대학 생활에 대한 □□에 빠져들었다.
09. 옳고 그름이나 좋고 나쁨을 판단하여 구별함. 또는 그런 구별.	그의 진심이 무엇인지에 대한 □□이/가 어려워서 좀 더 지켜보기로 했다.
10. 예상이나 추측 또는 목표 따위에 꼭 들어맞음.	나의 불안한 예감*은 그대로 □□이/가 되고 말았다.

● 보기 ●

전제(前提)   환상(幻想)   판별(判別)   적중(的中)   침체(沈滯)

· **전망** 펼 展 바랄 望
앞날을 헤아려 내다봄. 또는 내다보이는 장래의 상황.

· **예감** 미리 豫 느낄 感
어떤 일이 일어나기 전에 암시적으로 또는 본능적으로 미리 느낌.

11. 그의 말에서 사건의 진상을 대강 (짐작/예측)할 수 있었다.

12. 매년 사월이면 민주 열사*를 (회고/추모)하는 행사가 열린다.

13. 경주는 여러 종류의 문화재가 (윤택/풍부)한 관광 도시이다.

14. 가뭄 피해가 전국적으로 급속히 (확산/보급)되고 있다.

15. 지나친 자기만족은 발전을 (저해/방지)하는 요인이 된다.

• **열사** 세찰 烈 선비 士
나라를 위하여 절의를 굳게 지키며 충성을 다하여 싸운 사람.

16~19 다음 빈칸에 적절한 단어를 고르시오.

16.
> 경제 논리로만 학문을 평가한다면 일부 순수 학문은 그 가치를 인정받지 못하고 □□할 우려*가 있다.

① 퇴각(退却)　② 퇴거(退去)　③ 퇴색(退色)　④ 퇴화(退化)　⑤ 역행(逆行)

• **우려** 근심 憂 생각할 慮
근심하거나 걱정함. 또는 그 근심과 걱정.

17.
> 그의 빼어난 웅변에 대중들이 뜨겁게 □□했다.

① 상응(相應)　② 호응(呼應)　③ 대답(對答)　④ 상대(相對)　⑤ 대응(對應)

18.
> 나는 그에게 한 시간 안에 결정을 □□하지 않을 경우 이를 무효화할 것이라고 경고했다.

① 고찰(考察)　② 자각(自覺)　③ 재고(再考)　④ 성찰(省察)　⑤ 장고(長考)

19.
> 이번 행사가 차질 없이 진행되도록 □□하게 준비해 놓도록 하자.

① 명철(明哲)　② 평탄(平坦)　③ 투명(透明)　④ 명료(明瞭)　⑤ 철저(徹底)

20. 다음 밑줄 친 단어의 쓰임이 적절하지 않은 것은?

① 그는 그 일에 대한 실질적인 책임자로서 모든 계획의 집행*을 <u>주최(主催)</u>했다.

② <u>후일담(後日譚)</u>에 따르면 두 사람은 오순도순 잘 살았다고 한다.

③ 과학 기술력을 강화하기 위한 노력이 <u>시급(時急)</u>하게 요청된다.

④ 그는 연극 연출에 들러붙어 온 <u>정열(情熱)</u>을 다 쏟았다.

⑤ 그는 용모*로 보아 <u>범상(凡常)</u>한 인물이 아닌 것 같다.

• **집행** 잡을 執 행할 行
실제로 시행함.

• **용모** 얼굴 容 모양 貌
사람의 얼굴 모양.

21. 다음 밑줄 친 단어를 한자어로 바꿔 쓴 것으로 적절하지 않은 것은?

① 광장의 바닥은 기마상에서 뻗어 나온 선들이 교차하여 만들어진 문양으로 잘게 나누어져 있다. → 제조(製造)된

② 옴팔로스는 '배꼽'을 가리키는 말로 인체의 중심, 나아가 '세계의 중심'을 뜻한다. → 지칭(指稱)하는

③ 광장의 가운데에 배치된 기마상은 타원이 지닌 두 개의 초점을 사라지게 하는 효과를 나타낸다. → 소실(消失)되게

④ 고대인들은 우주를 북극성을 중심으로 별이 회전하며 12개의 구역으로 나누어진 원형의 공간으로 인식했다. → 분할(分割)된

⑤ 로마 황제의 기마상은 우주의 중심에 서게 된다. → 위치(位置)하게

22. 다음 단어의 사전적 의미가 적절하지 않은 것은?

① 도모(圖謀): 어떤 일을 이루기 위하여 대책과 방법을 세움.

② 야기(惹起): 일이나 사건 따위를 끌어 일으킴.

③ 경향(傾向): 현상이나 사상, 행동 따위가 어떤 방향으로 기울어짐.

④ 조성(造成): 무엇을 만들어서 이룸.

⑤ 확충(擴充): 모양이나 규모 따위를 더 크게 함.

3회독 채점표

채점 회독 / 학습일자	1회독 / 월 일	2회독 / 월 일	3회독 / 월 일
맞힌 문항 수	____개 / **22문항**	____개 / **22문항**	____개 / **22문항**
틀린 문항 번호			

· 정답 및 해설 52쪽

01~07 다음 사전적 의미를 고려하여 ( )에서 적절한 단어를 고르시오.

01. 정하여 세움. (정립/설립)

02. 개인의 사회적 신분에 따르는 위치나 자리. (자격/지위)

03. 어떤 일을 몹시 즐겨서 거기에 빠짐. (탐닉/몰두)

04. 어떤 현상이 일정한 방향으로 나아가는 경향. (정세/추세)

05. 확신을 가지고 아주 자신 있게 말함. 또는 그런 말. (장담/여담)

06. 일정한 조건이나 환경 따위에 맞추어 응하거나 알맞게 됨. (대응/적응)

07. 어떤 일이나 창작의 실마리가 되는 생각이나 구상 따위를 잡음. 또는 그 생각이나 구상. (착상/창안)

08~11 다음 밑줄 친 단어와 바꿔 쓰기에 가장 적절한 것을 고르시오.

08.
> 기술 개발에 투자를 아끼지 않은 결과 두 기업 모두 해외로 <u>나가게</u> 되었다.

① 전진(前進)하게   ② 진출(進出)하게   ③ 추진(推進)하게
④ 진입(進入)하게   ⑤ 진행(進行)하게

> 평가원 기출

• **실재** 열매 實 있을 在
실제로 존재함.

09.
> 세잔은 그림의 사실성이란 '그 사물임'을 드러낼 수 있는 본질이나 실재*에 더 다가감으로써 <u>얻게</u> 되는 것이라고 생각했다.

① 습득(拾得)하게   ② 체득(體得)하게   ③ 취득(取得)하게
④ 터득(攄得)하게   ⑤ 획득(獲得)하게

10.
> 방음벽 덕분에 외부의 소음이 완전히 <u>막혔다.</u>

① 밀봉(密封)되었다.   ② 단절(斷絕)되었다.   ③ 폐쇄(閉鎖)되었다.
④ 차단(遮斷)되었다.   ⑤ 두절(杜絕)되었다.

11.

> 무감독 학습은 비슷한 입력 특징을 가진 숫자들을 모아 '5' 또는 '0'에 대해 군집*화하는 함수를 만든다.

① 취합(聚合)하여   ② 융합(融合)하여   ③ 조합(組合)하여

④ 규합(糾合)하여   ⑤ 결합(結合)하여

• **군집** 무리 群 모을 集
사람이나 건물 따위가 한곳에 모임.

12~17 다음 빈칸에 적절한 단어를 〈보기〉에서 찾아 쓰시오.

한자어의 뜻	예문
12. 어떤 일을 당하여 감정, 충동 따위가 일어남. 또는 그렇게 되게 함.	그의 말은 오해를 □□할 소지*가 있었다.
13. 사물의 범위가 늘어나 커짐. 또는 사물의 범위를 넓혀 크게 함.	국가 간의 군비* 경쟁은 전쟁이 다시 일어날 가능성을 □□시켰다.
14. 어떤 일에서 크게 기를 꺾음. 또는 그로 인한 손해·손실.	소고기의 가격이 갑자기 낮아져 돼지고기 판매업자가 큰 □□을/를 입었다.
15. 낱낱이 검사함. 또는 그런 검사.	그는 일 년에 두 번씩 전기 제품을 □□한다.
16. 보통과 구별되게 다름.	이번 사태는 □□의 대책 마련이 필요하다.
17. 의심을 품음. 또는 마음속에 품고 있는 의심.	그 일을 겪은 후 그는 사회생활에 □□을/를 느끼게 되었다.

• **소지** 본디 素 땅 地
본래의 바탕.

• **군비** 군사 軍 갖출 備
전쟁을 수행하기 위하여 갖춘 군사 시설이나 장비.

───── • 보기 • ─────

증폭(增幅)   점검(點檢)   촉발(觸發)

회의(懷疑)   타격(打擊)   특단(特段)

18~22 다음 빈칸에 공통으로 들어가기에 적절한 단어를 〈보기〉에서 찾아 쓰시오.

18.

> • 이번 사건은 교육 제도의 □□이/가 필요함을 여실히 보여 주었다.
>
> • 도서관 시설의 □□(으)로 도서관을 열흘 동안 이용할 수 없게 되었다.

19.
- 문을 열고 나서자 햇살이 □□하게 쏟아지고 있었다.
- 세종조에는 문화뿐 아니라 과학도 □□한 발전을 거두었다.

20.
- 저쪽에서 그렇게 □□적으로 한쪽만 편드는 것이 문제이다.
- 기사가 지나치게 □□적이기 때문에 독자들이 신뢰하기 어렵다.

21.
- □□된 회사 이미지를 바꾸기 위해 온 힘을 기울였다.
- 무분별한 산업화는 자연을 □□하고 인간을 병들게 한다.

22.
- □□을/를 찌르는 그 말 한마디는 잊히지가 않는다.
- 그는 선배가 단순한 이치로 이 사회의 허점을 □□(으)로 뚫은 것이라 생각했다.

● 보기 ●

정곡(正鵠)   편파(偏頗)   정비(整備)   훼손(毀損)   찬란(燦爛)

23. 다음 단어의 사전적 의미가 적절하지 않은 것은?

① 추구(追求): 목적을 이룰 때까지 뒤좇아 구함.
② 검약(儉約): 돈이나 물건, 자원 따위를 낭비하지 않고 아껴 씀.
③ 응용(應用): 어떤 이론이나 지식을 다른 분야의 일에 적용하여 이용함.
④ 모색(摸索): 일이나 사건 따위를 해결할 수 있는 방법이나 실마리를 더듬어 찾음.
⑤ 포섭(包攝): 남을 너그럽게 감싸 주거나 받아들임.

📖 3회독 채점표

회독 / 학습일자 채점	1회독 /　월　일	2회독 /　월　일	3회독 /　월　일
맞힌 문항 수	_____개 / **23문항**	_____개 / **23문항**	_____개 / **23문항**
틀린 문항 번호			

적용 문제 ·정답 및 해설 55쪽

1 ㉠~㉤의 사전적 의미로 적절하지 않은 것은?

신채호의 사상에서 아란 자기 ㉠본위에서 자신을 ㉡자각하는 주체인 동시에 항상 나와 상대하고 있는 존재인 비아와 마주 선 주체를 의미한다. 자신을 자각하는 누구나 아가 될 수 있다는 상대성을 지니면서 또한 비아와의 관계 속에서 비로소 아가 생성된다는 상대성도 지닌다. 신채호는 조선 민족의 생존과 발전의 길을 모색하기 위해 『조선 상고사』를 저술하여 아의 이러한 특성을 규정했다. 그는 아의 자성(自性), 곧 '나의 나됨'은 스스로의 고유성을 유지하려는 항성(恒性)과 환경의 변화에 대응하여 적응하려는 변성(變性)이라는 두 요소로 이루어져 있다고 하였다. 아는 항성을 통해 아 자신에 대해 자각하며, 변성을 통해 비아와의 관계 속에서 자기의식을 갖게 되는 것으로 ㉢설정하였다.

신채호는 아를 소아와 대아로 구별하였다. 그에 따르면 소아는 개별화된 개인적 아이며, 대아는 국가와 사회 차원의 아이다. 소아는 자성은 갖지만 상속성(相續性)과 보편성(普遍性)을 갖지 못하는 반면, 대아는 자성을 갖고 상속성과 보편성을 가질 수 있다. 여기서 상속성이란 시간적 차원에서 아의 생명력이 지속되는 것을 뜻하며, 보편성이란 공간적 차원에서 아의 영향력이 ㉣파급되는 것을 뜻한다. 상속성과 보편성은 긴밀한 관계를 가지는데, 보편성의 확보를 통해 상속성이 실현되며 상속성의 유지를 통해 보편성이 실현된다. 대아가 자성을 자각한 이후, 항성과 변성의 조화를 통해 상속성과 보편성을 실현할 수 있다. 만약 대아의 항성이 크고 변성이 작으면 환경에 순응하지 못하여 멸절(滅絕)할 것이며, 항성이 작고 변성이 크면 환경에 주체적으로 대응하지 못하여 우월한 비아에게 정복당한다고 하였다.

이러한 아의 개념을 통해 우리는 투쟁과 연대에 관한 신채호의 인식을 정확히 이해할 수 있다. 일본의 제국주의 침략에 ㉤직면하여 그는 신국민이라는 새로운 개념을 제시하고 조선 민족이 신국민이 될 때 민족 생존이 가능하다고 보았다.

① ㉠: 판단이나 행동에서 중심이 되는 기준.
② ㉡: 자기의 처지나 능력 따위를 스스로 깨달음.
③ ㉢: 새로 만들어 정해 둠.
④ ㉣: 어떤 일의 여파나 영향이 다른 데로 미침.
⑤ ㉤: 바로 눈앞에 당함.

2 문맥상 ㉠과 바꿔 쓸 수 있는 것은?

안티롤링 탱크는 커다란 U자형 관을 배 안쪽에 설치하고 그 안에 물을 채워둠으로써 흔들림을 줄여주는 장치이다. 일반적으로 배가 왼쪽으로 기울면 U자형 관 안에 있는 물도 왼쪽으로 이동하기 시작한다. 하지만 U자형 관을 통해 물이 이동하는 데는 시간이 걸리기 때문에 배의 기울어진 방향과 U자형 관 안의 물의 위치가 항상 일치하진 않는다. 배가 왼쪽으로 기울면 물은 오른쪽에 있고, 배가 오른쪽으로 기울면 물이 왼쪽에 있게 된다. 이렇게 되면 배가 기울어지는 방향과 반대쪽에 있는 물의 무게가 배를 눌러줌으로써 원 위치로 돌리는 역할을 수행한다. 하지만 물이 이동하는 시간 차이를 이용하는 것은 한계가 있어서 배가 기울어지는 방향과 U자형 관 안에 있는 물이 같은 방향에 있게 되면 오히려 배가 뒤집어질 수도 있다. 이런 문제를 없애기 위해서 최근에 설치되는 안티롤링 탱크는 펌프를 이용하여 U자형 관 안에 있는 물의 양과 움직임을 인위적으로 ㉠맞추어 배가 흔들리는 것을 줄이고 있다.

① 조절(調節)하여   ② 조성(造成)하여   ③ 조율(調律)하여
④ 조종(操縱)하여   ⑤ 조치(措置)하여

3 문맥상 ㉠~㉫과 바꿔 쓰기에 적절하지 <u>않은</u> 것은?

이날 밤에 강남홍이 취하여 취봉루에 가 의상을 풀지 아니하고 책상에 ㉠기대어 잠이 들었더니 홀연 정신이 황홀하고 몸이 정처 없이 떠돌아 일처에 이르매 한 명산이라. 봉우리가 높고 험준하거늘 강남홍이 가운데 봉우리에 이르니 한 보살이 눈썹이 푸르며 얼굴이 백옥 같은데 비단 가사를 걸치고 석장(錫杖)을 짚고 있다가 웃으며 강남홍을 맞아 왈,

"강남홍은 인간지락(人間之樂)이 어떠한가?"

강남홍이 ㉡멍하니 깨닫지 못하여 왈,

"도사는 누구시며 인간지락은 무엇을 이르시는 것입니까?"

보살이 웃고 석장을 공중에 던지니 한 줄기 무지개 되어 하늘에 닿았거늘 보살이 강남홍을 ㉢이끌어 무지개를 밟아 공중에 올라가더니 앞에 큰 문이 있고 오색구름이 어리었는지라. 강남홍이 문 왈,

"이는 무슨 문입니까?"

보살 왈,

"남천문이니 그대는 문 위에 올라가 보라."

강남홍이 보살을 따라 올라 한 곳을 바라보니 일월(日月) 광채 ㉣눈부신데 누각 하나가 허공에 솟았거늘 백옥 난간이며 유리 기둥이 영롱하여 눈이 부시고 누각 아래 푸른 난새와 붉은 봉황이 쌍쌍이 ㉤돌아다니며 몇몇 선동(仙童)과 서너 명의 시녀가 신선 차림으로 난간머리에 섰으며 누각 위를 바라보니 한 선관과 다섯 선녀가 난간에 의지하여 취하여 자는지라.

– 남영로, 「옥루몽」

① ㉠: 의지(依支)하여   ② ㉡: 망연(茫然)히   ③ ㉢: 인도(引導)하여
④ ㉣: 호화(豪華)로운데   ⑤ ㉤: 배회(徘徊)하며

Ⅲ. 단어의 의미 관계

단어의 의미 관계는 서로 비슷한 의미를 지닌 '유의 관계', 서로 대립되는 의미를 지닌 '반의 관계', 의미상 한 단어가 다른 단어를 포함하거나 다른 단어에 포함되는 '상하 관계', 소리만 같을 뿐 의미가 전혀 다른 '동음이의 관계', 한 단어가 여러 의미를 지니는 '다의 관계'로 나뉜다.

19 일차 → 단어의 의미 관계 ①

· 정답 및 해설 56쪽

01~05 다음에서 유사한 의미를 가진 단어끼리 서로 연결하시오.

01. 가난하다 •   • ㉠ 순응하다

02. 어색하다 •   • ㉡ 궁핍하다

03. 따르다   •   • ㉢ 벗어나다

04. 이탈하다 •   • ㉣ 겸연쩍다

05. 넘어지다 •   • ㉤ 엎어지다

06~10 다음 밑줄 친 단어의 반의어를 고르시오.

06.
> 물가가 상승해서 같은 물건을 사는 데 더 많은 돈이 필요하게 되었다.

① 낙방하다   ② 하락하다   ③ 탈락하다   ④ 낙하하다   ⑤ 하차하다

• **사안** 일 事 책상 案
법률이나 규정 따위에서 문제가
되는 일이나 안.

07.
> 중대한 사안°이 있을 때는 회의를 열어서 문제를 해결하자.

① 가리다   ② 다물다   ③ 마치다   ④ 덮다   ⑤ 잠그다

08.
> 나는 함께 일하자는 그의 제안을 거부하고 자리를 떴다.

① 시인하다   ② 대응하다   ③ 대답하다   ④ 수락하다   ⑤ 통과하다

09.
> 갑작스러운 고함 소리에 그들은 사방으로 흩어져 도망쳤다.

① 퍼지다   ② 모이다   ③ 쌓이다   ④ 파하다   ⑤ 헤어지다

10.
> 하루 종일 먹은 것이 없어 속이 텅 비어 있는 상태이다.

① 차다   ② 마르다   ③ 남다   ④ 빠지다   ⑤ 휑하다

11, 12 다음 중 상하 관계의 단어가 <u>아닌</u> 것을 고르시오.

11.

① 물고기 > 금붕어　　② 책 > 교과서　　③ 태양 > 지구
④ 동물 > 고양이　　⑤ 필기구 > 붓

12.

① 신발 > 운동화　　② 운동 > 테니스　　③ 악기 > 피리
④ 의복 > 바지　　⑤ 부모 > 자식

13, 14 다음 밑줄 친 두 단어가 동음이의어인 것을 고르시오.

13.

① 처녀와 총각이 맞선을 <u>보았다</u>. – 신문을 <u>보았다</u>.
② 파도가 거세게 <u>일어났다</u>. – 아침에 일찍 <u>일어났다</u>.
③ 지각한 학생들에게 청소를 <u>시켰다</u>. – 커피 한 잔을 <u>시켰다</u>.
④ 벽에 그림을 <u>걸어</u> 두었다. – 쌀죽이 너무 <u>걸어</u> 뻑뻑하였다.
⑤ 사람을 보는 <u>눈</u>이 없다. – 그는 매서운 <u>눈</u>으로 나를 쏘아 보았다.

14.

① 동네에서 잔치를 <u>벌였다</u>. – 나는 친구와 논쟁을 <u>벌였다</u>.
② 길 잃은 아이가 가족을 <u>찾다</u>. – 사전에서 단어의 의미를 <u>찾다</u>.
③ 숙제를 하는 데 하루가 <u>넘게</u> 걸렸다. – 국경을 <u>넘어</u> 동쪽으로 갔다.
④ 신선한 공기를 <u>마시니</u> 기분이 좋다. – 너무 차가운 물은 <u>마시지</u> 마라.
⑤ 새벽에 <u>서리</u>가 내렸다. – 참외 <u>서리</u>를 하던 아이들은 된통 혼이 났다.

15, 16 다음 밑줄 친 두 단어가 동음이의어가 <u>아닌</u> 것을 고르시오.

15.

① 성실성만은 <u>인정</u>을 해 주고 싶어. – 그녀는 <u>인정</u>이 많은 사람이다.
② 큰 <u>사고</u>가 아니어서 정말 다행이다. – 그는 또 <u>사고</u>를 치고 말았다.
③ <u>의사</u>가 되는 과정은 험난하다. – 조심스럽게 우리의 <u>의사</u>를 물었다.
④ 그 <u>영화</u>에 출연한 배우는 상을 받았다. – 평생 <u>영화</u>를 누리며 살다.
⑤ 김 대리는 회장의 <u>신임</u>을 얻었다. – <u>신임</u> 사장은 꽤 젊은 사람이었다.

16.

① 그 망치는 못질하는 데 <u>유용</u>하였다. – 그는 회사의 공금을 <u>유용</u>하였다.
② 그는 <u>과실</u>을 깨닫고 반성하였다. – 이 나무에는 <u>과실</u>이 많이 열렸다.
③ <u>자신</u>을 소중히 여겨야 한다. – 나는 솔직히 그 일을 잘 해낼 <u>자신</u>이 없다.
④ 태풍이 지나간 <u>경로</u>를 확인하다. – <u>경로</u> 사상은 우리나라의 아름다운 문화이다.
⑤ 그녀가 대학에 합격했다는 <u>소식</u>이 들렸다. – <u>소식</u>이 끊긴 친구에게 연락이 왔다.

17~20 다음 밑줄 친 부분과 사전적 의미의 연결이 적절하지 <u>않은</u> 것을 고르시오.

17.

① 혈압이 <u>오르다</u>. – 기록에 적히다.
② 벼슬길에 <u>오르다</u>. – 지위나 신분 따위를 얻게 되다.
③ 싸움의 기세가 <u>오르다</u>. – 기운이나 세력이 왕성해지다.
④ 뉴욕행 비행기에 <u>오르다</u>. – 탈것에 타다.
⑤ 저녁상에 고등어가 <u>오르다</u>. – 식탁, 도마 따위에 놓이다.

18.

① 바람이 <u>시원하다</u>. – 덥거나 춥지 아니하고 알맞게 서늘하다.
② 북엇국이 <u>시원하다</u>. – 기대, 희망 따위에 부합하여 충분히 만족스럽다.
③ 걸음걸이가 <u>시원하다</u>. – 말이나 행동이 활발하고 서글서글하다.
④ 쏟아지는 비가 <u>시원하다</u>. – 막힌 데가 없이 활짝 트이어 마음이 후련하다.
⑤ 청소를 했더니 쓰레기장이 <u>시원하다</u>. – 지저분하던 것이 깨끗하고 말끔하다.

19.

① 방 안이 <u>깨끗하다</u>. – 가지런히 잘 정돈되어 말끔하다.
② 시냇물이 <u>깨끗하다</u>. – 빛깔 따위가 흐리지 않고 맑다.
③ 그릇을 <u>깨끗하게</u> 씻었다. – 사물이 더럽지 않다.
④ 상처가 <u>깨끗하게</u> 아물었다. – 마음이나 표정 따위에 구김살이 없다.
⑤ 선거가 <u>깨끗하게</u> 치러졌다. – 마음씨나 행동 따위가 허물이 없이 떳떳하고 올바르다.

20.

① 전광판을 <u>손</u>으로 가리켰다. – 사람의 팔목 끝에 달린 부분.
② 할 일은 태산인데 <u>손</u>이 부족하다. – 지나가다가 잠시 들른 사람.
③ 외할머니의 <u>손</u>에서 자라났다. – 어떤 일을 하는 데 드는 사람의 힘이나 노력, 기술.
④ 사기꾼의 <u>손</u>에 놀아나 버렸다. – 사람의 수완*이나 꾀.
⑤ 성공과 실패는 네 <u>손</u>에 달렸다. – 어떤 사람의 영향력이나 권한이 미치는 범위.

• **수완** 손 手 팔뚝 腕
일을 꾸미거나 치러 나가는 재간.

📋 **3회독 채점표**

채점	회독 / 학습일자	1회독 / 월 일	2회독 / 월 일	3회독 / 월 일
맞힌 문항 수		_____개 / **20문항**	_____개 / **20문항**	_____개 / **20문항**
틀린 문항 번호				

·정답 및 해설 59쪽

01~05 다음 의미에 해당하는 단어의 반의어를 〈보기〉에서 찾아 쓰시오.

01. 끊지 않고 이어 나가다. (   )

02. 옷을 몸에 꿰거나 두르다. (   )

03. 추워서 굳어진 몸이나 신체 부위가 풀리다. (   )

04. 외부로부터 어떤 힘이 가해져 몸에 해를 입다. (   )

05. 교육이나 경험, 사고 행위를 통하여 사물이나 상황에 대한 정보나 지식을 갖추다.

(   )

─● 보기 ●─
| 그만두다 | 얼다 | 모르다 | 때리다 | 벗다 |

06~10 다음 밑줄 친 단어의 유의어를 〈보기〉에서 찾아 쓰시오.

06. 똑같은 내용이 겹치지 않도록 주의해라. (   )

07. 그 강아지는 똑똑해서 발자국 소리를 구분한다. (   )

08. 그는 너무나도 부끄러워 얼굴을 들 수가 없었다. (   )

09. 보고서가 예전과는 너무 다른 내용으로 기획*되었다. (   )

10. 그들은 직장이 서로 이웃해 있어 자주 마주치고는 하였다. (   )

─● 보기 ●─
| 총명하다 | 인접하다 | 민망하다 | 중복되다 | 판이하다 |

• **기획** 꾀할 企 그을 劃
일을 계획함.

11, 12 다음 중 나머지 단어를 모두 포함할 수 있는 상위어를 고르시오.

11.
① 건물   ② 주택   ③ 상가   ④ 오피스텔   ⑤ 아파트

12.
① 공무   ② 도구   ③ 집게   ④ 줄자   ⑤ 가위

13~16 다음 빈칸에 공통으로 들어갈 동음이의어로 가장 적절한 것을 고르시오.

13.
- □은/는 바다의 소고기라고 할 만큼 영양소가 풍부한 식품이다.
- 어두컴컴한 □에 들어갔더니 앞이 잘 보이지 않았다.

① 방　　　　② 회　　　　③ 밤　　　　④ 굴　　　　⑤ 안

14.
- 그는 결혼 후 회사를 그만두고 □□에 전념했다.
- 음악 시험을 대비해서 노래의 □□을/를 열심히 외웠다.

① 살림　　　② 집안　　　③ 가사　　　④ 취미　　　⑤ 가락

• 담대 쓸개 膽 클 大
겁이 없고 배짱이 두둑함.

15.
- 군대에서는 □□ 시간이 정해져 있다.
- 그는 담대*한 □□을/를 지니고 있다.

① 체격　　　② 기상　　　③ 심지　　　④ 포부　　　⑤ 배짱

16.
- 선풍기가 □□이/가 나서 수리점에 맡겼다.
- 여수는 돌게가 많이 잡히는 □□이다.

① 고장　　　② 지역　　　③ 산지　　　④ 지방　　　⑤ 고향

17~20 다음 밑줄 친 다의어의 의미에 유의하여, ㉠~㉢ 중 같은 의미끼리 묶은 것을 고르시오.

교육청 기출

17.
- ㉠ 그 분은 아침에 서울로 <u>가셨다</u>.
- ㉡ 선생님을 만나려면 교무실로 <u>가라</u>.
- ㉢ 그 아이는 학교에서 성적이 중간은 <u>간다</u>.
- ㉣ 물이 어른 무릎쯤 <u>가는</u> 냇물이라 아이들도 놀 수 있다.

① ㉠ / ㉡, ㉢, ㉣　　　② ㉠, ㉡ / ㉢, ㉣　　　③ ㉠, ㉡, ㉢ / ㉣
④ ㉠, ㉢, ㉣ / ㉡　　　⑤ ㉠, ㉣ / ㉡, ㉢

18.
- ㉠ 그 문제는 내 손을 <u>떠났다</u>.
- ㉡ 나는 집을 <u>떠나</u> 서울로 향했다.
- ㉢ 이미 그는 마음이 <u>떠난</u> 것 같다.
- ㉣ 혼자만 있을 수 있는 먼 곳으로 <u>떠나고</u> 싶다.

① ㉠, ㉡ / ㉢, ㉣　　　② ㉠, ㉡, ㉢ / ㉣　　　③ ㉠, ㉢ / ㉡, ㉣
④ ㉠, ㉢, ㉣ / ㉡　　　⑤ ㉠, ㉣ / ㉡, ㉢

19.

> ㉠ 현관을 지나자 큰 거실이 있었다.
> ㉡ 그는 그녀의 말을 무심결에 그냥 지나 버렸다.
> ㉢ 그때 마침 지하철이 왕십리역을 지나고 있었다.
> ㉣ 친구가 나무 밑을 지나 내 쪽으로 오고 있었다.

① ㉠ / ㉡, ㉢, ㉣   ② ㉠, ㉡ / ㉢, ㉣   ③ ㉠, ㉡, ㉢ / ㉣
④ ㉠, ㉢, ㉣ / ㉡   ⑤ ㉠, ㉣ / ㉡, ㉢

20.

> ㉠ 세상과 인연을 끊고 절로 들어갔다.
> ㉡ 연락을 끊은 지 오래된 친구에게 편지가 왔다.
> ㉢ 그는 좋아하던 커피도 끊고 건강 관리에 힘썼다.
> ㉣ 타향으로 이사를 오면서 그와는 왕래*를 끊었다.

① ㉠ / ㉡, ㉢, ㉣   ② ㉠, ㉡ / ㉢, ㉣   ③ ㉠, ㉣ / ㉡, ㉢
④ ㉡ / ㉠, ㉢, ㉣   ⑤ ㉠, ㉡, ㉣ / ㉢

• **왕래** 갈 往 올 來
가고 오고 함.

평가원 기출

21. 다음 밑줄 친 단어가 비유적 의미로 쓰인 것은?

① 그는 머리에 작은 상처를 입었다.
② 어머니의 눈에서 진주 한 방울이 떨어졌다.
③ 화단에는 다양한 종류의 꽃이 피어 있었다.
④ 명수는 발을 헛디뎌 계단에서 구르고 말았다.
⑤ 금방 청소를 끝낸 수영장의 물이 매우 깨끗했다.

수능 기출

22. 다음 밑줄 친 단어의 유의어로 적절하지 않은 것은?

① 감기가 들다. → 오다
② 고개를 들다. → 올리다
③ 가방을 들다. → 나르다
④ 보험에 들다. → 가입하다
⑤ 파란 물이 들다. → 스미다

📖 3회독 채점표

채점 / 회독 / 학습일자	1회독 / 월 일	2회독 / 월 일	3회독 / 월 일
맞힌 문항 수	____개 / **22문항**	____개 / **22문항**	____개 / **22문항**
틀린 문항 번호			

•정답 및 해설 61쪽

01~05 다음 의미에 해당하는 단어의 반의어를 〈보기〉에서 찾아 쓰시오.

01. 한정된 공간 속으로 들게 하다. (   )

02. 초목의 뿌리나 씨앗 따위를 흙 속에 묻다. (   )

03. 곳곳에 흩어지도록 던지거나 떨어지게 하다. (   )

04. 무엇을 입에 넣어서 목구멍으로 넘기다. (   )

05. 값을 받고 물건이나 권리 따위를 남에게 넘기거나 노력 따위를 제공하다.

(   )

───● 보기 ●───
뽑다   꺼내다   뱉다   사다   줍다

06~10 다음 밑줄 친 단어의 유의어를 〈보기〉에서 찾아 쓰시오.

06. 그녀는 열정을 가지고 금융업에 <u>종사하고</u> 있다. (   )

07. 오늘 제출해야 할 서류의 <u>종류</u>는 총 4가지이다. (   )

08. 그는 스스로를 <u>구속하며</u> 엄격한 생활을 하였다. (   )

09. 정부는 예산의 많은 부분을 국방비로 <u>투입하였다.</u> (   )

10. 시민 단체는 거액의 돈을 횡령한 혐의*로 그를 고발하였다. (   )

• **혐의** 싫어할 嫌 의심할 疑
범죄를 저질렀을 가능성이 있다고
봄. 또는 그 가능성.

───● 보기 ●───
쓰다   옭아매다   빼돌리다   내다   몸담다

11, 12 다음 중 나머지 단어를 모두 포함할 수 있는 상위어를 고르시오.

11.
① 이불   ② 베개   ③ 요   ④ 침구   ⑤ 이부자리

12.
① 혀   ② 잇몸   ③ 치아   ④ 입술   ⑤ 입

13~15 다음 빈칸에 공통으로 들어갈 동음이의어로 가장 적절한 것을 고르시오.

13.
• 그는 한참 동안 창밖의 풍경을 □□했다.
• 올해 행정고시에 □□한 사람의 숫자가 작년보다 늘어났다.

① 응시　　② 주시　　③ 관람　　④ 관망　　⑤ 감상

14.
• 산모는 오랜 산고 끝에 무사히 □□하였다.
• 연설이 끝나자 모여 있던 사람들은 □□하였다.

① 분산　　② 해산　　③ 분만　　④ 출산　　⑤ 생산

15.
• 아직도 그 소설에 □□할 만한 작품은 없다.
• 그의 □□은/는 매우 특이*하여 모두들 알아볼 수 있다.

① 대적　　② 필체　　③ 비교　　④ 필적　　⑤ 비등

• **특이** 특별할 特 다를 異
보통 것이나 보통 상태에 비하여
두드러지게 다름.

16~19 다음 밑줄 친 다의어의 의미에 유의하여, ㉠~㉣ 중 같은 의미끼리 묶은 것을 고르시오.

16.
㉠ 선을 바르게 긋다.
㉡ 의자에 바르게 앉아라.
㉢ 예의가 바른 사람은 환영받는다.
㉣ 그 아이는 인사성이 바르다는 칭찬을 들었다.

① ㉠ / ㉡, ㉢, ㉣
② ㉠, ㉡ / ㉢, ㉣
③ ㉠, ㉡, ㉢ / ㉣
④ ㉠, ㉢, ㉣ / ㉡
⑤ ㉠, ㉣ / ㉡, ㉢

17.
㉠ 바람이 깃발을 흔들었다.
㉡ 자는 동생을 흔들어 깨웠다.
㉢ 그녀는 떠나는 나에게 손을 흔들었다.
㉣ 회사를 마음대로 흔들던 사장은 결국 사임*했다.

① ㉠, ㉡ / ㉢, ㉣
② ㉠, ㉡, ㉢ / ㉣
③ ㉠, ㉢ / ㉡, ㉣
④ ㉠, ㉢, ㉣ / ㉡
⑤ ㉠, ㉣ / ㉡, ㉢

• **사임** 말씀 辭 맡길 任
맡아보던 일자리를 스스로 그만두
고 물러남.

18.
㉠ 장마가 끝나고 날이 개었다.
㉡ 날이 저물고 어느새 하루가 지났다.
㉢ 오늘은 날이 추우니 옷을 따뜻하게 입고 가라.
㉣ 날이 새면서 하늘이 점차 밝아 오기 시작했다.

① ㉠ / ㉡, ㉢, ㉣
② ㉠, ㉡ / ㉢, ㉣
③ ㉠, ㉡, ㉢ / ㉣
④ ㉠, ㉢ / ㉡, ㉣
⑤ ㉠, ㉣ / ㉡, ㉢

19.

> ㉠ 오늘 아침으로는 빵을 먹었다.
> ㉡ 아침에 늦잠을 자서 지각하고 말았다.
> ㉢ 이른 아침부터 서점에는 사람이 많았다.
> ㉣ 아버지는 할머니께 아침저녁으로 전화를 하신다.

① ㉠ / ㉡, ㉢, ㉣   ② ㉠, ㉡ / ㉢, ㉣   ③ ㉠, ㉣ / ㉡, ㉢
④ ㉡ / ㉠, ㉢, ㉣   ⑤ ㉠, ㉡, ㉣ / ㉢

20. 다음 중 밑줄 친 단어가 사전적 의미로 쓰이지 않은 것은?

① 며칠째 밤을 샜더니 잠이 온다.
② 요즘은 장마라 비가 많이 내린다.
③ 그녀는 손을 들어 나에게 인사했다.
④ 우리 학교에 자율화* 바람이 불고 있다.
⑤ 갓 피어난 연꽃잎에 이슬이 맺혀 있다.

• **자율화** 스스로 自 법칙 律 될 化
어떤 일을 구속하지 아니하고 자기 스스로의 원칙에 따라 하도록 함.

21. 다음 밑줄 친 단어의 반의어로 적절하지 않은 것은?

① 주차장에서 차를 빼다. → 대다
② 풍선에서 바람을 빼다. → 넣다
③ 허리에서 군살을 빼다. → 찌우다
④ 3에서 1을 빼면 2이다. → 더하다
⑤ 적금을 빼서 빚을 갚았다. → 찾다

3회독 채점표

채점 회독 / 학습일자	1회독 / 월 일	2회독 / 월 일	3회독 / 월 일
맞힌 문항 수	_____개 / 21문항	_____개 / 21문항	_____개 / 21문항
틀린 문항 번호			

· 정답 및 해설 64쪽

01~05 다음에서 유사한 의미를 가진 단어끼리 서로 연결하시오.

01. 치하하다 •　　　　　　　• ㉠ 포획하다

02. 질의하다 •　　　　　　　• ㉡ 뽑아내다

03. 발췌하다 •　　　　　　　• ㉢ 칭찬하다

04. 사냥하다 •　　　　　　　• ㉣ 달성하다

05. 이루다 •　　　　　　　• ㉤ 물어보다

06~10 다음 밑줄 친 단어의 반의어를 고르시오.

06.
> 약이 <u>쓰더라도</u> 함부로 뱉어내지 마라.

① 지우다　　② 벗다　　③ 덮다　　④ 달다　　⑤ 베끼다

07.
> 한자를 <u>외울</u> 때는 뜻과 음을 함께 공부해야 한다.

① 잊다　　② 암기하다　　③ 기억하다　　④ 새기다　　⑤ 날리다

08.
> 나는 반가운 마음에 정류장까지 나가서 손님을 <u>마중했다</u>.

① 환영하다　　② 배웅하다　　③ 만나다　　④ 맞이하다　　⑤ 들이다

09.
> 우리는 그 회사와 거래를 <u>중단하기로</u> 결정했다.

① 사직하다　　② 계속하다　　③ 교체하다　　④ 철수하다　　⑤ 수거하다

10.
> 그는 기껏* 모은 돈을 <u>낭비하여</u> 순식간에 빈털터리가 되었다.

① 허비하다　　② 수수하다　　③ 소비하다　　④ 사치하다　　⑤ 절약하다

• 기껏
힘이나 정도가 미치는 데까지.

11, 12 다음 중 상하 관계의 단어가 <u>아닌</u> 것을 고르시오.

11.

① 공구>망치 ② 음료>주스 ③ 신체>다리 ④ 언어>국어 ⑤ 나무>종이

12.

① 동물>식물 ② 색깔>노랑 ③ 상점>책방 ④ 자연>하늘 ⑤ 그림>유화

13, 14 다음 밑줄 친 두 단어의 기본형이 동음이의어인 것을 고르시오.

13.

① 몸무게가 많이 <u>줄었다</u>. – 생산량이 <u>줄어</u> 걱정이다.
② 아침에 일어나 이불을 <u>개었다</u>. – 옷을 <u>개어</u> 옷장에 넣었다.
③ 그는 의자를 <u>당겨</u> 앉았다. – 운동회 날짜를 일주일 <u>당겼다</u>.
④ 다리가 <u>부어서</u> 걸을 수가 없다. – 물을 <u>부어서</u> 농도를 맞추다.
⑤ 그는 수지를 회장으로 <u>밀었다</u>. – 뒤에서 <u>밀지</u> 말고 차례대로 섭시다.

14.

① 지난 번 담근 술이 잘 <u>익었다</u>. – <u>익은</u> 감들이 맛있어 보인다.
② 눈을 <u>감고</u> 옛날을 추억해 보았다. – 헌 털실을 돌돌 <u>감았다</u>.
③ 옷감이 <u>삭아</u> 다 해어졌다. – 며칠 앓더니 몸이 많이 <u>삭았구나</u>.
④ 신발이 <u>닳아서</u> 발가락이 보였다. – 그 차는 기름이 많이 <u>닳는다</u>.
⑤ 시간을 <u>끌지</u> 말고 빨리 말해라. – 그는 책상을 이쪽으로 <u>끌어</u> 왔다.

15, 16 다음 밑줄 친 두 단어의 기본형이 동음이의어가 <u>아닌</u> 것을 고르시오.

15.

① 어려운 문제를 <u>풀다</u>. – 묶여 있는 매듭을 <u>풀다</u>.
② 공을 세게 <u>차다</u>. – 바람이 <u>차니</u> 이제 그만 집에 가자.
③ 야외에서 고기를 <u>굽다</u>. – 시골길이 구불구불 <u>굽어</u> 있었다.
④ 그는 자신을 놀리는 말에 <u>수치</u>를 느꼈다. – 백혈구* <u>수치</u>가 높아졌다.
⑤ 승무원은 오랜 <u>비행</u>을 마쳤다. – 아들의 철없는 <u>비행</u>에 부모는 애가 탔다.

16.

① 경기가 나빠져 사람들이 실직했다. – <u>경기</u>에서 우승하다.
② 오후 네 시는 저녁을 먹기에 <u>이르다</u>. – 약속 장소에 <u>이르다</u>.
③ 촛불을 <u>켜서</u> 어두운 방을 밝혔다. – 라디오를 <u>켜서</u> 음악을 들었다.
④ 예정 시간보다 서둘러 지하철을 <u>탔다</u>. – 상 위의 고등어가 너무 <u>탔다</u>.
⑤ 그녀는 미술관 <u>관장</u>을 맡고 있다. – 그 일은 사장님이 <u>관장</u>을 하신다.

• **백혈구** 흰 白 피 血 공 球
혈액의 성분 가운데 하나. 적혈구
보다 크고, 무색의 핵이 있으며, 면
역 작용 따위의 기능이 있다.

17.

① 밧줄을 <u>잡다</u>. – 손으로 움키고 놓지 않다.

② 심야에 택시를 <u>잡다</u>. – 자동차 따위를 타기 위하여 세우다.

③ 지역의 상권*을 <u>잡다</u>. – 권한 따위를 차지하다.

④ 사건의 단서를 <u>잡다</u>. – 실마리, 요점, 단점 따위를 찾아내거나 알아내다.

⑤ 잔치를 열려고 돼지를 <u>잡다</u>. – 붙들어 손에 넣다.

• **상권** 장사 商 우리 圈
상업상의 세력이 미치는 범위.

18.

① 그 부부는 소득이 <u>높다</u>. – 품질, 수준, 능력, 가치 따위가 보통보다 위에 있다.

② 세계적으로 이름이 <u>높다</u>. – 이름이나 명성 따위가 널리 알려진 상태에 있다.

③ 그는 <u>높은</u> 관직을 지냈다. – 기세 따위가 힘차고 대단한 상태에 있다.

④ <u>높은</u> 음으로 노래를 불렀다. – 소리가 음계에서 위쪽에 있거나 진동수가 큰 상태에 있다.

⑤ 물은 <u>높은</u> 곳에서 낮은 곳으로 흐른다. – 아래에서 위까지의 길이가 길다.

19.

① 선풍기 날개가 <u>돌고</u> 있다. – 물체가 일정한 축을 중심으로 원을 그리면서 움직이다.

② 공장이 무리 없이 잘 <u>돌고</u> 있다. – 소문이나 돌림병 따위가 퍼지다.

③ 감기약 기운이 <u>도는지</u> 어지럽다. – 술이나 약의 기운이 몸속에 퍼지다.

④ 큰 길로 나가서 오른쪽으로 <u>돌아라</u>. – 방향을 바꾸다.

⑤ 극심한 불경기로 인해 자금이 <u>돌지</u> 않는다. – 돈이나 물자 따위가 유통되다.

20.

① 남대문은 서울의 <u>얼굴</u>이다. – 어떤 사물의 진면목을 단적으로 보여 주는 대표적 표상.

② 그녀는 <u>얼굴</u>에 화장을 했다. – 눈, 코, 입이 있는 머리의 앞면.

③ 겁에 질린 <u>얼굴</u>로 뛰어 왔다. – 머리 앞면의 전체적 윤곽이나 생김새.

④ 미술계에 새로운 <u>얼굴</u>이 등장했다. – 어떤 분야에 활동하는 사람.

⑤ 그는 아버지의 <u>얼굴</u>에 먹칠을 했다. – 주위에 잘 알려져서 얻은 평판이나 명예. 또는 체면.

3회독 채점표

회독 / 학습일자 채점	1회독 / 월 일	2회독 / 월 일	3회독 / 월 일
맞힌 문항 수	_____개 / **20문항**	_____개 / **20문항**	_____개 / **20문항**
틀린 문항 번호			

23 일차 → 단어의 의미 관계 ⑤

• 정답 및 해설 67쪽

01~05 다음 의미에 해당하는 단어의 반의어를 〈보기〉에서 찾아 쓰시오.

01. 보다 더 좋거나 앞서 있다. (   )

02. 모양이나 규모 따위를 더 크게 하다. (   )

03. 종적*을 잃어 간 곳이나 생사를 알 수 없게 되다. (   )

04. 떨어지지 아니하게 붙다. 또는 그렇게 붙이거나 달다. (   )

05. 고장이 나거나 못 쓰게 된 물건을 손질하여 제대로 되게 하다. (   )

> • 종적 발자취 踪 발자취 跡
> 없어지거나 떠난 뒤에 남는 자취나 현상.

• 보기 •
> 망가뜨리다   못하다   찾다   축소하다   떼다

06~10 다음 밑줄 친 단어의 유의어를 〈보기〉에서 찾아 쓰시오.

06. 그가 말하는 재간둥이는 아들을 지칭하는 말이었다. (   )

07. 이곳의 이름은 여기에 있던 바위로부터 유래한 것이다. (   )

08. 그녀는 시장이 된 후 다양한 복지 정책을 시행하였다. (   )

09. 이 책은 우주의 모든 것을 망라하는 내용을 담고 있다. (   )

10. 무형 문화재인 그녀는 공예품 제작 기술을 제자에게 전수했다. (   )

• 보기 •
> 가리키다   아우르다   오다   물려주다   펴다

11, 12 다음 중 나머지 단어를 모두 포함할 수 있는 상위어를 고르시오.

11.
① 미술   ② 예술   ③ 음악   ④ 영화   ⑤ 문학

12.
① 수소   ② 염소   ③ 원소   ④ 질소   ⑤ 탄소

13~16 다음 빈칸에 공통으로 들어갈 동음이의어로 가장 적절한 것을 고르시오.

13.
> • 근거도 없이 타인을 나쁜 사람으로 □□하면 안 된다.
> • 그는 아파트를 좋은 가격으로 □□했다.

① 음해   ② 모함   ③ 매수   ④ 경매   ⑤ 매도

14.
> • 경주시는 신라 문화유산의 □□이다.
> • 상부에 연구 성과 □□을/를 해야 한다.

① 신고   ② 보도   ③ 보물   ④ 보고   ⑤ 통보

15.
> • 그는 □□을/를 잊은 채 소설의 집필에 매진°했다 .
> • 이 절벽은 파도의 □□이/가 가져온 결과이다.

① 손상   ② 절삭   ③ 침식   ④ 주야   ⑤ 식음

16.
> • 그가 도착했을 때 잔치는 이미 □□ 무렵이었다.
> • 그 일의 □□이/가 너무 커서 수습을 할 수가 없다.

① 파장   ② 개장   ③ 여파   ④ 영향   ⑤ 파문

• **매진** 갈 邁 나아갈 進
어떤 일을 전심전력을 다하여 해 나감.

17~20 다음 밑줄 친 다의어의 의미에 유의하여, ㉠~㉢ 중 같은 의미끼리 묶은 것을 고르시오.

17.
> ㉠ 나를 보는 그의 눈초리가 매웠다.
> ㉡ 매운 시집살이에 그녀는 힘들어했다.
> ㉢ 찌개가 매워서 많이 먹지는 못하겠다.
> ㉣ 그 곳은 사람들이 매워서 타지인이 적응하기 어렵다.

① ㉠ / ㉡, ㉢, ㉣   ② ㉠, ㉡ / ㉢, ㉣   ③ ㉠, ㉡, ㉢ / ㉣
④ ㉠, ㉡, ㉣ / ㉢   ⑤ ㉠, ㉣ / ㉡, ㉢

18.
> ㉠ 벽에 못을 박았다.
> ㉡ 상자에 솜을 박아 넣었다.
> ㉢ 그녀는 의자에 나사를 박았다.
> ㉣ 장롱에 옷을 박아 두고 꺼내지 않았다.

① ㉠, ㉡ / ㉢, ㉣   ② ㉠, ㉡, ㉢ / ㉣   ③ ㉠, ㉢ / ㉡, ㉣
④ ㉠, ㉢, ㉣ / ㉡   ⑤ ㉠, ㉣ / ㉡, ㉢

19.

> ㉠ 색종이를 <u>접어</u> 학을 만들었다.
> ㉡ 바지를 세 번 <u>접어</u> 서랍에 넣었다.
> ㉢ 읽던 페이지를 <u>접어</u> 표시해 두었다.
> ㉣ 우선 내 의견을 <u>접어</u> 두고 그의 말을 따르기로 했다.

① ㉠ / ㉡, ㉢, ㉣　　　② ㉠, ㉡ / ㉢, ㉣　　　③ ㉠, ㉡, ㉢ / ㉣
④ ㉠, ㉢ / ㉡, ㉣　　　⑤ ㉠, ㉣ / ㉡, ㉢

• 예산 미리 豫 셈 算
「1」 필요한 비용을 미리 헤아려 계산함. 또는 그 비용.
「2」 국가나 단체에서 한 회계 연도의 수입과 지출을 미리 셈하여 정한 계획.

20.

> ㉠ 작년 대비 예산°을 10% <u>깎았다</u>.
> ㉡ 사과를 <u>깎아서</u> 어머니께 드렸다.
> ㉢ 연필을 <u>깎다가</u> 손가락을 다쳤다.
> ㉣ 말을 잘한 덕분에 물건 값을 만 원이나 <u>깎았다</u>.

① ㉠ / ㉡, ㉢, ㉣　　　② ㉠, ㉡ / ㉢, ㉣　　　③ ㉠, ㉢ / ㉡, ㉣
④ ㉠, ㉣ / ㉡, ㉢　　　⑤ ㉡ / ㉠, ㉢, ㉣

교육청 기출

21. 다음은 '키우다'의 유의어들이다. 〈보기〉의 밑줄 친 부분에 공통으로 들어갈 단어로 적절한 것은?

─────── ● 보기 ● ───────

> • 돼지를 _____.
> • 감나무를 _____.
> • 수염을 _____.
> • 인내심을 _____.

① 기르다　　　　② 먹이다　　　　③ 사육하다
④ 재배하다　　　⑤ 양육하다

📋 3회독 채점표

채점　　　회독 / 학습일자	1회독 /　월　일	2회독 /　월　일	3회독 /　월　일
맞힌 문항 수	_____개 / **21문항**	_____개 / **21문항**	_____개 / **21문항**
틀린 문항 번호			

적용 문제

·정답 및 해설 69쪽

1 〈보기 1〉을 참고하여 〈보기 2〉의 빈칸을 채울 때, [A]~[C]에 들어갈 말을 바르게 배열한 것은?

● 보기 1 ●

단어는 문맥에 따라 여러 의미를 가진다. 따라서 반의어도 여럿이 될 수 있다. 예를 들어, '철수가 뛰었다.'에서 '뛰다'의 반의어는 '걷다'이지만 '물가(物價)가 뛰었다.'에서 '뛰다'의 반의어는 '떨어지다'이다.

● 보기 2 ●

단어	예문		반의어
가다	나는 다섯 시까지 학교에 가야 한다.	↔	오다
	건전지를 새로 넣었더니 시계가 잘 간다.	↔	[A]
	[B]	↔	끊다
	젊은 친구가 안타깝게도 일찍 가 버렸다.	↔	[C]

	[A]	[B]	[C]
①	멈추다	나도 모르게 그녀에게 관심이 갔다.	살다
②	멈추다	액자가 왼쪽으로 좀 간 것 같다.	움직이다
③	멈추다	회의가 엉뚱한 쪽으로 가고 있다.	살다
④	그만두다	통일로 가는 길은 멀고도 험하다.	움직이다
⑤	그만두다	벽에 금이 가서 위험하다.	살다

2 다음의 밑줄 친 부분과 바꿔 쓸 수 있는 말로 가장 적절한 것은?

공기를 압축하면 뜨거워진다는 것은 알려져 있던 사실이다. 디젤 엔진의 기본 원리는 실린더 안으로 공기만을 흡입하여 피스톤으로 강하게 압축시킨 다음, 그 압축 공기에 연료를 분사하여 저절로 착화가 되도록 하는 것이다. 따라서 디젤 엔진에는 점화 플러그가 필요 없는 대신, 연료 분사기가 장착되어 있다. 또 압축 과정에서 공기와 연료가 혼합되지 않기 때문에 디젤 엔진은 최대 12:1의 압출 비율을 갖는 가솔린 엔진보다 훨씬 더 높은 25:1 정도의 압축 비율을 갖는다. 압축 비율이 높다는 것은 그만큼 효율이 좋다는 것을 의미한다.

① 혼자   ② 몸소   ③ 손수   ④ 스스로   ⑤ 우연히

3 다음은 '사전 활용하기' 학습 활동을 위한 자료이다. 이에 대한 이해로 적절하지 <u>않은</u> 것은?

> 들다01 「동사」
> ㉠【…에】【…으로】 밖에서 속이나 안으로 향해 가거나 오거나 하다.
> ㉡【…에】 안에 담기거나 그 일부를 이루다.
> ㉢ 어떤 때, 철이 되거나 돌아오다.
>
> 들다03 「동사」
> ㉠ 날이 날카로워 물건이 잘 베어지다.
>
> 들다04 「동사」
> ㉠【…을 …에】 손에 가지다.
> ㉡【…을 】 아래에 있는 것을 위로 올리다.

① 들다01의 ㉠의 예로 '우리 집에 도둑이 들었다.'가 있다.
② 들다01의 ㉡의 예로 '빵 속에 든 단팥'이 있다.
③ 들다03의 ㉠의 예로 '낫이 잘 안 들어 벼 베기가 힘들다.'가 있다.
④ 들다04의 ㉠의 예로 '동생은 손에 가방을 들고 있었다.'가 있다.
⑤ 들다04의 ㉡의 예로 '주장을 하려면 명확한 근거를 들어야 한다.'가 있다.

IV. 관용어 · 속담

관용어는 두 개 이상의 단어가 결합하여 각 단어의 원래 의미와는 다른 새로운 의미를 나타내고, 일반 대중에 의해 관습적으로 사용되면서 그 새로운 의미로 굳어진 말을 가리킨다. 속담은 예로부터 민간에서 전하여 오는, 삶의 교훈이 담겨 있는 한 문장의 짧은 글을 가리키며, 이를 통해 우리 조상들의 지혜와 사고방식을 엿볼 수 있다.

24 일차 ○ 관용어 ①

·정답 및 해설 70쪽

01~08 다음 (   ) 안에 적절한 단어를 고르시오.

01. 남의 가슴에 (못/오금)을 박는 짓은 하지 말자.

02. 그 상품은 내수*보다는 수출로 (가닥/덜미)이/가 잡히었다.

03. 이번에 내놓은 신상품은 날개 (돋친/펴진) 듯 팔려 나갔다.

04. 그자는 십 년 동안이나 복수의 칼을 (갈고/맞고) 있다고 한다.

05. 그의 답답한 일 처리를 보고 있자면 속에 (불/말)이 난다.

06. 그는 옳은 일이라면 항상 발 벗고 (나서는/대드는) 사람이다.

07. 그녀는 온 동네의 일에 (귓구멍/치마폭)이 넓다.

08. 그는 예전의 실수 때문인지 모든 사람이 한결같이 자신을 (곁다리/색안경)을/를 끼고 본다고 생각했다.

• **내수** 안 內 쓰일 需
국내에서의 수요.

09~13 다음 (   ) 안에 적절한 관용 표현을 고르시오.

09.

> 나는 그의 조리* 있는 대답에 그만 (   ).

① 말발이 섰다.　　　② 말문이 막혔다.　　　③ 말길이 되었다.
④ 말발을 세웠다.　　　⑤ 말허리를 잘렸다.

• **조리** 가지 條 다스릴 理
말이나 글 또는 일이나 행동에서 앞뒤가 들어맞고 체계가 서는 갈피.

10.

> 거짓말을 (   ) 하는 사람과는 상종*할 수 없다.

① 식은 죽 먹듯　　　② 변죽을 울리듯　　　③ 변덕이 죽 끓듯
④ 죽과 장이 맞듯　　　⑤ 죽도 밥도 안 되듯

• **상종** 서로 相 좇을 從
서로 따르며 친하게 지냄.

11.

> 부모의 (   ) 하는 불효자가 되지는 말아야 한다.

① 가슴을 펴게　　　② 가슴을 열게　　　③ 가슴이 넓게
④ 가슴에 불붙게　　　⑤ 가슴에 멍이 들게

12.

> 아무리 잔소리를 해 봐야 내 (   ) 그만두어야겠다.

① 입만 사니까　　　② 입만 다니까　　　③ 입만 맞추니까
④ 입만 모으니까　　　⑤ 입만 아프니까

13.

> 그녀는 어떤 일을 맡겨도 해낼 수 있는 (   ) 사람이었다.

① 피가 마른   ② 피가 뜨거운   ③ 피가 켕기는

④ 피를 토하는   ⑤ 피가 거꾸로 솟는

14~18 다음 밑줄 친 부분이 관용 표현이 <u>아닌</u> 것을 고르시오.

14.

① 이 친구는 우정이라면 <u>깜빡 죽는</u> 사람이다.
② 국민을 사랑하는 정치인만이 <u>녹을 먹을</u> 자격이 있다.
③ 두 마을 사이를 흐르는 실개천에 <u>다리를 놓기</u>로 했다.
④ 각 나라는 불법 이민을 막기 위해 <u>문턱을 높이고</u> 있다.
⑤ 당연한 일을 했을 뿐이니 공연히 <u>비행기를 태우지</u> 마라.

15.

① 오랫동안 같은 자세로 있으니 <u>발이 저린다</u>.
② 그 얘기를 듣자마자 모두가 <u>배꼽을 쥐었다</u>.
③ 이 경대는 할머니의 <u>입김이 어려</u> 있는 뜻깊은 것이다.
④ 선생님의 은혜를 생각하면 저절로 <u>고개가 수그러진다</u>.
⑤ 그는 할아버지 말씀을 <u>가슴에 새기고</u> 정든 집을 떠났다.

16.

① 휴가철에 해수욕장에 갔다가 <u>바가지를 썼다</u>.
② 좋은 일에 끼어들어 <u>초를 치는</u> 사람이 꼭 있다.
③ 어제부터 오른쪽 <u>귀가 가려워</u> 병원에서 진찰을 받았다.
④ 내가 눈을 한번 치뜨니까 그는 <u>꽁무니를 빼고</u> 달아났다.
⑤ 느닷없는 자동차 경적 소리에 <u>귀청이 떨어지는</u> 줄 알았다.

17.

① 그는 이제 건축 일에는 <u>손을 끊었다</u>.
② 나는 친구와 싸우지 않기로 <u>손을 걸고</u> 맹세하였다.
③ 자동차가 달릴 때에는 창문 밖으로 <u>손을 내밀지</u> 마라.
④ 허름하던 지붕이 아버지의 <u>손을 거치자</u> 아주 말끔해졌다.
⑤ 이제 일이 <u>손에 익어서</u> 일을 빠르고 정확하게 처리할 수 있다.

18.

① 아이들이 <u>머리가 굵어지니까</u> 말을 잘 안 듣는다.
② <u>머리를 깎으니까</u> 군에 입대한다는 사실이 실감 난다.
③ 원래 아쉬운 쪽이 먼저 <u>머리를 굽히고</u> 들어가는 법이다.
④ 자동차를 고칠 방법이 있는지 함께 <u>머리를 굴려</u> 보았다.
⑤ 내가 너무 <u>머리가 굳어서</u> 그런지 젊은 너를 이해할 수가 없다.

• 중몰이

= 중모리 장단. 판소리 및 산조 장단의 하나. 진양조장단보다 조금 빠르고 중중모리장단보다 조금 느린 중간 빠르기로, 4분의12 박자이다.

수능 기출

19. 다음의 ( ) 안에 적절한 관용 표현을 고르시오.

[중몰이*] 도련님이 이 말 듣고, 말 아래 급히 내려 우루루루루 뛰어 들어가 춘향의 목을 안고,
"춘향아, 네가 이것이 웬일이냐. 네가 천연히 집에 앉아 날더러 잘 가라고 말을 하여도 장부 ( ), 삼도(三道) 네거리 떡 벌어진 데서 이 울음이 웬일이냐."
춘향이 기가 막혀,
"아이고 도련님 참으로 가시오그려. 못 하지 못 가지요. 나를 죽여 이 자리에 묻고 가면 갔지 살려 두고는 못 가리다. 향단아 술상 이리 가져오너라."

① 뼈가 녹는데　　　　　　② 살을 떠는데
③ 간장이 녹는데　　　　　④ 심장에 새기는데
⑤ 마음에 차는데

수능 기출

20. 밑줄 친 부분의 '종지부' 대신 사용할 수 있는 단어로 적절한 것은?

별이나 태양의 중심부에 있는 핵연료는 언젠가는 소진될 것이다. 그렇게 되면 별은 짓누르는 중력의 압력을 감당하지 못하여 수축할 수밖에 없다. 수축이 한계에 다다르게 되면 별의 중심부는 마치 억눌린 거대한 용수철처럼 그 위에 떨어지는 물질들을 튕겨내고, 그 때 생기는 거대한 충격파가 별을 폭파시켜 별은 종지부를 찍는다.

① 가위표　　　　　② 난수표　　　　　③ 느낌표
④ 마침표　　　　　⑤ 성적표

3회독 채점표

채점　　회독 / 학습일자	1회독 /　월　일	2회독 /　월　일	3회독 /　월　일
맞힌 문항 수	_____개 / **20문항**	_____개 / **20문항**	_____개 / **20문항**
틀린 문항 번호			

25일차 → 관용어 ②

· 정답 및 해설 72쪽

01~07 다음 ( ) 안에 적절한 단어를 고르시오.

01. 적군은 추격의 (고삐/허리띠)를 늦추지 않았다.

02. 그는 (염통/허파)에 바람 든 사람처럼 웃고 있다.

03. 그는 (가면/감투)을/를 쓰더니 권력을 마음대로 휘둘렀다.

04. 이제 갓 (걸음/게걸)을 뗀 사업이지만 전망*이 밝다.

05. 우리 집은 10년 전까지 (가랑이/귀청)이/가 찢어지게 가난했다.

06. 그날 토론에서 제대로 반박하지 못해 코가 (납작해진/높아진) 소년은 학교에 가기를 싫어하였다.

07. (눈에 흙이 들어가기/흙내를 맡기) 전에는 너희의 결혼을 절대로 허락할 수가 없다.

* **전망** 펼 展 바랄 望
앞날을 헤아려 내다봄. 또는 내다보이는 장래의 상황.

08~10 다음 밑줄 친 부분의 의미에 적절한 관용 표현을 고르시오.

08.

> 고려 시대에는 매를 이용한 사냥인 매사냥이 유행했다고 한다. 매사냥을 즐기는 사람이 늘어나다 보니 사냥을 위해 애써 길들인 매를 잃어버리는 일도 잦아졌다. 그래서 자신의 매에 특별한 꼬리표를 달아 두는 방법이 생기기도 했다. 하지만 꼬리표를 없애면 결국 그 매가 누구의 매인지 아는 것이 쉽지 않기는 마찬가지였다. 이러한 상황에서 '자기가 하고도 아니한 체, 알고도 모르는 체하는 태도.'를 의미하는 이 말이 유래되었다고 한다.

① 손을 떼다　　　② 운을 떼다　　　③ 걸음을 떼다
④ 시치미를 떼다　　⑤ 차 떼고 포 떼다

09.

> 예부터 장님들은 생계유지를 위해 점을 쳤는데 그 도구로는 주로 나무로 만든 가지를 통에 담아 이용했다고 한다. 그런데 만일 누군가가 점을 치는 도구를 못 쓰게 만들면 눈이 보이지 않는 장님들에게는 매우 난감한 일이 생기는 셈이 된다. 이러한 상황에서 '다 잘되어 가던 일을 이루지 못하게 뒤틀다.'라는 의미를 갖는 이 말이 유래되었다고 한다.

① 꿈을 깨다　　　② 그릇 깨겠다　　　③ 머리가 깨다
④ 산통을 깨다　　⑤ 쪽박을 깨다

10.

> 우리의 전통 관악기에는 놋쇠로 만든 것이 있었는데, 이 악기를 불면 악기 치고는 유독 듣기가 거북하고 시끄러우면서 다른 악기와는 잘 어울리지 않는 쇳소리가 많이 났다고 한다. 그래서 이 악기와 관련하여 '당치 않은 말을 함부로 하다.'라는 의미를 갖는 이 말이 유래되었다고 한다.

① 금을 치다　　　② 나발을 불다　　　③ 피리를 불다
④ 북장단을 치다　　⑤ 쟁북을 맞추다

11~14 다음 빈칸에 공통으로 들어가기에 적절한 단어를 고르시오.

11.

> □이 넓다, □이 묶이다, □을 빼다, □을 뻗다

① 땀　　② 발　　③ 손　　④ 입　　⑤ 턱

12.

> □□이 드러나다, □□을 기다, □□을 긁다, □□을 비우다

① 기둥　　② 바닥　　③ 지붕　　④ 천장　　⑤ 창문

13.

> □□을 넣다, □□이 들다, □□을 쐬다, □□을 일으키다

① 바람　　② 구름　　③ 벼락　　④ 가슴　　⑤ 얼굴

14.

> □□을 붙이다, □□을 주다, □□에 차다. □□이 통하다.

① 손길　　② 눈길　　③ 마음　　④ 신경　　⑤ 정신

15~20 예문을 참고하여 주어진 뜻에 해당하는 관용 표현을 고르시오.

15.

> 설움이 북받치다.
> 예 그가 사고를 당했다는 소식에 (　　　　) 말을 할 수가 없었다.

① 맥이 풀려　　　② 목이 막혀　　　③ 코가 빠져
④ 발목을 잡혀　　⑤ 귀가 따가워

16.

> 권세나 기세 따위가 아주 대단하다.
> 예 (　　　　) 일본 순사들의 눈을 피해 독립운동을 했다.

① 뱃속이 검은　　② 싹수가 노란　　③ 개뿔도 없는
④ 서슬이 시퍼런　　⑤ 어안이 벙벙한

17.

서로 비슷한 지위나 힘을 가지다.
예 그는 최선을 다해 노력한 결과 프로 선수들과 (   ) 되었다.

① 죽고 못 살게　　　　② 한배를 타게　　　　③ 채찍을 가하게
④ 머리를 맞대게　　　　⑤ 어깨를 나란히 하게

18.

행적을 들키다
예 범인은 방심하고 있다가 형사에게 (   ) 말았다.

① 코를 떼고　　　　② 가슴을 태우고　　　　③ 무릎을 꿇고
④ 허리를 굽히고　　　　⑤ 꼬리를 밟히고

19.

어떤 종류의 것이 모조리 없어지다.
예 농촌에 젊은 일손이 (   ).

① 속이 말랐다　　　　② 씨가 말랐다　　　　③ 애가 말랐다
④ 침이 말랐다　　　　⑤ 피가 말랐다

20.

보호하거나 지키는 사람이 없는 상태가 되게 하다.
예 환자의 (   ) 말고 상태를 잘 지켜보아라.

① 간을 졸이지　　　　② 자리를 걷지　　　　③ 곁을 비우지
④ 눈을 돌리지　　　　⑤ 죽을 쑤지

📖 3회독 채점표

채점　　　회독 / 학습일자	1회독 /　월　일	2회독 /　월　일	3회독 /　월　일
맞힌 문항 수	_____개 / **20**문항	_____개 / **20**문항	_____개 / **20**문항
틀린 문항 번호			

·정답 및 해설 75쪽

01~07 다음 (   ) 안에 적절한 속담을 〈보기〉에서 찾아 쓰시오.

01. 할 말이 없지는 않을 텐데 왜 계속 (   )인지 모르겠다.

02. 새로 이사 간 곳에서 (   )가 될까 봐 걱정했는데, 이웃들이 다들 친절해서 다행이다.

03. 이번에 공부를 열심히 해서 성적도 올랐는데 장학금까지 받았으니 이것이야말로 (   )이다.

04. 모두 함께 먹으라고 사 온 간식을 자기 책상에 올려 두는 것은 (   )를 하는 것과 다름없다.

05. 공부를 하려는 의지가 없는 아이에게 강제로 공부를 시키는 것은 (   )이다.

06. 손가락이 살짝 베였는데 깁스를 하는 것은 마치 (   )와 같다.

07. 숙제를 다 못했는데 동생이 청소를 도와 달라고 하여 '(   )'라고 말했다.

┌──────────────── 보기 ────────────────┐

개밥에 도토리   내 코가 석 자
꿀 먹은 벙어리   꿩 먹고 알 먹기
제 논에 물 대기   모기 보고 칼 빼기
밑 빠진 독에 물 붓기

└───────────────────────────────────┘

08~14 다음의 상황에 가장 적절한 속담을 고르시오.

08.
┌──┐
│ 집에 수천 권의 양서*가 있어도 읽지 않으면 소용이 없다. │
└──┘

① 간에 붙었다 쓸개에 붙었다 한다.
② 구슬이 서 말이라도 꿰어야 보배라.
③ 낮말은 새가 듣고 밤말은 쥐가 듣는다.
④ 고슴도치도 제 새끼는 함함하다*고 한다.
⑤ 미꾸라지 한 마리가 온 웅덩이를 흐려 놓는다.

• **양서** 어질 良 글 書
내용이 교훈적이거나 건전한 책.

• **함함하다**
털이 보드랍고 반지르르하다.

09. 그가 연필깎이가 필요하다고 해서 빌려 줬더니, 깎다가 비싼 색연필이 부러졌다며 나에게 도리어 화를 냈다.

① 선무당이 사람 잡는다.
② 사촌이 땅을 사면 배가 아프다.
③ 가는 말이 고와야 오는 말이 곱다.
④ 벼 이삭은 익을수록 고개를 숙인다.
⑤ 물에 빠진 놈 건져 놓으니까 망건값 달라 한다.

10. 책 다섯 권을 빌려서 집에 가려는데, 친구가 두 권을 들어주어 무겁지 않게 집에 올 수 있었다.

① 백지장도 맞들면 낫다.
② 아는 길도 물어 가랬다.
③ 모로˚ 가도 서울만 가면 된다.
④ 가랑잎이 솔잎더러 바스락거린다고 한다.
⑤ 남의 눈에 눈물 내면 제 눈에는 피눈물이 난다.

• 모로
「1」 비껴서. 또는 대각선으로.
「2」 옆쪽으로.

11. 디자인이 예쁜 신발을 구입했는데, 신으면 발이 불편하고 장식도 금방 떨어져 버렸다.

① 빛 좋은 개살구.
② 핑계 없는 무덤이 없다.
③ 세 살 적 버릇이 여든까지 간다.
④ 보기 좋은 떡이 먹기도 좋다.
⑤ 열 길 물속은 알아도 한 길 사람의 속은 모른다.

12. 체육대회 때 입을 학급 티셔츠를 고르는 회의에서 친구들이 자기가 원하는 것만 이야기하는 바람에 결국 티셔츠를 고르지 못했다.

① 가난 구제는 나라도 못한다.
② 사공이 많으면 배가 산으로 간다.
③ 산토끼를 잡으려다가 집토끼를 놓친다.
④ 남의 잔치에 감 놓아라 배 놓아라 한다.
⑤ 자라 보고 놀란 가슴 솥뚜껑 보고 놀란다.

13. 그는 중학교 때까지 농구 선수를 해서 그런지 어려운 체육 실기 시험에서도 유일하게 만점을 받았다.

① 꼬리가 길면 밟힌다.
② 도둑이 제 발 저리다.
③ 까마귀 날자 배 떨어진다.
④ 가랑비에 옷 젖는 줄 모른다.
⑤ 고기도 먹어 본 사람이 많이 먹는다.

14.

> 지갑이 내 가방에 들어 있는 줄도 모르고 방 여기저기를 한참 들쑤시며 찾아 다녔다.

① 달도 차면 기운다.
② 등잔 밑이 어둡다.
③ 미꾸라지 용 됐다.
④ 말 타면 경마 잡히고 싶다.
⑤ 논 자취는 없어도 공부한 공은 남는다.

15~19 다음의 속담과 그 의미를 서로 연결하시오.

15. 옷이 날개라. · · ㉠ 옷이 좋으면 사람이 돋보임.

16. 시작이 반이다. · · ㉡ 기껏 한 일이 결국 남 좋은 일이 됨.

17. 남의 다리 긁는다. · · ㉢ 겉모양은 보잘것없으나 내용은 훨씬 훌륭함.

18. 우물에 가 숭늉 찾는다. · · ㉣ 모든 일에는 질서와 차례가 있는 법인데 일의 순서도 모르고 성급하게 덤빔.

19. 뚝배기보다 장맛이 좋다. · · ㉤ 무슨 일이든지 시작하기가 어렵지 일단 시작하면 일을 끝마치기는 그리 어렵지 아니함.

수능 기출
20. 다음 중 '조자룡'을 만난 '조조'의 상황을 표현하기에 가장 적절한 것은?

> 조조가 좌우산천을 살펴 보니, 산과 강은 높고 가파르며 나무와 풀은 빽빽한데, (중략)
> 백만 군사를 자랑터니 금일 패전이 어인 일고, 입삐죽 입삐죽 저 삐죽새. 자칭 영웅 간곳 없고 도망할 길을 꾀로만 낸다. (중략)
> 이 말이 지듯 마듯 오림산곡 양편에서 북 치는 소리에 불빛이 솟아올라, 한 장수가 나온다. 얼굴은 형산백옥* 같고 눈은 소상강 물결이라. 이리 허리 곰의 팔, 녹포엄신 갑옷, 팔척 장창* 비껴들고 위풍당당 일 포성, 큰 소리로 호령하되,
> "네 이놈 조조야. 상산 명장 조자룡(趙子龍)을 아느냐 모르느냐? 조조는 닫지 말고 창 받으라!"

① 범을 피하니 이리가 앞을 막는다.
② 가지 많은 나무에 바람 잘 날이 없다.
③ 밥 아니 먹어도 배부르다.
④ 소 잃고 외양간 고친다.
⑤ 병 주고 약 준다.

• **형산백옥** 가시나무 荊 뫼 山 흰 白 옥 玉
중국 형산에서 나는 백옥이라는 뜻으로, 보물로 전해 오는 흰 옥돌을 이르는 말.

• **장창** 길 長 창 槍
예전에, 긴 자루에 날을 붙여 군사들이 무기로 쓰던 칼.

📖 3회독 채점표

채점	회독 / 학습일자	1회독 / 월 일	2회독 / 월 일	3회독 / 월 일
맞힌 문항 수		_____개 / **20문항**	_____개 / **20문항**	_____개 / **20문항**
틀린 문항 번호				

27 일차 → 속담 ②

・정답 및 해설 77쪽

01~10 다음 ( ) 안에 적절한 단어를 고르시오.

01. 요즘 같은 시대엔 정말 먼 사촌보다 가까운 (손님/이웃)이 낫다.

02. 같은 값이면 (다홍치마/삼베적삼)(이)니 품질 좋은 국산품을 쓰겠다.

03. 친구의 흉을 보는 것은 결국 누워서 (침 뱉기/떡 먹기)나 다름없다.

04. (물고기/호랑이)가 물을 떠나 살 수 없듯이, 나도 집을 떠나 살 수 없다.

05. 가루는 칠수록 고와지고 (말/행동)은 할수록 거칠어진다는 것을 명심하자.

06. 글 모르는 (귀신/귀인) 없다고 하였으니, 나도 공부를 더욱 열심히 해야겠다.

07. 황소 (뒷걸음치다가/뿔싸움하다가) 쥐 잡는다더니 세균 실험 중 우연히 생긴 곰팡이를 통해 항생제*를 개발했다고 한다.

08. 강대국의 갈등에 약소국의 경제가 휘청하니 고래 싸움에 (새우/어부) 등 터진 격이다.

09. (개똥/닭털)도 약에 쓰려면 없으니 지금 쓸모가 없다고 물건을 함부로 버리지 말아야 한다.

10. 평생의 고된 일로 모은 돈을 사회에 기부하고 떠난 그는 말 그대로 개같이 벌어서 (의원/정승)같이 산 것이다.

> **・항생제** 겨룰 抗 날 生 약제 劑
> 미생물이 만들어내는 항생 물질로 된 약제.

11~14 다음의 상황에 가장 적절한 속담을 고르시오.

11.
> 노벨 물리학상을 받은 그 과학자의 초등학교 성적표를 보았더니 과학 과목의 점수가 제일 높았다.

① 곧은 나무는 가운데 선다.
② 나무를 보고 숲을 보지 못한다.
③ 나무에 오르라 하고 흔드는 격이다.
④ 될성부른 나무는 떡잎부터 알아본다.
⑤ 나무도 크게 자라야 소를 맬 수 있다.

12.
> 재활용품 분리 담당인 동생이 청소를 해야 할 시간이 되자 갑자기 배가 아프다며 어머니께 꾀병을 부렸다.

① 눈먼 개 젖 탐한다.
② 눈썹에 불이 붙는다.
③ 눈 뜨고 도둑맞는다.
④ 눈 가리고 아웅 한다.
⑤ 눈에는 눈 이에는 이이다.

• **번성** 우거질 蕃 성할 盛
한창 성하게 일어나 퍼짐.

• **쇠락** 쇠할 衰 떨어질 落
쇠약하여 말라서 떨어짐.

• **재다**
동작이 빠르다.

13.
> 역사서를 보면 처음에는 흥하고 번성*했던 국가들이 결국에는 세월이 흐르면서 쇠락* 하다가 멸망하는 경우가 많았다는 것을 알 수 있다.

① 달도 차면 기운다.
② 달밤에 삿갓 쓰고 나온다.
③ 발가벗고 달밤에 체조한다.
④ 초승달은 잰* 며느리가 본다.
⑤ 그믐밤에 달이 뜨는 것과 같다.

14.
> 시험 기간인데도 게임이 재미있다고 계속 하였더니, 좋지 않은 성적을 받았다.

① 재미난 골에 범 난다.
② 그 나물에 그 밥이다.
③ 고추장이 밥보다 많다.
④ 미운 자식 밥 많이 먹인다.
⑤ 밥 먹을 때는 개도 안 때린다.

15~19 다음의 빈칸에 공통으로 들어가기에 적절한 단어를 고르시오.

15.
> • 귀신보다 □□이 더 무섭다.
> • 눈은 그 □□의 마음을 닮는다.
> • 곡식과 □□은 가꾸기에 달렸다.

① 짐승 ② 친척 ③ 이웃 ④ 사람 ⑤ 주인

16.
> • □□□ 개 보듯.
> • □□□는 발톱을 감춘다.
> • □□□한테 생선을 맡기다.

① 고양이 ② 도깨비 ③ 독수리 ④ 송아지 ⑤ 호랑이

17.

- □□ 돋친 범.
- □□ 없는 봉황.
- 새도 □□이/가 생겨야 날아간다.

① 발톱　　② 깃털　　③ 꼬리　　④ 날개　　⑤ 서슬

18.

- □□ 뀐 놈이 성낸다.
- 토끼가 제 □□에 놀란다.
- 거미줄로 □□ 동이듯.

① 트림　　② 연기　　③ 방귀　　④ 하품　　⑤ 울음

19.

- 늙으면 □□ 된다.
- □□ 말도 귀여겨 들으랬다.
- □□ 자라 어른 된다.

① 감독　　② 바보　　③ 아이　　④ 노인　　⑤ 친구

20. ㉠을 속담으로 표현할 때, 가장 적절한 것은?

　　이십여 칸 집에 학생을 치고 싶은 대로 치기 때문에 서 참위의 수입이 없는 달이라고 쌀값이 밀리거나 나무 값에 졸릴 형편은 아니다.
　　㉠"세상은 먹구 살게는 마련이야……."
　　서 참위가 흔히 하는 말이다.

① 목구멍이 포도청이라.
② 산 입에 거미줄 치랴.
③ 쥐구멍에도 볕 들 날 있다.
④ 씨를 뿌리면 거두게 마련이다.
⑤ 개똥밭에 굴러도 이승이 좋다.

3회독 채점표

채점　　회독 / 학습일자	1회독 /　월　일	2회독 /　월　일	3회독 /　월　일
맞힌 문항 수	＿＿＿개 / **20**문항	＿＿＿개 / **20**문항	＿＿＿개 / **20**문항
틀린 문항 번호			

28 _{일차} ○─ 속담 ③

•정답 및 해설 80쪽

01~05 다음의 속담과 그 의미를 서로 연결하시오.

01. 혀 아래 도끼 들었다. •

    • ㉠ 말을 잘못하면 재앙을 받게 되니 말조심을 하라는 말.

02. 나는 바담 풍 해도 너는 바람 풍 해라 •

    • ㉡ 아무리 큰 잘못을 저지른 사람도 그것을 변명하고 이유를 붙일 수 있다는 말.

03. 핑계 없는 무덤이 없다. •

    • ㉢ 자신은 잘못된 행동을 하면서 남보고는 잘하라고 요구하는 말.

04. 중이 제 머리를 못 깎는다. •

    • ㉣ 아직 준비가 안 되고 능력도 없으면서 또는 절차를 넘어서 어려운 일을 하려고 달려듦을 비유적으로 이르는 말.

05. 이도 아니 나서 콩밥을 씹는다. •

    • ㉤ 자기가 자신에 관한 일을 좋게 해결하기는 어려운 일이어서 남의 손을 빌려야만 이루기 쉬움을 비유적으로 이르는 말.

06~12 다음 (　) 안에 적절한 단어를 고르시오.

06. 그 애가 인사를 하지 않지만, 굳이 말해서 엎드려 (돈/절) 받고 싶지는 않아.

07. 두 (딱지/손뼉)이 맞아야 소리가 난다고, 그 사건을 한 사람의 잘못이라고 보기는 어렵다.

08. 봉사* (문고리/쇠창살) 잡기라더니, 그 친구는 공부도 하지 않고 좋은 점수를 받았다.

09. 원님* 덕에 (나팔/풍선) 분다고, 그는 부자인 부모님 덕분에 흥청망청 돈을 쓰고 있다.

10. 사촌이 (땅/책)을 사면 배가 아프다고, 옆집의 새 차를 볼 때마다 부러워 죽겠다.

11. (굼벵이/송충이)는 솔잎을 먹어야 한다고, 내 능력 밖의 일은 욕심내지 말아야 한다.

12. 중고장터에서 싸게 산 그릇이 고려청자라니, (수박/호박)이 넝쿨째로 굴러떨어졌다.

• **봉사**
'시각 장애인'을 낮잡아 이르는 말.

• **원님** 인원 員
고을의 원을 높여 이르던 말.

13.

> • 숙인 □□은/는 베지 않는다.
> • 검은 □□ 파뿌리 될 때까지.
> • □□을/를 감추고 꼬리를 숨긴다.

① 다리   ② 머리   ③ 고개   ④ 무릎   ⑤ 팔뚝

14.

> • □□ 가서 김 서방 찾는다.
> • 남이 □□ 간다니 저도 간단다.
> • 말은 나면 제주도로 보내고 사람은 나면 □□(으)로 보내라.

① 뒷간   ② 서울   ③ 시골   ④ 산촌   ⑤ 천국

15.

> • □□맞으면 어미 품도 들춰 본다.
> • □□을/를 맞으려면 개도 안 짖는다.
> • 늦게 배운 □□이/가 날 새는 줄 모른다.

① 공부   ② 도둑   ③ 범인   ④ 벼락   ⑤ 천사

16.

> • 마른□□에 날벼락이다.
> • 댓구멍으로 □□을/를 본다.
> • 구름 없는 □□에 비 올까.

① 장마   ② 날씨   ③ 장작   ④ 샛별   ⑤ 하늘

17.

> • □□□ 냉가슴 앓듯 한다.
> • □□□ 속은 그 어미도 모른다.
> • □□□가 증문* 가지고 있는 격.

① 꼬맹이   ② 벙어리   ③ 문지기   ④ 새색시   ⑤ 며느리

• **증문** 증거 證 글월 文
권리나 의무, 사실 따위를 증명하는 문서.

18.

① 초록은 동색이다.
② 구관이 명관이다.
③ 가재는 게 편이다.
④ 검정개는 돼지 편이다.
⑤ 그 속옷이 그 속옷이다.

19.

① 개 발에 편자이다.

② 거적문에 돌쩌귀이다.

③ 개가 똥을 마다할까.

④ 돼지 발톱에 봉숭아물 들인다.

⑤ 돼지 우리에 주석 자물쇠이다.

수능 기출

20. ㉠을 표현한 속담으로 가장 적절한 것은?

> 계층적 명분관은 근대로 내려오면서 신분 제도가 동요하고 붕괴함에 따라 점차 타당성을 잃게 되었다. 그러나 아직도 우리 사회에는 ㉠자신의 분수를 지키는 것을 미덕으로 여기면서, 도전과 모험의 진취적 태도를 부정하는 의식의 흔적이 도처에 남아 있음을 볼 수 있다.

① 제 버릇 개 줄까.

② 핑계 없는 무덤이 없다.

③ 송충이가 갈잎을 먹으면 죽는다.

④ 양반은 얼어 죽어도 겻불은 안 쬔다.

⑤ 콩 심은 데 콩 나고 팥 심은 데 팥 난다.

3회독 채점표

채점 회독 / 학습일자	1회독 / 월 일	2회독 / 월 일	3회독 / 월 일
맞힌 문항 수	_____개 / **20문항**	_____개 / **20문항**	_____개 / **20문항**
틀린 문항 번호			

수능 기출

1 문맥상 ⑤과 같은 방법으로 만들어진 표현이 아닌 것은?

> '휴식'과 같이 추상적인 개념은 상형 문자로 표현할 수 없다. 이때 이를 표현할 수 있는 것이 회의 문자다. 회의 문자 '쉴 휴(休)'는 '사람 인(人)'과 '나무 목(木)'이 결합된 문자다. 이 두 문자를 결합하면 '휴식'이라는 추상적 의미가 만들어진다. 하지만 '휴식'이란 말의 의미는 '人'에도 '木'에도 들어 있지 않다. ⑤두 개의 문자가 결합되면서 두 문자의 단순한 총합이 아닌 새로운 차원이 열리며, 이를 통해 추상적인 의미를 표현할 수 있다는 것이 바로 에이젠슈테인이 회의 문자에서 주목한 지점이다.

① 그 회사는 부도가 나서 콩가루가 되었다.
② 헛소문이 가지를 쳐서 크게 부풀었다.
③ 나는 공사판에서 잔뼈가 굵은 사람이다.
④ 그 이야기를 듣자 모두들 배꼽을 쥐었다.
⑤ 선생님은 얼굴을 익히려고 그 학생을 유심히 바라보았다.

수능 기출

2 〈보기 1〉과 관련하여 〈보기 2〉와 같은 글을 썼을 때, [   ]에 들어갈 알맞은 속담은?

> • 보기 1 •
>
> 내가 어렸을 때, 우리 고장에서는 시멘트를 '돌가루'라고 불렀다. 이런 말들은 자연적으로 생겨난 훌륭한 우리 고유어인데도 불구하고, 사전에도 실리지 않고 그냥 폐어가 되어 버렸다. 지금은 고향에 가도 이런 말을 들을 수 없으니 안타깝기 그지없다. 얼마 전, 고속도로의 옆길을 가리키는 말을 종전대로 써오던 용어인 '노견(路肩)'에서 '갓길'로 바꾸었다는 보도를 듣고, 우리의 언어생활도 이제 바른 방향으로 가고 있구나 하고 생각했던 적이 있다.

> • 보기 2 •
>
> "[   ]"라는 속담도 있듯이, 말이란 사람들의 호응을 얻으면 살아남고 호응을 얻지 못하면 사라지고 마는 것이다. 외국어도 일단 들어와서 우리 국민들이 쓰기 시작하면 순화하기 어려우므로, 처음부터 우리말로 바꾸어 사용하려는 노력을 해야 할 것이다.

① 백지장도 맞들면 낫다.
② 소 잃고 외양간 고친다.
③ 발 없는 말이 천 리 간다.
④ 외손뼉이 못 울고 한 다리로 가지 못한다.
⑤ 말은 해야 말이요 고기는 씹어야 맛이다.

3 〈보기〉를 ㉠에 대한 '남편'의 속말이라고 가정할 때, ㉡에 들어갈 말로 가장 적절한 것은?

> "옥희도 씨 유작전이 있군."
> 남편도 지금 그 기사를 읽는 모양이다.
> "죽은 후에 유작전이나 열어 주면 뭘 해. 살아서는 개인전 한 번 못 가져 본 분을."
> "…."
> "흥, 그분 그림이 외국 사람들 사이에 꽤 인기가 있는 모양인데 모를 일이야."
> '흥, 잡종의 상판을 헐값으로 그려 준 대가를 제법 받는 셈인가.'
> "죽은 후에 치켜세우는 것처럼 싱거운 건 없더라. 아마 어떤 ㉠비평가의 농간이겠지…."
> '흥, 당신이 생각해 낼 만한 천박한 추측이군요.'
> "에이 모르겠다. 예술이니 나발이니. 살아서 잘 먹고 편히 사는 게 제일이지."
> '암, 몰라야죠. 당신 따위가 알 게 뭐예요. 그분은 그렇게밖에 살 수 없었다는 걸 당신 따위가 알 게 뭐예요.'
> 남편은 신문을 떨구고 기지개를 늘어지게 폈다.
>
> — 박완서, 「나목(裸木)」

● 보기 ●

생전에는 주목하지 않던 옥희도를 사후에 높이 평가하는 것에는 원칙이 있다고 볼 수 없으니, (㉡)(이)라는 말이 생각나는군.

① 모래 위에 쌓은 성.
② 고양이 쥐 사정 보듯.
③ 까마귀 날자 배 떨어진다.
④ 귀에 걸면 귀걸이 코에 걸면 코걸이.
⑤ 될성부른 나무는 떡잎부터 알아본다.

V. 한자성어

한자성어는 두 개 이상의 한자가 결합하여 만들어진, 교훈이나 유래를 담고 있는 말을 가리킨다. 네 글자로 이루어진 사자성어가 일반적이지만 두 글자나 다섯 글자로 이루어진 한자성어도 있으며, 특정한 고사(故事, 옛이야기)에서 유래된 고사성어가 대부분을 차지한다.

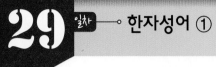

01~09 예문을 참고하여 주어진 뜻에 해당하는 한자성어를 〈보기〉에서 고르시오.

01.
세금을 가혹하게 거두어들이고, 무리하게 재물을 빼앗음.
예 그는 소작인에 대한 □□□□이/가 어느 지주보다 혹독하였다.

02.
겉으로는 복종하는 체하면서 내심으로는 배반함.
예 힘으로써 사람을 따르게 하면 자연히 □□□□하는 자가 생기게 마련이다.

03.
여우가 죽을 때에 머리를 자기가 살던 굴 쪽으로 둔다는 뜻으로, 고향을 그리워하는 마음을 이르는 말.
예 □□□□(이)란 말이 있듯이, 몸이 병들면 고향으로 돌아가고 싶은 것이 당연하다.

04.
인생의 길흉화복˚은 변화가 많아서 예측하기가 어렵다는 말.
예 인간사는 □□□□(이)라고 하니 곧 좋은 일이 생길지도 모른다.

05.
공적인 일을 먼저 하고 사사로운 일은 뒤로 미룸.
예 나랏일을 하는 사람이라면 □□□□하는 마음을 가져야 한다.

06.
외물(外物)˚과 자아, 객관과 주관, 또는 물질계와 정신계가 어울려 하나가 됨.
예 어느 순간 자연과 내가 □□□□의 상태가 되었다.

07.
달면 삼키고 쓰면 뱉는다는 뜻으로, 자신의 비위˚에 따라서 사리의 옳고 그름을 판단함을 이르는 말.
예 경영인들은 노동자들에 대해 □□□□의 자세를 버려야 한다.

08.
아무에게도 도움을 받지 못하는, 외롭고 곤란한 지경에 빠진 형편을 이르는 말.
예 성 밖에서도, 성 안에서도 적으로 둘러싸인 그는 그야말로 □□□□였다./이었다.

• **길흉화복** 길할 吉 흉할 凶
재앙 禍 복 福
길흉(운이 좋고 나쁨)과 화복(재앙과 근심, 복)을 아울러 이르는 말.

• **외물** 바깥 外 물건 物
「1」 바깥 세계의 사물.
「2」 마음에 접촉되는 객관적 세계의 모든 대상.

• **비위** 지라 脾 위장 胃
어떤 음식이나 일에 대하여 먹고 싶거나 하고 싶은 마음.

09. 남자는 지고 여자는 인다는 뜻으로, 가난한 사람들이 살 곳을 찾아 이리저리 떠돌아다님을 비유적으로 이르는 말.
⑩ 이곳은 우리 백성들이 ☐☐☐☐하여 찾아와서 피땀으로 일궈 놓은 땅이다.

● 보기 ●

선공후사(先公後私)	새옹지마(塞翁之馬)	물아일체(物我一體)
남부여대(男負女戴)	가렴주구(苛斂誅求)	사면초가(四面楚歌)
면종복배(面從腹背)	수구초심(首丘初心)	감탄고토(甘呑苦吐)

10~17 문맥상 빈칸에 가장 적절한 한자성어를 〈보기〉에서 찾아 쓰시오.

10. 부모를 ☐☐☐☐(으)로 모시는 것은 자식의 마땅한 도리이다.

11. 자신의 부족한 실력도 모르고 그에게 도전장을 내미는 것은 ☐☐☐☐의 어리석음을 범하는 것이다.

12. 어린 시절 뛰놀던 고향은 ☐☐☐☐(이)라는 비유가 어울릴 만큼 큰 변화가 있었다.

13. 나는 기말고사를 망친 후 ☐☐☐☐의 마음으로 방과 후 수업을 신청했다.

14. 예산 부족을 이유로 계속 미룬다면 그 문제의 해결은 ☐☐☐☐이/가 될 수밖에 없다.

15. 요즘은 ☐☐☐☐, 외톨이가 된 것 같고 길을 가다가도 서글픔이 밀려온다.

16. 쉽게 승부가 나지 않는 걸 보니 두 사람의 기량°은 ☐☐☐☐(이)라 할 수 있군.

17. 지금은 국가의 운명이 ☐☐☐☐에 선 절박한° 시기라는 것을 잊지 마라.

● 보기 ●

상전벽해(桑田碧海)	백중지세(伯仲之勢)	고립무원(孤立無援)
백척간두(百尺竿頭)	반포지효(反哺之孝)	권토중래(捲土重來)
당랑거철(螳螂拒轍)	백년하청(百年河淸)	

• **기량** 재주 伎 재주 倆
기술상의 재주.

• **절박** 끊을 切 닥칠 迫 **하다**
어떤 일이나 때가 가까이 닥쳐서 몹시 급하다.

다음 밑줄 친 부분에 가장 적절한 한자성어를 고르시오.

평가원 기출

18.

> "이 꼴이 되고 보니 선조 때부터 둑을 맨들고 물과 싸워 가며 살아온 우리들은 대관절 우찌 되는기요?"
>
> 그의 꺽꺽한 목소리에는, 건우가 지각을 하고 꾸중을 듣던 날 "나릿배 통학생임더." 하던 때의, 그 무엇인가를 저주하듯 한 감정이 꿈틀거리고 있는 것 같았다. 얼마나 그들의 땅에 대한 원한이 컸던가를 가히 짐작할 수가 있었다.

① 각골통한(刻骨痛恨)　　② 노심초사(勞心焦思)　　③ 전전반측(輾轉反側)
④ 풍수지탄(風樹之歎)　　⑤ 후회막급(後悔莫及)

교육청 기출

19.

> 의기투합*한 두 녀석은 그 즉시 텔레비전 앞으로 달려가 버렸다. 모든 것—일테면, 밝고 따뜻한 봄볕과 파 뒤집어 놓은 흙과, 거기 점점이 흩뿌려져 있는 색색의 고운 구슬들과 함께 그들의 아버지까지도 죄다 미련 없이 내버려둔 채 말이다…….
>
> 혼자가 된 나기배 씨는 한동안 우두커니 서 있기만 하였다. 더 이상 삽질하고픈 생각이 없었다.

① 학수고대(鶴首苦待)　　② 망연자실(茫然自失)　　③ 전전긍긍(戰戰兢兢)
④ 절치부심(切齒腐心)　　⑤ 오매불망(寤寐不忘)

20.

> 진사는 편지를 품속에 넣고 우두커니 서서 묵묵히 바라보다가 가슴을 두드리고 눈물을 흘리면서 나갔습니다. 자란은 저희들이 불쌍하여 차마 보지 못하고 기둥에 몸을 숨긴 채 눈물을 흩뿌리며 서 있었습니다. 진사가 집으로 돌아가 편지를 뜯어보니, 그 글에 일렀습니다.

① 불요불굴(不撓不屈)　　② 목불식정(目不識丁)　　③ 불철주야(不撤晝夜)
④ 구곡간장(九曲肝腸)　　⑤ 목불인견(目不忍見)

• **의기투합** 뜻 意 기운 氣 던질 投 합할 合
마음이나 뜻이 서로 맞음.

📖 3회독 채점표

채점 \ 회독 / 학습일자	1회독 / 월 일	2회독 / 월 일	3회독 / 월 일
맞힌 문항 수	_____개 / 20문항	_____개 / 20문항	_____개 / 20문항
틀린 문항 번호			

30 ^{일차} → 한자성어 ②

· 정답 및 해설 85쪽

01~05 다음 한자성어와 사전적 의미를 서로 연결하시오.

01. 단표누항(簞瓢陋巷) •   • ㉠ 눈앞의 이익을 보면 의리를 먼저 생각함.

02. 견리사의(見利思義) •   • ㉡ 고국의 멸망을 한탄함을 이르는 말.

03. 맥수지탄(麥秀之嘆) •   • ㉢ 모든 일은 반드시 바른길로 돌아감.

04. 부화뇌동(附和雷同) •   • ㉣ 좁고 지저분하며 더러운 거리에서 먹는 한 그릇의 밥과 한 바가지의 물이라는 뜻으로, 선비의 청빈°한 생활을 이르는 말.

05. 사필귀정(事必歸正) •   • ㉤ 줏대 없이 남의 의견에 따라 움직임.

> • **청빈** 맑을 淸 가난할 貧
> 성품이 깨끗하고 재물에 대한 욕심이 없어 가난함.

06~11 문맥상 빈칸에 가장 적절한 한자성어를 〈보기〉에서 찾아 쓰시오.

06.
> 오랫동안 알고 지내면서 □□□□하던 친구가 떠나 버려서 마음이 쓸쓸하다.

07.
> 우리가 하고 있는 일이 최근 □□□□의 형국°이니 목적을 달성할 때까지는 버텨야 한다.

> • **형국** 모양 形 판 局
> 어떤 일이 벌어진 형편이나 국면.

08.
> □□□□(이)라고 어려운 처지를 당해 보아야 남의 어려움도 생각할 줄 알게 되는 법이다.

09.
> 텔레비전 프로그램에 소개되어서인지, 그 식당은 □□□□을/를 이루고 있었다.

10.
> 그가 고집을 부리면 누구의 말도 듣지 않으니 우리도 □□□□(이)다.

11. 눈보라가 몰아쳐 산을 오르기가 어려웠는데 □□□□(으)로 주위마저 어두워지기 시작하였다.

─────── • 보기 • ───────

설상가상(雪上加霜)	동병상련(同病相憐)	속수무책(束手無策)
문전성시(門前成市)	간담상조(肝膽相照)	기호지세(騎虎之勢)

12~17 다음 중 의미가 비슷한 한자성어끼리 연결하시오.

12. 수주대토(守株待兔) •   • ㉠ 절세가인(絕世佳人)
13. 구밀복검(口蜜腹劍) •   • ㉡ 각주구검(刻舟求劍)
14. 막역지우(莫逆之友) •   • ㉢ 막상막하(莫上莫下)
15. 경국지색(傾國之色) •   • ㉣ 표리부동(表裏不同)
16. 난형난제(難兄難弟) •   • ㉤ 수어지교(水魚之交)
17. 근묵자흑(近墨者黑) •   • ㉥ 남귤북지(南橘北枳)

18~24 다음 밑줄 친 부분에 가장 적절한 한자성어를 고르시오.

교육청 기출

18.
정 소저가 춘운에게 말하였다.
"보검은 땅에 묻혔어도 그 빛이 별을 쏘고, 큰 조개는 바다 밑에 잠겨 있어도 빛이 신기루를 만드나니, 이 소저가 같은 땅에 있으면서도 우리가 일찍이 듣지 못하였으니 괴이하다."

① 가인박명(佳人薄命)   ② 낭중지추(囊中之錐)   ③ 당랑거철(螳螂拒轍)
④ 금의야행(錦衣夜行)   ⑤ 삼고초려(三顧草廬)

19.
한 가지 분명한 것은 이익을 한꺼번에 많이 얻으려고 하면 화근이 깊어지고, 결과를 빨리 보려고 하면 도리어 실패가 빠르다는 사실일세. 그러니 나는 자네를 따르지 않겠네.

① 주마가편(走馬加鞭)   ② 적반하장(賊反荷杖)   ③ 와신상담(臥薪嘗膽)
④ 파죽지세(破竹之勢)   ⑤ 과유불급(過猶不及)

• **출처** 날 出 곳 處
사물이나 말 따위가 생기거나 나온 근거.

20.
"대저 세상 만물들이 다 근본 출처˙가 있는데, 우습구나, 네가 구경을 많이 한 체하니 진실로 두더지 수박 겉 핥기 같고 하룻망아지 서울 다녀온 격이라."

① 어불성설(語不成說)   ② 좌정관천(坐井觀天)   ③ 우공이산(愚公移山)
④ 학행일치(學行一致)   ⑤ 우문현답(愚問賢答)

21.

> "소자가 보자기 속에서 십 년 동안 고행*하였사오나 아무런 줄을 몰랐사오니 황송함을 이길 수 없사옵니다."
> 승상 부부가 그제야 원을 안고 등을 어루만지며 가로되,
> "네가 어이하여 십 년 고생을 이다지도 하였느냐?" / 하고 기뻐하였다.

① 간난신고(艱難辛苦)　　② 남가일몽(南柯一夢)　　③ 권불십년(權不十年)
④ 동상이몽(同床異夢)　　⑤ 오리무중(五里霧中)

* **고행** 쓸 苦 다닐 行
몸으로 견디기 어려운 일들을 통하여 수행을 쌓는 일.

22.

> 조정에 벼슬하는 이들은 권세를 다투기에만 눈이 붉고 가슴이 탈 뿐이요, 백성의 질고(疾苦)*는 모르는 듯 내버려 두니 뜻있는 이는 팔을 뽑아내어 통분*함이 이를 길 없더니, 우치 또한 참다 못하여 그윽이 뜻을 결단하고 집을 버리며 세간을 헤치고 천하를 집을 삼고 백성으로 하여금 몸을 삼으려 하였다.

① 발본색원(拔本塞源)　　② 소탐대실(小貪大失)　　③ 비분강개(悲憤慷慨)
④ 암중모색(暗中摸索)　　⑤ 경이원지(敬而遠之)

* **질고** 병 疾 쓸 苦
병으로 인한 괴로움.

* **통분** 아플 痛 분할 憤
원통하고 분함.

23.

> 조막만 하고 더욱이 양쪽 오랑캐 사이에 끼여 있는 이 나라에서 인재를 제대로 쓰지 못할까 두려워해도 더러 나랏일이 제대로 될지 점칠 수 없는데, 도리어 그 길을 스스로 막고서 "우리나라에는 인재가 없다."라고 탄식한다. 이것은 남쪽 나라를 치러 가면서 수레를 북쪽으로 내달리는 것과 무엇이 다르겠느냐.

① 토사구팽(兔死狗烹)　　② 풍전등화(風前燈火)　　③ 조삼모사(朝三暮四)
④ 자가당착(自家撞着)　　⑤ 갈이천정(渴而穿井)

24.

> "애고 아버지, 눈을 떠서 나를 보옵소서."
> 이 말을 들은 심봉사가 어떻게 반가웠던지 두 눈 번쩍 뜨이니 심봉사 두 손으로 눈을 썩썩 비비며,
> "으으, 이게 웬 말이냐. 내 딸 심청이가 살았단 말이냐? 내 딸 심청이 살았단 말이 웬 말이냐? 내 딸이면 어데 보자."

① 기고만장(氣高萬丈)　　② 반신반의(半信半疑)　　③ 선우후락(先憂後樂)
④ 점입가경(漸入佳境)　　⑤ 일장춘몽(一場春夢)

📖 3회독 채점표

채점 　　　회독 / 학습일자	1회독 / 월　일	2회독 / 월　일	3회독 / 월　일
맞힌 문항 수	_____개 / **24**문항	_____개 / **24**문항	_____개 / **24**문항
틀린 문항 번호			

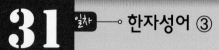

31 일차 → 한자성어 ③

• 정답 및 해설 88쪽

• 폭락 사나울 暴 떨어질 落
물건의 값이나 주가 따위가 갑자기 큰 폭으로 떨어짐.

01~06 다음 (   ) 안에 적절한 한자성어를 고르시오.

01. 정부는 배춧값의 폭락˙으로 유발된 농민들의 피해가 더 커지기 전에 배추 공급량을 줄인다는 (고육지책/권모술수)을/를 쓴 것이나.

02. 김 노인은 오랫동안 살아온 터전을 내준 것을 후회했지만, 그래 봤자 (만시지탄/망운지정)이라고 생각했다.

03. 그는 자존심이 아주 강한 사람이었지만 모르는 것이 있을 때에는 (주객전도/불치하문)할 줄 아는 사람이었다.

04. 우리가 (삼순구식/십시일반)으로 얼마씩 모아 그 친구 병원비에 힘을 보태는 건 어떨까?

05. 혹시 일이 잘못되지나 않을까 하는 걱정은 (계륵/기우)였다./이었다.

06. 그녀는 자신의 아들이 교통사고를 당했다는 말에 (대경실색/도탄지고)을/를 했다.

07~11 예문을 참고하여 주어진 뜻에 해당하는 한자성어를 고르시오.

07.
> 하는 일 없이 놀고먹음.
> 예 그는 그녀가 벌어 오는 돈으로 □□□□이나 하며 지낸다.

① 동고동락(同苦同樂)   ② 호구지책(糊口之策)   ③ 무위도식(無爲徒食)
④ 우이독경(牛耳讀經)   ⑤ 견마지충(犬馬之忠)

08.
> 아주 공평하여 어느 쪽으로도 치우침이 없음.
> 예 그는 어떠한 일 앞에서도 □□□□한 태도를 보였다.

① 중과부적(衆寡不敵)   ② 침소봉대(針小棒大)   ③ 격물치지(格物致知)
④ 역지사지(易地思之)   ⑤ 불편부당(不偏不黨)

09.
> 서로 이해관계가 밀접한 사이에 어느 한쪽이 망하면 다른 한쪽도 그 영향을 받아 온전하기 어려움을 이르는 말.
> 예 이웃 나라가 침범을 당하니 □□□□이/가 될까 염려스럽다.

① 자승자박(自繩自縛)   ② 순망치한(脣亡齒寒)   ③ 배수지진(背水之陣)
④ 후안무치(厚顏無恥)   ⑤ 오월동주(吳越同舟)

10. 잘못된 점을 고치려다가 그 방법이나 정도가 지나쳐 오히려 일을 그르침을 이르는 말.
⑩ 잘못 손댔다가는 □□□□의 실수를 저지를 수 있어.

① 교각살우(矯角殺牛)　　② 양두구육(羊頭狗肉)　　③ 혼정신성(昏定晨省)
④ 오만무도(傲慢無道)　　⑤ 아전인수(我田引水)

11. 손에서 책을 놓지 아니하고 늘 글을 읽음.
⑩ 그는 밤낮으로 □□□□하더니 마침내 위대한 학자가 되었어.

① 형설지공(螢雪之功)　　② 수불석권(手不釋卷)　　③ 주경야독(晝耕夜讀)
④ 문일지십(聞一知十)　　⑤ 절차탁마(切磋琢磨)

12~18 문맥상 빈칸에 가장 적절한 한자성어를 〈보기〉에서 찾아 쓰시오.

12. 나는 어린 딸이 휴대폰으로 책을 읽는 것을 보고 세상이 많이 달라져 가는구나 하는 □□□□을/를 느끼고 있었다.

13. 그는 피나는 노력의 결과 기타 연주 실력이 □□□□했다.

14. 그는 떼돈을 벌게 해 주겠다는 □□□□에 속아 장사 밑천*을 떼였다.

15. 장래를 내다보는 □□□□이/가 있는 사람이 자신의 일에서도 성공할 수 있다.

16. 지금 네가 엉뚱한 근거를 대는 것은 너의 주장을 합리화하기 위한 □□□□에 불과해.

17. 그에게 공부 방법에 대한 조언을 여러 차례 했는데도 □□□□이었다.

18. 그들은 반 친구들이 싫어하는 줄도 모르고 □□□□(으)로 떠들어 댔다.

• 밑천
어떤 일을 하는 데 바탕이 되는 돈
이나 물건, 기술, 재주 따위를 이르
는 말.

─── ● 보기 ● ───
괄목상대(刮目相對)　　방약무인(傍若無人)　　견강부회(牽强附會)
선견지명(先見之明)　　격세지감(隔世之感)　　마이동풍(馬耳東風)
감언이설(甘言利說)

19~21 다음 밑줄 친 부분에 가장 적절한 한자성어를 고르시오.

19.

> 양생이 도사를 모시고 자는데 문득 동방이 밝았다.
> 도사가 생을 불러 말하였다.
> "이제 난이 평정되었고 과거는 다음 봄으로 기한이 옮겨졌다. 대부인이 너를 보내고 주야로 염려하시니 어서 가거라."

① 자포자기(自暴自棄)　② 망양지탄(亡羊之歎)　③ 등화가친(燈火可親)
④ 각골난망(刻骨難忘)　⑤ 노심초사(勞心焦思)

20.

• **천살** 하늘 天 죽일 煞
불길한 별의 이름.

> 길동이 들어가 보니 화려한 누각 안에 흉악한 것이 누워 신음하다가 길동을 보고 몸을 일으키며 가로되,
> "내 우연히 천살(天煞)*을 맞아 위태하더니 부하들의 말을 듣고 그대를 청하였으니 이는 하늘이 살림이니라. 그대는 재주를 아끼지 말라."

① 전화위복(轉禍爲福)　② 청출어람(靑出於藍)　③ 읍참마속(泣斬馬謖)
④ 천우신조(天佑神助)　⑤ 명재조석(命在朝夕)

21.

> 자라가 토끼의 말을 듣고 나서,
> '이미 물이 보이지 않는 바다 한가운데까지 왔으니 내 말 뜻을 안다 해도 제 놈이 어찌할 수 없으렷다.'
> 하고, 토끼의 물음에는 대꾸 않고 갈 길을 다그친다.
> 　토끼 이때까지 살갑게 굴던 자라가 묻는 말에 대답도 하지 않고 입을 꾹 다물고 있는 것이 불안하다. 그래도 더더욱 빨리 내닫는 자라의 등에서 떨어질까 봐 딴딴한 등껍질만 잔뜩 붙들고 안절부절못하더라.

① 견물생심(見物生心)　② 금의환향(錦衣還鄕)　③ 함분축원(含憤蓄怨)
④ 좌불안석(坐不安席)　⑤ 회지막급(悔之莫及)

3회독 채점표

채점 ＼ 회독 / 학습일자	1회독 /　월　일	2회독 /　월　일	3회독 /　월　일
맞힌 문항 수	＿＿＿개 / **21**문항	＿＿＿개 / **21**문항	＿＿＿개 / **21**문항
틀린 문항 번호			

32^{일차} → 한자성어 ④

· 정답 및 해설 91쪽

01~06 다음 빈칸에 적절한 한자성어를 찾아 서로 연결하시오.

01. 이렇게 하면 나는 복습이 되고, 너는 그것 ·
을 이해할 수 있으니 □□□□이지.

· ㉠ 인지상정(人之常情)

02. 친구가 힘들게 학급 일을 해 나가고 있는데 ·
□□□□하는 것은 옳지 않아.

· ㉡ 주마간산(走馬看山)

03. 마음이 불안하면 누군가에게 의지하고 싶 ·
은 것이 □□□□이다.

· ㉢ 일거양득(一擧兩得)

04. □□□□으로 공부하면 시험 때 그 내용이 ·
기억나지 않을 거야.

· ㉣ 일취월장(日就月將)

05. 잘못한 아이를 그리 야단친 것은 다른 아이 ·
들이 □□□□으로 삼길 바랐기 때문이다.

· ㉤ 타산지석(他山之石)

06. 그가 한번 마음을 먹고 공부에 전념하니 ·
□□□□이었다.

· ㉥ 수수방관(袖手傍觀)

07~12 다음 밑줄 친 부분과 바꿔 쓰기에 가장 적절한 것을 고르시오.

07.

선생님께서 우스갯소리로 던진 말이었지만, 그 말 속에는 다른 깊은 뜻이 있었다.

① 언어도단(言語道斷)이었다. ② 언중유골(言中有骨)이었다.
③ 유구무언(有口無言)이었다. ④ 언행일치(言行一致)이었다.
⑤ 언즉시야(言則是也)이었다.

08.

스스로 쉬지 않고 노력하다 보면, 분명 그에 상응[•]하는 결과를 얻을 수 있다.

① 자강불식(自强不息)하다 ② 자화자찬(自畵自讚)하다 ③ 자업자득(自業自得)하다
④ 자급자족(自給自足)하다 ⑤ 자장격지(自將擊之)하다

· **상응** 서로 相 응할 應
서로 응하거나 어울림.

09. 준결승에서 그 팀에 패배한 것은 다음번의 승리를 위해 우리 팀이 온갖 어려움을 참고 견디는 계기가 되었다.

① 비분강개(悲憤慷慨)하는   ② 유유자적(悠悠自適)하는   ③ 부창부수(夫唱婦隨)하는
④ 와신상담(臥薪嘗膽)하는   ⑤ 등고자비(登高自卑)하는

• 기세 기운 氣 형세 勢
기운차게 뻗치는 모양이나 상태.

10. 우리나라 축구 대표팀은 걷잡을 수 없는 기세°로 강팀들을 이기고 월드컵 4강에 올랐다.

① 간두지세(竿頭之勢)로   ② 정족지세(鼎足之勢)로   ③ 누란지세(累卵之勢)로
④ 백중지세(伯仲之勢)로   ⑤ 파죽지세(破竹之勢)로

11. 나는 그녀에게서 시험에 합격했다는 전화가 오기를 간절히 기다렸다.

① 불문곡직(不問曲直)했다.   ② 곡학아세(曲學阿世)했다.   ③ 학수고대(鶴首苦待)했다.
④ 전전반측(輾轉反側)했다.   ⑤ 오만불손(傲慢不遜)했다.

12. 다짜고짜 반말부터 나오는 그의 태도는 교만하고 다른 사람을 업신여기는 것이었다.

① 고식지계(姑息之計)이었다.   ② 명불허전(名不虛傳)이었다.
③ 자고현량(刺股懸梁)이었다.   ④ 마중지봉(麻中之蓬)이었다.
⑤ 안하무인(眼下無人)이었다.

• 농락 대바구니 籠 이을 絡
남을 교묘한 꾀로 휘잡아서 제 마음대로 놀리거나 이용함.

13~18 다음의 의미에 해당하는 한자성어를 〈보기〉에서 고르시오.

13. 무슨 일을 하는 데에 가장 중요한 부분을 완성함을 비유적으로 이르는 말.

14. 사슴을 가리켜 말이라고 한다는 뜻으로, 윗사람을 농락°하여 권세를 마음대로 함을 이르는 말. 모순된 것을 끝까지 우겨서 남을 속이려는 짓을 비유적으로 이르는 말.

15. 굽은 것을 바로잡으려다가 정도에 지나치게 곧게 한다는 뜻으로, 잘못된 것을 바로 잡으려다가 너무 지나쳐서 오히려 나쁘게 됨을 이르는 말.

16. 콩인지 보리인지를 구별하지 못한다는 뜻으로, 사리 분별을 못하고 세상 물정을 잘 모름을 이르는 말.

17. 한 치의 쇠붙이로도 사람을 죽일 수 있다는 뜻으로, 간단한 말로도 남을 감동하게 하거나 남의 약점을 찌를 수 있음을 이르는 말.

18. 쓴 것이 다하면 단 것이 온다는 뜻으로, 고생 끝에 즐거움이 옴을 이르는 말.

━━━━● 보기 ●━━━━

촌철살인(寸鐵殺人)   화룡점정(畵龍點睛)   숙맥불변(菽麥不辨)
교왕과직(矯枉過直)   고진감래(苦盡甘來)   지록위마(指鹿爲馬)

19~23 다음 중 의미가 비슷한 한자성어끼리 연결하시오.

19. 이심전심(以心傳心) • 　　　 • ㉠ 불공대천(不共戴天)

20. 구우일모(九牛一毛) • 　　　 • ㉡ 불립문자(不立文字)

21. 견원지간(犬猿之間) • 　　　 • ㉢ 임시변통(臨時變通)

22. 군계일학(群鷄一鶴) • 　　　 • ㉣ 창해일속(滄海一粟)

23. 동족방뇨(凍足放尿) • 　　　 • ㉤ 철중쟁쟁(鐵中錚錚)

평가원 기출

24. ㉠, ㉡에 공통적으로 들어갈 수 <u>없는</u> 것은?

> • 조화(造化)*가 무궁하여 만물이 생겼구나. 나는 놈 기는 놈, 숨은 놈 뛰는 놈, 큰 놈 작은
> 놈, 모두 (　㉠　)이니 세상에는 같은 것이 하나도 없네.
> • 천지에 온갖 동물들이 (　㉡　)이어서, 어떤 놈은 꿈틀꿈틀 기어 다니고, 어떤 놈은 어
> 지럽게 날아다닌다.

① 각양각색(各樣各色)　　② 유유상종(類類相從)　　③ 천차만별(千差萬別)

④ 천태만상(千態萬象)　　⑤ 형형색색(形形色色)

• **조화** 지을 造 될 化
만물을 창조하고 기르는 대자연의
이치. 또는 그런 이치에 따라 만들
어진 우주 만물.

3회독 채점표

회독 / 학습일자 채점	1회독 /　월　일	2회독 /　월　일	3회독 /　월　일
맞힌 문항 수	_____ 개 / **24문항**	_____ 개 / **24문항**	_____ 개 / **24문항**
틀린 문항 번호			

적용 문제 · 정답 및 해설 94쪽

평가원 기출

1 다음 밑줄 친 부분에 나타난 도련님의 행동을 표현한 한자성어로 가장 적절한 것은?

> 광한루에서 잠깐 보고 내 집에 찾아오셔서 밤 깊어 인적 없는 한밤중에 도련님은 자지 않고 춘향 나는 여기 앉아 날더러 하신 말씀, 오월 단오 밤에 내 손길 부여잡고 우둥퉁퉁 밖에 나와 맑은 하늘 천 번이나 가리키며 굳은 언약 어기지 않겠노라고 만 번이나 맹세하기에 내 정녕 믿었더니 결국 가실 때는 톡 떼어 버리시니 이팔청춘 젊은 것이 낭군 없이 어찌 살꼬.
>
> – 작자 미상, 「춘향전」

① 금상첨화(錦上添花)   ② 동병상련(同病相憐)   ③ 일구이언(一口二言)
④ 정저지와(井底之蛙)   ⑤ 천생연분(天生緣分)

교육청 기출

2 ⓐ~ⓔ의 상황이나 인물의 감정을 표현한 한자성어로 적절하지 <u>않은</u> 것은?

> "너는 정전(正殿)에서 왕을 모시고 ⓐ한가히 놀며 좋은 음식을 먹되, 나는 이 초옥에 홀로 있어 평생에 못해 보던 밀 한 섬씩 갈아 손이 부르트고 사지가 아니 아픈 데가 없고 의복은 남루하고 머리 빗어 본 지 몇 해며 세수한 지는 몇 달인지 알 수 없고, 이 중에 배는 고파 피골이 상접하여 반 귀신이 되었으니, 뉘라서 이 불쌍한 신세를 알리오. 오래지 않아 죽으리로다."
>
> 눈물이 비 오듯 하니, 금송아지 고개를 숙이고 위로하는 듯이 앉았더라. 보만후 일어나 메*를 잡으며 한탄하기를, / ⓑ"이 밀을 오늘 밤에 다 갈지 못하면 악한 형벌을 당하리니, 장차 어찌 다 갈꼬?" 〈중략〉
>
> "이 병은 금송아지의 간이 아니면 치료하지 못할까 하나이다."
>
> 왕 이르기를, / ⓒ"금송아지는 내가 사랑하는 것이라. 다른 약을 쓰도록 하라."
>
> 어의 아뢰기를, / "금송아지의 간이라야 쾌복(快復)하시리이다."
>
> ⓓ조정 모든 대신이 한결같이 아뢰기를, / "폐하, 한 금송아지를 아끼시어 왕후 병환을 구하지 아니하심은 불가하오니, 깊이 생각하시어 나라의 웃음을 취하지 마소서." 〈중략〉
>
> 어의 금송아지를 집으로 데리고 나와 일러 말하기를,
>
> "네가 비록 짐승이나 심상치 아니한지라. ⓔ말은 못하여도 사람의 말을 들을지라. 어 길로 곧 서쪽 땅으로 달아나 몸을 피하라. 나는 개를 잡아 간을 드리리라."
>
> 금송아지 무수히 사례하고 즉시 서쪽 땅으로 가니라.
>
> – 작자 미상, 「금송아지전」
>
> *메: 무엇을 치거나 박을 때 쓰는 나무나 쇠로 만든 방망이.

① ⓐ: 호의호식(好衣好食)   ② ⓑ: 노심초사(勞心焦思)   ③ ⓒ: 애지중지(愛之重之)
④ ⓓ: 이구동성(異口同聲)   ⑤ ⓔ: 유구무언(有口無言)

3 ⊙~⑩과 관련된 한자성어로 적절하지 **않은** 것은?

- 이 호민은 몹시 두려워해야 할 존재이다. 호민이 나라의 ⊙허술한 틈을 엿보고 일의 형편을 이용할 만한 때를 노리다가 팔을 떨치며 밭두렁 위에서 한번 소리를 지르게 되면, 원민은 소리만 듣고도 모여들어 모의하지 않고서도 소리를 지르고, 항민도 또한 제 살 길을 찾느라 호미, 고무래, 창을 가지고 쫓아가서 무도한 놈들을 죽이지 않을 수 없는 것이다.

- 고려 때에는 백성들에게 조세를 부과함에 한계가 있었고, ⓛ산림(山林)과 천택(川澤)에서 나오는 이익도 백성들과 함께했다. 장사할 사람에게 그 길을 열어 주고, 물건을 만드는 기술자에게 혜택이 돌아가게 하였다. 또 수입을 잘 헤아려 지출을 하였기 때문에 나라에 ⓒ여분의 저축이 있어 갑작스럽게 커다란 병화나 상사(喪事)가 있어도 조세를 추가로 징수하지는 않았다.

- 또 관청에서는 여분의 저축이 없어 일만 있으면 한 해에도 두 번씩이나 조세를 부과하는데, 지방의 수령들은 그것을 빙자하여 키질하듯 ⓡ가혹하게 거두어들이는 것 또한 끝이 없다.

- 기주·양주에서와 같은 천지를 뒤엎는 변란은 ⓜ발을 구부리고 기다리고 있을 것이다. 백성을 다스리는 사람이 두려워해야 할 만한 형세를 명확하게 알아서 시위와 바퀴를 고친다면, 오히려 제대로 된 정치를 할 수 있을 것이다.

        – 허균, 「호민론」

① ⊙: 호시탐탐(虎視耽耽)   ② ⓛ: 여민동락(與民同樂)   ③ ⓒ: 유비무환(有備無患)
④ ⓡ: 가렴주구(苛斂誅求)   ⑤ ⓜ: 십벌지목(十伐之木)

4 ⓐ~ⓔ에 들어갈 한자성어로 적절하지 **않은** 것은?

- 용골대가 한성에 침입하여 보니 국왕이 이미 피란(避亂)하고 대궐에 없으므로 아우 용홀대에게 한성을 점령케 하고 스스로 기병(騎兵) 오천을 거느리고 남한산성으로 추격하여 성중(城中)을 향해 총을 쏘매, 화살이 비 오듯 했다. 상감이 이런 혼란으로 어쩔 줄 모르고 ⓐ 하고 있을 때, 공중에서 홀연(忽然)히 큰 소리가 들려왔다.

- 그 후 용골대가 한성으로 들어와서 동대문으로 들어오다가 용홀대가 박씨의 시비(侍婢) 계화에게 죽었다는 소식을 듣고 ⓑ 하여 벽력(霹靂)같은 호통을 치자, 박 부인은 계화를 불러서 명(命)했다.
"네가 저놈을 죽이지는 말고 간담(肝膽)을 서늘케 해서 우리 도술(道術)의 솜씨를 보여라."
계화가 맞아 싸운 지 십여 합에 용골대는 계화의 무술 실력에 당하지 못할 것을 알았으나 ⓒ 하며 삼백 근 철퇴를 둘러메고 계화에게 달려들었다.

- 계화가 잡았던 칼을 공중에 휘저으며 진언(眞言)을 외우매, 모래와 돌이 날리고 사방에서 어두귀면(魚頭鬼面)의 병졸(兵卒)이 아우성을 치고, 에워싸 들어오고, 눈과 비가 크게 퍼부어서 순식간에 물이 한 길도 넘으니, 용골대 수족(手足)을 놀리지 못하고 혼비백산(魂飛魄散)하여 살려 달라고 ⓓ 했다.

- 용골대가 의주에 이르자 임경업이 비호(飛虎)같이 달려들며 벽력같은 소리로 용골대를 질타(叱咤)했다.
"이 ⓔ 한 오랑캐 장수야, 어서 내 칼을 받아라!"

        – 작자 미상, 「박씨전」

① ⓐ: 망지소조(罔知所措)   ② ⓑ: 노기충천(怒氣衝天)   ③ ⓒ: 허장성세(虛張聲勢)
④ ⓓ: 애걸복걸(哀乞伏乞)   ⑤ ⓔ: 호연지기(浩然之氣)

33 ^{일차} → 한자성어 ⑤

•정답 및 해설 95쪽

• **진척** 나아갈 進 오를 陟
일이 목적한 방향대로 진행되어
감.

• **병환** 병 病 근심 患
'병'의 높임말.

01~04 다음 (   ) 안에 적절한 한자성어를 고르시오.

01. 범인의 행방이 (금의야행(錦衣夜行)/오리무중(五里霧中))인지라 수사에 진척°이 없다.

02. 학생들이 (유언비어(流言蜚語)/이구동성(異口同聲))(으)로 선생님을 응원했다.

03. 회장님께서 병환°으로 자리를 비우시니 (전광석화(電光石火)/호가호위(狐假虎威))하려는 자들이 많다.

04. 지나친 욕망을 줄이고 (아전인수(我田引水)/안분지족(安分知足))하는 삶을 추구해야 한다.

05~12 예문을 참고하여 주어진 뜻에 해당하는 한자성어를 고르시오.

05.
> 몹시 두려워서 벌벌 떨며 조심함.
> ㉠ 나는 그 일의 결과가 어떻게 날지 몰라 □□□□했다.

① 각골지통(刻骨之痛)　　② 살신성인(殺身成仁)　　③ 감탄고토(甘吞苦吐)
④ 전전긍긍(戰戰兢兢)　　⑤ 청천벽력(靑天霹靂)

06.
> 도저히 불가능한 일을 굳이 하려 함을 비유적으로 이르는 말.
> ㉠ 불황에 소비 심리가 개선되기를 바라는 것은 □□□□(이)나 마찬가지다.

① 암중모색(暗中摸索)　　② 연목구어(緣木求魚)　　③ 방약무인(傍若無人)
④ 망연자실(茫然自失)　　⑤ 난형난제(難兄難弟)

07.
> 이미 한 말을 자꾸 되풀이함. 또는 그런 말.
> ㉠ 그가 □□□□하는 바람에 나는 짜증이 났다.

① 낭중지추(囊中之錐)　　② 좌충우돌(左衝右突)　　③ 중언부언(重言復言)
④ 언어도단(言語道斷)　　⑤ 가담항설(街談巷說)

08.
> 잘못한 사람이 아무 잘못도 없는 사람을 나무람을 이르는 말.
> ㉠ 지각을 해 놓고 오히려 화를 내다니 □□□□이/가 아니냐!

① 자가당착(自家撞着)　　② 일벌백계(一罰百戒)　　③ 자격지심(自激之心)
④ 자포자기(自暴自棄)　　⑤ 적반하장(賊反荷杖)

09.

> 학식이 넓고 아는 것이 많음.
> 예 그녀는 □□□□하여 모두의 존경을 받았다.

① 박학다식(博學多識) ② 일도양단(一刀兩斷) ③ 자중지란(自中之亂)
④ 일취월장(日就月將) ⑤ 견강부회(牽强附會)

10.

> 흔들어도 꼼짝하지 아니함.
> 예 그는 고집이 세서 어떤 말에도 □□□□이었다.

① 고립무원(孤立無援) ② 공평무사(公平無私) ③ 요지부동(搖之不動)
④ 수원수구(誰怨誰咎) ⑤ 타산지석(他山之石)

11.

> 서로 적의를 품은 사람들이 한자리에 있게 된 경우나 서로 협력하여야 하는 상황을 비유적으로 이르는 말.
> 예 그 두 사람은 서로 사이가 나쁜데도 동업을 하는 걸 보니 □□□□(이)로구나.

① 백척간두(百尺竿頭) ② 진퇴양난(進退兩難) ③ 오월동주(吳越同舟)
④ 유유상종(類類相從) ⑤ 이심전심(以心傳心)

12.

> 작은 일을 크게 불리어 떠벌림.
> 예 조그마한 일을 과장해서 얘기하다니 □□□□(이)로구나.

① 천양지차(天壤之差) ② 침소봉대(針小棒大) ③ 표리부동(表裏不同)
④ 천려일실(千慮一失) ⑤ 점입가경(漸入佳境)

13~17 문맥상 빈칸에 가장 적절한 한자성어를 고르시오.

13.

> 선희는 오래도록 진로를 결정하지 못하고 □□□□하고 있었다.

① 좌고우면(左顧右眄) ② 일진일퇴(一進一退) ③ 견문발검(見蚊拔劍)
④ 반신반의(半信半疑) ⑤ 설왕설래(說往說來)

14.

> 검거* 당시 범인은 언행이 불안정하였으며, 범행 동기에 대해서도 □□□□하였다.

① 허장성세(虛張聲勢) ② 토사구팽(兔死狗烹) ③ 전인미답(前人未踏)
④ 호구지책(糊口之策) ⑤ 횡설수설(橫說竪說)

15.

> 진작에 이 방법을 생각해 내지 못한 것이 이제 와서 □□□□이다.

① 좌정관천(坐井觀天) ② 후회막급(後悔莫及) ③ 하석상대(下石上臺)
④ 후안무치(厚顔無恥) ⑤ 폐포파립(敝袍破笠)

• 검거 검사할 檢 들 擧
수사 기관이 범죄의 예방, 공공 안전의 유지, 범죄의 수사를 위하여 용의자를 일시적으로 억류하는 일.

16.

시간이 충분히 있었는데도 제때 과제를 제출하지 않아서 그러한 성적을 받은 것이니 □□□□해 봐야 소용없다.

① 면종복배(面從腹背)　　② 마이동풍(馬耳東風)　　③ 임기응변(臨機應變)
④ 견마지로(犬馬之勞)　　⑤ 애걸복걸(哀乞伏乞)

17.

그는 이유도 없이 비난을 받은 것이 분해 □□□□하였다.

① 백년하청(百年河淸)　　② 일거양득(一擧兩得)　　③ 절치부심(切齒腐心)
④ 새옹지마(塞翁之馬)　　⑤ 동병상련(同病相憐)

18, 19 다음 밑줄 친 부분과 바꿔 쓰기에 가장 적절한 한자성어를 고르시오.

평가원 기출

18.

삼대의 죽음을 보고 적진이 대경 황망*하여 일시에 도망하거늘 원수와 강장이 본진에 돌아와 승전고*를 울리니 여러 장수와 군졸이 치하하며 모두 즐기더라.

① 혼비백산(魂飛魄散)　　② 경거망동(輕擧妄動)　　③ 동분서주(東奔西走)
④ 분기탱천(憤氣撑天)　　⑤ 문일지십(聞一知十)

평가원 기출

19.

이후로 임금은 곤드레만드레 취하여 정사를 폐하게 되었다. 그러나 순은 입을 굳게 다문 채 그 앞에서 간언할 줄 몰랐다. 그리하여 예법을 지키는 선비들은 그를 마치 원수처럼 미워하게 되었다.

① 함구무언(緘口無言)　　② 두문불출(杜門不出)　　③ 중구난방(衆口難防)
④ 이실직고(以實直告)　　⑤ 어불성설(語不成說)

20. 다음 밑줄 친 한자성어의 쓰임이 적절하지 <u>않은</u> 것은?

① 자신감을 갖고 <u>위풍당당</u>하게 입장하시기 바랍니다.
② 요즘 커피 전문점이 <u>우후죽순</u>처럼 생겨나고 있다.
③ 오늘 벌어진 <u>전대미문</u>의 사건은 모두를 충격에 빠트렸다.
④ 그녀는 성격이 드세 보여도 마음은 여린 <u>외유내강</u>형 인물이다.
⑤ 남을 비방하고 <u>중상모략</u>하는 것으로 시간을 보내는 것은 옳지 못하다.

📖 3회독 채점표

회독 / 학습일자　　채점	1회독 /　월　일	2회독 /　월　일	3회독 /　월　일
맞힌 문항 수	_____개 / **20**문항	_____개 / **20**문항	_____개 / **20**문항
틀린 문항 번호			

- **황망** 어리둥절할 慌 바쁠 忙
마음이 몹시 급하여 당황하고 허둥지둥하는 면이 있음.

- **승전고** 이길 勝 싸울 戰 북 鼓
싸움에 이겼을 때 울리는 북.

34 일차 → 한자성어 ⑥

· 정답 및 해설 98쪽

01~07 다음 빈칸에 적절한 한자성어를 찾아 서로 연결하시오.

01. 여당과 야당 후보의 과열* 경쟁으로 인해 무소속 •
후보가 ☐☐☐☐(으)로 당선되었다.

• ㉠ 유일무이(唯一無二)

02. 당장 네 잘못을 ☐☐☐☐하면 용서해 주겠다. •

• ㉡ 절차탁마(切磋琢磨)

03. 오직 경수만이 ☐☐☐☐한 학생회장 후보이다. •

• ㉢ 유수도식(遊手徒食)

04. 학기 초에 세운 목표를 달성하기 위해
☐☐☐☐하는 자세가 필요하다.

• ㉣ 하석상대(下石上臺)

05. 퇴직 후 그는 ☐☐☐☐하며 세월을 보냈다. •

• ㉤ 이실직고(以實直告)

06. 새로 빚을 내어 예전의 빚을 갚는 것은
☐☐☐☐하는 일이다.

• ㉥ 어부지리(漁父之利)

07. 현수와 너의 실력은 ☐☐☐☐이다. •

• ㉦ 천양지차(天壤之差)

08~11 예문을 참고하여 주어진 뜻에 해당하는 한자성어를 고르시오.

08.
> 사람이 보다 나은 방향으로 변하여 전혀 딴사람처럼 됨.
> 예 철수가 ☐☐☐☐해서 못 알아볼 뻔했어.

① 호형호제(呼兄呼弟)　　② 후생가외(後生可畏)　　③ 환골탈태(換骨奪胎)
④ 대경실색(大驚失色)　　⑤ 기호지세(騎虎之勢)

09.
> 달리는 말에 채찍질한다는 뜻으로, 잘하는 사람을 더욱 장려함을 이르는 말.
> 예 글솜씨가 좋은 아이를 칭찬하여 ☐☐☐☐하였다.

① 지록위마(指鹿爲馬)　　② 마이동풍(馬耳東風)　　③ 망양지탄(亡羊之歎)
④ 주마가편(走馬加鞭)　　⑤ 기고만장(氣高萬丈)

*과열 지날 過 더울 熱
지나치게 뜨거워짐.

10.

> 실속은 없으면서 큰소리치거나 허세를 부림.
> ㉠ 가진 재산은 없으면서 비싼 차만 타고 다니는 것은 □□□□이다.

① 목불인견(目不忍見)　② 군계일학(群鷄一鶴)　③ 안하무인(眼下無人)
④ 전화위복(轉禍爲福)　⑤ 허장성세(虛張聲勢)

11.

> 자기의 줄로 자기 몸을 옭아 묶는다는 뜻으로, 자기가 한 말과 행동에 자기 자신이 옭혀 곤란하게 됨을 비유적으로 이르는 말.
> ㉠ 예전에 한 약속이 □□□□이/가 되어 돌아왔다.

① 자승자박(自繩自縛)　② 견토지쟁(犬兔之爭)　③ 경국제세(經國濟世)
④ 사고무친(四顧無親)　⑤ 자강불식(自強不息)

12~16 **문맥상 빈칸에 적절한 한자성어를 고르시오.**

* 모면 꾀 謀 면할 免
어떤 일이나 책임을 꾀를 써서 벗어남.

12.

> 그렇게 그때그때 □□□□(으)로 위기를 모면*하려 들면 언젠가 크코다친다.

① 자격지심(自激之心)　② 임기응변(臨機應變)　③ 조변석개(朝變夕改)
④ 유방백세(流芳百世)　⑤ 오불관언(吾不關焉)

13.

> 운동을 하는 것은 건강을 위해서인데 건강을 잃을 정도로 운동을 심하게 한다면 이는 □□□□이/가 아닌가.

① 논공행상(論功行賞)　② 백면서생(白面書生)　③ 어불성설(語不成說)
④ 부화뇌동(附和雷同)　⑤ 칠전팔기(七顚八起)

14.

> 밤새 불어난 강물로 인해 □□□□의 상황에 놓였다.

① 호각지세(互角之勢)　② 진퇴무로(進退無路)　③ 욕속부달(欲速不達)
④ 음풍농월(吟風弄月)　⑤ 적막강산(寂寞江山)

15.

> 난생 처음 떠난 해외여행에서 □□□□하며 고생한 기억이 아직 생생하다.

① 좌충우돌(左衝右突)　② 교각살우(矯角殺牛)　③ 자가당착(自家撞着)
④ 첩첩산중(疊疊山中)　⑤ 수주대토(守株待兔)

16.

교칙이 제대로 지켜지지 않는 상황에서 □□□□이/가 필요하다는 주장에 대하여 학교 구성원들의 갑론을박*이 있었다.

① 고육지책(苦肉之策) ② 기사회생(起死回生) ③ 연하고질(煙霞痼疾)
④ 일벌백계(一罰百戒) ⑤ 흥진비래(興盡悲來)

• **갑론을박** 갑옷 甲 논할 論 새 乙 논박할 駁

여러 사람이 서로 자신의 주장을 내세우며 상대편의 주장을 반박함.

17~20 다음 밑줄 친 부분과 바꿔 쓰기에 가장 적절한 것을 고르시오.

17.

충분히 연습도 하지 않은 채로 대가*에게 도전하는 것은 너무 어리석인 짓이다.

① 이란격석(以卵擊石) ② 이열치열(以熱治熱) ③ 속수무책(束手無策)
④ 식자우환(識字憂患) ⑤ 난공불락(難攻不落)

• **대가** 큰 大 집 家
전문 분야에서 뛰어나 권위를 인정받는 사람.

18.

우리는 전통문화를 소중히 여기고 오늘날에 유의미한 부분을 찾는 태도가 필요하다.

① 양자택일(兩者擇一)의 ② 고진감래(苦盡甘來)의 ③ 풍찬노숙(風餐露宿)의
④ 온고지신(溫故知新)의 ⑤ 백절불굴(百折不屈)의

19.

우리 아버지께서는 첫사랑인 어머니께 한결같은 애정을 품어 오셨다.

① 풍수지탄(風樹之歎) ② 일장춘몽(一場春夢) ③ 일편단심(一片丹心)
④ 수구초심(首丘初心) ⑤ 오매불망(寤寐不忘)

20.

1900년 이후 뜻밖에 발생한 자연재해로 인해 사망한 사람의 수가 800만 명에 이른다고 한다.

① 청천벽력(靑天霹靂)으로 ② 여리박빙(如履薄氷)으로 ③ 함포고복(含哺鼓腹)으로
④ 명경지수(明鏡止水)로 ⑤ 천재지변(天災地變)으로

3회독 채점표

채점 　　회독 / 학습일자	1회독 / 　월　 일	2회독 / 　월　 일	3회독 / 　월　 일
맞힌 문항 수	＿＿＿개 / **20문항**	＿＿＿개 / **20문항**	＿＿＿개 / **20문항**
틀린 문항 번호			

01, 02 다음 중 의미가 비슷한 한자성어끼리 연결하시오.

01. 진퇴양난(進退兩難) •

• ㉠ 천석고황(泉石膏肓)

02. 요산요수(樂山樂水) •

• ㉡ 진퇴유곡(進退維谷)

03, 04 다음 밑줄 친 한자성어의 의미로 가장 적절한 것을 고르시오.

03.
> 그 소문은 전대미문(前代未聞)의 이야기이다.

① 정도를 지나침은 미치지 못함과 같다.
② 높은 권세라도 오래가지 못함.
③ 물음과는 상관없는 엉뚱한 대답.
④ 지금까지는 들어 본 적이 없음.
⑤ 스스로 묻고 스스로 대답함.

04.
> 잘못을 했으면 당분간은 은인자중(隱忍自重)해야지.

① 부모를 잘 섬기고 효성을 다함.
② 모든 일은 반드시 바른길로 돌아감.
③ 참고 감추어 몸가짐을 신중히 함.
④ 가난하고 천할 때 사귄 사이.
⑤ 책을 열심히 읽음.

05 ~ 10 예문을 참고하여 주어진 뜻에 해당하는 한자성어를 고르시오.

05.
> 풍채나 기세가 위엄이 있고 씩씩함.
> ㉖ □□□□하게 문을 열고 들어갔다.

① 부화뇌동(附和雷同)　② 상전벽해(桑田碧海)　③ 견강부회(牽强附會)
④ 위풍당당(威風堂堂)　⑤ 허장성세(虛張聲勢)

06.
> 사회적으로 인정을 받고 출세함.
> ㉖ 할머니는 손자가 시험에 합격하여 □□□□하자 매우 기뻐하셨다.

① 일거양득(一擧兩得)　② 자강불식(自強不息)　③ 입신양명(立身揚名)
④ 시종일관(始終一貫)　⑤ 애이불비(哀而不悲)

07.

> 이미 지나간 일.
> 예 □□□□ 이렇게 된 거 과거는 잊고 잘 지냅시다.

① 동분서주(東奔西走)　　② 망연자실(茫然自失)　　③ 고진감래(苦盡甘來)
④ 태연자약(泰然自若)　　⑤ 이왕지사(已往之事)

08.

> 의지할 곳이 없는 외로운 홀몸.
> 예 그는 가족도 없이 □□□□(으)로 서울에 왔다.

① 혈혈단신(孑孑單身)　　② 유아독존(唯我獨尊)　　③ 호사유피(虎死留皮)
④ 독야청청(獨也靑靑)　　⑤ 발본색원(拔本塞源)

09.

> 머뭇거리지 않고 일이나 행동을 선뜻 결정함.
> 예 그는 성격이 화끈하여 □□□□의 판단을 내렸다.

① 일진일퇴(一進一退)　　② 일도양단(一刀兩斷)　　③ 막무가내(莫無可奈)
④ 일촉즉발(一觸卽發)　　⑤ 기사회생(起死回生)

10.

> 후진들이 선배보다 더 큰 인물이 될 수 있으므로 두렵다는 말.
> 예 갈수록 뛰어난 후배들이 많아져 □□□□(이)라는 말을 실감하게 된다.

① 설상가상(雪上加霜)　　② 동량지재(棟梁之材)　　③ 후생가외(後生可畏)
④ 일희일비(一喜一悲)　　⑤ 혹세무민(惑世誣民)

11, 12 문맥상 빈칸에 가장 적절한 한자성어를 고르시오.

11.

> 그의 □□□□할 만행에 모두 혀를 내둘렀다.

① 천인공노(天人共怒)　　② 부지불식(不知不識)　　③ 유명무실(有名無實)
④ 비몽사몽(非夢似夢)　　⑤ 인자무적(仁者無敵)

12.

> 네가 꾸벅꾸벅 조는 모습을 보니 밤새도록 게임을 했다는 것은 □□□□이다.

① 포복절도(抱腹絕倒)　　② 읍참마속(泣斬馬謖)　　③ 호사다마(好事多魔)
④ 일사불란(一絲不亂)　　⑤ 불문가지(不問可知)

13. 다음 중 '평범한 일반 사람들'과 관련이 <u>없는</u> 것은?

① 갑남을녀(甲男乙女)　　② 장삼이사(張三李四)　　③ 필부필부(匹夫匹婦)
④ 초동급부(樵童汲婦)　　⑤ 화용월태(花容月態)

14. 다음 중 '오만함'과 관련이 <u>없는</u> 것은?

① 회빈작주(回賓作主)　　② 안하무인(眼下無人)　　③ 오만불손(傲慢不遜)
④ 언감생심(焉敢生心)　　⑤ 방약무인(傍若無人)

15. 다음 중 '친구와의 우정'과 관련이 없는 것은?

① 수어지교(水魚之交)　　② 막역지간(莫逆之間)　　③ 간담상조(肝膽相照)
④ 죽마고우(竹馬故友)　　⑤ 회자정리(會者定離)

16. 다음 중 '살기 좋은 시절'과 관련이 없는 것은?

① 태평성대(太平聖代)　　② 태평성세(太平聖歲)　　③ 강구연월(康衢煙月)
④ 함포고복(含哺鼓腹)　　⑤ 만경창파(萬頃蒼波)

17. 다음 밑줄 친 한자성어와 바꿔 쓰기에 가장 적절한 것은?

> 그는 거래처 직원의 태도가 <u>양두구육(羊頭狗肉)</u>일지도 모른다는 의심을 했다.

① 꿩 대신 닭　　② 개 발에 편자　　③ 빛 좋은 개살구
④ 가는 날이 장날　　⑤ 가게 기둥에 입춘

18, 19 다음의 밑줄 친 상황에 가장 적절한 한자성어를 고르시오.

수능 기출

18.
> 행복동 주민들이 잔뜩 몰려들어 자기의 의견들을 큰 소리로 말하고 있었다. 들을 사람은 두셋밖에 안 되는데 수십 명이 거의 동시에 떠들어대고 있었다. 쓸데없는 짓이었다.

① 유구무언(有口無言)　　② 우이독경(牛耳讀經)　　③ 중구난방(衆口難防)
④ 교언영색(巧言令色)　　⑤ 횡설수설(橫說竪說)

19.
> 나는 어렸을 때부터 선생님이 되고 싶었다. 친구들은 커가면서 장래 희망이 많이 바뀌었지만, 나는 처음에 마음먹은 꿈을 바꾸지 않고 지금까지도 유지하며 열심히 공부하고 있다.

① 괄목상대(刮目相對)　　② 초지일관(初志一貫)　　③ 고식지계(姑息之計)
④ 일취월장(日就月將)　　⑤ 곡학아세(曲學阿世)

20. 다음 한자성어의 사전적 의미가 적절하지 <u>않은</u> 것은?

① 망운지정(望雲之情): 자식이 객지*에서 고향에 계신 어버이를 생각하는 마음.
② 염량세태(炎涼世態): 현실성이 없는 허황한 이론이나 논의.
③ 천하일색(天下一色): 세상에 드문 아주 뛰어난 미인.
④ 천재일우(千載一遇): 좀처럼 만나기 어려운 좋은 기회를 이르는 말.
⑤ 일확천금(一攫千金): 힘들이지 아니하고 단번에 많은 재물을 얻음을 이르는 말.

• 객지 손 客 땅 地
자기 집을 멀리 떠나 임시로 있는 곳.

📋 3회독 채점표

채점　　회독 / 학습일자	1회독 /　월　일	2회독 /　월　일	3회독 /　월　일
맞힌 문항 수	_____개 / **20**문항	_____개 / **20**문항	_____개 / **20**문항
틀린 문항 번호			

평가원 기출

1, 2 다음 글을 읽고 물음에 답하시오.

마침내 진 공은 오 부인과 함께 길을 떠났다. 그 뒤 진 소저는 침실로 돌아가 자리에 누운 채 밤낮없이 엉엉 울고 있었다. 그때 조문화의 가인들이 속속 찾아와 진 소저에게 혼인을 재촉했다. 진 소저는 유모로 하여금 말을 전하게 했다.

"방금 부모님을 작별했으므로 정회가 망극하기 그지없습니다. 앞으로 수십 일 정도를 보내면서 마음을 조금 진정시킨 연후에 성례하면 좋을 듯합니다."

조문화의 가인이 돌아가 진 소저의 말을 전했다. 그러나 조문화의 아들은 다급하게 서둘러 마지않았다. 조문화가 말했다.

"인정상 본디 그럴 것이니 그 말대로 따르도록 하거라. 또한 저 아이는 이미 주머니 속에 든 물건이나 다름이 없게 되었다. 서두르지 않는다고 달아날 곳이 있겠느냐?"

사오일 뒤 조문화는 시비로 하여금 진 소저를 찾아가 살펴보게 했다. 진 소저는 머리를 풀어 얼굴을 가린 채 이불을 덮고 신음하고 있다가 희미한 목소리로 유모를 불러 놓고 일렀다.

"슬픔으로 심란하던 차에 다시 감기에 걸리고 말았네. 이제는 마음도 추스르고 병도 조섭하여 속히 쾌차한 후에 부모님을 살려주신 큰 은혜에 (㉠)하려 하네. 그런데 지금 바깥 사람들이 자주 왔다 갔다 하니 내 마음이 편하질 않구려."

그 사람이 돌아가 진 소저의 말을 조문화에게 그대로 전했다. 그러자 조문화는 몹시 기뻐했다.

"진실로 뛰어난 효녀로서 은혜를 갚을 줄 아는 사람이로구나. 이제 그 뜻에 순종하여 화를 돋우게 하지 마라. 앞으로도 모름지기 매일 문밖에서 동정을 살피되 집 안에는 다시 함부로 들어가지 말거라."

다시 10여 일이 지난 뒤 진 소저는 공의 행차가 이미 멀리까지 갔으리라 짐작하고 유모 및 시녀 운섬 등과 함께 야밤에 간단하게 행장을 꾸렸다. 그리고 모두 남장을 한 뒤 나귀 한 필을 끌고 회남을 향해 떠나갔다.

그 이튿날에도 조문화의 가인이 소저를 찾아갔더니 빈집만 황량할 뿐 다시는 인적을 찾아볼 수 없었다. 그 사람은 몹시 놀랍고도 의아하여 마을 사람에게 물어보았다.

"저 집 소저가 어디로 갔습니까?"

마을 사람은 쌀쌀하게 대답했다.

"소저고 대저고 나는 모릅니다."

그 사람은 무안만 당하고 돌아가 조문화에게 고했다.

－ 작자 미상, 「창선감의록」

1 ㉠에 들어갈 한자성어로 가장 적절한 것은?

① 결초보은(結草報恩)   ② 명약관화(明若觀火)   ③ 형설지공(螢雪之功)
④ 파안대소(破顔大笑)   ⑤ 자중지란(自中之亂)

2 다음은 마지막 부분에서 가인의 보고를 듣고 조문화가 할 것으로 예상되는 생각이다. 빈칸에 들어갈 한자성어로 가장 적절한 것은?

> "진 소저가 내게 이런 행동을 하다니, □□□□도 유분수지!"

① 각골통한(刻骨痛恨)   ② 배은망덕(背恩忘德)   ③ 선견지명(先見之明)
④ 오비이락(烏飛梨落)   ⑤ 전전반측(輾轉反側)

3 다음 밑줄 친 부분을 의미하는 한자성어로 가장 적절한 것은?

> 나비가 되어 자신조차 잊을 만큼 즐겁게 날아다니는 꿈을 꾸다 깨어난 장자는 자신이 나비가 되는 꿈을 꾼 것인지 나비가 자신이 된 꿈을 꾸고 있는 것인지 의아해한다. 이 호접몽 이야기는 나를 잊은 상태를 묘사함으로써 '물아일체(物我一體)' 사상을 그 결론으로 제시하고 있다.

① 명실상부(名實相符)   ② 무아지경(無我之境)   ③ 함흥차사(咸興差使)
④ 경거망동(輕擧妄動)   ⑤ 환골탈태(換骨奪胎)

4 ⓐ에 알맞은 한자성어를 쓰시오.

> '쪽'은 마디풀과의 한해살이 풀로서, 남색 물감을 만드는 데 사용되는 식물이다. 예전에는 옷에 남색 빛을 물들이는 데 이 '쪽'을 사용하였다. ⓐ'쪽'을 찧어다가 물에 담가 놓으면 푸른 물이 나오는데, 이 색이 원래 '쪽'이 가지고 있는 남색보다 훨씬 진한 남색 빛을 띤다. 이를 비유하여, 스승보다 제자가 더 나은 성과를 낼 때 이 한자성어를 쓴다.

VI. 헷갈리는 어휘

일상의 언어생활에서 형태나 의미가 비슷한 단어들을 혼동하여 잘못 사용하는 경우가 적지 않다. 각각의 단어 자체는 맞는 말이지만 단어 간의 차이점과 문장에서의 쓰임을 잘못 이해하여 실수를 하는 것이다. 따라서 헷갈리기 쉬운 어휘들을 모아 그 차이점과 구체적인 쓰임을 익히는 것은 올바른 언어생활을 위해 꼭 필요하다고 할 수 있다.

36 일차 ─ 헷갈리는 어휘 ①

· 정답 및 해설 106쪽

• 대금 대신할 代 쇠 金
물건의 값으로 치르는 돈.

01~08 다음 빈칸에 적절한 단어를 찾아 서로 연결하시오.

01. ㉠ 그는 지금 부장님께 □□를 받으러 갔다   •   • 결제(決濟)
  ㉡ 그는 물품 대금˚을 신용 카드로 □□를 했다.   •   • 결재(決裁)

02. ㉠ 그는 추위에 약해서 겨울마다 큰 □□을 치른다.•   • 곤욕(困辱)
  ㉡ 나는 그의 예기치 못한 질문에 □□을 느꼈다.   •   • 곤혹(困惑)

03. ㉠ 앞으로 살아갈 길이 □□□□.   •   • 막연(漠然)하다
  ㉡ 그들은 어렸을 때부터 사이가 □□□□.   •   • 막역(莫逆)하다

• 모종 아무 某 씨 種
어떠한 종류.

04. ㉠ 모종˚의 □□으로 두 기업이 가격을 인상하였다.•   • 단합(團合)
  ㉡ 우리 팀은 □□이 잘돼서 우승을 할 수 있었다.   •   • 담합(談合)

05. ㉠ 우리에겐 그 사실을 뒤집을 만한 □□이 없다.•   • 반증(反證)
  ㉡ 그 강의는 그의 해박한 지식을 □□하는 듯했다.•   • 방증(傍證)

06. ㉠ 이 작업에 □□한 사람만 해도 백 명이 넘는다.•   • 간여(干與)
  ㉡ 그 사람의 감정에는 내가 □□할 바가 아니다.•   • 관여(關與)

07. ㉠ 그는 분리수거를 담당하겠다고 □□했다.   •   • 자처(自處)
  ㉡ 그들은 자신들이 아시아 최강임을 □□했다.   •   • 자청(自請)

08. ㉠ 지금은 병원으로 환자를 □□하는 것이 급하다.•   • 후송(後送)
  ㉡ 은행은 현금 수송˚ 때 경찰에게 □□ 요청을 한다.•   • 호송(護送)

• 수송 보낼 輸 보낼 送
기차나 자동차, 배, 항공기 따위로
사람이나 물건을 실어 옮김.

09~16 다음 (   ) 안에 적절한 단어를 고르시오.

09. 축구에 있어서는 내가 다른 친구들에 비해 실력이 매우 (딸린다/달린다).

10. 그는 그 일을 겪은 후 하루 종일 (그저/거저) 잠만 자고 있다.

11. 어느새 불길은 (걷잡을/겉잡을) 수 없이 번져 나갔다.

12. 그가 운영하던 연구소가 대학 연구소에 (합방/합병)되었다.

13. 케이크에 불을 붙이다가 촛불에 머리카락이 (그을렸다/그슬렸다).

14. 올올이 짠 스웨터에는 어머니의 정성이 (깃들었다/깃들였다).

15. 나는 굴 (껍질/껍데기)이/가 닥지닥지 달라붙은 바위를 짚고 아래로 내려갔다.

16. 목표를 정하면 다른 것에 눈 돌리지 말고 곧장 (나아가야/나가야) 한다.

17~21 다음의 ㉠~㉢에 들어갈 단어로 적절한 것을 고르시오.

17.
- 이번 협상에는 수많은 변수˚가 (㉠)되어 있다.
- 지금 나의 상황은 이것저것 가릴 (㉡)가 아니다.
- 그의 칼럼을 일주일에 한 번씩 신문에 (㉢)하기로 했다.

	㉠	㉡	㉢		㉠	㉡	㉢
①	개재	계제	게재	②	개재	게제	계재
③	계제	게재	개재	④	계제	개재	게재
⑤	게재	개재	계제				

- **변수** 변할 變 셈 數
어떤 상황의 가변적 요인.

18.
- 여러분의 가정에 행운이 가득하길 기원하는 것으로 인사말을 (㉠)합니다.
- 이번 경기는 선수들의 투지˚가 승패를 (㉡)했다고 해도 과언˚이 아니다.
- 이 경기는 승패를 (㉢)하기 어려울 만큼 팽팽하게 진행되고 있다.

	㉠	㉡	㉢		㉠	㉡	㉢
①	가름	갈음	가늠	②	가늠	갈음	가름
③	가늠	가름	갈음	④	갈음	가름	가늠
⑤	갈음	가늠	가름				

- **투지** 싸울 鬪 뜻 志
싸우고자 하는 굳센 마음.

- **과언** 지날 過 말씀 言
지나치게 말을 함. 또는 그 말.

19.
- 그는 (㉠) 나이보다 젊게 보인다.
- 그는 사건의 (㉡)를 파악하다는 것이 급선무˚라 생각했다.
- 병풍의 그림에는 식물의 (㉢)적인 모습을 본뜬 것이 많았다.

	㉠	㉡	㉢		㉠	㉡	㉢
①	실제	실재	실체	②	실제	실체	실재
③	실재	실체	실제	④	실재	실제	실체
⑤	실체	실제	실재				

- **급선무** 급할 急 먼저 先 힘쓸 務
무엇보다도 먼저 서둘러 해야 할 일.

20.
- 나는 삼촌의 (㉠)(으)로 대학을 마칠 수 있었다.
- 이 법의 시행에 허점이 있어 제도적인 (㉡)이/가 필요하다.
- 성장기에 있는 청소년들에게는 다양한 영양 (㉢)이/가 필수적이다.

	㉠	㉡	㉢		㉠	㉡	㉢
①	보완	보충	보조	②	보충	보완	보조
③	보충	보조	보완	④	보조	보완	보충
⑤	보조	보충	보완				

21.
- (㉠) 있는 집안에서 자란 사람이라 그런지 그는 어른들께 예의 바르고 매사 행동이 조심스러웠다.
- 단 열흘 만에 대정 고을 유생*들을 (㉡)으로 하여 자위단*이 결성되었으니, 이름하여 상무사라 하였다.
- 그 소년의 몸을 흐르는 피가 자신과 (㉢)을 같이한다는 사실만으로도 모든 것은 용서될 수 있을 것 같은 기분이었다.

	㉠	㉡	㉢		㉠	㉡	㉢
①	근본	근간	근원	②	근본	근원	근간
③	근원	근간	근본	④	근원	근본	근간
⑤	근간	근본	근원				

• **유생** 선비 儒 날 生
유학을 공부하는 선비.

• **자위단** 스스로 自 지킬 衛 집
단 團
자기 나라의 평화와 독립을 지키
고, 나라의 안전을 유지하기 위하
여 조직한 단체.

3회독 채점표

채점 회독 / 학습일자	1회독 / 월 일	2회독 / 월 일	3회독 / 월 일
맞힌 문항 수	_____개 / **21**문항	_____개 / **21**문항	_____개 / **21**문항
틀린 문항 번호			

37 일차 → 헷갈리는 어휘 ②

• 정답 및 해설 108쪽

01~03 다음 중 밑줄 친 단어의 쓰임이 적절하지 <u>않은</u> 것을 고르시오.

01.

① 이 영화는 작품성의 <u>결여</u>로 혹평을 받았다.

② 서울은 세계적인 도시의 <u>면목</u>을 지녔다.

③ 나는 이 집의 반찬 맛이 <u>단순</u>해서 자주 온다.

④ 그의 논문이 재심*되었으나 그 결과는 아직 <u>공표</u>되지 않았다.

⑤ 그 말에는 앞으로 어떤 일이 발생할 것이라는 <u>암시</u>가 담겨 있다.

> • **재심** 다시 再 살필 審
> 재심사. 한 번 심사하였던 것을 다시 심사함.

02.

① 벌써 기차가 떠났다니, 이것 참 <u>낭패</u>네.

② 이번 수행 평가 주제는 <u>신중</u>하게 정해야 한다.

③ 여행 계획에 <u>변동</u> 사항이 있으면 알려 주세요.

④ 그 친구는 위기 상황을 맞으면 눈치껏 <u>대처</u>했다.

⑤ 공부 환경이 <u>개량</u>되어서 공부하기가 더 좋아졌다.

03.

① 맛이 오른 <u>살진</u> 과일은 보기에도 탐스럽다.

② 그는 일찍이 부모를 <u>여의고</u> 고아로 자랐다.

③ 오늘은 <u>어느</u> 때와 달리 일찍 자리에서 일어났다.

④ 집 안에 있어도 이렇게 추운데 밖은 <u>오죽</u> 춥겠니?

⑤ 그는 현실에 안주하지 않고 이상을 <u>좇고</u> 싶었다.

04~10 다음에 제시된 단어들을 ㉠, ㉡에 적절히 활용하여 쓰시오.

04. 너비 - 넓이

> • 그 방은 두 사람이 겨우 누울 만한 (㉠)였다.
> • 이 체조를 하려면 먼저 양발을 어깨 (㉡)로 벌리고 서야 한다.

05. 두텁다 - 두껍다

- 오늘은 날씨가 추워서 옷을 (　ㄱ　) 입었다.
- 그 친구와 나는 오랫동안 우정을 (　ㄴ　) 쌓았다.

06. 들르다 - 들리다

- 하굣길에 서점에 (　ㄱ　) 친구를 만났다.
- 밤새 천둥소리가 (　ㄴ　) 잠을 푹 자지 못했다.

07. 띠다 - 띄다

- 요즘 들어 형의 행동이 눈에 (　ㄱ　) 달라졌다.
- 수학 공부법에 대한 우리들의 대화는 열기를 (　ㄴ　) 시작했다.

08. 깁다 - 긷다

- 할머니는 우물에 두레박줄을 늘어뜨려 물을 (　ㄱ　).
- 언니는 못에 걸려 구멍 난 양말을 곱게 (　ㄴ　).

09. 돋구다 - 돋우다

- 눈이 잘 안 보이는 걸 보니 안경의 도수°를 (　ㄱ　) 때가 되었나 보다.
- 동생의 행동은 오히려 아버지의 화를 (　ㄴ　) 뿐이었다.

• **도수** 법도 度 셈 數
각도, 온도, 광도 따위의 크기를 나타내는 수.

10. 비추다 - 비치다

- 아침 햇살이 환하게 교실을 (　ㄱ　).
- 번쩍이는 번갯불에 그의 늠름한 모습이 (　ㄴ　).

11~17 다음의 밑줄 친 단어를 문맥에 맞게 고쳐 쓰시오.

11. 영수는 내게 수학 문제를 <u>가리켜</u> 주었다. (　　　　)

12. 나는 평소 아침밥을 잘 챙겨 먹지 못해 몸이 많이 <u>골았다</u>. (　　　　)

13. 이럴수록 서두르지 말고 <u>느긋하게</u> 결과를 기다립시다. (　　　　)

14. 아버지께서 내 면바지를 <u>달여</u> 줄을 세워 주셨다. (　　　　)

15. 매일 만나는 사람인데 오늘따라 <u>웬지</u> 멋있어 보인다. (　　　　)

16. 그녀는 우글부글하는 화를 <u>삭히느라</u> 애를 썼다. (　　　　)

17. <u>이슥한</u> 골목길에 들어서니 귀신이 나올 것만 같았다. (　　　　)

18.

> • 그 이론은 (㉠)을 거치지 않은 것이므로 신뢰할 수 없다.
> • 동남아 지역에 콜레라가 발생하여 여행객에 대한 (㉡)이 강화되었다.
> • 우리는 (㉢) 결과에 따라 납품* 업체를 결정하기로 했다.

	㉠	㉡	㉢		㉠	㉡	㉢
①	검역	검정	검증	②	검역	검증	검정
③	검정	검역	검증	④	검정	검증	검역
⑤	검증	검역	검정				

• **납품** 들일 納 물건 品
계약한 곳에 주문받은 물품을 가져다 줌. 또는 그 물품.

19.

> • 사진기를 발명하는 데 눈의 구조를 이용한 것은 대단한 (㉠)이다.
> • 그 사람은 앞날을 내다볼 줄 아는 (㉡)을 지니고 있다.
> • 나는 사물을 제대로 살펴 분별*하는 (㉢)을 가지지 못했다.

	㉠	㉡	㉢		㉠	㉡	㉢
①	착안	혜안	심안	②	착안	심안	혜안
③	심안	착안	혜안	④	심안	혜안	착안
⑤	혜안	심안	착안				

• **분별** 나눌 分 나눌 別
서로 다른 일이나 사물을 구별하여 가름.

교육청 기출

20.

> • 축제가 (㉠)인 교정*을 (㉡) 동안 거닐었다.
> • 어머니가 아이를 의자에 (㉢), 밥솥에 쌀을 (㉣).
> • 젓갈을 (㉤) 항아리에 (㉥) 오래 보관하면 좋다.

	㉠	㉡	㉢	㉣	㉤	㉥
①	한참	한창	앉히고	안쳤다	담가	담아
②	한참	한창	안치고	앉혔다	담가	담아
③	한창	한참	앉히고	안쳤다	담아	담가
④	한창	한참	안치고	앉혔다	담아	담가
⑤	한창	한참	앉히고	안쳤다	담가	담아

• **교정** 학교 校 뜰 庭
학교의 마당이나 운동장.

3회독 채점표

회독 / 학습일자 채점	1회독 / 월 일	2회독 / 월 일	3회독 / 월 일
맞힌 문항 수	_____개 / **20문항**	_____개 / **20문항**	_____개 / **20문항**
틀린 문항 번호			

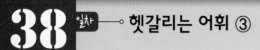

·정답 및 해설 111쪽

01~09 다음 ( ) 안에 적절한 단어를 고르시오.

01. 뒤뜰 돌담 (넘어/너머) 붉은 지붕의 건물이 그 친구의 집이다.

02. 거친 (낟알/낱알)을 기계에 넣으니 잠시 후 하얀 쌀들이 쏟아졌다.

03. 그 아이는 새로 산 책 (거죽/가죽)에 큰 글씨로 자기 이름을 썼다.

04. 선생님들은 저 방에 묵었고 학생들은 그 (건넌방/건넛방)에 묵었다.

05. 서편 하늘에서부터 동편 하늘을 향하여 (꽁지/꼬리) 달린 혜성이 날아갔다.

06. 어깨에 배낭을 (멨더니/맸더니) 걷기가 너무 힘이 든다.

07. 나는 포기하지 않고 그 산의 제일 높은 (봉오리/봉우리)까지 올랐다.

08. 내 방 창문으로 따사로운 봄 햇살이 (비켜/비껴) 들어왔다.

09. 그는 시험을 잘 봐 우등상을 받았다고 무척 (뻐기고/뻐개고) 다닌다.

10~15 다음 빈칸에 적절한 단어를 찾아 서로 연결하시오.

10. ㉠ 약속해 놓고 이제 와서 ☐☐을/를 치면 어떻게 하니?　　•

㉡ 무슨 일이든 꼭 ☐☐을/를 놓는 사람들이 있다.　　•

•딴지

•딴죽

11. ㉠ 밤늦게까지 들어오지 않은 동생을 ☐☐☐.　　•

㉡ 그가 대장간에서 낫과 호미를 ☐☐☐.　　•

•벼르다

•벼리다

12. ㉠ 점원이 손님에게 옷을 입어 보도록 ☐☐☐☐.　　•

㉡ 낚시꾼이 물고기를 잡기 위해 미끼로 ☐☐☐☐.　　•

•유도하다

•유인하다

13. ㉠ 나는 이번 일로 어려운 ☐☐에 처하게 되었다.　　•

㉡ 그 일의 ☐☐는 알 수 없지만 결과는 우리에게 유리하다.　•

•경우

•경위

14. ㉠ 그가 여러 가지 사업을 ☐☐☐.　　•

㉡ 아이가 하품을 하듯이 입을 크게 ☐☐☐.　　•

•벌리다

•벌이다

15. ㉠ 어두운 곳에 있다가 밖으로 나오자 눈이 □□□.   •   • 부수다

　　㉡ 알약이 너무 커서 잘게 □□□.   •   • 부시다

16~20 다음 중 밑줄 친 단어의 표기가 적절한 것을 고르시오.

16.
① 그 회사는 면접이 무척 까탈스럽다.
② 나는 합격자 발표를 기다리며 안절부절했다.
③ 그 사람은 성격이 괴팍해 사람들과 잘 화합하지 못한다.
④ 그는 주책없는 사람이지만 아이와 한 약속은 꼭 지킨다.
⑤ 그녀는 선비는 으레 가난하려니 하고 한평생을 살아왔다.

17.
① 자네 덕에 명절을 잘 쇠서 고맙네.
② 우리 부모님은 별에별 고생을 다 하셨다.
③ 나는 자투리 시간을 허투루 쓰지 않는다.
④ 써 놓고 보니, 내 글씨가 너무 괴발새발이다.
⑤ 그는 여지껏 대학시절의 그 일을 모르는 척했다.

18.
① 걸죽한 콩국이 꽤 고소하다.
② 아빠가 잠든 아기를 자리에 누였다.
③ 그게 어찌 된 일인지 당췌 알 수가 없어.
④ 내 동생은 소맷자락을 겉고 설거지를 하고 있다.
⑤ 운동회가 끝난 운동장에 쓰레기가 널부러져 있었다.

19.
① 나는 그들을 다시 보기가 멋적었다.
② 우리 팀은 결승에서 어의없이 지고 말았다.
③ 그는 목이 마르다며 물을 벌컥벌컥 들이키고 있다.
④ 그는 음식을 맛보고는 시덥잖은 표정으로 수저를 놓았다.
⑤ 작은 문 옆에 차가 드나들 수 있을 만큼 널따란 문이 나 있다.

20.
① 고향을 떠나온 지 자그마치 십 년이 넘었다.
② 그는 친구에게 두루말이 화장지를 사 주었다.
③ 나는 그 일로 인해 어려움을 곱배기로 겪었다.
④ 그렇게 큰일을 치뤘으니 몸살이 날 만도 하다.
⑤ 그녀는 몹시 핼쓱했지만 전신에 생기가 넘쳤다.

평가원 기출

21.

> • 자문(諮問): 어떤 일을 좀 더 효율적으로 처리하려고 그 방면의 전문가나, 전문가들로 이루어진 기구에 의견을 물음.
> • 조언(助言): 말로 거들거나 깨우쳐 주어서 도움. 또는 그 말.
> • 충고(忠告): 남의 결함이나 잘못을 진심으로 타이름. 또는 그런 말.

① 정부는 그 기관에 경제 정책을 <u>자문</u>하였다.
② 쉽게만 판단하지 말라고 친구에게 <u>충고</u>했다.
③ 나는 그녀에게 매우 아름답다고 <u>충고</u>해 주었다.
④ 경제 전문가의 <u>조언</u>을 구하여 사업을 시작했다.
⑤ 의사는 그 환자에게 정밀 진단을 받아 보라고 <u>조언</u>했다.

평가원 기출

22.

> • 동조(同調): 남의 주장에 자기의 의견을 일치시키거나 보조를 맞춤.
> • 방조(幇助/幫助): 『법률』 형법에서, 남의 범죄 수행에 편의를 주는 모든 행위.
> • 협조(協調): 「1」 힘을 합하여 서로 조화를 이룸. 「2」 생각이나 이해가 대립되는 쌍방이 평온하게 상호 간의 문제를 협력하여 해결하려 함.

① 마을 사람들은 이장의 의견에 <u>동조</u>했다.
② 회사 발전을 위해 노사*가 서로 <u>방조</u>해야 한다.
③ 고개를 끄덕여 그에게 <u>동조</u>하는 태도를 보였다.
④ 그는 그 사건을 <u>방조</u>한 혐의*로 전국에 수배*되었다.
⑤ 업무 추진을 위해 관계 부처*와 긴밀하게 <u>협조</u>해야 한다.

• **노사** 일할 勞 부릴 使
노동자와 사용자를 아울러 이르는 말.

• **혐의** 싫어할 嫌 의심할 疑
범죄를 저질렀을 가능성이 있다고 봄. 또는 그 가능성.

• **수배** 손 手 나눌 配
범인을 잡으려고 수사망을 펌.

• **부처** 거느릴 部 곳 處
정부 조직의 부와 처를 아울러 이르는 말.

3회독 채점표

채점 \ 회독 / 학습일자	1회독 / 월 일	2회독 / 월 일	3회독 / 월 일
맞힌 문항 수	_____개 / **22문항**	_____개 / **22문항**	_____개 / **22문항**
틀린 문항 번호			

39 일차 — 헷갈리는 어휘 ④

· 정답 및 해설 113쪽

01~05 다음의 ㉠~㉢에 들어갈 단어로 적절한 것을 고르시오.

평가원 기출

01.
> • 회사 측은 지난번 사고의 원인을 제대로 (㉠)하지 못하고 있다.
> • 그는 국회에서 국민의 기본권에 대하여 (㉡)할 기회를 얻었다.
> • 사건 관계자들은 회견장에 모인 기자들 앞에서 그 사건의 경위에 대해 (㉢) 하였다.

	㉠	㉡	㉢		㉠	㉡	㉢
①	상술	발언	규명	②	규명	발언	상술
③	발언	상술	규명	④	규명	상술	발언
⑤	발언	규명	상술				

02.
> • 요즘 초등학교에서는 석차를 (㉠) 않는다.
> • 깜빡 잊고 딸에게 약을 (㉡) 않았다.
> • 이번에는 우리가 앞소리*를 (㉢) 않기로 했다.

	㉠	㉡	㉢		㉠	㉡	㉢
①	메기지	먹이지	매기지	②	메기지	매기지	먹이지
③	먹이지	매기지	메기지	④	매기지	메기지	먹이지
⑤	매기지	먹이지	메기지				

• 앞소리
두 편이 노래를 주고받고 할 때 한 편이 먼저 부르는 소리.

평가원 기출

03.
> 나는 계약 문제로 고객을 만나기 위해, 많은 차량으로 (㉠)한 회사 부근을 간신히 빠져나와 약속 장소로 갔다. 그러나 고객은 그곳에 없었다. 급히 휴대 전화로 연락을 해 보니, 고객이 다른 곳에서 기다리고 있다고 하였다. 내가 약속 장소를 (㉡) 하여 고객을 기다리게 한 것이다. 전에 만났던 곳에서 만나자는 고객의 말에 별생각 없이 대답하는 바람에 이런 (㉢)이 빚어졌던 것이다.

	㉠	㉡	㉢		㉠	㉡	㉢
①	혼잡	혼란	혼돈	②	혼란	혼돈	혼선
③	혼잡	혼동	혼선	④	혼잡	혼선	혼동
⑤	혼란	혼돈	혼동				

• 섶

잎나무, 풋나무, 물거리(나뭇가지
와 같이 부러뜨려서 땔 수 있는 것
들) 따위의 땔나무를 통틀어 이르
는 말.

04.

> • 나는 그 얘기를 듣고 호기심이 (　　㉠　　).
> • 그는 바싹 마른 섶*에 불을 (　　㉡　　).
> • 한나절 내내 걸었더니 허벅지가 뻐근하고 종아리도 (　　㉢　　).

	㉠	㉡	㉢		㉠	㉡	㉢
①	당겼다	땅겼다	땡겼다	②	당겼다	땡겼다	땅겼다
③	땡겼다	땅겼다	당겼다	④	땡겼다	당겼다	땅겼다
⑤	땅겼다	땡겼다	당겼다				

05.

> • 태풍으로 인해 집 앞 나무가 뿌리(　　㉠　　) 뽑혔다.
> • 그는 피곤했는지 옷을 입은 (　　㉡　　)로 잠이 들었다.
> • 내가 아무리 말해도 그는 들은 (　　㉢　　)도 하지 않았다.

	㉠	㉡	㉢		㉠	㉡	㉢
①	채	째	체	②	채	체	째
③	째	체	채	④	째	채	체
⑤	체	채	째				

06~13 다음 (　　) 안에 적절한 단어를 고르시오.

06. 언니는 아버지의 딸(로서/로써) 부족함이 없다고 생각했었다.

07. 재미있는 영화를 보고는 싶지(마는/만은) 시간이 잘 안 난다.

08. 나는 동생의 겨울옷을 동생이 사는 기숙사로 (붙였다/부쳤다).

09. 젊어서 그런지 그 환자는 회복이 매우 (이른/빠른) 편이었다.

10. 할머니는 배를 (주리지/줄이지) 않게 된 것만으로도 다행이라 여기셨다.

11. 도서관에 평소보다 사람이 (작아서/적어서) 조용하게 공부할 수 있었다.

12. 도시의 복잡한 거리에서 헤매다가 결국 지갑을 (잊어버렸다/잃어버렸다).

13. 그는 다리가 (저려서/절여서) 더 이상 쭈그리고 앉아 있을 수가 없었다.

14~20 다음의 밑줄 친 단어를 문맥에 맞게 고쳐 쓰시오.

14. 나는 동생이 부르는 소리에 이불을 <u>제치고</u> 일어났다. (　　　　)

15. 우리 팀의 예선 경기를 마음을 <u>조리며</u> 지켜보았다. (　　　　)

16. 그는 사랑하는 사람을 <u>여위고</u> 깊은 슬픔에 빠졌다. (　　　　)

17. 철수는 어제 빌려 온 책들을 <u>읽노라고</u> 밤을 새웠다. (　　　　)

18. 그녀는 가방 속에서 낡아 <u>헤어진</u> 옛 사진을 꺼내 들었다. (　　　　)

19. 풀잎에 맺힌 이슬방울이 <u>햇볕</u>을 받아 반짝이고 있었다.

20. 어머니의 뒷모습이 사람들에 <u>무쳐</u> 보이지 않게 되었다.

교육청 기출
21. 다음 중 밑줄 친 단어의 쓰임이 적절하지 <u>않은</u> 것은?

> 겸재 정선은 가세가 ①<u>몰락</u>한 양반 가문 출신이다. 어려서부터 그림에 ②<u>각별</u>한 재주가 있었던 그는 벼슬길에 올라 화가로서는 드물게 ③<u>파격적</u>으로 높은 벼슬을 지냈다. 또한 예술을 즐기는 당대 문인들과도 가깝게 지냈는데, 이는 그의 작품 세계를 넓히는 ④<u>원동력</u>이 되었다. 그의 작품 세계는 총 3기로 구분되는데, 말년으로 갈수록 그 깊이가 더해져 ⑤<u>완숙</u>한 경지를 보여 준다.

교육청 기출
22. 다음 (   ) 안에 적절한 단어를 바르게 짝지은 것은?

> 교육은 어느 정도의 강제성을 띠면서 개인의 행동을 (통제/억제)하여 바람직한 방향으로 유도하며, 사회적 통합을 (지양/지향)하는 태도를 길러 준다. 그러나 다양하고 복잡한 현대 사회에서 사회적 통합을 교육의 힘만으로 달성하기는 어렵다. 그래서 현대 사회에서는 다양하게 (분리/분화)된 조직 · 기능과 이질적인 요소들의 통합을 위하여 법과 공권력*을 발동하기도 한다.

① 통제 – 지양 – 분리   ② 통제 – 지향 – 분화   ③ 통제 – 지향 – 분리
④ 억제 – 지양 – 분화   ⑤ 억제 – 지향 – 분화

• **공권력** 공평할 公 권세 權 힘 力
국가나 공공 단체가 우월한 의사의 주체로서 국민에게 명령하고 강제할 수 있는 권력.

3회독 채점표

채점 \ 회독 / 학습일자	1회독 / 월 일	2회독 / 월 일	3회독 / 월 일
맞힌 문항 수	_____개 / **22문항**	_____개 / **22문항**	_____개 / **22문항**
틀린 문항 번호			

40 일차 ── 헷갈리는 어휘 ⑤

• 정답 및 해설 116쪽

01~08 다음에 제시된 단어들을 ㉠, ㉡에 적절히 활용하여 쓰시오.

01. 가없다 - 가엾다

> • 그는 세상에 의지할 곳 없는 (㉠) 존재이다.
> • (㉡) 어머니의 은혜에 그녀는 눈물을 흘렸다.

02. 아름 - 알음

> • 그 느티나무는 두 (㉠) 가까이 되어 보인다.
> • 아버지는 그와 서로 (㉡)이 있는 사이이다.

03. 깍듯이 - 깎듯이

> • 그는 사과를 (㉠) 무를 돌려 가며 껍질을 얇게 벗겨 냈다.
> • 마음이 착한 그녀는 평상시에 어른들을 (㉡) 받들어 모셨다.

04. 나르다 - 날다

> • 그녀는 화분을 옥상으로 (㉠).
> • 하늘에서 기러기가 무리를 지어 (㉡).

05. 늘리다 - 늘이다

> • 새로 산 바지가 짧아 (㉠) 입어야겠다.
> • 우리는 집을 넓은 평수*로 (㉡) 이사했다.

• **평수** 들 坪 셈 數
평(한 평 = 3.3058m²)으로 계산한
넓이와 부피.

06. 드리다 - 들이다

> • 나는 좋은 결과를 얻기 위해 이번 활동에 모든 노력을 (㉠).
> • 부모님의 결혼기념일을 맞아 부모님께 자그마한 선물을 (㉡).

07. 배다 - 베다

• 나는 어머니의 무릎을 (㉠) 누워 잠이 들었다.
• 운동을 했더니 옷에 땀이 (㉡) 신발도 축축해졌다.

08. 스러지다 - 쓰러지다

• 세차게 부는 바람 때문에 불꽃이 (㉠) 가고 있었다.
• 하루 종일 업무에 시달렸던 나는 침대에 (㉡) 잠이 들었다.

09~12 다음 중 밑줄 친 단어의 표기가 적절한 것을 고르시오.

09.

① 아이가 환하게 웃으며 엄마에게 뺨을 <u>부빈다</u>.
② 그는 심장이 약해 친구들보다 걸음이 <u>뒤처진다</u>.
③ 어머니는 며칠째 몸도 못 <u>추스리고</u> 누워만 계신다.
④ 백사장*이 끝나자 이번에는 자갈이 발바닥을 <u>간지른다</u>.
⑤ 일곱 명의 <u>치닥거리</u>를 도맡은 그녀는 피곤함을 느꼈다.

10.

① 동생이 그 통에서 사탕을 한 <u>웅큼</u> 집었다.
② 어머니는 성적표를 가져오라고 나를 <u>닥달하셨다</u>.
③ 그는 나에게 빨리 자리를 피하라고 <u>귀띔</u>해 주었다.
④ 나는 <u>구비구비</u> 흘러가는 강물을 멍하니 바라보았다.
⑤ 각 학교의 <u>내노라하는</u> 선수들이 모두 한곳에 모였다.

11.

① 내일 소풍을 간다는 생각에 마음이 <u>설레인다</u>.
② 아버지는 눈길에 큰 <u>발자욱</u>을 내며 걸어가셨다.
③ 아침부터 날이 <u>개이고</u> 하늘에는 구름 한 점 없다.
④ 선생님은 우리의 <u>짖궂은</u> 질문에 잔잔히 웃기만 하셨다.
⑤ 나는 <u>오랜만</u>에 만난 친구와 즐거운 이야기를 나누었다.

12.

① 그녀는 항상 긴장하여 정신을 <u>흐트리지</u> 않는다.
② 그 친구는 영어를 따로 배운 적은 없지만 <u>왠만큼</u> 한다.
③ 시험을 잘 쳤다며 <u>으시대는</u> 친구의 모습이 밉지가 않다.
④ 그는 그녀의 소식에 가슴을 <u>에이는</u> 듯한 슬픔을 느꼈다.
⑤ 그 비행기는 날개가 부러지고 몸만 남은 <u>흉측한</u> 모습이었다.

• **백사장** 흰 白 모래 沙 마당 場
강가나 바닷가의 흰모래가 깔려
있는 곳.

13~18 다음 ( ) 안에 적절한 단어를 고르시오.

13. 그는 화가 나서 문을 탁 (닫치고/닫히고) 나갔다.

14. 기상청은 비가 올 때면 (강수량/강우량)을 측정*한다.

15. 서로에게 손해를 끼치는 행위는 하지 않기로 그와 (협의/합의)했다.

16. 요즘 학생들은 자기 이름을 (한문/한자)(으)로 쓰는 것을 어려워한다.

17. 그는 이번만큼은 절대로 실패하지 않기를 진심으로 (바랐다/바랬다).

18. 그런 비밀스러운 이야기는 (있다가/이따가) 단둘이 있을 때 하자.

측정 헤아릴 測 정할 定
일정한 양을 기준으로 하여 같은 종류의 다른 양의 크기를 잼.

교육청 기출
19. 다음의 ㉠~㉢에 들어갈 단어로 적절한 것은?

> • 마라톤의 기록 (㉠)은 인간 한계에 대한 도전이다.
> • 민주 국가에서는 권력의 (㉡)을 견제*하는 장치가 필요하다.
> • 회사 측은 근무 여건의 (㉢)을 위해 적극적으로 노력해야 한다.

견제 이끌 牽 절제할 制
일정한 작용을 가함으로써 상대편이 지나치게 세력을 펴거나 자유롭게 행동하지 못하게 억누름.

	㉠	㉡	㉢		㉠	㉡	㉢
①	경신	오용	개정	②	경신	남용	개정
③	경신	남용	개선	④	갱신	남용	개정
⑤	갱신	오용	개선				

평가원 기출
20. 다음 단어의 의미를 참고할 때, 단어의 쓰임이 적절하지 <u>않은</u> 것은?

> • 반듯하다[–드타–] 「형용사」
>   ㉠ 작은 물체, 또는 생각이나 행동 따위가 비뚤어지거나 기울거나 굽지 아니하고 바르다.
>   ㉡ 생김새가 아담하고 말끔하다.
> • 번듯하다[–드타–] 「형용사」
>   ㉠ 큰 물체가 비뚤어지거나 기울거나 굽지 아니하고 바르다.
>   ㉡ 생김새가 훤하고 멀끔하다.
>   ㉢ 형편이나 위세 따위가 버젓하고 당당하다.

① 나는 농사만은 <u>반듯하게</u> 해낼 수 있다.
② 그 신랑은 이목구비가 <u>번듯하게</u> 생겼다.
③ 모자를 비뚤게 쓰지 말고 <u>반듯하게</u> 써라.
④ 그는 이미 주견*이 <u>반듯한</u> 성인으로 성장해 있었다.
⑤ 고래 등 같은 기와집이 <u>번듯하게</u> 자리 잡고 있다.

주견 주인 主 볼 見
자기의 주장이 있는 의견.

🔖 3회독 채점표

채점 회독 / 학습일자	1회독 / 월 일	2회독 / 월 일	3회독 / 월 일
맞힌 문항 수	_____개 / **20문항**	_____개 / **20문항**	_____개 / **20문항**
틀린 문항 번호			

1 다음은 적절한 단어를 선택하라는 수행 평가 과제이다. 밑줄 친 단어의 선택이 적절하지 <u>않은</u> 것은?

> • 어머니, 축구 좀 하다가 집에 가도 (돼요, <u>되요</u>)? ·· ①
> • 손전등으로 그의 얼굴을 (비쳤다, <u>비췄다</u>). ·· ②
> • 인원을 (늘려, 늘여) 일을 빨리 마쳐라. ·· ③
> • 입맛을 (<u>돋우는</u>, 돋구는) 음식을 보니 시장기가 느껴진다. ··········· ④
> • 밤을 새워 공부하려니 힘이 (<u>부친다</u>, 붙인다). ·························· ⑤

2 다음 중 단어의 쓰임이 적절하지 <u>않은</u> 것은?

① 띠다: 안내원은 늘 얼굴에 미소를 <u>띠었다</u>.
　띄다: 그 여배우는 어디서나 눈에 <u>띄었다</u>.
② 메다: 배낭을 <u>메고</u> 해외여행을 떠났다.
　매다: 느티나무 가지에 그네를 <u>매었다</u>.
③ 썩이다: 부모님 속을 그만 <u>썩이면</u> 좋겠다.
　썩히다: 할아버지께서는 음식을 <u>썩혀</u> 거름을 만드신다.
④ 묻히다: 팥고물을 <u>묻힌</u> 떡이 먹음직스럽게 보인다.
　무치다: 나물은 정성을 다해 <u>무쳐야</u> 한다.
⑤ 벗어지다: 구두가 꽉 끼어 <u>벗어지지</u> 않는다.
　벗겨지다: 나이가 들어 머리가 많이 <u>벗겨졌다</u>.

3 다음 단어의 의미를 참고할 때, 단어의 쓰임이 적절하지 <u>않은</u> 것은?

> • 고안(考案) 「명사」
>   연구하여 새로운 안을 생각해 냄. 또는 그 안.
> • 복안(腹案) 「명사」
>   겉으로 드러내지 아니하고 마음속으로만 생각함. 또는 그런 생각.
> • 묘안(妙案) 「명사」
>   뛰어나게 좋은 생각.

① 그는 좀 더 쉽고 편리한 방법을 <u>고안</u> 중이다.
② 그것은 그가 궁리 끝에 생각해 낸 <u>묘안</u>이었다.
③ 그 방법을 반대하다니, 너에게 <u>고안</u>이라도 있니?
④ 아무리 머리를 굴려 보아도 별 <u>묘안</u>이 떠오르지 않는다.
⑤ <u>복안</u>이 서기 전까지 아무 말도 하지 마라.

4 다음의 ㉠~㉢에 들어갈 단어로 적절한 것은?

> • 우리 팀이 득점 없이 전반전을 (㉠) 아쉬웠다.
> • 나는 수수께끼에 대한 답을 정확하게 (㉡) 상품을 받았다.
> • 시험이 끝나면 아이들은 서로 답을 (㉢) 보느라 정신이 없다.

	㉠	㉡	㉢		㉠	㉡	㉢
①	맞히어	마치어	맞추어	②	맞히어	맞추어	마치어
③	마치어	맞추어	맞히어	④	마치어	맞히어	맞추어
⑤	맞추어	맞히어	마치어				

5 다음의 ㉠~㉢에 들어갈 단어로 적절한 것은?

> • 그 아이는 쟁반에 음료수 잔을 (㉠) 들고 걸어왔다.
> • 아버지는 소뿔에 (㉡) 허리를 며칠 동안 못 쓰셨다.
> • 알맞게 삶은 국수를 찬물에 헹군 후 체에 (㉢) 놓았다.

	㉠	㉡	㉢		㉠	㉡	㉢
①	받쳐	받혀	받쳐	②	받쳐	받혀	받혀
③	받혀	받쳐	받쳐	④	받혀	받쳐	받쳐
⑤	받쳐	받쳐	받혀				

미래를 생각하는
(주)이룸이앤비

이룸이앤비는 항상 꿈을 갖고 무한한 가능성에 도전하는 수험생 여러분과 함께 할 것을 약속드립니다.
수험생 여러분의 미래를 생각하는 이룸이앤비는 항상 새롭고 특별합니다.

내신·수능 1등급으로 가는 길
이룸이앤비가 함께합니다.

http://www.erumenb.com

| 이룸이앤비 | 🔍 |

인터넷 서비스

- 이룸이앤비의 모든 교재에 대한 자세한 정보
- 각 교재에 필요한 듣기 MP3 파일
- 교재 관련 내용 문의 및 오류에 대한 수정 파일

숨마 어린이®

숨마 주니어®

숨마쿰라우데®

숨마쿰라우데®
SUMMA CUM LAUDE

「최우등 졸업」을 의미하는 라틴어

숨마쿰라우데
[국어 문제집]

어휘력 강화

고등 국어 교과서 필수 어휘 1,016개, 40일 완성
어휘력 = 사고력 · 독해력 향상, 내신 · 수능 대비 필수

秘 서브노트 SUB NOTE

숨마쿰라우데®
[국어 문제집]

어휘력 강화

秘 서브노트 SUB NOTE

이룸이앤비
Education&Books

1일차 고유어 ①

01 지긋이

✅ **정답풀이** '지긋이'는 '나이가 비교적 많아 듬직하게.'를 의미한다. '지그시'는 '슬며시 힘을 주는 모양.'을 의미한다. 제시된 예문은 그가 나이가 들어 보인다는 의미이므로 '지긋이'가 적절하다.

예 입술을 지그시 깨물다.

> **어·휘·력 Up** '나이'와 관련된 한자어
> • 방년(꽃다울 芳 해 年): 이십 세 전후의 한창 젊은 꽃다운 나이.
> • 연세(해 年 해 歲): '나이'의 높임말.
> • 춘추(봄 春 가을 秋): 어른의 나이를 높여 이르는 말.
> • 향년(누릴 享 해 年): 한평생 살아 누린 나이. 죽을 때의 나이를 말할 때 쓴다.

02 겨루면

✅ **정답풀이** '겨루다'는 '서로 버티어 승부를 다투다.'를 의미한다. '겨누다'는 '활이나 총 따위를 쏠 때 목표물을 향해 방향과 거리를 잡다.'를 의미한다. 제시된 예문은 내가 그와 장기로 승부를 다투면 이길 가능성이 있다는 의미이므로 '겨루다'의 활용형인 '겨루면'이 적절하다.

예 적의 총이 나를 겨누고 있어 꼼짝할 수 없다.

03 결딴

✅ **정답풀이** '결딴'은 '어떤 일이나 물건 따위가 아주 망가져서 도무지 손을 쓸 수 없게 된 상태.'를 의미한다. '아퀴'는 '일을 마무르는 끝매듭.'을 의미한다. 제시된 예문은 비가 안 오면 밭농사가 며칠 사이에 아주 망가져서 도무지 손을 쓸 수 없게 된다는 의미이므로 '결딴'이 적절하다.

예 그는 하던 일을 아퀴 짓고 퇴근하겠다고 했다.

04 북돋워

✅ **정답풀이** '복되다'는 '복을 받아 기쁘고 즐겁다.'를 의미한다. '북돋다'는 '북돋우다'의 준말로, '기운이나 정신 따위를 더욱 높여 주다.'를 의미한다. 제시된 예문은 내가 그의 기력을 더욱 높여 주기 위해 쉴 곳을 마련해 주었다는 의미이므로, '북돋다'의 활용형인 '북돋워'가 적절하다.

예 온 집안이 모두 건강하시고 복되시기를 바랍니다.

05 ⑤ 미주알고주알

✅ **정답풀이** '미주알고주알'은 '아주 사소한 일까지 속속들이.'를 의미한다.

❌ **오답풀이** ① 소담하다: 생김새가 탐스럽다. 예 올해도 봉선화가 소담하게 피었습니다.
② 하릴없이: 달리 어떻게 할 도리가 없이. 예 오지 않는 그를 하릴없이 기다렸다.
③ 시나브로: 모르는 사이에 조금씩 조금씩. 예 가망이 없어 보이던 일이 시나브로 완성되었다.
④ 헐레벌떡: 숨을 가쁘고 거칠게 몰아쉬는 모양. 예 동생은 집으로 헐레벌떡 뛰어갔다.

06 ④ 되작거리며

✅ **정답풀이** '되작거리다'는 '물건들을 요리조리 들추며 자꾸 뒤지다.'를 의미한다.

❌ **오답풀이** ① 대들다: 요구하거나 반항하느라고 맞서서 달려들다. 예 그는 혼자의 힘으로 큰 조직에 대들었다.
② 다다르다: 목적한 곳에 이르다. 예 기나긴 항해 끝에 우리는 드디어 보물섬에 다다랐다.
③ 도독하다: 조금 두껍다. 예 그 책은 첫눈에도 도독한 느낌이 들었다.
⑤ 희번덕거리다: 눈을 크게 뜨고 흰자위를 자꾸 번득이며 움직이다. 또는 그렇게 되게 하다. 예 나를 쳐다보는 그녀의 눈은 싸늘하게 희번덕거렸다.

07 ① 길잡이

✅ **정답풀이** '길잡이'는 '길을 인도해 주는 사람이나 사물.'을 의미하며, '나아갈 방향이나 목적을 실현하도록 이끌어 주는 지침.'을 비유적으로 이르는 말이다. 참고로 '-잡이'는 일부 명사 뒤에 붙어 '무엇을 잡는 일.' 또는 '무엇을 다루는 사람.'의 뜻을 더하는 접미사이다.

❌ **오답풀이** ② 다잡이: 늦추어진 것을 바짝 잡아 죄는 일. 예 그 지휘관은 부하들의 다잡이에 신경을 썼다.
③ 모잡이: 모를 낼 때, 모를 심는 사람. 예 일 년 농사의 성공은 모잡이들의 손에 달려 있다.
④ 앞잡이: 앞에서 인도하는 사람 또는 남의 사주를 받고 끄나풀 노릇을 하는 사람. 예 최 노인은 일제의 앞잡이 노릇을 했다고 알려졌다.
⑤ 드잡이: 서로 머리나 멱살을 움켜잡고 싸우는 짓. 예 나와 동

생은 하루가 멀다 하고 <u>드잡이</u>를 벌이곤 했다.

08 ④ 멍에

✔️**정답 풀이** '멍에'는 '수레나 쟁기를 끌기 위하여 마소의 목에 얹는 구부러진 막대.'를 의미하며, 또한 '쉽게 벗어날 수 없는 구속이나 억압.'을 비유적으로 이르는 말이다.

❌**오답 풀이** ① 너울: '겉모습'을 비유적으로 이르는 말. 속이나 내용의 좋지 않은 것을 가리기 위한 거짓 모습을 비유적으로 이르는 말. 예 양반이란 <u>너울</u>을 쓰고 온갖 못된 짓들만 하는 그들이 원망스럽다.
② 깜냥: 스스로 일을 헤아림. 또는 헤아릴 수 있는 능력. 예 사람은 자기의 <u>깜냥</u>을 잘 알고 있어야 한다.
③ 동티: 건드려서는 안 될 것을 공연히 건드려서 스스로 걱정이나 해를 입음. 또는 그 걱정이나 피해를 비유적으로 이르는 말. 예 호의로 한번 던진 말이 <u>동티</u>가 될 수도 있다.
⑤ 오금: 무릎의 구부러지는 오목한 안쪽 부분. 예 쪼그려 앉은 소년은 <u>오금</u>이 저린지 자꾸 자세를 바꾸었다.

09 ④ 튀어나와

✔️**정답 풀이** '돌출(갑자기 突 날 出)되다'는 '예기치 못하게 갑자기 쑥 나오거나 불거지다.' 또는 '쑥 내밀거나 불거져 있다.'를 의미한다. '튀어나오다'가 '겉으로 툭 비어져 나오다.'를 의미하므로, 제시된 예문은 '못 하나가 나무 밖으로 <u>튀어나와</u> 있다.'로 바꾸어 쓸 수 있다.

❌**오답 풀이** ① 놓여나오다: 잡혔던 곳에서 풀려나오다. 예 어젯밤 그는 감옥에서 <u>놓여나왔다</u>.
② 뛰쳐나오다: 힘 있게 밖으로 뛰어나오다. 예 불이 나자 사람들이 집 밖으로 <u>뛰쳐나왔다</u>.
③ 빠져나오다: 제한된 환경이나 경계의 밖으로 나오다. 예 회의가 너무 진지해서 자리에서 <u>빠져나올</u> 수가 없었다.
⑤ 흘러나오다: 물, 빛 따위가 새거나 빠져서 밖으로 나오다. 예 바위틈에서 샘물이 <u>흘러나오고</u> 있었다.

10 ⑤ 줄

✔️**정답 풀이** '선사(선물 膳 줄 賜)하다'는 '존경, 친근, 애정의 뜻을 나타내기 위하여 남에게 선물을 주다.'를 의미한다. '주다'가 '물건 따위를 남에게 건네어 가지거나 누리게 하다.'를 의미하므로, 제시된 예문은 '여러분께 기쁨을 <u>줄</u> 수 있다면 좋겠습니다.'로 바꾸어 쓸 수 있다.

❌**오답 풀이** ① 깨다: 단단한 물체를 쳐서 조각이 나게 하다. 예 공을 잘못 차는 바람에 유리창을 <u>깼다</u>.
② 뛰다: 발을 몹시 재게 움직여 빨리 나아가다. 예 급한 마음에 그녀는 차에서 내리자마자 집으로 마구 <u>뛰었다</u>.
③ 덜다: 일정한 수량이나 정도에서 얼마를 떼어 줄이거나 적게 하다. 예 짐칸에서 짐을 <u>덜다</u>.
④ 빼다: 속에 들어 있거나 끼여 있거나, 박혀 있는 것을 밖으로

나오게 하다. 예 아이의 목구멍에서 가시를 <u>빼는</u> 것은 쉽지 않았다.

11 ⑤ 튼튼한

✔️**정답 풀이** '견고(굳을 堅 굳을 固)하다'는 '굳고 단단하다.'를 의미한다. '튼튼하다'가 '무르거나 느슨하지 아니하고 몹시 야무지고 굳세다.'를 의미하므로, 제시된 예문은 '아무리 <u>튼튼한</u> 나무라도 도끼질을 계속하면 쓰러지게 마련이다.'로 바꾸어 쓸 수 있다.

❌**오답 풀이** ① 걸걸하다: 목소리가 좀 쉰 듯하면서 우렁차고 힘이 있다. 예 중년 남자가 <u>걸걸한</u> 목소리로 한 곡조를 뽑았다.
② 똑똑하다: 또렷하고 분명하다. 예 우물우물하지 말고 <u>똑똑하게</u> 처신해야 한다.
③ 빽빽하다: 사이가 촘촘하다. 예 전철 안에는 사람이 발 디딜 틈 없이 <u>빽빽하였다</u>.
④ 털털하다: 사람의 성격이나 하는 짓 따위가 까다롭지 아니하고 소탈하다. 예 그는 옷을 참 <u>털털하게</u> 입는다.

12 ④ 쓰이는

✔️**정답 풀이** '활용(살 活 쓸 用)되다'는 '충분히 잘 이용되다.'를 의미한다. '쓰이다'는 '어떤 일을 하는 데에 재료나 도구, 수단을 이용하다.'를 뜻하는 '쓰다'의 피동사이므로, 제시된 예문은 '대학에서 개발된 기술들은 실제 제품 생산에 <u>쓰이는</u> 경우가 많다.'로 바꾸어 쓸 수 있다.

❌**오답 풀이** ① 고이다: 괴다. 물 따위의 액체나 가스, 냄새 따위가 우묵한 곳에 모이다. 예 마당 여기저기에 빗물이 <u>고이어(괴어)</u> 있다.
② 닦이다: '때, 먼지 녹 따위의 더러운 것을 없애거나 윤기를 내려고 거죽을 문지르다.'를 의미하는 '닦다'의 피동사. 예 걸레로 <u>닦인</u> 방바닥은 참 깨끗하였다.
③ 섞이다: '두 가지 이상의 것을 한데 합치다.'를 의미하는 '섞다'의 피동사. 예 쌀에 돌이 <u>섞여</u> 있다.
⑤ 엮이다: '여러 개의 물건을 끈이나 줄로 어긋매어 묶다.'를 의미하는 '엮다'의 피동사. 예 할아버지께서 줄줄이 <u>엮인</u> 굴비 두름을 가져오셨다.

13 ④ 골골하게

✔️**정답 풀이** '불쾌(아닐 不 쾌할 快)하다'는 '못마땅하여 기분이 좋지 아니하다.'를 의미한다. '골골하게'는 '병이 오래되거나 몸이 약하여 시름시름 앓다.'를 의미하는 '골골하다'가 활용된 형태이므로, '불쾌하게'와 바꾸어 쓰기에 적절하지 않다.
예 걔는 늘 <u>골골하더니</u>, 이제 좀 괜찮니?

❌**오답 풀이** ① 언짢다: 마음에 들지 않거나 좋지 않다. 예 아버님은 아직도 어제 일이 <u>언짢으신</u> 모양이었다.
② 거북하다: 마음이 어색하고 겸연쩍어 편하지 않다. 예 나는 지금 입장이 매우 <u>거북하다</u>.
③ 마뜩잖다: 마음에 들 만하지 아니하다. 예 아버지는 그 사람을 사윗감으로 <u>마뜩잖게</u> 생각하였다.
⑤ 못마땅하다: 마음에 들지 않아 좋지 않다. 예 그는 나를 <u>못마땅</u>

하게 여긴다.

14 ⑤ 지워진

✅정답풀이 '품절(물건 品 끊을 切)되다'는 '물건이 다 팔리고 없게 되다.'를 의미한다. '지워진'은 '쓴 글씨나 그린 그림, 흔적 따위를 지우개나 천 따위로 보이지 않게 없애다.'를 의미하는 '지우다'에 피동을 의미하는 보조동사인 '-어지다'가 붙어 활용된 형태이므로 '품절된'과 바꾸어 쓰기에 적절하지 않다.

❌오답풀이 ① 동나다: 물건 따위가 다 떨어져서 남아 있는 것이 없게 되다. ⑩ 시중보다 싸게 팔아서 그 가게의 물건들은 금방 동났다.
② 떨어지다: 뒤를 대지 못하여 남아 있는 것이 없게 되다. ⑩ 쌀이 떨어져 두 끼를 라면으로 때웠다.
③ 바닥나다: 돈이나 물건을 다 써서 없어지다. ⑩ 빌린 돈마저 바닥났다.
④ 없어지다: 사람이나 사물 또는 어떤 사실이나 현상 따위가 어떤 곳에 자리나 공간을 차지하고 존재하지 않게 되다. ⑩ 마지막 남은 물건도 순식간에 다 팔려 없어져 버렸다.

15 ⑤

✅정답풀이 '접'은 '채소나 과일 따위를 묶어 세는 단위.'를 의미한다. 사람을 세는 단위는 '명(名)'이므로, '접' 대신 '명'으로 바꾸어 써야 한다.
⑩ 그녀는 배추 두 접으로 김치를 담갔다.
❌오답풀이 ① 낱: 납작한 물건을 세는 단위. 흔히 돈이나 가마니, 멍석 따위를 셀 때 쓴다.
② 꾸러미: 꾸리어 싼 물건을 세는 단위.
③ 땀: 실을 꿴 바늘로 한 번 뜬 자국을 세는 단위.
④ 가닥: 한군데서 갈려 나온 낱낱의 줄이나 줄기 따위를 세는 단위.

16 ⑤ 혹시

✅정답풀이 '혹시'는 '그러할 리는 없지만 만일에.'를 의미한다. 제시된 예문에서 그의 목소리를 듣자마자 생각이 떠올랐다고 하였으므로, '생각이나 기억 따위가 문득 떠오르는 모양.'을 의미하는 '언뜻'으로 바꾸어 쓰는 것이 적절하다.
❌오답풀이 ① 바로: 거짓이나 꾸밈없이 있는 그대로.
② 짜장: 과연 정말로.
③ 엄청: 양이나 정도가 아주 지나친 상태.
④ 한껏: 할 수 있는 데까지. 또는 한도에 이르는 데까지.

17 ③ 모질게

✅정답풀이 '모질다'는 '마음씨가 몹시 매섭고 독하다.'를 의미한다. 제시된 예문은 그가 성공하기 위해 마음을 독하게 먹었다는 의미이므로 '모질다'의 활용형인 '모질게'가 들어가는 것이 적절하다.

❌오답풀이 ① 모나다: 말이나 짓 따위가 둥글지 못하고 까다롭다. ⑩ 그녀는 성격이 모난 데 없이 무덤덤한 편이다.
② 모르다: 사람이나 사물 따위를 알거나 이해하지 못하다. ⑩ 저는 그 사람을 모릅니다.
④ 무디다: 칼이나 송곳 따위의 끝이나 날이 날카롭지 못하다. ⑩ 칼이 무디어서 도무지 썰어지지 않는다.
⑤ 무르다: 여리고 단단하지 않다. ⑩ 무른 뼈가 굳어지기 전까지는 조심해야 한다.

18 ④ 눈엣가시

✅정답풀이 '눈엣가시'는 '몹시 밉거나 싫어 늘 눈에 거슬리는 사람.'을 의미한다. 제시된 예문은 모든 일에 참견하는 그녀가 눈에 거슬린다는 의미이므로 '눈엣가시'가 들어가는 것이 적절하다.
❌오답풀이 ① 눈가리개: 눈을 가리는 물건. 잠잘 때나 눈병이 났을 때에 쓰며, 천이나 가죽 따위로 만든다. ⑩ 요즘 눈가리개를 하지 않으면 잠이 오지 않는다.
② 눈검정이: 눈이 유난히 검은 사람. ⑩ 그는 피곤하면 눈검정이처럼 보인다.
③ 눈물단지: 툭하면 잘 우는 사람을 놀림조로 이르는 말. ⑩ 나는 우리 반의 눈물단지이다.
⑤ 눈자라기: 아직 꼿꼿이 앉지 못하는 어린아이. ⑩ 늦둥이 내 동생은 아직 눈자라기이다.

19 ④ 떨이

✅정답풀이 '떨이'는 '팔다 조금 남은 물건을 다 떨어서 싸게 파는 일. 또는 그렇게 파는 물건.'을 의미한다. 제시된 예문은 채소가 다 떨어서 싸게 파는 물건이라 조금 시들었다는 의미이므로 '떨이'가 들어가는 것이 적절하다.
❌오답풀이 ① 타래: 사리어 뭉쳐 놓은 실이나 노끈 따위의 뭉치. 또는 그런 모양으로 된 것. ⑩ 무명실 타래를 실꾸리에 옮겨 감다.
② 떨기: 식물의 한 뿌리에서 여러 개의 줄기가 나와 더부룩하게 된 무더기. ⑩ 국화의 떨기가 무성하다.
③ 떨새: 족두리나 큰 비녀 따위에 다는 장식의 하나. ⑩ 할머니는 옥으로 만든 떨새를 가장 아끼신다.
⑤ 다발: 꽃이나 푸성귀, 돈 따위의 묶음. ⑩ 그녀에게 장미꽃 한 다발을 선물했다.

20 ① A: 뜯기 / B: 치기

✅정답풀이 '뜯다'는 '현악기의 줄을 퉁겨서 소리를 내다.'를 의미한다. '치다'는 '손이나 물건 따위를 부딪쳐 소리 나게 하다.'를 의미한다. 가야금은 현악기이므로 A에는 '뜯다'의 활용형인 '뜯기'가, 장구는 장구채를 부딪쳐 소리 나게 하는 것이므로 B에는 '치다'의 활용형인 '치기'가 들어가는 것이 적절하다.
❌오답풀이 • 켜다: 현악기의 줄을 활 따위로 문질러 소리를 내다. ⑩ 바이올린을 켜는 그의 모습은 마치 조각상 같았다.
• 타다: 악기의 줄을 퉁기거나 건반을 눌러 소리를 내다. ⑩ 그 학생은 거문고 타는 솜씨가 보통이 아니다.

- 퉁기다: 기타, 하프 따위의 현을 당겼다 놓아 소리가 나게 하다. 예 그는 주말마다 기타 줄을 **퉁기며** 노래를 불렀다.
- 두드리다: 소리가 나도록 잇따라 치거나 때리다. 예 스님께서 목탁을 **두드리고** 계신다.

2일차 고유어 ②

01 올곧게

✔정답풀이 '올곧다'는 '마음이나 정신 상태 따위가 바르고 곧다.' 또는 '완전하거나 제대로 되어 있다.'를 의미한다. '옹골지다'는 '실속이 있게 속이 꽉 차 있다.'를 의미한다. 제시된 예문은 그가 마음이나 정신을 바르고 곧게 지니며 살아왔다는 의미이므로 '올곧게'가 적절하다.
예 그 책들은 남에게는 하찮아 보일지 몰라도 나에게는 **옹골져** 보인다.

02 새어

✔정답풀이 '새다'는 '빛이 물체의 틈이나 구멍을 통해 나가거나 들다.'를 의미한다. '세다'는 '사물의 수효를 헤아리거나 꼽다.'를 의미한다. 제시된 예문은 난로의 틈이나 구멍을 통해 나간 불빛이 마루를 비추고 있다는 의미이므로 '새어'가 적절하다.
예 **셋**을 셀 때까지 대답하지 않으면 더 이상 기회가 없다.

03 아지랑이

✔정답풀이 '모지랑이'는 '오래 써서 끝이 닳아 떨어진 물건.'을 의미한다. '아지랑이'는 '주로 봄날 햇빛이 강하게 쬘 때 공기가 공중에서 아른아른 움직이는 현상.'을 의미한다. 제시된 예문은 따스한 봄날에 공기가 움직이는 현상이 일어난다는 의미이므로 '아지랑이'가 적절하다.
예 책가방을 10년이나 썼더니 **모지랑이**가 되어 버렸다.

어·휘·력 Up '-랑이'로 끝나는 고유어

- **고부랑이**: 한쪽으로 옥아 들어 곱은 물건.
- **도로랑이**: 땅강아지의 다른 말.
- **사그랑이**: 다 삭아서 못 쓰게 된 물건.
- **사시랑이**: 가늘고 약한 물건이나 사람.
- **새줄랑이**: 소견 없이 방정맞고 경솔한 사람.
- **쪼그랑이**: 쪼그라져 볼품없이 된 물건.

04 선잠

✔정답풀이 '선잠'은 '깊이 들지 못하거나 흡족하게 이루지 못한 잠.'을 의미한다. '단잠'은 '아주 달게 곤히 자는 잠.'을 의미한다. 제시된 예문은 시험 때문에 긴장을 해서 잠이 깊이 들지 못했다는 의미이므로 '선잠'이 적절하다.

예 그는 갑작스런 소동에 **단잠**을 깼다.

05 ⑤ 한바탕

✔정답풀이 '한바탕'은 '크게 한 판'을 의미한다.
✘오답풀이 ① 한가득: 꽉 차도록 가득. 예 그들은 승리의 기쁨을 **한가득** 안고 돌아왔다.
② 한걱정: 큰 걱정. 예 아들이 제대하자 어머니는 **한걱정** 덜었다고 마음을 놓았다.
③ 한달음: (주로 '한달음에', '한달음으로' 꼴로 쓰여) 중도에 쉬지 아니하고 한 번에 달려감. 예 급한 마음에 **한달음**에 달려왔다.
④ 한고비: 어떤 과정에서 가장 중요하거나 어려울 때. 예 올 여름 무더위가 **한고비**를 넘었다.

06 ④ 곤두질

✔정답풀이 '곤두질'은 '곤두박질, 몸이 뒤집혀 갑자기 거꾸로 내리박히는 일.'을 의미한다.
✘오답풀이 ① 가늠질: 이리저리 가늠하는 일. 예 그는 작은 일도 오래 **가늠질**을 하는 습관이 있다.
② 달구질: 달구(땅을 단단히 다지는 데 쓰는 기구)로 집터나 땅을 단단히 다지는 일. 예 이곳은 지반이 약하기 때문에 **달구질**에 신경을 써야 한다.
③ 풀무질: 풀무(불을 피울 때에 바람을 일으키는 기구)로 바람을 일으키는 일. 예 소년은 땀을 뻘뻘 흘려 가며 **풀무질**을 하고 있었다.
⑤ 삿대질: 말다툼을 할 때에, 주먹이나 손가락 따위를 상대편 얼굴 쪽으로 내지름. 또는 그런 짓. 예 그는 답답해서 하늘에 대고 **삿대질**이라도 하고 싶은 심정이었다.

07 ④ 반지르르하게

✔정답풀이 '반지르르하다'는 '거죽에 기름기나 물기 따위가 묻어서 윤이 나고 매끄럽다.' 또는 '말이나 행동 따위가 실속은 없이 겉만 그럴듯하다.'를 의미한다.
✘오답풀이 ① 반갑다: 그리워하던 사람을 만나거나 원하는 일이 이루어져서 마음이 즐겁고 기쁘다. 예 타향에서 고향 사람을 만나면 참 **반갑다**.
② 반듯하다: 작은 물체, 또는 생각이나 행동 따위가 비뚤어지거나 기울거나 굽지 아니하고 바르다. 예 모자를 **반듯하게** 쓰는 것이 보기에 좋다.
③ 반둥거리다: 아무 일도 하지 아니하고 빤빤스럽게 놀기만 하다. 예 그는 항상 일은 안 하고 **반둥거리기만** 한다.
⑤ 반짝반짝하다: 작은 빛이 잠깐 잇따라 나타났다가 사라지다. 또는 그렇게 되게 하다. 예 모래가 햇빛에 **반짝반짝하다**.

08 꽁무니

✔정답풀이 '꽁무니'는 「1」 동물의 등마루를 이루는 뼈의 끝이 되는 부분이나 곤충의 배 끝부분, 「2」 엉덩이를 중심으로 한, 몸

의 뒷부분, 「3」 사물의 맨 뒤나 맨 끝.'을 의미한다. 첫 번째 예문의 꽁무니는 「2」의 의미로, 두 번째 예문의 꽁무니는 「3」의 의미로 사용되었다.

09 갈무리
✔정답풀이 '갈무리'는 '「1」 물건 따위를 잘 정리하거나 간수함, 「2」 일을 처리하여 마무리함, 「3」 통신상에 보이는 자료들 가운데 필요한 내용을 파일 형태로 저장하는 일.'을 의미한다. 첫 번째 예문의 갈무리는 「1」의 의미로, 두 번째 예문의 갈무리는 「2」의 의미로 사용되었다.

10 도가니
✔정답풀이 '도가니'는 '「1」 쇠붙이를 녹이는 그릇.'을 의미하며, '「2」 흥분이나 감격 따위로 들끓는 상태.'를 비유적으로 이르는 말이다. 첫 번째 예문의 도가니는 「1」의 의미로, 두 번째 예문의 도가니는 「2」의 의미로 사용되었다.

11 ① 바람
✔정답풀이 빈칸에 공통으로 들어가기에 적절한 것은 '기압의 변화 또는 사람이나 기계에 의하여 일어나는 공기의 움직임.'을 의미하는 '바람'이다. 각 단어의 뜻은 다음과 같다.
• 갈바람: '가을바람'의 준말. 가을에 부는 선선하고 서늘한 바람.
예 갈바람에 낙엽이 날린다.
• 봄바람: 봄철에 불어오는 바람.
예 솔솔 부는 봄바람이 쌓인 눈을 녹인다.
• 웃바람: 겨울에, 방 안의 천장이나 벽 사이로 스며들어 오는 찬 기운.
예 이 집은 웃바람이 매섭다.
• 높새바람: '동북풍'을 달리 이르는 말. 주로 봄부터 초여름에 걸쳐 태백산맥을 넘어 영서 지방으로 부는 고온 건조한 바람.
예 높새바람이 부는 바람에 농작물이 피해를 입었다.
• 돌개바람: 회오리바람. 갑자기 생긴 저기압 주변으로 한꺼번에 모여든 공기가 나선 모양으로 일으키는 선회(旋回) 운동.
예 돌개바람이 온 마을을 휩쓸고 지나갔다.
• 하늬바람: 서쪽에서 부는 바람.
예 그리 세지 않은 하늬바람에도 나뭇가지는 흔들린다.
❌오답풀이 ② 빛깔: 물체가 빛을 받을 때 빛의 파장에 따라 그 거죽에 나타나는 특유한 빛. 예 바다의 푸른 빛깔을 보니 마음이 상쾌해진다.
③ 자랑: 자기 자신 또는 자기와 관계있는 사람이나 물건, 일 따위가 썩 훌륭하거나 남에게 칭찬을 받을 만한 것임을 드러내어 말함. 또는 그렇게 말할 수 있는 거리. 예 내 동생이야말로 우리 집의 자랑이다.
④ 차림: 옷이나 물건 따위를 입거나 꾸려서 갖춘 상태. 예 그녀는 간편한 차림으로 여행을 떠났다.
⑤ 타령: 어떤 사물에 대한 생각을 말이나 소리로 나타내 자꾸 되풀이하는 일, 변함없이 똑같은 상태에 있음을 나타내는 말. 예

그 사람은 매일 그 타령이다.

12 ④ 소리
✔정답풀이 빈칸에 공통으로 들어가기에 적절한 것은 '물체의 진동에 의하여 생긴 음파가 귀청을 울리어 귀에 들리는 것.'을 의미하는 '소리'이다. 각 단어의 뜻은 다음과 같다.
• 군소리: 하지 아니하여도 좋을 쓸데없는 말.
예 그는 나의 말이라면 군소리 없이 따르는 편이다.
• 딴소리: 딴말. 주어진 상황과 아무런 관련이 없는 말.
예 당장 급한 일을 말하라니까 웬 딴소리냐?
• 헛소리: 실속이 없고 미덥지 아니한 말.
예 내 정당한 주장을 헛소리로 몰아세우지 마시오.
• 밭은소리: 어울리지 아니하거나 얄밉게 하는 소리.
예 회의를 하면 꼭 밭은소리만 하는 사람이 있다.
• 볼멘소리: 서운하거나 성이 나서 통명스럽게 하는 말투.
예 그녀의 입에서 볼멘소리가 흘러나왔다.
• 억지소리: 조리가 닿지 아니하는 말.
예 그는 처음부터 끝까지 억지소리로 우겨댔다.
❌오답풀이 ① 기침: 기도의 점막이 자극을 받아 갑자기 숨소리를 터트려 내는 일. 예 옆방에서 쿨럭거리는 기침 소리가 계속 들려왔다.
② 꼬리: 동물의 꽁무니나 몸뚱이의 뒤 끝에 붙어서 조금 나와 있는 부분. 예 아버지가 식칼로 생선 꼬리를 자르셨다.
③ 다리: 사람이나 동물의 몸통 아래 붙어 있는 신체의 부분. 예 다리에 쥐가 나서 한숨도 자지 못했다.
⑤ 치레: '겉으로만 꾸미는 일'의 뜻을 더하는 접미사. 예 나는 인사치레로라도 그런 말은 못하겠다.

13 ④ 웃음
✔정답풀이 빈칸에 공통으로 들어가기에 적절한 것은 '웃는 일. 또는 그런 소리나 표정.'을 의미하는 '웃음'이다. 각 단어의 뜻은 다음과 같다.
• 겉웃음: 마음에도 없이 겉으로만 웃는 웃음.
예 그는 겉웃음을 치며 그 사람을 돌려보냈다.
• 살웃음: 일부러 볼살을 움직이며 얼굴 표정을 지어서 웃는 웃음.
예 굳이 살웃음까지 지을 필요는 없다.
• 쓴웃음: 어이가 없거나 마지못하여 짓는 웃음.
예 나도 모르게 쓴웃음을 짓고 말았다.
• 너털웃음: 크게 소리를 내어 시원하고 당당하게 웃는 웃음.
예 그는 허허 웃는 너털웃음에 사람 좋아 보이는 풍채를 갖고 있다.
• 염소웃음: 염소처럼 채신없이 웃는 웃음을 비유적으로 이르는 말.
예 그는 헤헤거리며 염소웃음을 웃었다.
• 함박웃음: 크고 환하게 웃는 웃음.
예 합격했다는 소식을 듣고서야 아버지의 얼굴에 비로소 함박웃음이 가득 차올랐다.
❌오답풀이 ① 눈썹: 두 눈두덩 위나 눈시울에 가로로 모여 난

짧은 털. 📝 두 **눈썹**이 유난히 곱고 단정한 소년이 교실로 들어왔다.
② 마음: 사람이 본래부터 지닌 성격이나 품성. 📝 내 남편은 착한 **마음**을 가진 사람이다.
③ 울음: 우는 일. 또는 그런 소리. 📝 그녀는 슬픔에 복받쳐 **울음**을 터뜨렸다.
⑤ 얼음: 물이 얼어서 굳어진 물질. 📝 녹지 않고 쌓인 눈이 **얼음**으로 바뀌다.

14 ② 냇내

✔️ **정답 풀이** '**냇내**'는 '연기의 냄새.'를 의미한다.

❌ **오답 풀이** ① 풋내: 새로 나온 푸성귀나 풋나물 따위로 만든 음식에서 나는 풀 냄새. 📝 봄나물이 향긋한 **풋내**를 풍긴다.
③ 탄내: 어떤 것이 타서 나는 냄새. 📝 부엌에서 매캐한 **탄내**가 난다.
④ 군내: 본래의 제맛이 변하여 나는 좋지 아니한 냄새. 📝 **군내** 나는 김치를 먹는 일은 썩 유쾌하지만은 않았다.
⑤ 향내: 향기로운 냄새. 📝 향긋한 소나무의 **향내**가 바람에 실려 왔다.

15 ① 길섶

✔️ **정답 풀이** '**길섶**'은 '길의 가장자리.'를 의미한다.

❌ **오답 풀이** ② 밭섶: 밭의 가장자리. 📝 **밭섶**에 앉아 쉴 틈도 없이 종일 밭일에 매달렸다.
③ 맞섶: 남자 양복 저고리형의 하나. 깃을 목에서 잠그게 되어 있다. 📝 그에게 초록색 **맞섶**이 잘 어울린다.
④ 앞섶: 옷의 앞자락에 대는 섶. 📝 그는 **앞섶**을 모두 풀어 헤치고 앉아 있었다.
⑤ 울섶: 울타리를 만드는 데 쓰는 섶나무. 📝 나는 좋은 **울섶**을 찾아 여기저기를 돌아다니고 있다.

16 ④ 머슴밥

✔️ **정답 풀이** '**머슴밥**'은 '수북하게 많이 담은 밥.'을 의미한다.

❌ **오답 풀이** ① 가맛밥: 가마솥에 지은 밥. 📝 **가맛밥**의 밥맛이 제일 좋다고 생각한다.
② 고두밥: 아주 되게 지어져 고들고들한 밥. 📝 물의 양을 못 맞춰 **고두밥**이 되었다.
③ 도낏밥: 도끼질을 할 때 생기는 나무 부스러기. 📝 하루 종일 도끼질을 하였더니 **도낏밥**이 수북이 쌓였다.
⑤ 눈칫밥: 남의 눈치를 보아 가며 얻어먹는 밥. 📝 그는 부모님을 일찍 잃고 친척집에서 **눈칫밥**으로 자랐다.

17 ⑤ 밍밍해

✔️ **정답 풀이** '**밍밍하다**'는 '음식 따위가 제맛이 나지 않고 몹시 싱겁다.'를 의미한다.

❌ **오답 풀이** ① 만만하다: 부담스럽거나 무서울 것이 없어 쉽게 다루거나 대할 만하다. 📝 그녀는 **만만하게** 대할 사람이 아니다.

② 맥맥하다: 코가 막혀 숨쉬기가 갑갑하다. 📝 감기 기운으로 코가 **맥맥하다**.
③ 먹먹하다: 체한 것같이 가슴이 답답하다. 📝 딸이 고생을 많이 하고 있다는 이야기를 들으면서 아버지는 가슴이 **먹먹하였다**.
④ 막막하다: 아득하고 막연하다. 📝 무엇을 해야 할지 **막막하기만** 했다.

18 ③ 버거운

✔️ **정답 풀이** '**버겁다**'는 '물건이나 세력 따위가 다루기에 힘에 겹거나 거북하다.'를 의미한다.

❌ **오답 풀이** ① 의뭉하다: 겉으로는 어리석은 것처럼 보이면서 속으로는 엉큼하다. 📝 사람이 어쩌면 그렇게 **의뭉할** 수가 있는 거지?
② 올곧다: 마음이나 정신 상태 따위가 바르고 곧다. 📝 그는 한평생을 깨끗하고 **올곧게** 살았다.
④ 살갑다: 마음씨가 부드럽고 상냥하다. 📝 그동안 어머님께 **살갑게** 대하지 못한 것이 아쉬웠다.
⑤ 야멸차다: 자기만 생각하고 남의 사정을 돌볼 마음이 거의 없다. 📝 그가 이렇게 **야멸차게** 대할 줄 미처 몰랐다.

19 ②

✔️ **정답 풀이** '**늦추**'는 '줄이나 끈 따위를 조이지 아니하고 느슨하게.'를 의미한다. '굽히거나 구부리지 아니하고 곧게.'를 의미하는 단어는 '곧추'이므로, '늦추' 대신 '곧추'로 바꾸어 써야 한다. 📝 답답해서 넥타이를 **늦추** 매다.

❌ **오답 풀이** ① 가늠: 사물을 어림잡아 헤아림.
③ 달포: 한 달이 조금 넘는 기간.
④ 가탈: 이리저리 트집을 잡아 까다롭게 구는 일.
⑤ 섬돌: 집채의 앞뒤에 오르내릴 수 있게 놓은 돌층계.

20 ④

✔️ **정답 풀이** '**칠칠하다**'는 '성질이나 일 처리가 반듯하고 야무지다.'를 의미한다. 사람이 하는 일마다 실수투성이일 경우에는 '칠칠하지 못하다'를 쓰는 것이 적절하다.

❌ **오답 풀이** ① 성마르다: 참을성이 없고 성질이 조급하다.
② 흐드러지다: 매우 탐스럽거나 한창 성하다.
③ 굼뜨다: 동작, 진행 과정 따위가 답답할 만큼 매우 느리다.
⑤ 고깝다: 섭섭하고 야속하여 마음이 언짢다.

3일차 고유어 ③

01 호우 – ㉡ 큰비

✔️ **정답 풀이** '호우(호걸 豪 비 雨)'는 '줄기차게 내리는 크고 많은

비.'를 의미한다. '상당한 기간에 걸쳐 많이 쏟아지는 비.'를 의미하는 '큰비'로 순화해서 사용하는 것이 좋다.
예 지난여름엔 **큰비**로 많은 수재민이 발생했다.

02 자괴심 – ㉠ 부끄러움

✅정답풀이 '자괴심(스스로 自 부끄러울 愧 마음 心)'은 '자괴지심, 스스로 부끄럽게 여기는 마음.'을 의미한다. '부끄러워하는 느낌이나 마음.'을 의미하는 '부끄러움'으로 순화해서 사용하는 것이 좋다.
예 나는 수업 시간에 **부끄러움**을 무릅쓰고 손을 들었다.

03 ② 양말

✅정답풀이 '양말(바다 洋 버선 襪)'은 '맨발에 신도록 실이나 섬유로 짠 것.'을 의미하는 한자어이다.
예 **양말**에 구멍이 났다.
❌오답풀이 ① 모시: 모시풀 껍질의 섬유로 짠 피륙. 예 여름에 **모시**로 된 치마를 입으면 시원하다.
③ 삼베: 삼실로 짠 천. 예 소년은 **삼베** 고의적삼을 입었다.
④ 신발: 신. 땅을 딛고 서거나 걸을 때 발에 신는 물건을 통틀어 이르는 말. 예 **신발**을 질질 끌고 다니지 마라.
⑤ 털옷: 털이나 털가죽으로 지은 옷. 예 이번 겨울이 오기 전에 네 **털옷** 한 벌 장만해야겠다.

04 ⑤ 하필

✅정답풀이 '하필(어찌 何 반드시 必)'은 '다른 방도를 취하지 아니하고 어찌하여 꼭.'을 의미하는 한자어이다.
예 **하필** 나에게 이런 일이 생기다니.
❌오답풀이 ① 설마: 그럴 리는 없겠지만. 부정적인 추측을 강조할 때 쓴다. 예 **설마** 너까지 나를 의심하는 것은 아니겠지?
② 실컷: 마음에 하고 싶은 대로 한껏. 예 너희 집은 제과점을 하니까 빵은 **실컷** 먹겠구나.
③ 온통: 전부 다. 예 골짜기는 **온통** 초록색으로 덮여 있었다.
④ 잔뜩: 한도에 이를 때까지 가득. 예 일주일을 쉬었더니 일이 **잔뜩** 밀려 있다.

05 ⑤ 솔직하다

✅정답풀이 '솔직(거느릴 率 곧을 直)하다'는 '거짓이나 숨김이 없이 바르고 곧다.'를 의미한다.
예 묻는 말에 **솔직하게** 대답해야 한다.
❌오답풀이 ① 가뿐하다: 들기 좋을 정도로 가볍다. 예 이 정도 물건은 **가뿐하게** 들 수 있다.
② 깨끗하다: 사물이 더럽지 않다. 예 그릇을 **깨끗하게** 씻어라.
③ 반짝하다: 정신이 갑자기 맑아지다. 예 정신이 **반짝했다** 금방 사그라지는 것 같아 슬프다.
④ 솔깃하다: 그럴듯해 보여 마음이 쏠리는 데가 있다. 예 단숨에 부자가 되었다는 그의 말에 귀가 **솔깃했다**.

06 ② 기특하다

✅정답풀이 '기특(기이할 奇 특별할 特)하다'는 '말하는 것이나 행동하는 것이 신통하여 귀염성이 있다.'를 의미한다.
예 어린아이가 하는 짓이 **기특하다**.
❌오답풀이 ① 가든하다: 다루기에 가볍고 간편하거나 손쉽다. 예 보따리 하나만 달랑 들고 **가든하게** 집을 나섰다.
③ 나긋하다: 사람을 대하는 태도가 상냥하고 부드럽다. 예 그 소년은 항상 **나긋하게** 인사한다.
④ 수고하다: 일을 하느라고 힘을 들이고 애를 쓰다. 예 자네가 우리를 위해 **수고하는** 걸 늘 고맙게 생각하네.
⑤ 훌륭하다: 썩 좋아서 나무랄 곳이 없다. 예 사람은 **훌륭하게** 되면 될수록 겸손해야 한다.

07 사뭇

✅정답풀이 '사뭇'은 '아주 딴판으로.'를 의미한다. '자못'은 '생각보다 매우.'의 의미이다. 제시된 예문은 그의 모습이 아침과 딴판으로 달라 보인다는 의미이므로 '사뭇'이 적절하다.
예 여러분에 대한 기대가 **자못** 큽니다.

08 금세

✅정답풀이 '금새'는 명사로 '물건의 값. 또는 물건값의 비싸고 싼 정도.'를 의미한다. '금세'는 '금시에'가 줄어든 말로, '지금 바로.'를 의미한다. 제시된 예문은 나쁜 소문일수록 지금 바로 퍼진다는 의미이므로 '금세'가 적절하다.
예 물건을 거래하려면 **금새**를 잘 알고 있어야 한다.

09 애오라지

✅정답풀이 '애오라지'는 '오로지'를 강조하여 이르는 말이다. '아우라지'는 '두 갈래 이상의 물이 한데 모이는 물목.'을 의미한다. 제시된 예문은 그는 오로지 부모님이 건강하시기만을 바랐다는 의미이므로 '애오라지'가 적절하다.
예 **아우라지**에서는 뱃사공들의 아리랑 소리가 끊이지 않았다.

10 추레했다

✅정답풀이 '추레하다'는 '겉모양이 깨끗하지 못하고 생기가 없다.'는 의미이다. '가무리다'는 '몰래 혼자 차지하거나 흔적도 없이 먹어 버리다.'를 의미한다. 제시된 예문은 며칠을 자지도 씻지도 못한 그의 몰골이 깨끗하지 못하고 생기가 없다는 의미이므로 '추레했다'가 적절하다.
예 어머니께서 친구와 나누어 먹으라고 주신 과자를 혼자 **가무렸다**.

11 곱살스럽다

✅정답풀이 '새삼스럽다'는 '이미 알고 있는 사실에 대하여 느껴지는 감정이 갑자기 새로운 데가 있다.'를 의미한다. '곱살스럽다'는 '얼굴이나 성미가 예쁘장하고 얌전한 데가 있다.'의 의미이

다. 제시된 예문은 그 애의 목소리가 예쁘장하고 얌전한 데가 있다는 의미이므로 '곱살스럽다'가 적절하다.
예 몇 년 만에 보는 고향 산천이 **새삼스럽다**.

12 ③ 도둑눈

✅정답 풀이 '도둑눈'은 '밤사이에 사람들이 모르게 내린 눈.'을 의미하며 '도적눈'이라고도 한다.
❌오답 풀이 ① 가루눈: 가루 모양으로 내리는 눈. 예 마치 떡가루 같은 **가루눈**이 내린다.
② 가랑눈: 조금씩 잘게 내리는 눈. 예 올겨울에는 **가랑눈**만 몇 번 내렸을 뿐이다.
④ 싸락눈: 싸라기눈. 빗방울이 갑자기 찬 바람을 만나 얼어 떨어지는 쌀알 같은 눈. 예 바람에 실린 **싸락눈**이 창문을 건드리고 있었다.
⑤ 함박눈: 굵고 탐스럽게 내리는 눈. 예 **함박눈**이 펑펑 내린다.

13 ② 섬뜩하다

✅정답 풀이 '섬뜩하다'는 '갑자기 소름이 끼치도록 무섭고 끔찍하다.'를 의미한다.
❌오답 풀이 ① 곰살맞다: 몹시 부드럽고 친절하다. 예 그는 처음부터 그녀에게 **곰살맞게** 굴었다.
③ 스산하다: 몹시 어수선하고 쓸쓸하다. 예 비가 뿌리고 바람도 불어와 **스산하다**.
④ 얌전하다: 성품이나 태도가 침착하고 단정하다. 예 그 사람은 **얌전하고** 일 처리를 꼼꼼하게 한다.
⑤ 옹골지다: 실속이 있게 속이 꽉 차 있다. 예 요새 돈 버는 재미가 **옹골지다**.

14 ⑤ 쌩이질

✅정답 풀이 '쌩이질'은 '한창 바쁠 때에 쓸데없는 일로 남을 귀찮게 구는 짓.'을 의미하며 '씨양이질'이라고도 한다.
❌오답 풀이 ① 가댁질: 아이들이 서로 잡으려고 쫓고, 이리저리 피해 달아나며 뛰노는 장난. 예 물가에서 물장구와 **가댁질**로 시간 가는 줄 몰랐다.
② 딸꾹질: 가로막의 경련으로 들이쉬는 숨이 방해를 받아 목구멍에서 이상한 소리가 나는 증세. 예 목에 걸린 울음소리가 **딸꾹질**로 이어졌다.
③ 동냥질: 동냥(거지나 동냥아치가 돌아다니며 돈이나 물건 따위를 거저 달라고 비는 일)하는 짓. 예 너는 할 일이 없어서 **동냥질**을 하니?
④ 자맥질: 물속에서 팔다리를 놀리며 떴다 잠겼다 하는 짓. 예 나는 **자맥질**로는 우리 동네 최강이다.

15 ③ 마수걸이

✅정답 풀이 '마수걸이'는 '맨 처음으로 물건을 파는 일. 또는 거기서 얻은 소득.'을 의미한다.

❌오답 풀이 ① 걸음걸이: 걸음을 걷는 모양새. 예 **걸음걸이**가 가뿐가뿐하다.
② 낚시걸이: 조그마한 것을 미끼로 삼아서 먼저 주고 나중에 남에게서 많은 이익을 얻어 내려고 꾀하는 짓. 예 **낚시걸이**를 잘 하는 사람은 결국 벌을 받게 된다.
④ 발등걸이: 남이 하려는 일을 앞질러 먼저 함. 예 김 씨는 그 사업에 대해 특허권을 내려다가 동업자에게 **발등걸이**를 당했다.
⑤ 어깨걸이: 부인용 목도리의 하나. 어깨에 걸쳐 앞가슴 쪽으로 드리우게 되어 있다. 예 그 부인은 **어깨걸이**를 하였더니 더욱 우아해 보였다.

16 ⑤ 낯

✅정답 풀이 빈칸에 공통으로 들어가기에 적절한 것은 '눈, 코, 입 따위가 있는 얼굴의 바닥.'을 의미하는 '낯'이다. 각 단어의 뜻은 다음과 같다.
• 겉낯: 겉으로 드러나는 얼굴빛.
예 그 사람은 **겉낯**만 보아서는 알 수가 없다.
• 물낯: 수면. 물의 겉면.
예 잔잔한 **물낯**에 얼굴을 비추어 보았다.
• 민낯: 화장을 하지 않은 얼굴.
예 학생들은 **민낯**으로 다녀도 충분히 예쁘다.
• 첫낯: 초면. 처음으로 대하는 얼굴.
예 **첫낯**인데 여러 가지로 실례가 많습니다.
• 풋낯: 서로 낯이나 익힐 정도로 앎.
예 가끔 들르는 곳이라 **풋낯** 정도 아는 사람밖에는 없었다.

17 ③ 별

✅정답 풀이 빈칸에 공통으로 들어가기에 적절한 것은 '빛을 관측할 수 있는 천체 가운데 성운처럼 퍼지는 모양을 가진 천체를 제외한 모든 천체.'를 의미하는 '별'이다. 각 단어의 뜻은 다음과 같다.
• 샛별: '금성(金星)'을 일상적으로 이르는 말.
예 **샛별**이 몹시 아름답게 빛난다.
• 잔별: 작은 별.
예 하늘에 **잔별**이 많다.
• 꼬리별: 혜성. 가스 상태의 빛나는 긴 꼬리를 끌고 태양을 초점으로 긴 타원이나 포물선에 가까운 궤도를 그리며 운행하는 천체.
예 **꼬리별**이 빠르게 날아간다.
• 별똥별: 유성. 지구의 대기권 안으로 들어와 빛을 내며 떨어지는 작은 물체.
예 **별똥별**을 바라보며 소원을 빌었다.
• 길잡이별: 북극성, 북두칠성 따위처럼 어두운 밤에 방향을 알려 주는 별.
예 밤하늘에 반짝이는 **길잡이별**을 바라보았다.
• 붙박이별: 항성(恒星). 천구 위에서 서로의 상대 위치를 바꾸지 아니하고 별자리를 구성하는 별.

ⓔ 별에는 <u>붙박이별</u>도 있고 아닌 별도 있다.

어·휘·력 Up '천체(天體)'와 관련된 고유어

- **미리내**: '은하수(銀河水)'의 제주 방언.
- **개밥바라기**: 태백성. 저녁 무렵 서쪽 하늘에 보이는 '금성(金星)'을 이르는 말.
- **눈썹달**: 눈썹 모양으로 보이는 초승달이나 그믐달.
- **으스름달**: 침침하고 흐릿한 빛을 내는 달.

18 ① 모지라졌다.

✅**정답 풀이** '모지라지다'는 '물건의 끝이 닳아서 없어지다.'를 의미한다.

❌**오답 풀이** ② 두남두다: 잘못을 두둔하다. ⓔ 자식을 무작정 <u>두남두다</u> 보면 버릇이 나빠진다.
③ 버성기다: 벌어져서 틈이 있다. ⓔ <u>버성긴</u> 발뒤꿈치에서 피가 나온다.
④ 물쿠다: 날씨가 찌는 듯이 더워지다. ⓔ 날씨가 <u>물쿠고</u> 무덥더니 비가 내리기 시작하였다.
⑤ 시새우다: 자기보다 잘되거나 나은 사람을 공연히 미워하고 싫어하다. ⓔ 남이 잘되는 것을 <u>시새우</u>다.

19 ④ 오달지다

✅**정답 풀이** '오달지다'는 '마음에 흡족하게 흐뭇하다.'를 의미한다.

❌**오답 풀이** ① 갸웃하다: 한쪽으로 조금 갸울어져 있다. ⓔ 벽에 걸어 둔 액자가 <u>갸웃한</u> 것 같다.
② 매몰차다: 인정이나 싹싹한 맛이 없고 아주 쌀쌀맞다. ⓔ 그는 친구의 전화를 <u>매몰차게</u> 끊어 버렸다.
③ 야무지다: 사람의 성질이나 행동, 생김새 따위가 빈틈이 없이 꽤 단단하고 굳세다. ⓔ 그녀는 일을 <u>야무지게</u> 처리하는 사람이다.
⑤ 재우치다: 빨리 몰아치거나 재촉하다. ⓔ 일을 자꾸 <u>재우치니</u> 실수투성이다.

20 ④

✅**정답 풀이** '도두보다'는 '실상보다 좋게 보다.'를 의미한다. 제시된 예문은 위기 상황에서 그가 잘 둘러대서 위기를 넘겼다는 의미이므로 '교묘하게 잘 둘러대다.'를 의미하는 '능갈치다'의 활용형인 '능갈쳐서'가 들어가는 것이 적절하다.

ⓔ 첫인상만 생각하고 사람을 <u>도두보면</u> 나중에 실망하기 십상이다.

❌**오답 풀이** ① 버르집다: 숨겨진 일을 밖으로 들추어내다.
② 니글거리다: 먹은 것이 내려가지 아니하여 곧 게울 듯이 속이 자꾸 울렁거리다.
③ 궁싯거리다: 잠이 오지 아니하여 누워서 몸을 이리저리 뒤척거리다.
⑤ 낮잡다: 금액, 나이, 수량, 수효 따위를 계산할 때에, 조금 넉넉하게 치다.

1 ③

✅**정답 풀이** '수군거리다'는 '남이 알아듣지 못하도록 낮은 목소리로 자꾸 가만가만 이야기하다.'를 의미한다. 이 단어는 불만스럽지 않은 감정 상태를 나타내며, 대화 상대가 필요한 말에 해당한다. 따라서 '수군거리다'를 B에 배치하는 것은 적절하지 않다.

ⓔ 아이들이 재미도 없는 얘기를 <u>수군거리며</u> 낄낄댄다.

❌**오답 풀이** ① 구시렁거리다: 못마땅하여 군소리를 듣기 싫도록 자꾸 하다. ⓔ 그는 돌아앉아서도 계속 <u>구시렁거렸</u>다.
② 투덜거리다: 남이 알아듣기 어려울 정도의 낮은 목소리로 자꾸 불평을 하다. ⓔ 친구는 새로 산 차가 고장이 났다고 <u>투덜거렸</u>다.
④ 웅얼거리다: 나직한 소리로 똑똑하지 아니하게 혼자 입속말을 자꾸 해 대다. ⓔ 우리는 그가 무어라고 <u>웅얼거리는지</u> 알 수 없었다.
⑤ 속닥거리다: 남이 알아듣지 못하도록 작은 목소리로 은밀하게 자꾸 이야기하다. ⓔ 둘이서 얼굴을 마주 대고 계속 <u>속닥거리고</u> 있다.

2 ①

✅**정답 풀이** '너나들이하다'는 '서로 너니 나니 하고 부르며 허물없이 말을 건네다.'를 의미한다. 이 단어는 대화를 주고받는 사람들이 친밀성이 높은 경우에 사용한다.

ⓔ 그 사람과는 <u>너나들이하는</u> 친한 사이다.

❌**오답 풀이** ② 데면데면하다: 사람을 대하는 태도가 친밀감이 없이 예사롭다.
③ 겉돌다: 다른 사람과 잘 어울리지 못하고 따로 지내다.
④ 설면하다: 자주 만나지 못하여 낯이 좀 설다.
⑤ 서먹서먹하다: 낯이 설거나 친하지 아니하여 자꾸 어색하다.

3 ⑤ 인사치레

✅**정답 풀이** '인사치레'는 '성의 없이 겉으로만 하는 인사. 또는 인사를 치러 내는 일.'을 의미한다. 따라서 진실은 결여되어 있고 예의를 차리는 의미가 담겨 있는 단어로는 '인사치레'가 적절하다.

ⓔ 사람들은 <u>인사치레</u>로 그가 좀 더 있기를 권했다.

❌**오답 풀이** ① 빈말: 실속 없이 헛된 말. ⓔ <u>빈말</u>이라도 고맙다.
② 너스레: 수다스럽게 떠벌려 늘어놓는 말이나 짓. ⓔ 그의 걸쭉한 <u>너스레</u>에 우리 모두 크게 웃었다.
③ 생트집: 아무 까닭이 없이 트집을 잡음. 또는 그 트집. ⓔ 어린애가 자꾸 <u>생트집</u>을 부린다.
④ 어깃장: 짐짓 어기대는(순순히 따르지 아니하고 못마땅한 말이나 행동으로 뻗대는) 행동. ⓔ 아무에게나 <u>어깃장</u>을 놓아서는 안 된다.

4 ⑤

✅정답 풀이 '안손님'은 '여자 손님'을 이르는 말이다.
📝 우리 가게에는 대개 <u>안손님</u>들이 오신다.
❌오답 풀이 ① 일삼다: 일로 생각하고 하다. 📝 그는 사냥을 <u>일삼</u>아 해 왔다.
② 어정거리다: 키가 큰 사람이나 짐승이 이리저리 천천히 걷다. 📝 할 일 없이 길거리를 <u>어정거리</u>며 시간을 보냈다.
③ 순조(順調): ('순조로'의 꼴로 쓰여) 일 따위가 아무 탈이나 말썽 없이 예정대로 잘되어 가는 상태. 📝 일이 <u>순조로</u> 되는 걸 보니 다행이다.
④ 약이 오르다: 고추나 담배 따위가 잘 자라 자극적인 성분이 많아지다. 📝 고추가 <u>약이 올라</u> 맵다.

4일차 한자어 ①

01 나열

✅정답 풀이 '나열(새 그물 羅 벌일 列)'은 '나란히 줄이 지어짐.'을 의미하는 한자어이다. '사열(사실할 査 검열할 閱)'은 '조사하거나 검열하기 위하여 하나씩 쭉 살펴봄.'을 의미하는 한자어이다. 제시된 예문은 인형들이 진열대에 한 줄로 나란히 줄지어 놓여 있다는 의미이므로 '나열'이 적절하다.
📝 검사가 보고받은 문서를 <u>사열</u> 중이다.

02 가감

✅정답 풀이 '가감(더할 加 덜 減)'은 '더하거나 빼는 일. 또는 그렇게 하여 알맞게 맞추는 일.'을 의미하는 한자어이다. '진퇴(나아갈 進 물러날 退)'는 '앞으로 나아가고 뒤로 물러남.'을 의미하는 한자어이다. 제시된 예문은 사실을 더하거나 빼지 않고 전달해야 한다는 의미이므로 '가감'이 적절하다. 참고로 '가감'은 '더하고 빼기'로 순화하여 써야 한다.
📝 씨름판에서 두 선수가 <u>진퇴</u>를 거듭하고 있다.

> **어·휘·력 Up** '더할 가(加)'와 '덜 감(減)'이 사용된 한자어
> • **증가**(더할 增 더할 加): 양이나 수치가 늚.
> • **추가**(쫓을 追 더할 加): 나중에 더 보탬.
> • **참가**(참여할 參 더할 加): 모임이나 단체 또는 일에 관계하여 들어감.
> • **가입**(더할 加 들 入): 조직이나 단체 따위에 들어감.
> • **감가**(덜 減 값 價): 값을 줄임.
> • **감면**(덜 減 면할 免): 매겨야 할 부담 따위를 덜어 주거나 면함.
> • **감소**(덜 減 적을 少): 양이나 수치가 줆.
> • **감원**(덜 減 인원 員): 사람 수를 줄임.

03 굴곡

✅정답 풀이 '굴곡(굽을 屈 굽을 曲)'은 '이리저리 굽어 꺾여 있음. 또는 그런 굽이.'를 의미하는 한자어이다. '부침(뜰 浮 가라앉을 沈)'은 '물 위에 떠올랐다 물속에 잠겼다 함.'을 의미하는 한자어이다. 제시된 예문은 구불구불한 도로에서 차를 몰고 있다는 의미이므로 '굴곡'이 적절하다.
📝 돌고래의 <u>부침</u>은 관광객들에게 큰 구경거리이다.

04 교정

✅정답 풀이 '개정(고칠 改 바를 正)'은 '주로 문서의 내용 따위를 고쳐 바르게 함.'을 의미하는 한자어이다. '교정(가르칠 敎 바를 正)'은 '가르쳐서 바르게 함.'을 의미하는 한자어이다. 제시된 예문은 선생님이 학생들에게 무용을 가르치고 있는 상황이므로 '교정'이 적절하다.
📝 의원들이 악법을 <u>개정</u>하고자 노력하고 있다.

05 공치사

✅정답 풀이 '공치사(공 功 이를 致 말 辭)'는 '남을 위하여 수고한 것을 생색내며 스스로 자랑함.'을 의미하는 한자어이다. '생고생(날 生 쓸 苦 날 生)'은 '하지 않아도 좋을 공연한 고생.'을 의미한다. 제시된 예문은 사람들의 빈축을 살 정도로 자랑을 한다는 의미이므로 '공치사'가 적절하다.
📝 시장에서 물건도 사지 못한 채 <u>생고생</u>만 하고 돌아왔다.

06 ⑤ 난해

✅정답 풀이 '난해(어려울 難 풀 解)'는 '뜻을 이해하기 어려움.'을 의미하는 한자어이다.
❌오답 풀이 ① 난감(難堪): '난감하다'의 어근. 이렇게 하기도 저렇게 하기도 어려워 처지가 매우 딱함. 📝 누구를 뽑아야 할지 선택하기가 매우 <u>난감</u>하다.
② 난동(亂動): 질서를 어지럽히며 마구 행동함. 또는 그런 행동. 📝 사람들이 그에게 불만을 품고 <u>난동</u>을 일으켰다.
③ 난입(亂入): 어지럽게 함부로 들어오거나 들어감. 📝 적군들이 성안까지 <u>난입</u>했다.
④ 난처(難處): '난처하다'의 어근. 이럴 수도 없고 저럴 수도 없어 처신하기 곤란함. 📝 나는 <u>난처</u>할 때면 뒤통수에 손을 갖다 대는 버릇이 있다.

07 ① 각광

✅정답 풀이 '각광(다리 脚 빛 光)'은 '사회적 관심이나 흥미.'를 의미하는 한자어이다. 참고로 '각광'은 원래 연극에서 '무대의 앞쪽 아래에 장치하여 배우를 비추는 광선.'인 '풋라이트'를 일본에서 번역하여 사용하던 말이었다. 그러므로 비슷한 의미를 가진 '주목(부을 注 눈 目)'으로 순화하여 사용하는 것이 바람직하다.
❌오답 풀이 ② 관계(關係): 둘 이상의 사람, 사물, 현상 따위가 서로 관련을 맺거나 관련이 있음. 또는 그런 관련. 📝 문학은 우리의 현실 생활과 분리할 수 없는 <u>관계</u>에 있다.
③ 구미(口味): 입맛. 📝 외국 여행을 가서 한국 사람의 <u>구미</u>에 맞는 음식만 찾아서는 안 된다.

④ 유망(有望): 앞으로 잘될 듯한 희망이나 전망이 있음. 예 정부는 유망 중소기업을 육성해야 한다.
⑤ 취미(趣味): 전문적으로 하는 것이 아니라 즐기기 위하여 하는 일. 예 일요일이면 가족들과 피아노를 치며 노래를 부르는 것이 그의 유일한 취미였다.

08 ② 답습

✅정답 풀이 '답습(밟을 踏 엄습할 襲)'은 '예로부터 해 오던 방식이나 수법을 좇아 그대로 행함.'을 의미하는 한자어이다.

❌오답 풀이 ① 고수(固守): 차지한 물건이나 형세 따위를 굳게 지킴. 예 올해 우리 팀은 선두권 고수를 목표로 삼고 있다.
③ 모의(模擬): 실제의 것을 흉내 내어 그대로 해 봄. 또는 그런 일. 예 하나의 프로그램을 완성하려면, 여러 번 모의 실행과 수정하는 절차를 거치게 된다.
④ 습득(習得): 학문이나 기술 따위를 배워서 자기 것으로 함. 예 그 수업을 들으면 그 분야의 지식을 습득할 수 있다.
⑤ 추종(追從): 남의 뒤를 따라서 좇음. 예 그는 컴퓨터 분야에서는 타의 추종을 불허한다.

09 ① 거동

✅정답 풀이 '거동(들 擧 움직일 動)'은 '몸을 움직임. 또는 그런 짓이나 태도.'를 의미하는 한자어이다.

❌오답 풀이 ② 미동(微動): 약간 움직임. 예 그는 마치 의식이 없는 사람처럼 미동도 없이 그 자리에 앉아 있었다.
③ 생동(生動): 생기 있게 살아 움직임. 예 사람은 끊임없이 성장하는 생동의 과정에서 행복을 느낀다.
④ 유동(流動): 이리저리 자주 옮겨 다님. 예 이 역의 유동 인구는 얼마나 됩니까?
⑤ 자동(自動): 기계나 설비 따위가 자체 내에 있는 일정한 장치의 작용에 의하여 스스로 작동함. 또는 그런 기계. 예 이 보일러는 일정한 온도가 되면 자동으로 꺼진다.

10 ② 도피처

✅정답 풀이 '도피처(도망할 逃 피할 避 곳 處)'는 '도망하여 몸을 피하는 곳.'을 의미하는 한자어이다.

❌오답 풀이 ① 도주로(逃走路): 도망쳐 달아나는 길. 예 경찰은 범인들의 도주로를 미리 간파하고 있었다.
③ 안식처(安息處): 편히 쉬는 곳. 예 가정은 인생의 안식처이다.
④ 유배지(流配地): 귀양지. 귀양살이하는 곳. 예 신문도 없고 전기도 안 들어오는 이곳은 유배지나 다름없는 곳이다.
⑤ 피서지(避暑地): 더위를 피하기에 알맞은 곳. 예 설악산은 산과 바다를 동시에 즐길 수 있는 우리나라 최고의 피서지이다.

11 ② 농염하게

✅정답 풀이 '농염(짙을 濃 고울 艶)하다'는 '한껏 무르익어 아름답다.'를 의미하는 한자어이다. 제시된 예문은 '공연의 분위기가

농염하게 보였다.'로 바꾸어 쓸 수 있다.

❌오답 풀이 ① 간단(簡單)하다: 단순하고 간략하다. 예 간단한 설명을 붙이다.
③ 명료(明瞭)하다: 뚜렷하고 분명하다. 예 문장은 간결하고 명료하며 내용은 이해하기 쉽게 진술되어 있는가?
④ 치밀(緻密)하다: 자세하고 꼼꼼하다. 예 그는 일 처리를 물샐틈 없이 치밀하게 한다.
⑤ 희미(稀微)하다: 분명하지 못하고 어렴풋하다. 예 그의 목소리는 매우 작아 멀리에서는 희미하게 들린다.

12 ③ 고안하고

✅정답 풀이 '고안(생각할 考 책상 案)하다'는 '연구하여 새로운 안을 생각해 내다.'를 의미하는 한자어이다. 제시된 예문은 '그는 고장이 난 물건을 고칠 수 있는 방법을 곰곰이 고안하고 있다.'로 바꾸어 쓸 수 있다.

❌오답 풀이 ① 감안(勘案)하다: 여러 사정을 참고하여 생각하다. 예 그가 학생임을 감안하여 편익을 봐주었다.
② 검안(檢案)하다: 뒤에 남은 흔적이나 상황을 조사하고 따지다. 예 시체를 검안한 결과가 나오면 단서를 잡을 수 있을 것입니다.
④ 입안(立案)하다: 어떤 안(案)을 세우다. 예 그 국회의원이 복지와 관련된 법안을 입안했다.
⑤ 제안(提案)하다: 안이나 의견으로 내놓다. 예 우리가 제안했던 의견은 지도부 회의에서 모두 무시되었다.

13 ⑤ 근접할까

✅정답 풀이 '근접(가까울 近 이을 接)하다'는 '(…에) 가까이 접근하다.'를 의미하는 한자어이다. 제시된 예문에서의 '미치다'는 '공간적 거리나 수준 따위가 일정한 선에 닿다.'를 의미한다.

❌오답 풀이 ① 근거(根據)하다: 어떤 일이나 의논, 의견에 그 근본이 되다. 예 그것은 즉흥적으로 결정할 것이 아니라 구체적인 자료에 근거하여 신중히 결정해야 할 것이다.
② 근면(勤勉)하다: 꾸준하고 부지런하다. 예 우리 반 학생들은 매사에 성실하고 근면하다.
③ 근소(僅少)하다: 얼마 되지 않을 만큼 아주 적다. 예 그는 근소한 표 차이로 시장에 당선되었다.
④ 근엄(謹嚴)하다: 점잖고 엄숙하다. 예 그는 항상 근엄한 표정으로 말을 한다.

14 ④ 대리하는

✅정답 풀이 '대리(대신할 代 다스릴 理)하다'는 '남을 대신하여 일을 처리하다.'를 의미하는 한자어이다. 제시된 예문의 '바꾸다'는 '원래 있던 것을 없애고 다른 것으로 채워 넣거나 대신하게 하다.'를 의미하므로, '대리하다'로 바꾸어 쓰기에는 적절하지 않다.

❌오답 풀이 ① 개조(改造)하다: 고쳐 만들거나 바꾸다. 예 이 집은 부엌을 거실로 개조했다.
② 교체(交替)하다: 사람이나 사물을 다른 사람이나 사물로 대신

하다. 📕 김 감독은 지친 선수를 다른 선수와 교체했다.
③ 교환(交換)하다: 서로 바꾸다. 📕 김 노인은 쌀 한 되를 땔감과 교환했다.
⑤ 수리(修理)하다: 고장 나거나 허름한 데를 손보아 고치다. 📕 그 집은 오래전에 지어서 수리할 곳이 많다.

15 ① 누설하는

✅정답풀이 '누설(샐 漏 샐 泄)하다'는 '기체나 액체 따위가 밖으로 새어 나가다. 또는 그렇게 하다.'를 의미하는 한자어이다. 제시된 예문의 '다루다'는 '어떤 물건을 사고파는 일을 하다.'를 의미하므로, '누설하다'로 바꾸어 쓰기에는 적절하지 않다.

❌오답풀이 ② 생산(生産)하다: 인간이 생활하는 데 필요한 각종 물건을 만들어 내다. 📕 화력 발전소에서 전기를 생산했다.
③ 제작(製作)하다: 재료를 가지고 기능과 내용을 가진 새로운 물건이나 예술 작품을 만들다. 📕 사람은 도구를 제작하고 사용할 줄 아는 동물이다.
④ 취급(取扱)하다: 물건이나 일 따위를 대상으로 삼거나 처리하다. 📕 그 공장에서는 주로 용접기를 취급하고 있다.
⑤ 판매(販賣)하다: 상품 따위를 팔다. 📕 김 사장은 도매상들에게 판매할 물건을 따로 정리했다.

16 ① 나락

✅정답풀이 '나락(어찌 奈 떨어질 落)'은 '벗어나기 어려운 절망적인 상황.'을 비유적으로 이르는 말이다. 제시된 예문은 그가 계속된 사업 실패 때문에 절망에 빠졌다는 의미이므로, '나락'이 적절하다.

❌오답풀이 ② 비축(備蓄): 만약의 경우를 대비하여 미리 갖추어 모아 두거나 저축함. 📕 군사 작전에서는 군량미의 비축이 중요하다.
③ 쇠락(衰落): 쇠약하여 말라서 떨어짐. '쇠퇴'로 순화. 📕 혁신하지 않는 기업은 쇠락의 길을 걷기 마련이다.
④ 아류(亞流): 문학, 예술, 학문에서 독창성이 없이 모방하는 일이나 그렇게 한 것. 또는 그런 사람. 📕 그는 피카소의 아류에 불과하다.
⑤ 향연(饗宴): 특별히 융숭하게 손님을 대접하는 잔치. 📕 왕은 승리한 장군들을 위하여 성대한 향연을 준비하였다.

17 ② 다방면

✅정답풀이 '다방면(많은 多 모 方 낯 面)'은 '여러 방면.'을 의미하는 한자어이다. 제시된 예문은 그가 문학, 예술, 체육 등의 다양한 분야에 재능이 있다는 의미이므로 '다방면'이 적절하다.

❌오답풀이 ① 공염불(空念佛): 실천이나 내용이 따르지 않는 주장이나 말을 비유적으로 이르는 말. 📕 아무리 좋은 말을 해도 그 사람에게는 공염불에 지나지 않았다.
③ 무진장(無盡藏): 다함이 없이 굉장히 많음. 📕 그곳은 보물이 무진장 묻혀 있다고 한다.
④ 문외한(門外漢): 어떤 일에 전문적인 지식이 없는 사람. 📕 선

배는 야구에 문외한인 나에게 틈만 나면 야구 규칙을 설명했다.
⑤ 옹고집(壅固執): 억지가 매우 심하여 자기 의견만 내세워 우기는 성미. 또는 그런 사람. 📕 철수는 가지 않겠다고 옹고집을 부렸다.

📘어·휘·력 Up **불교에 어원을 둔 한자어**
• 방편(모 方 편할 便): 중생을 구제하기 위하여 쓰는 묘한 수단과 방법. → 그때그때의 경우에 따라 편하고 쉽게 이용하는 수단과 방법.
• 찰나(절 刹 어찌 那): 매우 짧은 시간 → 어떤 일이나 사물 현상이 일어나는 바로 그때.

18 ② 긴박

✅정답풀이 '긴박(긴할 緊 핍박할 迫)'은 '매우 다급하고 절박함.'을 의미하는 한자어이다. 제시된 예문은 사태가 다급하게 돌아간다는 의미이므로 '긴박'이 적절하다.

❌오답풀이 ① 경박(輕薄): 언행이 신중하지 못하고 가벼움. 📕 요란한 치장이 경박해 보였다.
③ 소중(所重): '소중하다'의 어근. 매우 귀중함. 📕 나는 무엇보다 가족이 소중하다.
④ 유연(柔軟): '유연하다'의 어근. 부드럽고 연하다. 📕 새가 나뭇가지에 유연하게 내려앉았다.
⑤ 정중(鄭重): '정중하다'의 어근. 태도나 분위기가 점잖고 엄숙하다. 📕 정중한 태도로 손님을 대해야 한다.

19 ①

✅정답풀이 '개괄적(대개 槪 묶을 括 과녁 的)'은 '중요한 내용이나 줄거리를 대강 추려 내는. 또는 그런 것.'을 의미하는 한자어이다.
📕 그 설명은 너무 개괄적입니다.

❌오답풀이 ② 미온적(微溫的): 태도가 미적지근한. 또는 그런 것. 📕 그녀는 나의 고백에 미온적 반응을 보였다.
③ 부수적(附隨的): 주된 것이나 기본적인 것에 붙어서 따르는. 또는 그런 것. 📕 소비가 증가하면 부수적으로 쓰레기도 증가한다.
④ 우회적(迂廻的): 곧바로 가지 않고 멀리 돌아서 가는. 또는 그런 것. 📕 그는 일에 대한 불만을 직접 토로하지 않고 우회적으로 표현하였다.
⑤ 저돌적(豬突的): 앞뒤를 생각하지 않고 내닫거나 덤비는. 또는 그런 것. 📕 그 사람은 적극적이고 대담했으며 저돌적인 추진력을 지니고 있었다.

20 ④

✅정답풀이 '게양(높이 들 揭 날릴 揚)'은 '기(旗) 따위를 높이 걺.'을 의미하는 한자어이다. 제시된 예문은 알림판에 일정표가 걸려 있다는 의미이므로 '게양'은 적절하지 않다. '여러 사람에게 알리기 위하여 내붙이거나 내걸어 두루 보게 함. 또는 그런 물건.'을 의미하는 한자어인 '게시(높이 들 揭 보일 示)'가 적절하다. 참고로 '게양'은 '닮'이나 '올림'으로 순화하여 쓰도록 한다.

예 운동장에는 만국기가 계양되었다.

❌ **오답 풀이** ① 최선(最善): 가장 좋고 훌륭함. 또는 그런 일.
② 시초(始初): 맨 처음.
③ 두둔(斗頓): 편들어 감싸 주거나 역성을 들어줌.
⑤ 곡해(曲解): 사실을 옳지 아니하게 해석함. 또는 그런 해석.

5 일차 한자어 ②

01 ㉠ — 구별, ㉡ — 구분

✅ **정답 풀이** '구별(구분할 區 나눌 別)'은 '성질이나 종류에 따라 차이가 남. 또는 성질이나 종류에 따라 갈라놓음.'을 의미하는 한자어이고, '구분(구분할 區 나눌 分)'은 '일정한 기준에 따라 전체를 몇 개로 갈라 나눔.'을 의미하는 한자어이다. ㉠은 요즘 옷이 성별에 따른 차이가 없는 경우가 많다는 의미이므로 '구별'이 적절하다. 또 ㉡은 서정과 서사를 나누는 것이 상대적이라는 의미이므로 '구분'이 적절하다.

02 ㉠ — 개발, ㉡ — 계발

✅ **정답 풀이** '개발(열 開 필 發)'은 '토지나 천연자원 따위를 유용하게 만듦.'을 의미하는 한자어이고, '계발(열 啓 필 發)'은 '슬기나 재능, 사상 따위를 일깨워 줌.'을 의미하는 한자어이다. ㉠은 경치가 좋은 곳을 관광지로 만들어 유용하게 한다는 의미이므로 '개발'이 적절하다. 또 ㉡은 적성을 찾아 소질을 일깨우려고 노력해야 한다는 의미이므로 '계발'이 적절하다.

03 ㉠ — 논의, ㉡ — 논란

✅ **정답 풀이** '논란(논할 論 어려울 難)'은 '여럿이 서로 다른 주장을 내며 다툼.'을 의미하는 한자어이고, '논의(논할 論 의논할 議)'는 '어떤 문제에 대하여 서로 의견을 내어 토의함. 또는 그런 토의.'를 의미하는 한자어이다. ㉠은 통일을 위해 서로 의견을 내어 토의한다는 의미이므로 '논의'가 적절하다. 또 ㉡은 양측의 입장이 달라 서로 다른 주장을 내며 다툰다는 의미이므로 '논란'이 적절하다.

04 ㉠ — 대개, ㉡ — 대강

✅ **정답 풀이** '대강(큰 大 벼리 綱)'은 '자세하지 않게 기본적인 부분만 들어 보이는 정도로.'를 의미하는 한자어이고, '대개(큰 大 대개 槪)'는 '일반적인 경우에.'를 의미하는 한자어이다. ㉠은 모내기는 일반적으로 5월에 한다는 의미이므로 '대개'가 적절하다. 또 ㉡은 시간이 없어 일을 기본적인 부분만 들어 보이는 정도로 마무리했다는 의미이므로 '대강'이 적절하다.

05 도탄

✅ **정답 풀이** '도탄(칠할 塗 숯 炭)'은 '진구렁에 빠지고 숯불에 탄다는 뜻으로, 몹시 곤궁하여 고통스러운 지경.'을 이르는 한자어이다. 제시된 예문은 관리들이 세금을 수탈하여 백성들이 몹시 곤궁하여 고통스러운 지경에 이르렀다는 의미이므로 '도탄'이 적절하다.

06 내심

✅ **정답 풀이** '내심(안 內 마음 心)'은 '속마음.'을 의미하는 한자어이다. 제시된 예문은 그의 패배 소식에 속으로 만족스럽게 여겼다는 의미이므로, '내심'이 적절하다.

> **어·휘·력 Up** '안 내(內)'와 '바깥 외(外)'가 사용된 한자어
> • **내심(안 內 마음 心)**: 속마음.
> • **외심(바깥 外 마음 心)**: 딴마음.
> • **내전(안 內 전각 殿)**: 왕비가 거처하던 궁전.
> • **외전(바깥 外 전각 殿)**: 임금이 거처하는 전각(殿閣).
> • **내외(안 內 바깥 外)**
> ┌ 1. 남자와 여자. 또는 그 차이.
> │ 2. 남의 남녀 사이에 서로 얼굴을 마주 대하지 않고 피함.
> └ 3. 부부(夫婦).
> • **외유내강(바깥 外 부드러울 柔 안 內 굳셀 剛)**: 겉으로는 부드럽고 순하게 보이나 속은 곧고 굳셈.

07 답보

✅ **정답 풀이** '답보(밟을 踏 걸음 步)'는 '제자리걸음. 상태가 나아가지 못하고 한 자리에 머무르는 일. 또는 그런 상태.'를 의미하는 한자어이다. 제시된 예문은 우리나라 현재 교육 여건이 한 자리에 머무르는 상태라는 의미이므로 '답보'가 적절하다.

08 강단

✅ **정답 풀이** '강단(굳셀 剛 끊을 斷)'은 '굳세고 꿋꿋하게 견디어 내는 힘.'을 의미하는 한자어이다. 제시된 예문은 어머니들이 어려운 시절을 꿋꿋하게 견뎌 왔다는 의미이므로 '강단'이 적절하다.

09 노구

✅ **정답 풀이** '노구(늙을 老 몸 軀)'는 '늙은 몸.'을 의미하는 한자어이다. 제시된 예문은 나이가 많아 산을 오르기 어렵다는 의미이므로 '노구'가 적절하다.

10 ① 도래

✅ **정답 풀이** '도래(이를 到 올 來)'는 '어떤 시기나 기회가 닥쳐옴.'을 의미하는 한자어이다.

❌ **오답 풀이** ② 도용(盜用): 남의 물건이나 명의를 몰래 씀. 예 명의를 도용하는 것은 범죄 행위이다.
③ 도색(塗色): 색칠. 색깔이 나게 칠을 함. 또는 그 칠. 예 도색

을 한 지가 얼마 되지 않아 아직도 페인트 냄새가 났다.

④ 도전(挑戰): 정면으로 맞서 싸움을 걺. 📖 우승한 선수는 항상 도전자들의 **도전**을 피할 수 없다.

⑤ 도치(倒置): 차례나 위치 따위를 서로 뒤바꿈. 📖 이 시인은 주어와 목적어의 어순을 **도치**하여 자신이 전달하고자 하는 바를 강조하였다.

11 ② 난만

✅정답 풀이 '난만(빛날 爛 흩어질 漫)'은 '꽃이 활짝 많이 피어 화려함.'을 의미하는 한자어이다.

❌오답 풀이 ① 거만(倨慢): 잘난 체하며 남을 업신여기는 데가 있음. 📖 그는 **거만**을 부리던 태도를 바꾸기로 결정했다.

③ 오만(傲慢): 태도나 행동이 건방지거나 거만함. 또는 그 태도나 행동. 📖 그녀는 심한 편견과 **오만**에 악의까지 갖고 있었다.

④ 산만(散漫): '산만하다'의 어근. 어수선하여 질서나 통일성이 없음. 📖 그는 주의가 **산만**하다.

⑤ 방만(放慢): '방만하다'의 어근. 맺고 끊는 데가 없이 제멋대로 풀어져 있음. 📖 이 회사가 엄청난 규모의 적자에 시달리게 된 것은 **방만**한 경영 때문이다.

12 ② 고락

✅정답 풀이 '고락(쓸 苦 즐길 樂)'은 '괴로움과 즐거움.'을 아울러 이르는 한자어이다.

❌오답 풀이 ① 격락(激落): 급격하게 뚝 떨어짐. 📖 주가의 **격락**이 심상치 않다.

③ 타락(墮落): 올바른 길에서 벗어나 잘못된 길로 빠지는 일. 📖 그는 그 사건 이후로 **타락**의 길을 걷게 되었다.

④ 퇴락(頹落): 낡아서 무너지고 떨어짐. 📖 그 집은 버려져 있어서 **퇴락**의 빛이 감돈다.

⑤ 행락(行樂): 재미있게 놀고 즐겁게 지냄. 📖 그는 한여름은 **행락**의 시기라고 생각했다.

13 ① 견문

✅정답 풀이 '견문(볼 見 들을 聞)'은 '보고 들음. 보거나 듣거나 하여 깨달아 얻은 지식.'을 의미하는 한자어이다.

❌오답 풀이 ② 견인(牽引): 끌어서 당김. 📖 고장 차량의 **견인**이 신속하게 이루어졌다.

③ 견장(肩章): 군인, 경찰관 등이 제복의 어깨에 붙이는, 직위나 계급을 밝히는 표장. 📖 그녀는 경찰 시험에 합격한 이후 처음으로 **견장**을 달았다.

④ 견지(堅持): 어떤 견해나 입장 따위를 굳게 지니거나 지킴. 📖 사람은 신념을 **견지**하는 자세를 갖고 살아가야 한다.

⑤ 견책(譴責): 허물이나 잘못을 꾸짖고 나무람. 📖 지각을 하는 바람에 상사에게 **견책**을 당했다.

14 ① 냉각

✅정답 풀이 '냉각(찰 冷 물리칠 却)'은 '애정, 정열, 흥분 따위의

기분이 가라앉음. 또는 가라앉힘.'을 의미하는 한자어이다.

❌오답 풀이 ② 냉담(冷淡): 태도나 마음씨가 동정심 없이 차가움. 📖 그는 그녀의 **냉담**과 무관심을 서운하게 느꼈다.

③ 냉대(冷待): 푸대접. 📖 그는 거짓말을 한 죄로 사람들의 **냉대**를 견뎌 내야 했다.

④ 냉방(冷房): 실내의 온도를 낮춰 차게 하는 일. 📖 건물 내부는 정전 사고로 **냉방**이 되지 않는다.

⑤ 냉엄(冷嚴): '냉엄하다'의 어근. 태도나 행동이 냉정하고 엄함. 📖 그의 표정이 갑자기 **냉엄**하게 굳어졌다.

15 ③ 단절하고

✅정답 풀이 '단절(끊을 斷 끊을 絕)하다'는 '유대나 연관 관계를 끊다.'를 의미한다. 제시된 예문은 '그는 세상과 인연을 **단절**하고 산속으로 들어갔다.'로 바꾸어 쓸 수 있다.

❌오답 풀이 ① 거절(拒絕)하다: 상대편의 요구, 제안, 선물, 부탁 따위를 받아들이지 않고 물리치다. 📖 그는 나의 간곡한 부탁을 딱 잘라 **거절**했다.

② 곡절(曲節)하다: 절개를 꺾다. 📖 그녀는 온갖 시련과 유혹 속에서도 결코 **곡절**하지 않았다.

④ 요절(夭折)하다: 젊은 나이에 죽다. 📖 그는 안타깝게도 교통사고로 30세에 **요절**하였다.

⑤ 훼절(毁節)하다: 절개나 지조를 깨뜨리다. 📖 믿었던 사람들이 차례로 **훼절**해 버렸다.

16 ② 개정해서라도

✅정답 풀이 '개정(고칠 改 바를 正)하다'는 '주로 문서의 내용 따위를 고쳐 바르게 하다.'를 의미한다. 제시된 예문은 '법률을 **개정**해서라도 이 문제를 해결해야 한다.'로 바꾸어 쓸 수 있다.

❌오답 풀이 ① 가정(假定)하다: 사실이 아니거나 또는 사실인지 아닌지 분명하지 않은 것을 임시로 인정하다. 📖 최악의 상황을 **가정**하고 대책을 세우자.

③ 단정(斷定)하다: 딱 잘라서 판단하고 결정하다. 📖 한쪽의 진술만 듣고 **단정**하는 것은 부당하다.

④ 선정(選定)하다: 여럿 가운데서 어떤 것을 뽑아 정하다. 📖 기자단은 김 선수를 이달의 선수로 **선정**하였다.

⑤ 판정(判定)하다: 판별하여 결정하다. 📖 재판부는 피고를 무죄로 **판정**하였다.

17 ① 경유하여

✅정답 풀이 '경유(지날 經 말미암을 由)하다'는 '어떤 곳을 거쳐 지나다.'를 의미한다. 제시된 예문은 '우리는 일본을 **경유**하여 어제 서울에 도착했다.'로 바꾸어 쓸 수 있다.

❌오답 풀이 ② 소통(疏通)하다: 막히지 아니하고 잘 통하다. 📖 교통경찰은 차량들이 잘 **소통**하도록 신호를 했다.

③ 이수(履修)하다: 해당 학과를 순서대로 공부하여 마치다. 📖 그 친구는 교직 과목을 **이수**하였다.

④ 활강(滑降)하다: 비탈진 곳을 미끄러져 내려오거나 내려가다.

@ 그 선수는 경사진 눈밭을 아슬아슬하게 **활강하였다**.

⑤ 회전(回轉)하다: 어떤 것을 축으로 물체 자체가 빙빙 돌다.
@ 프로펠러가 **회전하면서** 바람을 일으켰다.

18 ① 경감될

✓ 정답 풀이) '경감(가벼울 輕 덜 減)되다'는 '부담이나 고통 따위가 줄어서 가볍게 되다.'를 의미한다. 제시된 예문은 '직원들의 노력에도 회사의 손익이 계속 **경감될** 뿐이다.'로 바꾸어 쓸 수 있다.

✗ 오답 풀이) ② 경시(輕視)되다: 대수롭지 않게 보이거나 업신여김을 당하다. @ 예술 활동에서 상상력이 **경시되어서는** 안 된다.
③ 경직(硬直)되다: 몸 따위가 굳어서 뻣뻣하게 되다. @ 몸이 뻣뻣하게 **경직되었다**.
④ 경질(更迭)되다: 어떤 직위에 있는 사람이 다른 사람으로 바뀌다. @ 이번의 사고에 대한 책임을 지우기 위해 김 감독이 **경질되었다**.
⑤ 경화(硬化)되다: 물건이나 몸의 조직 따위가 단단하게 굳어지다. @ 갑자기 근육이 **경화되었다**.

19 ③ 등한시한다면

✓ 정답 풀이) '등한시(무리 等 한가할 閑 볼 視)하다'는 '소홀하게 보아 넘기다.'를 의미한다. 제시된 예문은 '훌륭한 작품은 어느 한 요소라도 **등한시한다면** 만들어지기 어렵다.'로 바꾸어 쓸 수 있다.

✗ 오답 풀이) ① 멸시(蔑視)하다: 업신여기거나 하찮게 여겨 깔보다. @ 근거도 없이 남을 **멸시하는** 것은 결국 자신을 **멸시하는** 행위.
② 천시(賤視)하다: 업신여겨 낮게 보거나 천하게 여기다. @ 육체를 정신보다 **천시하는** 잘못된 풍조를 고치자.
④ 문제시(問題視)하다: 논의하거나 해결해야 할 문제의 대상으로 삼다. @ 치욕에 비할 것 같으면, 죽음 따위는 **문제시할** 것이 못 된다.
⑤ 이단시(異端視)하다: 어떤 사상이나 학설, 종교 따위를 이단으로 보다. @ 그 사람들은 극소수의 주장을 **이단시했다**.

20 ①

✓ 정답 풀이) '개연성(덮을 蓋 그러할 然 성품 性)'은 '절대적으로 확실하지 않으나 아마 그럴 것이라고 생각되는 성질.'을 의미하는 한자어이다. '사물의 관련이나 일의 결과가 반드시 그렇게 될 수밖에 없는 성질.'은 '필연성(반드시 必 그러할 然 성품 性)'의 의미이다.
@ 오류 발생의 **개연성**이 크다.
@ 김 교수는 사건의 **필연성**을 강조했다.

✗ 오답 풀이) ② 대표성(代表性): 어떤 조직이나 대표단 따위를 대표하는 성질이나 특성. @ 그 사업은 우리 회사의 **대표성**을 띠고 있다.
③ 연관성(聯關性): 사물이나 현상이 일정한 관계를 맺는 특성이나 성질. @ 학문과 실천은 서로 뗄 수 없는 **연관성**을 갖는다.

④ 유연성(柔軟性): 딱딱하지 아니하고 부드러운 성질. 또는 그런 정도. @ **유연성**을 키우기 위해서는 꾸준하게 운동을 해야 한다.
⑤ 형평성(衡平性): 형평(균형이 맞음. 또는 그런 상태.)을 이루는 성질. @ **형평성**을 고려하여 복지 정책을 수립해야 한다.

21 ⑤

✓ 정답 풀이) '교섭(사귈 交 건널 涉)'은 '어떤 일을 이루기 위하여 서로 의논하고 절충함.'을 의미하는 한자어이다. 제시된 예문에서는 다른 사람의 사생활에 끼어드는 상황을 가정하고 있으므로, '교섭'은 적절하지 않다. '직접 관계가 없는 남의 일에 부당하게 참견함.'을 의미하는 '간섭(방패 干 건널 涉)'이 적절하다.
@ 파업 직전에 노사 **교섭**이 타결되었다.

✗ 오답 풀이) ① 흉흉(洶洶): '흉흉하다'의 어근, 분위기가 술렁술렁하여 매우 어수선하다.
② 낭랑(朗朗): '낭랑하다'의 어근. 소리가 맑고 또랑또랑하다.
③ 세태(世態): 사람들의 일상생활, 풍습 따위에서 보이는 세상의 상태나 형편.
④ 최면(催眠): 암시에 의하여 인위적으로 이끌어 낸, 잠에 가까운 상태.

어·휘·력 Up 같은 한자가 반복되는 어휘

- 고고(높을 高 높을 高)하다: 매우 높다.
- 미미(작을 微 작을 微)하다: 보잘것없이 아주 작다.
- 담담(맑을 淡 맑을 淡)하다: 차분하고 평온하다.
- 소소(작을 小 작을 小)하다: 작고 대수롭지 아니하다.

6일차 한자어 ③

01 ㉡ 고갈

✓ 정답 풀이) '고갈(마를 枯 목마를 渴)'은 '물이 말라서 없어짐.'을 의미하는 한자어이다. 제시된 예문은 식수가 없어져 어려움을 겪는다는 의미이므로 '고갈'이 적절하다.

02 ㉣ 납품

✓ 정답 풀이) '납품(들일 納 물건 品)'은 '계약한 곳에 주문받은 물품을 가져다 줌. 또는 그 물품.'을 의미하는 한자어이다. 제시된 예문은 주문 받은 물품을 제때에 가져다주지 못하고 있다는 의미이므로 '납품'이 적절하다.

03 ㉢ 기여

✓ 정답 풀이) '기여(부칠 寄 줄 與)'는 '도움이 되도록 이바지함.'을 의미하는 한자어이다. 제시된 예문은 그가 승리에 도움이 되도록 이바지한다는 의미이므로 '기여'가 적절하다.

04 ⓒ 동향

✅정답풀이 '동향(움직일 動 향할 向)'은 '사람들의 사고, 사상, 활동이나 일의 형세 따위가 움직여 가는 방향.'을 의미하는 한자어이다. 제시된 예문은 여당이 선거를 앞두고 여론이 움직여 가는 방향을 파악하고 있다는 의미이므로 '동향'이 적절하다.

05 ⓜ 나태

✅정답풀이 '나태(게으를 懶 게으를 怠)'는 '행동, 성격 따위가 느리고 게으름.'을 의미하는 한자어이다. 제시된 예문은 그가 좋지 않은 버릇과 게으름에 빠져 있었다는 의미이므로 '나태'가 적절하다.

> **어·휘·력 Up** '게으름'과 관련된 한자어
> • 나태(게으를 懶 게으를 怠): 행동, 성격 따위가 느리고 게으름.
> • 태만(게으를 怠 거만할 慢): 열심히 하려는 마음이 없고 게으름.

06 단면

✅정답풀이 '단면(끊을 斷 낯 面)'은 「1」물체의 잘라 낸 면, 「2」사물이나 사건의 여러 현상 가운데 한 부분적인 측면.'을 의미하는 한자어이다. 첫 번째 예문은 나무의 잘라낸 면에 나이테가 있다는 의미이므로 「1」의 의미인 '단면'이 들어가는 것이 적절하다. 두 번째 예문은 사회의 어두운 측면을 보면 마음이 아프다는 의미이므로 「2」의 의미인 '단면'이 들어가는 것이 적절하다.

07 담화

✅정답풀이 '담화(말씀 談 말할 話)'는 「1」서로 이야기를 주고받음, 「2」한 단체나 공적인 자리에 있는 사람이 어떤 문제에 대한 견해나 태도를 밝히는 말.'을 의미하는 한자어이다. 첫 번째 예문은 밤늦도록 그들이 이야기를 주고받았다는 의미이므로 「1」의 의미인 '담화'가 들어가는 것이 적절하다. 두 번째 예문은 내일 대통령의 견해나 태도가 발표될 예정이라는 의미이므로 「2」의 의미인 '담화'가 들어가는 것이 적절하다.

08 내부

✅정답풀이 '내부(안 內 거느릴 部)'는 「1」안쪽의 부분, 「2」어떤 조직에 속하는 범위의 안.'을 의미하는 한자어이다. 첫 번째 예문은 방의 안쪽의 부분이 들여다보인다는 의미이므로 「1」의 의미인 '내부'가 들어가는 것이 적절하다. 두 번째 예문은 개혁이 성공하려면 조직에 속하는 범위의 안에서부터 동의를 얻어야 한다는 의미이므로 「2」의 의미인 '내부'가 들어가는 것이 적절하다.

09 공갈

✅정답풀이 '공갈(두려울 恐 꾸짖을 喝)'은 「1」공포를 느끼도록 억박지르며 을러댐, 「2」거짓말을 속되게 이르는 말.'을 의미하는 한자어이다. 첫 번째 예문은 그가 그녀의 이야기를 전부 거짓말이라고 느꼈다는 의미이므로 「2」의 의미인 '공갈'이 들어가는

것이 적절하다. 두 번째 예문은 불합리하게 윽박지르며 을러대거나 협박하는 것에 굴복하지 않겠다는 의미이므로 「1」의 의미인 '공갈'이 들어가는 것이 적절하다.

10 경계

✅정답풀이 '경계(경계할 警 경계할 戒)'는 「1」뜻밖의 사고가 생기지 않도록 조심하여 단속함, 「2」옳지 않은 일이나 잘못된 일들을 하지 않도록 타일러서 주의하게 함.'을 의미하는 한자어이다. 첫 번째 예문은 교통사고를 예방하기 위해 조심하여 단속해야 한다는 의미이므로 「1」의 의미인 '경계'가 들어가는 것이 적절하다. 두 번째 예문은 실패한 이야기를 통해 잘못된 일들을 하지 않도록 타일러 주의하게 한다는 의미이므로 「2」의 의미인 '경계'가 들어가는 것이 적절하다.

11 ① 걸작

✅정답풀이 '걸작(뛰어날 傑 지을 作)'은 '매우 훌륭한 작품.'을 의미하는 한자어이다.

❌오답풀이 ② 대작(代作): 남을 대신하여 작품을 만듦. 또는 그런 작품. 예 최근 유명 화가의 작품이 대작이라는 논란이 제기되었다.
③ 습작(習作): 시, 소설, 그림 따위의 작법이나 기법을 익히기 위하여 연습 삼아 짓거나 그려 봄. 또는 그런 작품. 예 등단하기 전에 충분한 습작 기간을 가져야 한다.
④ 위작(僞作): 다른 사람의 작품을 흉내 내어 비슷하게 만드는 일. 또는 그 작품. 예 유명 화가의 작품으로 알려졌던 이 그림은 위작으로 판명났다.
⑤ 졸작(拙作): 솜씨가 서투르고 보잘것없는 작품. 예 지금까지 우리가 만든 작품은 모두 졸작이었다.

12 ⑤ 내홍

✅정답풀이 '내홍(안 內 어지러울 訌)'은 '집단이나 조직의 내부에서 자기들끼리 일으킨 분쟁.'을 의미하는 한자어이다.

❌오답풀이 ① 내공(內功): 오랜 기간의 경험을 통해 쌓은 능력. 예 이제는 내공이 쌓여 웬만한 일에는 흔들리지 않는다.
② 내사(內査): 겉으로 드러나지 아니하게 몰래 조사함. 예 경찰이 용의자들을 대상으로 은밀하게 내사에 들어갔다.
③ 내정(內定): 정식 발표가 나기 전에 이미 내부적으로 인사를 정함. 예 김 의원은 상임 위원장 내정에서 밀렸다.
④ 내외(內外): 안과 밖을 아울러 이르는 말. 예 조선의 독립을 내외에 널리 선포하다.

13 ④ 갈채

✅정답풀이 '갈채(꾸짖을 喝 캘 采)'는 '외침이나 박수 따위로 찬양이나 환영의 뜻을 나타냄.'을 의미하는 한자어이다.

❌오답풀이 ① 갈구(渴求): 간절히 바라며 구함. 예 나는 지적인 것에 대한 갈구가 있다.
② 갈등(葛藤): 칡과 등나무가 서로 얽히는 것과 같이, 개인이나

집단 사이에 목표나 이해관계가 달라 서로 적대시하거나 충돌함. 또는 그런 상태. 예 그 회사는 노사 간의 **갈등**이 심각한 상황이다.
③ 갈증(渴症): 목이 말라 물을 마시고 싶은 느낌. 예 **갈증**을 달래느라고 침을 삼키곤 했다.
⑤ 갈취(喝取): 남의 것을 강제로 빼앗음. 예 퇴근길에 강도에게 **갈취**를 당했다.

14 ① 대갈

✅ 정답 풀이 '대갈(큰 大 꾸짖을 喝)'은 '가슴속에서부터 터져 나오는 듯한 큰 소리로 외쳐서 꾸짖음.'을 의미하는 한자어이다.
❌ 오답 풀이 ② 대경(大驚): 크게 놀람. 예 그의 말에 **대경**을 금할 수 없었다.
③ 대곡(大哭): 큰 소리를 내어 곡함. 또는 큰 소리로 슬프게 욺. 예 갑작스러운 그의 죽음에 모두가 **대곡**을 하였다.
④ 대명(大名): 널리 소문난 훌륭한 이름이라는 뜻으로, 남의 이름을 높여 이르는 말. 예 당신의 **대명**을 진작부터 듣고 있었습니다.
⑤ 대지(大地): 대자연의 넓고 큰 땅. 예 **대지**가 봄비에 촉촉이 젖는다.

15 ① 고립

✅ 정답 풀이 '고립(외로울 孤 설 立)'은 '다른 사람과 어울리어 사귀지 아니하거나 도움을 받지 못하여 외톨이로 됨.'을 의미하는 한자어이다.
❌ 오답 풀이 ② 기립(起立): 일어나서 섬. 예 모두가 **기립** 박수를 쳤다.
③ 대립(對立): 의견이나 처지, 속성 따위가 서로 반대되거나 모순됨. 또는 그런 관계. 예 주차장 건설에 대해 각 동 사람들은 의견의 **대립**을 보였다.
④ 성립(成立): 일이나 관계 따위가 제대로 이루어짐. '이루어짐'으로 순화. 예 휴전 **성립** 후에 친구의 편지가 날아왔다.
⑤ 조립(組立): 여러 부품을 하나의 구조물로 짜 맞춤. 또는 그런 것. '짜기', '짜 맞추기'로 순화. 예 자동차 **조립** 공장에 견학을 가기로 했다.

16 ③ 과자

✅ 정답 풀이 '과자(과자 菓 아들 子)'는 '밀가루나 쌀가루 등에 설탕, 우유 따위를 섞어 굽거나 기름에 튀겨서 만든 음식.'을 의미하는 한자어이다.
예 내 동생은 소풍을 간다고 **과자**를 가방 가득 채웠다.
❌ 오답 풀이 ① 갈비: 소나 돼지, 닭 따위의 가슴통을 이루는 좌우 열두 개의 굽은 뼈와 살을 식용으로 이르는 말. 예 오늘 저녁으로 **갈비**나 좀 뜯는 게 어때?
② 곰국: 소의 뼈나 양(胖, 소의 위를 고기로 이르는 말), 곱창, 양지머리 따위의 국거리를 넣고 진하게 푹 고아서 끓인 국. 예 나는 3시간 동안이나 **곰국**을 끓이고 있었다.
④ 나물: 사람이 먹을 수 있는 풀이나 나뭇잎 따위를 삶거나 볶거나 또는 날것으로 양념하여 무친 음식. 예 정월 대보름에는 오

곡밥과 아홉 가지 **나물**을 먹는다.
⑤ 찌개: 뚝배기나 작은 냄비에 국물을 바특하게 잡아 고기·채소·두부 따위를 넣고, 간장·된장·고추장·젓국 따위를 쳐서 갖은 양념을 하여 끓인 반찬. 예 나는 입맛이 없으면 **찌개**에 밥을 비벼 먹는다.

17 ② 기린

✅ 정답 풀이 '기린(기린 麒 기린 麟)'은 '키는 6미터 정도로 포유류 가운데 가장 크며, 누런 흰색에 갈색의 얼룩점이 있는 기린과의 포유류.'를 의미하는 한자어이다.
예 **기린**은 목이 길다.
❌ 오답 풀이 ① 고래: 포유강 고래목의 동물을 통틀어 이르는 말. 예 **고래**는 포유류이다.
③ 사슴: 사슴과에 속하는 포유류를 통틀어 이르는 말. 예 숲에서 **사슴**이 껑충껑충 뛰어다닌다.
④ 염소: 솟과의 동물. 예 어제 **염소** 고기를 처음으로 먹어 보았다.
⑤ 지네: 지네강의 절지동물을 통틀어 이르는 말. 예 **지네**를 약으로 먹는 사람도 있다.

18 ② 동전

✅ 정답 풀이 '동전(구리 銅 돈 錢)'은 '구리·은·니켈 또는 이들의 합금 따위로 만든, 동그랗게 생긴 모든 돈.'을 통틀어 이르는 한자어이다.
예 **동전**을 모아 불우이웃 돕기 성금을 냈다.
❌ 오답 풀이 ① 그네: 민속놀이의 하나. 또는 그 놀이 기구. 예 아이들이 **그네**를 뛰며 즐겁게 놀고 있다.
③ 이불: 잘 때 몸을 덮기 위하여 피륙 같은 것으로 만든 침구의 하나. 예 그것은 따뜻한 **이불** 같았다.
④ 치마: 허리부터 다리 부분까지 하나로 이어져 가랑이가 없는 아래옷. 예 교복 **치마**가 그새 작아졌다.
⑤ 팔찌: 팔목에 끼는, 금·은·옥·백금·구리 따위로 만든 고리 모양의 장식품. 예 그녀는 은으로 만든 **팔찌**를 찼다.

19 ① 김치

✅ 정답 풀이 '김치'는 '소금에 절인 배추나 무 따위를 고춧가루, 파, 마늘 따위의 양념에 버무린 뒤 발효를 시킨 음식.'을 의미하는 고유어이다.
예 **김치**는 한국을 대표하는 음식이다.
❌ 오답 풀이 ② 냉채(冷菜): 차게 만들어 먹는 채. 주로 전복, 해삼, 닭고기 따위에 오이, 동아, 배추 따위의 채소를 잘게 썰어 섞고 얼음을 넣어 만든다. 예 요즘에는 족발도 **냉채**로 만들어 먹는다.
③ 산적(散炙): 쇠고기 따위를 길쭉길쭉하게 썰어 갖은 양념을 하여 대꼬챙이에 꿰어 구운 음식. 예 잔칫날이나 제삿날에는 꼭 **산적**을 부친다.
④ 우유(牛乳): 소의 젖. 예 그는 **우유**와 빵으로 아침 식사를 했다.
⑤ 잡채(雜菜): 여러 가지 채소와 고기붙이를 잘게 썰어 볶은 것

에 삶은 당면을 넣고 버무린 음식. 예 남은 **잡채**에 식은 밥을 볶아 먹었다.

20 ① 까치

✅ 정답 풀이 '까치'는 '까마귓과의 새.'를 의미하는 고유어이다.
예 지붕 위에 **까치**가 앉아 있었다.

❌ 오답 풀이 ② 낙타(駱駝): 낙타과 낙타속의 짐승을 통틀어 이르는 말. 예 사막에서는 **낙타**가 주된 이동 수단이다.
③ 사자(獅子): 고양잇과의 포유류. 예 동물원에 가서 꼭 **사자**를 보고 싶다.
④ 수달(水獺): 족제빗과의 포유류. 예 저 **수달**이 몹시 귀엽지 않니?
⑤ 하마(河馬): 하마과의 하나. 예 **하마**는 사하라 사막 이남에 분포한다.

21 ① 골무

✅ 정답 풀이 '골무'는 '바느질할 때 바늘귀를 밀기 위하여 손가락에 끼는 도구.'를 의미하는 고유어이다.
예 **골무**를 끼고 바느질을 한다.

❌ 오답 풀이 ② 난로(暖爐): 난방 장치의 하나. 나무, 석탄, 석유, 가스 따위의 연료를 때거나 전기를 이용하여 열을 내어 방 안의 온도를 올리는 기구. 예 날이 추우니 **난로**에 불을 지피자.
③ 의자(倚子): 앉을 때에, 벽에 세워 놓고 등을 기대는 기구. 예 **의자**에 앉을 때는 등받이에 등을 밀착하는 것이 좋다.
④ 필통(筆筒): 붓이나 필기구 따위를 꽂아 두는 통. 예 **필통**에서 연필을 꺼냈다.
⑤ 철사(鐵絲): 쇠로 만든 가는 줄. 예 그는 **철사** 그물을 절단기로 자르기 시작했다.

22 ②

✅ 정답 풀이 '과용(지날 過 쓸 用)'은 '정도에 지나치게 씀. 또는 그런 비용.'을 의미하는 한자어이다. '잘못 사용함.'은 '오용(그릇칠 誤 쓸 用)'의 의미이다.
예 우리 형편에 집을 산다는 것은 **과용**이다.
예 약물 **오용**으로 부작용이 생겼다.

❌ 오답 풀이 ① 관건(關鍵): 어떤 사물이나 문제 해결의 가장 중요한 부분. 예 문제 해결의 **관건**을 쥐다.
③ 침해(侵害): 침범하여 해를 끼침. 예 고층 건물들이 늘어나면서 사람들 사이에 일조권 **침해** 문제가 자주 발생한다.
④ 폐해(弊害): 폐단으로 생기는 해. 예 국가적 사업을 가로막는 단체 행동의 **폐해**는 이루 말할 수 없다.
⑤ 획정(劃定): 경계 따위를 명확히 구별하여 정함. 예 국회에서 선거구 **획정**을 논의 중이다.

23 ③

✅ 정답 풀이 '미시적(작을 微 볼 視 과녁 的)'은 '사물이나 현상을 전체적인 면에서가 아니라 개별적으로 포착하여 분석하는. 또는 그런 것.'을 의미하는 한자어이다. 제시된 예문은 눈앞의 일만 보지 말고 큰 안목을 가져야 한다는 의미이므로, '미시적'은 적절하지 않다. '사물이나 현상을 전체적으로 분석·파악하는. 또는 그런 것.'을 의미하는 '거시적(클 巨 볼 視 과녁 的)'을 활용하는 것이 적절하다.
예 실패의 원인은 우선 **미시적**으로 분석해야 한다.

❌ 오답 풀이 ① 가급적(可及的): 할 수 있는 것. 또는 형편이 닿는 것.
② 격정적(激情的): 감정이 강렬하고 갑작스러워 누르기 어려운. 또는 그런 것.
④ 능률적(能率的): 능률을 많이 내거나 능률이 많이 나는. 또는 그런 것.
⑤ 다각적(多角的): 여러 방면이나 부문에 걸친. 또는 그런 것. '여러 모', '여러 측면'으로 순화.

7일차 한자어 ④

01 낭패

✅ 정답 풀이 '낭패(이리 狼 낭패할 狽)'는 '계획한 일이 실패로 돌아가거나 기대에 어긋나 매우 딱하게 됨.'을 의미하는 한자어이다. '행패(다닐 行 어그러질 悖)'는 '체면에 어그러지는 난폭한 짓을 버릇없이 함. 또는 그런 언행.'을 의미하는 한자어이다. 제시된 예문은 지갑을 잃어버려 매우 딱하게 되었다는 의미이므로 '낭패'가 적절하다.
예 그는 **행패**를 부리다가 경찰에 붙잡혔다.

02 덕담

✅ 정답 풀이 '좌담(자리 座 말씀 談)'은 '여러 사람이 한자리에 모여 앉아서 어떤 문제에 대하여 의견이나 견문을 나누는 일. 또는 그런 이야기.'를 의미하는 한자어이다. '덕담(덕 德 말씀 談)'은 '남이 잘되기를 비는 말. 주로 새해에 많이 나누는 말.'을 의미하는 한자어이다. 제시된 예문은 설날에는 남이 잘되기를 바라는 말을 나눈다는 의미이므로, '덕담'이 적절하다.
예 오늘 **좌담**의 주제는 한의학의 발전 방향에 관한 것이다.

03 낙인

✅ 정답 풀이 '낙인(지질 烙 도장 印)'은 '다시 씻기 어려운 불명예스럽고 욕된 판정이나 평판.'을 의미하는 한자어이다. '직인(직책 職 도장 印)'은 '직무상 쓰는 도장.'을 의미하는 한자어이다. 제시된 예문은 그에게는 구두쇠라는 불명예스러운 평판이 붙어 다녔다는 의미이므로, '낙인'이 적절하다.
예 **직인**이 없는 서류는 인정하지 않는다.

04 가입

✓정답 풀이 '가입(더할 加 들 入)'은 '조직이나 단체 따위에 들어감.'을 의미하는 한자어이다. '유입(흐를 流 들 入)'은 '액체나 기체, 열 따위가 어떤 곳으로 흘러듦.'을 의미하는 한자어이다. 제시된 예문은 영화 감상 동아리에 들어가는 것을 신청했다는 의미이므로 '가입'이 적절하다.

예 오염된 지하수의 **유입**을 막기 위해 대책을 마련해야 한다.

05 골몰

✓정답 풀이 '출몰(나올 出 빠질 沒)'은 '어떤 현상이나 대상이 나타났다 사라졌다 함.'을 의미하는 한자어이다. '골몰(골몰할 汨 빠질 沒)'은 '다른 생각을 할 여유도 없이 한 가지 일에만 파묻힘.'을 의미하는 한자어이다. 제시된 예문은 형사가 범죄자를 찾아내는 데에만 파묻혔다는 의미이므로, '골몰'이 적절하다.

예 이 도로에는 고라니나 노루의 **출몰**이 잦다.

06 ㉣ 기대주

✓정답 풀이 '기대주(기약할 期 기다릴 待 그루 株)'는 '장래의 발전을 기대할 만한 인물.'을 비유적으로 이르는 한자어이다. 제시된 예문은 학생이 우리나라 체조에 있어서 앞으로 발전을 기대할 만한 인물이라는 의미이므로 '기대주'가 들어가는 것이 적절하다.

07 ㉤ 등용문

✓정답 풀이 '등용문(오를 登 용 龍 문 門)'은 '용문(龍門)에 오른다는 뜻으로, 어려운 관문을 통과하여 크게 출세하게 됨. 또는 그 관문.'을 의미하는 한자어이다. 제시된 예문은 신춘문예가 젊은 소설가들이 등단하는 기회가 된다는 의미이므로 '등용문'이 들어가는 것이 적절하다.

08 ㉢ 노익장

✓정답 풀이 '노익장(늙을 老 더할 益 장할 壯)'은 '늙었지만 의욕이나 기력은 점점 좋아짐. 또는 그런 상태.'를 의미하는 한자어이다. 제시된 예문은 김 노인이 나이를 많이 먹었음에도 불구하고 의욕이나 기력이 점점 좋아지는 상태에 있다는 의미이므로 '노익장'이 들어가는 것이 적절하다.

> **어·휘·력 Up '늙음(老)'의 긍정적인 의미를 담은 한자어**
> • **노장(늙을 老 장수 將)**: 많은 경험을 쌓아 일에 노련한 사람.
> 예 **노장** 선수들의 노련한 경기 운영 덕분에 이번 경기에서 승리할 수 있었다.
> • **노련(늙을 老 단련할 鍊)하다**: 많은 경험으로 익숙하고 능란하다.
> 예 **노련한** 솜씨
> • **노대(늙을 老 클 大)하다**: 나이가 많고 경험이 풍부하며 권위가 있다.
> 예 김 노인은 그 분야에 있어서 **노대하다고** 평가받고 있다.

09 ㉠ 과반수

✓정답 풀이 '과반수(지날 過 반 半 셀 數)'는 '절반이 넘는 수.'를 의미하는 한자어이다. 제시된 예문은 참석자의 절반 이상이 그 안건에 찬성했다는 의미이므로 '과반수'가 들어가는 것이 적절하다.

10 ㉡ 동장군

✓정답 풀이 '동장군(겨울 冬 장수 將 군사 軍)'은 '겨울 장군이라는 뜻으로, 혹독한 겨울 추위.'를 비유적으로 이르는 한자어이다. 제시된 예문은 혹독한 겨울 추위가 기승을 부리고 있다는 의미이므로 '동장군'이 들어가는 것이 적절하다.

11 ② 기일

✓정답 풀이 '기일(기약할 期 날 日)'은 '정해진 날짜.'를 의미하는 한자어이다.

✗오답 풀이 ① 금일(今日): 오늘. '오늘'로 순화. 예 **금일** 안으로 서류를 작성해야 한다.
③ 매일(每日): 각각의 개별적인 나날. 예 나는 공부로 **매일**을 보내고 있다.
④ 명일(明日): 내일. '내일'로 순화. 예 **명일** 오전 10시에 기념식이 거행된다.
⑤ 연일(連日): 여러 날을 계속함. 예 그 공연은 **연일**로 만원이다.

> **어·휘·력 Up 작(昨)-금(今)-명(明)**
> • **작일(昨日)-금일(今日)-명일(明日)**: 어제-오늘-내일
> • **작주(昨週)-금주(今週)-내주(來週)**: 지난주-이번 주-다음 주
> • **작년(昨年)-금년(今年)-명년(明年)**: 지난해-올해-다음 해
> ※ 참고: 다음 주를 '명주(明週)'라고는 하지 않는다.

12 ④ 낙천

✓정답 풀이 '낙천(떨어질 落 천거할 薦)'은 '후보자의 추천이나 천거에서 떨어짐.'을 의미하는 한자어이다.

✗오답 풀이 ① 낙담(落膽): 너무 놀라 간이 떨어지는 듯하다는 뜻으로, 바라던 일이 뜻대로 되지 않아 마음이 몹시 상함. 예 시험에 떨어진 이후 **낙담**과 실의의 나날을 보내고 있다.
② 낙제(落第): 진학 또는 진급을 못 함. 예 그 친구는 한 해 **낙제**를 했다.
③ 낙찰(落札): 경매나 경쟁 입찰 따위에서 물건이나 일이 어떤 사람이나 업체에 돌아가도록 결정하는 일. 또는 그리하여 어떤 사람이나 업체가 물건이나 일을 받는 일. 예 전기 공사 입찰에서 우리 업체가 **낙찰**을 받았다.
⑤ 낙후(落後): 기술이나 문화, 생활 따위의 수준이 일정한 기준에 미치지 못하고 뒤떨어짐. 예 공업의 **낙후**로 이 지역은 크게 발달하지 못하였다.

13 ② 내막

✓정답 풀이 '내막(안 內 장막 幕)'은 '겉으로 드러나지 아니한 일

의 속 내용.'을 의미하는 한자어이다. 참고로 '내막'은 '속사정'으로 순화하여 사용해야 한다.

❌ **오답 풀이** ① 개막(開幕): 막을 열거나 올린다는 뜻으로, 연극이나 음악회, 행사 따위를 시작함. 📝 위원장이 영화제 **개막**을 선언했다.

③ 서막(序幕): 일의 시작이나 발단. 📝 이번 일은 아직 **서막**에 불과하다.

④ 자막(字幕): 영화나 텔레비전 따위에서, 관객이나 시청자가 읽을 수 있도록 화면에 비추는 글자. 📝 영화의 대사를 **자막**으로 처리하자.

⑤ 장막(帳幕): 한데에서 볕 또는 비바람을 피할 수 있도록 둘러치는 막. 📝 날이 흐리니 바깥에 **장막**을 치는 것이 좋겠다.

14 ⑤ 등재

✅ **정답 풀이** '등재(오를 登 실을 載)'는 '일정한 사항을 장부나 대장에 올림.' 또는 '서적이나 잡지 따위에 실음.'을 의미하는 한자어이다.

❌ **오답 풀이** ① 등극(登極): 어떤 분야에서 가장 높은 자리나 지위에 오름. 📝 그는 챔피언 **등극** 이후에 도전자들의 거센 도전을 여러 차례 물리쳤다.

② 등기(登記): 국가 기관이 법정 절차에 따라 등기부에 부동산에 관한 일정한 권리관계를 적는 일. 또는 적어 놓은 것. 📝 동사무소에 가서 이사갈 집의 **등기**를 뗐다.

③ 등용(登用): 인재를 뽑아서 씀. 뽑아 씀으로 순화. 📝 학벌이나 배경이 **등용**의 수단이 되어서는 안 된다.

④ 등장(登場): 어떤 사건이나 분야에서 새로운 제품이나 현상, 인물 등이 세상에 처음으로 나옴. 📝 새로운 경쟁자가 **등장**하여 순위를 예측할 수 없게 되었다.

15 ① 가관

✅ **정답 풀이** '가관(옳을 可 볼 觀)'은 '꼴이 볼만하다는 뜻으로, 남의 언행이나 어떤 상태를 비웃는 뜻'으로 이르는 한자어이다.

❌ **오답 풀이** ② 경관(景觀): 산이나 들, 강, 바다 따위의 자연이나 지역의 풍경. 📝 울긋불긋하게 물든 설악산의 단풍과 그 주변 **경관**이 매우 수려하다.

③ 방관(傍觀): 어떤 일에 직접 나서서 관여하지 않고 곁에서 보기만 함. 📝 그는 집안이 망해 가는데도 속수무책으로 **방관**만 하고 있다.

④ 외관(外觀): 겉으로 드러난 모양. 📝 그 건물의 **외관**이 무척 아름답다.

⑤ 직관(直觀): 감각, 경험, 연상, 판단, 추리 따위의 사유 작용을 거치지 아니하고 대상을 직접적으로 파악하는 작용. 📝 그녀는 날카로운 **직관**을 가지고 있다.

16 ① 구비한

✅ **정답 풀이** '구비(갖출 具 갖출 備)하다'는 '있어야 할 것을 빠짐

없이 다 갖추다.'를 의미한다. 제시된 예문은 '이곳은 최신 설비를 **구비한** 공장이다.'로 바꾸어 쓸 수 있다.

❌ **오답 풀이** ② 대비(對備)하다: 앞으로 일어날지도 모르는 어떠한 일에 대응하기 위하여 미리 준비하다. 📝 만일의 사태에 **대비해야** 한다.

③ 미비(未備)하다: 아직 다 갖추지 못한 상태에 있다. 📝 이 공장은 아직 시설이 **미비하여** 경쟁력이 떨어진다.

④ 방비(防備)하다: 적의 침입이나 피해를 막기 위하여 미리 지키고 대비하다. 📝 태풍을 **방비할** 시설이 있어야 한다.

⑤ 예비(豫備)하다: 필요할 때 쓰기 위하여 미리 마련하거나 갖추어 놓다. 📝 다가올 시험을 **예비하여** 공부를 하고 있다.

17 ④ 금지해야

✅ **정답 풀이** '금지(금할 禁 그칠 止)하다'는 '법이나 규칙이나 명령 따위로 어떤 행위를 하지 못하도록 하다.'를 의미한다. 제시된 예문은 '외부인의 출입을 **금지해야** 한다.'로 바꾸어 쓸 수 있다.

❌ **오답 풀이** ① 금기(禁忌)하다: 마음에 꺼려서 하지 않거나 피하다. 📝 그 집은 사연이 있어서 육식을 **금기하는** 집안이다.

② 금주(禁酒)하다: 술을 마시던 사람이 술을 먹지 않고 끊다. 📝 그는 건강이 나빠져 이참에 **금주하기로** 결심했다.

③ 금식(禁食)하다: 치료나 종교, 또는 그 밖의 이유로 일정 기간 동안 음식을 먹지 못하게 금해지다. 또는 먹지 않다. 📝 그녀는 건강 검진을 받기 위하여 아침을 **금식했다**.

⑤ 금연(禁煙)하다: 담배를 피우던 사람이 의식적으로 피우지 아니하다. 📝 요즘은 **금연하려는** 사람이 늘어나고 있다.

18 ③ 답사했다.

✅ **정답 풀이** '답사(밟을 踏 조사할 査)하다'는 '현장에 가서 직접 보고 조사하다.'를 의미한다. 제시된 예문은 '우리는 유적을 발굴하기 위해 그곳을 **답사했다**.'로 바꾸어 쓸 수 있다.

❌ **오답 풀이** ① 감사(勘査)하다: 잘 살펴 조사하다. 📝 나는 기업의 부당 행위를 **감사하고** 있다.

② 고사(考査)하다: 자세히 생각하고 조사하다. 📝 공신들은 사관이 역적을 두둔한다고 당시의 사관을 **고사하였다**.

④ 수사(搜査)하다: 범죄의 혐의 유무를 명백히 하여 공소의 제기와 유지 여부를 결정하기 위하여서 범인을 발견·확보하고 증거를 수집·보전하다. 📝 박 형사는 국제적인 밀매 조직에 대하여 **수사하고** 있다.

⑤ 심사(審査)하다: 자세하게 조사하여 등급이나 당락 따위를 결정하다. 📝 접수순으로 **심사한** 끝에 두 명의 우승 후보를 정했다.

19 ② 가치

✅ **정답 풀이** '가치(값 價 값 値)'는 '사물이 지니고 있는 쓸모.'를 의미하는 한자어이다. 제시된 예문은 '젊은 시절을 **가치** 없는 일에 낭비하지 않도록 주의해야 한다.'로 바꾸어 쓸 수 있다.

❌ **오답 풀이** ① 가격(價格): 물건이 지니고 있는 가치를 돈으로 나타낸 것. 📝 새 옷을 저렴한 **가격**으로 샀다.

③ 대금(代金): 물건의 값으로 치르는 돈. 📖 물품 대금으로 백만 원을 지불했다.
④ 액수(額數): 돈의 머릿수. 📖 한 살을 더 먹었다고 용돈 액수가 달라졌다.
⑤ 요금(料金): 남의 힘을 빌리거나 사물을 사용·소비·관람한 대가로 치르는 돈. 📖 택시 요금을 치르고 나니 지갑이 텅 비었다.

20 ⑤

✅ 정답 풀이 '구제(구원할 救 건널 濟)'는 '자연적인 재해나 사회적인 피해를 당하여 어려운 처지에 있는 사람을 도와줌.'을 의미하는 한자어이다. 제시된 예문은 인질범에게서 아이를 구하였다는 의미이므로 '구제'는 적절하지 않다. '위험한 상태에서 구하여 냄.'을 의미하는 한자어인 '구출(구원할 救 나올 出)'이 적절하다.
📖 소비자 피해를 정부가 구제하기로 했다.
❌ 오답 풀이 ① 금방(今方): 방금, 말하고 있는 시점부터 바로 조금 후.
② 구조(救助): 재난 따위를 당하여 어려운 처지에 빠진 사람을 구하여 줌.
③ 구명(救命): 사람의 목숨을 구함.
④ 구원(救援): 어려움이나 위험에 빠진 사람을 구하여 줌.

21 ②

✅ 정답 풀이 '독존적(홀로 獨 높을 尊 과녁 的)'은 '혼자만 높고 귀한. 또는 그런 것.'을 의미하는 한자어이다. 제시된 예문은 그 지역의 자원을 혼자 차지하고 있다는 의미이므로 '독존적'은 적절하지 않다. '물건이나 자리 따위를 독차지하는. 또는 그런 것.'을 의미하는 한자어인 '독점적(홀로 獨 차지할 占 과녁 的)'이 적절하다.
📖 예전에 양반들은 독존적 지위를 누렸다.
❌ 오답 풀이 ① 독자적(獨自的): 남에게 기대지 아니하고 혼자서 하는. 또는 그런 것.
③ 독창적(獨創的): 다른 것을 모방함이 없이 새로운 것을 처음으로 만들어 내거나 생각해 내는. 또는 그런 것.
④ 독선적(獨善的): 자기 혼자만이 옳다고 믿고 행동하는 성향을 가진. 또는 그런 것.
⑤ 독보적(獨步的): 남이 감히 따를 수 없을 정도로 뛰어난. 또는 그런 것.

8일차 한자어 ⑤

01 정렬

✅ 정답 풀이 '결렬(터질 決 찢을 裂)'은 '교섭이나 회의 따위에서 의견이 합쳐지지 않아 각각 갈라서게 됨.'을 의미하는 한자어이

다. '정렬(가지런할 整 벌일 列)'은 '가지런하게 줄지어 늘어섬. 또는 그렇게 늘어서게 함.'을 의미하는 한자어이다. 제시된 예문은 장난감을 가지런하게 늘어서게 세웠다는 의미이므로 '정렬'이 적절하다.
📖 회담의 결렬 소식이 전해지자 모두가 실망하였다.

02 간과

✅ 정답 풀이 '간과(볼 看 지날 過)'는 '큰 관심 없이 대강 보아 넘김.'을 의미하는 한자어이다. '간주(볼 看 지을 做)'는 '상태, 모양, 성질 따위가 그와 같다고 봄. 또는 그렇다고 여김.'을 의미하는 한자어이다. 제시된 예문은 아무리 좋은 일일지라도 그에 따르는 부작용을 큰 관심 없이 대강 보아 넘겨서는 안 된다는 의미이므로 '간과'가 적절하다.
📖 소수의 의견을 대다수의 의견인 것처럼 간주하고 있다.

03 청백리

✅ 정답 풀이 '청백리(맑을 淸 흰 白 벼슬아치 吏)'는 '재물에 대한 욕심이 없이 곧고 깨끗한 관리.'를 의미하는 한자어이다. '청산리(푸를 靑 뫼 山 속 裏)'는 '푸른 산 속.'을 의미하는 한자어이다. 제시된 예문은 그가 대대로 곧고 깨끗한 관리 집안의 자손이라는 의미이므로 '청백리'가 적절하다.
📖 청산리 벽계수야 쉬이 감을 자랑 마라.

04 마모

✅ 정답 풀이 '마모(갈 磨 줄 耗)'는 '마찰 부분이 닳아서 없어짐.'을 의미하는 한자어이다. '소모(사라질 消 줄 耗)'는 '써서 없앰.'을 의미하는 한자어이다. 제시된 예문은 톱니바퀴가 닳아서 없어지는 바람에 기계가 잘 돌아가지 않는다는 의미이므로 '마모'가 적절하다.
📖 그 자동차는 연료 소모가 많다.

05 일면식

✅ 정답 풀이 '일면식(한 一 낯 面 알 識)'은 '서로 한 번 만나 인사나 나눈 정도로 조금 앎.'을 의미하는 한자어이다. '일견식(한 一 볼 見 알 識)'은 '뛰어난 식견.'을 의미하는 한자어이다. 제시된 예문은 그와 나는 오늘 만나기 전까지는 서로 잘 알지 못했다는 의미이므로 '일면식'이 적절하다.
📖 그는 여러 해 동안 공부하여 식물에 대해서라면 일견식이 있다.

06 ㉠ ─ 매장, ㉡ ─ 매립

✅ 정답 풀이 '매립(묻을 埋 설 立)'은 '우묵한 땅이나 하천, 바다 등을 돌이나 흙 따위로 채움.'을 의미하는 한자어이다. '매장(묻을 埋 장사지낼 葬)'은 '시체나 유골 따위를 땅속에 묻음.'을 의미하는 한자어이다. ㉠은 시신을 땅 속에 묻었다는 의미이므로 '매장'이 들어가는 것이 적절하다. ㉡은 호수를 흙으로 채운다는 의미이므로 '매립'이 들어가는 것이 적절하다.

07 ㉠ — 반발, ㉡ — 반박

✅ **정답 풀이** '반발(돌이킬 反 다스릴 撥)'은 '어떤 상태나 행동 따위에 대하여 거스르고 반항함.'을 의미하는 한자어이다. '반박(돌이킬 反 논박할 駁)'은 '어떤 의견, 주장, 논설 따위에 반대하여 말함.'을 의미하는 한자어이다. ㉠은 정책에 대한 국민들의 반항이 심하다는 의미이므로 '반발'이 들어가는 것이 적절하다. ㉡은 그 주장은 반대하여 말할 여지가 없다는 의미이므로 '반박'이 들어가는 것이 적절하다.

08 ㉠ — 차용, ㉡ — 채용

✅ **정답 풀이** '차용(빌릴 借 쓸 用)'은 '돈이나 물건 따위를 빌려서 씀.' 또는 '다른 나라 언어에서 단어, 형태소, 문자나 개별적 표현 따위를 빌려다 씀. 또는 그런 일.'을 의미하는 한자어이다. '채용(캘 採 쓸 用)'은 '사람을 골라서 씀.' 또는 '어떤 의견, 방안 등을 고르거나 받아들여서 씀.'을 의미하는 한자어이다. ㉠은 은행에서 자금을 빌려서 쓴다는 의미이므로 '차용'이 들어가는 것이 적절하다. ㉡은 회사에서 신입 사원을 골라서 쓴다는 의미이므로 '채용'이 들어가는 것이 적절하다.

09 ㉠ — 일체, ㉡ — 일절

✅ **정답 풀이** '일절(한 一 끊을 切)'은 '아주, 전혀, 절대로의 뜻으로, 흔히 행위를 그치게 하거나 어떤 일을 하지 않을 때에 쓰는' 한자어이다. '일체(한 一 온통 切)'는 '모든 것.'을 의미하는 한자어이다. ㉠은 걱정과 근심을 모두 다 털어버리자는 의미이므로 '일체'가 들어가는 것이 적절하다. ㉡은 절대로 출입을 금지한다는 의미이므로 '일절'이 들어가는 것이 적절하다.

10 ㉠ — 소진, ㉡ — 미진

✅ **정답 풀이** '미진(아닐 未 다할 盡)'은 '아직 다하지 못함.'을 의미하는 한자어이다. '소진(사라질 消 다할 盡)'은 '점점 줄어들어 다 없어짐. 또는 다 써서 없앰.'을 의미하는 한자어이다. ㉠은 청소를 하고 나니 힘이 다 없어졌다는 의미이므로 '소진'이 들어가는 것이 적절하다. ㉡은 마음 한 구석에 아직 다하지 못한 것이 남아 있다는 의미이므로 '미진'이 들어가는 것이 적절하다.

11 문외한

✅ **정답 풀이** '문외한(문 門 바깥 外 한수 漢)'은 '어떤 일에 전문적인 지식이 없는 사람.'을 의미하는 한자어이다. 제시된 예문은 내가 그 방면에 지식이 없는 사람이라는 의미이므로 '문외한'이 적절하다.

12 철옹성

✅ **정답 풀이** '철옹성(쇠 鐵 독 甕 성 城)'은 '쇠로 만든 독처럼 튼튼하게 둘러쌓은 산성이라는 뜻으로, 방비나 단결 따위가 견고한 사물이나 상태.'를 의미하는 한자어이다. 제시된 예문은 이

팀의 수비가 견고한 상태라는 의미이므로 '철옹성'이 적절하다.

13 옹고집

✅ **정답 풀이** '옹고집(막을 壅 굳을 固 잡을 執)'은 '억지가 매우 심하여 자기 의견만 내세워 우기는 성미. 또는 그런 사람.'을 의미하는 한자어이다. 제시된 예문은 노인이 나이가 들수록 자기 의견만 내세운다는 의미이므로 '옹고집'이 적절하다.

14 분수령

✅ **정답 풀이** '분수령(나눌 分 물 水 고개 嶺)'은 '어떤 사실이나 사태가 발전하는 전환점 또는 어떤 일이 한 단계에서 전혀 다른 단계로 넘어가는 전환점.'을 의미하는 한자어이다. 제시된 예문은 고등학교 시절이 인생의 전환점이라는 의미이므로 '분수령'이 적절하다.

15 미봉책

✅ **정답 풀이** '미봉책(두루 彌 꿰맬 縫 꾀 策)'은 '눈가림만 하는 일시적인 계책(計策).'을 의미하는 한자어이다. 제시된 예문은 그 방법이 일시적인 계책이라는 의미이므로 '미봉책'이 적절하다.

16 ② 형성

✅ **정답 풀이** '형성(모양 形 이룰 成)'은 '어떤 형상을 이룸.'을 의미하는 한자어이다.

❌ **오답 풀이** ① 형색(形色): 형상과 빛깔을 아울러 이르는 말. 또는 그것을 지닌 사람. 예 형색이 초라한 사람들이 모였다.
③ 형식(形式): 사물이 외부로 나타나 보이는 모양. 예 이번 행사는 형식에만 신경을 많이 썼다.
④ 형용(形容): 사물의 생긴 모양. 예 비행기의 형용을 본뜬 컵을 샀다.
⑤ 형질(形質): 동식물의 모양, 크기, 성질 따위의 고유한 특징. 예 하나의 형질을 결정하는 데 있어서 여러 개의 유전자가 관여할 수도 있다.

17 ① 별개

✅ **정답 풀이** '별개(나눌 別 낱 個)'는 '관련성이 없이 서로 다름.'을 의미하는 한자어이다.

❌ **오답 풀이** ② 별거(別居): 부부나 한집안 식구가 따로 떨어져 삶. 예 김 씨는 부인과의 별거를 선언했다.
③ 별도(別途): 원래의 것에 덧붙여서 추가한 것. 예 손님을 위한 방이 별도로 마련되어 있습니다.
④ 별리(別離): 이별, 서로 갈리어 떨어짐. 예 그와 그녀의 별리를 생각하면 아직도 마음이 아프다.
⑤ 별차(別差): 별다른 차이. 예 두 사람의 영어 실력은 별차를 보이지 않는다.

18 ③ 천명

✅ **정답 풀이** '천명(밝힐 闡 밝을 明)'은 '진리나 사실, 입장 따위

를 드러내어 밝힘.'을 의미하는 한자어이다.

오답 풀이 ① 변명(辨明): 어떤 잘못이나 실수에 대하여 구실을 대며 그 까닭을 말함. 예 그는 잘못을 인정하기보다는 **변명**만 늘어놓았다.

② 증명(證明): 어떤 사항이나 판단 따위에 대하여 그것이 진실인지 아닌지 증거를 들어서 밝힘. 예 과학이 모든 것을 **증명**하지는 못한다.

④ 판명(判明): 어떤 사실을 판단하여 명백하게 밝힘. 예 그 명제는 참으로 **판명**이 났다.

⑤ 해명(解明): 까닭이나 내용을 풀어서 밝힘. 예 나는 그 사건의 담당자에게 **해명**을 요구했다.

19 ③ 습득

정답 풀이 '습득(익힐 習 얻을 得)'은 '학문이나 기술 따위를 배워서 자기 것으로 함.'을 의미하는 한자어이다.

오답 풀이 ① 터득(攄得): 깊이 생각하여 이치를 깨달아 알아냄. 예 자연의 이치 **터득**으로 그는 신선이 된 것 같았다.

② 납득(納得): 다른 사람의 말이나 행동, 형편 따위를 잘 알아서 긍정하고 이해함. 예 그는 가끔 **납득**이 안 가는 행동을 한다.

④ 체득(體得): 몸소 체험하여 알게 됨. 예 머리로만 아는 것보다 실제 경험을 통한 **체득**이 더 중요하다.

⑤ 취득(取得): 자기 것으로 만들어 가짐. 예 최 씨는 오랜 기간 노력한 끝에 학위 **취득**에 성공했다.

20 ④

정답 풀이 '울화(답답할 鬱 불 火)'는 '마음속이 답답하여 일어나는 화.'를 의미하는 한자어이다. '근심스럽거나 답답하여 활기가 없음.'은 '우울(근심 憂 답답할 鬱)'의 의미이다.

예 그는 불쑥 치미는 **울화**를 가라앉히려고 노력했다.

예 그는 요즘 **우울**을 느끼고 있다.

오답 풀이 ① 굴지(屈指): 매우 뛰어나 수많은 가운데서 손꼽힘. 예 내 딸이 미국 **굴지**의 대학에 장학생으로 입학했다.

② 방심(放心): 마음을 다잡지 아니하고 풀어 놓아 버림. 예 적이 우리의 **방심**을 틈타 기습해 올지도 모른다.

③ 생경(生梗): 두 사람 사이에 불화가 생김. 예 그 사건 이후 그와 그녀는 **생경**함을 느꼈다.

⑤ 혜안(慧眼): 사물을 꿰뚫어 보는 안목과 식견. 예 우리 형은 앞날을 내다볼 줄 아는 **혜안**을 갖고 있었다.

21 ⑤

정답 풀이 '현학(자랑할 術 배울 學)'은 '학식이 있음을 자랑하여 뽐냄.'을 의미하는 한자어이다. '학식이 많고 깊은 사람.'은 '석학(클 碩 배울 學)'의 의미이다.

예 그는 짧은 글에서도 **현학**의 태도를 드러내기 일쑤였다.

예 그는 심리학 분야의 최고 **석학**으로 평가받고 있다.

오답 풀이 ① 갹출(醵出): 같은 목적을 위하여 여러 사람이 돈을 나누어 냄. 예 이번 행사 비용은 **갹출**을 하는 것이 어때?

② 남발(濫發): 어떤 말이나 행동 따위를 자꾸 함부로 함. 예 그 친구는 감탄사의 **남발**을 가장 싫어한다.

③ 후천(後天): 성질, 체질, 질환 따위와 관련하여, 태어난 뒤에 여러 가지 경험이나 지식에 의하여 지니게 된 것. 예 그녀는 교통사고 이후 **후천**적인 장애를 갖게 되었다.

④ 잉여(剩餘): 쓰고 난 후 남은 것. 예 **잉여** 농산물을 처리하는 방안에 대해 이야기해 보자.

22 ④

정답 풀이 '탁견(높을 卓 볼 見)'은 '두드러진 의견이나 견해.'를 의미하는 한자어이다. '올바르지 못하고 요사스러운 생각이나 의견.'은 '사견(가사할 邪 볼 見)'의 의미이다.

예 그는 환경 문제에 대해 **탁견**을 가지고 있다.

예 불길한 **사견**이 떠올라 잠을 설쳤다.

오답 풀이 ① 기저(基底): 근저, 사물의 뿌리나 밑바탕이 되는 기초. 예 이 소설은 도교 사상을 **기저**에 깔고 있다.

② 난무(亂舞): 함부로 나서서 마구 날뜀을 비유적으로 이르는 말. 예 무책임한 보도의 **난무**로 언론에 대한 신뢰도가 떨어졌다.

③ 도태(陶汰): 여럿 중에서 불필요하거나 부적당한 것을 줄여 없앰. 예 부실한 기업은 **도태**를 피하기 어렵다.

⑤ 호출(呼出): 전화나 전신 따위의 신호로 상대편을 부르는 일. 예 이 대위는 서 상사가 사령부의 **호출**을 받고 나갔다고 했다.

23 ①

정답 풀이 '결함(이지러질 缺 빠짐 陷)'은 '부족하거나 완전하지 못하여 흠이 되는 부분.'을 의미하는 한자어이다. '다른 것에 비하여 특별히 눈에 뜨이는 점.'은 '특징(특별할 特 부를 徵)'의 의미이다.

예 신체적인 **결함**을 선입견을 갖고 보아서는 안 된다.

예 존댓말의 발달은 우리말의 두드러진 **특징**이다.

오답 풀이 ② 과대(誇大): 작은 것을 큰 것처럼 과장함. 예 그 과자는 **과대** 포장된 것으로 유명하다.

③ 당파(黨派): 주의, 주장, 이해를 같이하는 사람들이 뭉쳐 이룬 단체나 모임. 예 대부분의 **당파**는 권력을 추구한다.

④ 탐닉(耽溺): 어떤 일을 몹시 즐겨서 거기에 빠짐. 예 그는 재물에 대한 **탐닉**으로 친구를 잃었다.

⑤ 폄하(貶下): 가치를 깎아내림. 예 가차 없는 **폄하**를 감수할 것이냐?

적용 **문제**

1 ① 각별한

정답 풀이 '특별(특별할 特 나눌 別)하다'는 '보통과 구별되게 다르다.'를 의미한다. 문맥상 '상대에게 특별한 개인적 선호를 표현하는 행동'은 '상대에게 보통과 구별되게 다른 개인적 선호를 표현하는 행동'을 의미한다. '각별(각각 各 나눌 別)하다'는 '어떤 일에 대한 마음가짐이나 자세 따위가 유달리 특별하.'를 의미하므로, 밑줄 친 부분은 '각별한'으로 바꾸어 쓰는 것이 적절하다.
예 그 친구와 나는 <u>각별한</u> 사이이다.
❌오답풀이 ② 고유(固有)하다: 본래부터 가지고 있어 특유하다. 예 <u>고유한</u> 글을 가진 민족은 세계에서 얼마 안 된다.
③ 독특(獨特)하다: 특별하게 다르다. 예 이 음식에서는 처음 맡아 보는 <u>독특한</u> 냄새가 난다.
④ 상이(相異)하다: 서로 다르다. 예 두 사람은 서로 <u>상이한</u> 의견을 가지고 있었다.
⑤ 특이(特異)하다: 보통 것이나 보통 상태에 비하여 두드러지게 다르다. 예 그녀의 물건에서 <u>특이한</u> 점이 발견되었다.

2 ① 괴리

✅정답풀이 '괴리(어그러질 乖 떠날 離)'는 '서로 어그러져 동떨어짐.'을 의미하는 한자어이다. 문맥상 '벌어져 있는 이 틈'은 현실과 영상 사이의 동떨어짐을 의미하므로, 밑줄 친 부분은 '괴리'와 바꾸어 쓸 수 있다.
예 현실과 이상은 언제나 <u>괴리</u>가 있기 마련이다.
❌오답풀이 ② 단절(斷絶): 유대나 연관 관계를 끊음. 예 바깥세상과의 철저한 <u>단절</u>을 지키기는 매우 어려운 일이다.
③ 상충(相衝): 맞지 아니하고 서로 어긋남. 예 두 나라 간 이해관계의 <u>상충</u>으로 전쟁이 일어났다.
④ 격리(隔離): 다른 것과 통하지 못하게 사이를 막거나 떼어 놓음. 예 그 사람이 사회로부터 <u>격리</u>를 당했다니, 정말 안타깝다.
⑤ 차별(差別): 둘 이상의 대상을 각각 등급이나 수준 따위의 차이를 두어서 구별함. 예 남녀 <u>차별</u>이 없는 평등한 세상을 원한다.

3 ④ 과정

✅정답풀이 '과정(지날 過 단위 程)'은 '일이 되어 가는 경로.'를 의미하는 한자어이다. 문맥상 단백질 합성은 아미노산을 연결하여 긴 사슬을 만드는 경로라는 의미이므로 ㉠에는 '과정'이 들어가는 것이 적절하다. 또 단백질 분해는 아미노산 간의 결합을 끊어 개별 아미노산으로 분리하는 경로라는 의미이므로 ㉡에도 '과정'이 들어가는 것이 적절하다.
❌오답풀이 ① 과락(科落): 어떤 과목의 성적이 합격 기준에 못 미치는 일. 예 그는 한 과목에서 <u>과락</u>이 되어 시험에 떨어졌다.
② 과실(過失): 부주의나 태만 따위에서 비롯된 잘못이나 허물. 예 그는 자기의 <u>과실</u>을 인정하였다.
③ 과오(過誤): 부주의나 태만 따위에서 비롯된 잘못이나 허물. 예 그녀는 순간의 실수로 <u>과오</u>를 저질렀다.
⑤ 과제(課題): 처리하거나 해결해야 할 문제. 예 통일은 꼭 이루어야 할 민족의 <u>과제</u>이다.

4 ②

✅정답풀이 '견고(굳을 堅 굳을 固)하다'는 '굳고 단단하다.'를 의

미한다. 문맥상 낡고 오래된 집을 철거하고 새로운 양옥을 지으려고 하는 상황임을 고려하면 ㉠에는 '견고한'이 들어가는 것이 가장 적절하다.
❌오답풀이 ① 간편(簡便)하다: 간단하고 편리하다. 예 이 제품은 위생적이며 사용이 <u>간편한</u> 것이 특징이다.
③ 팽팽(膨膨)하다: 분위기 따위가 한껏 부풀어 있다. 예 이 조각상은 생동감이 <u>팽팽하게</u> 넘쳐흐른다.
④ 풍요(豐饒)하다: 풍요롭다, 흠뻑 많아서 넉넉함이 있다. 예 가을 산은 나에게 <u>풍요하게</u> 느껴졌다.
⑤ 화려(華麗)하다: 환하게 빛나며 곱고 아름답다. 예 그녀의 <u>화려한</u> 의상에 봄기운이 가득하다.

5 ③

✅정답풀이 '난폭(어지러울 亂 사나울 暴)하다'는 '행동이 몹시 거칠고 사납다.'를 의미한다. '이럴 수도 없고 저럴 수도 없어 처신하기 곤란하다.'는 '난처(어려울 難 곳 處)하다'의 의미이다.
예 그 애는 <u>난처할</u> 때면 뒤통수에 손을 갖다 대곤 했다.
❌오답풀이 ① 회상(回想)하다: 지난 일을 돌이켜 생각한다. 예 나는 침대에 누워 지난 시절을 <u>회상했다</u>.
② 음침(陰沈)하다: 분위기가 어두컴컴하고 스산하다. 예 그 장소는 고대의 동굴 속처럼 <u>음침했다</u>.
④ 숙연(肅然)하다: 고요하고 엄숙하다. 예 그의 열변에 모두가 동감하는지 자리가 <u>숙연했다</u>.
⑤ 의연(毅然)하다: 의지가 굳세어서 끄떡없다. 예 그 애는 온갖 어려움에도 불구하고 늘 <u>의연하게</u> 대처했다.

9일차 한자어 ⑥

01 맥락

✅정답풀이 '맥락(줄기 脈 이을 絡)'은 '사물이 서로 이어져 있는 관계나 연관.'을 의미한다. '계통(맬 系 거느릴 統)'은 '체계에 따라 관련된 부분들의 통일적 조직.'을 의미한다. 제시된 예문은 그 사람이 대화가 이어지는 흐름을 제대로 파악하지 못한다는 의미이므로 '맥락'이 적절하다.
예 그 내과 의사는 소화기 <u>계통</u>을 연구하고 있다.

02 분별

✅정답풀이 '구별(구분할 區 나눌 別)'은 '성질이나 종류에 따라 차이가 남. 또는 성질이나 종류에 따라 갈라놓음.'을 의미한다. '분별(나눌 分 나눌 別)'은 '서로 다른 일이나 사물을 구별하여 가름.' 또는 '세상 물정에 대한 바른 생각이나 판단.'을 의미한다. 제시된 예문은 고등학생은 바른 생각이나 판단을 통해 행동을 해야 한다는 의미이므로 '분별'이 적절하다.
예 명찰 색에 따라 학년을 <u>구별</u>할 수 있다.

어·휘·력 Up '분별(分別)'과 유사한 의미의 한자어

- **식별(알 識 나눌 別):** 분별해 알아봄.
- **변별(분별할 辨 나눌 別):** 옳고 그름이나 좋고 나쁨을 가림.
- **판별(판단할 判 나눌 別):** 시비, 선악을 판단해서 구별함.
- **구별(구분할 區 나눌 別):** 성질이나 종류에 따라 차이가 남.

03 실현

✅ **정답 풀이** '실현(열매 實 나타날 現)'은 '꿈, 기대 따위를 실제로 이룸.'을 의미한다. '단행(끊을 斷 다닐 行)'은 '결단하여 실행함.'을 의미한다. 일반적으로 '실현'은 꿈이나 기대, 희망과 어울려 그것을 이룬다는 의미로 쓰이고, '단행'은 결단이 필요한 일을 마음을 먹고 실행한다는 의미로 쓰인다. 제시된 예문은 공부가 꿈을 이루는 수단이라는 의미이므로 '실현'이 적절하다.

예 총장은 오랜 고민 끝에 구조 개혁을 <u>단행</u>했다.

04 민심

✅ **정답 풀이** '민심(백성 民 마음 心)'은 '백성(국민)의 마음.'을 의미한다. '심정(마음 心 뜻 情)'은 '마음속에 품고 있는 생각과 감정.'을 의미한다. '심정'은 일반적으로 어떤 일을 겪고 난 후의 감정이나 심리 상태를 뜻하는 말로 많이 쓰인다. 제시된 예문은 지도자들이 백성의 마음을 잘 알아야 한다는 의미이므로 '민심'이 적절하다.

예 자식을 멀리 떠나보낸 어미의 <u>심정</u>이다.

어·휘·력 Up '마음'을 나타내는 한자어

- **심성(마음 心 성품 性):** 타고난 마음씨.
- **심리(마음 心 다스릴 理):** 마음의 작용과 의식의 상태.
- **내면(안 內 낯 面):** 밖으로 드러나지 아니하는 사람의 속마음.
- **심중(마음 心 가운데 中):** 마음 속.
- **감정(느낄 感 뜻 情):** 어떤 현상이나 일에 대하여 일어나는 마음이나 느끼는 기분.

05 억압

✅ **정답 풀이** '억압(누를 抑 누를 壓)'은 '자기의 뜻대로 자유로이 행동하지 못하도록 억지로 억누름.'을 의미한다. '강박(강할 強 핍박할 迫)'은 '무엇에 눌리거나 쫓겨 심하게 압박을 느끼거나 어떤 생각이나 감정에 끊임없이 사로잡힘.'을 의미한다. 제시된 예문은 자유를 억누르는 것이 바람직하지 않다는 의미이므로 '억압'이 적절하다.

예 그는 집안의 모든 물건이 정리되어 있어야 한다는 <u>강박</u>을 가지고 있다.

06 ② 명제

✅ **정답 풀이** '명제(목숨 命 제목 題)'는 '어떤 문제에 대한 하나의 논리적 판단 내용과 주장을 언어 또는 기호로 표시한 것.'이라는 의미의 한자어이다.

예 이 <u>명제</u>가 참이라는 것을 증명해 보아라.

❌ **오답 풀이** ① 문제(問題): 해답을 필요로 하는 물음. 예 이 <u>문제</u>는 너무 어려워서 중학생이 풀기에는 적합하지 않다.
③ 제목(題目): 작품이나 강연, 보고 따위에서, 그것을 대표하거나 내용을 보이기 위하여 붙이는 이름. 예 영화의 <u>제목</u>은 관객을 끌어들이는 데 있어서 매우 중요한 요소이다.
④ 제호(題號): 책이나 신문 따위의 제목. 예 이번에 발간하는 신문의 <u>제호</u>는 무엇으로 하면 좋을까요?
⑤ 표제(標題): 신문이나 잡지 기사의 제목. 예 <u>표제</u>는 기사의 중심 내용을 담고 있어야 한다.

07 ④ 배제

✅ **정답 풀이** '배제(밀칠 排 덜 除)'는 '받아들이지 아니하고 물리쳐 제외함.'이라는 의미의 한자어이다.

예 학생회는 학생들의 참여를 <u>배제</u>하면 안 된다.

❌ **오답 풀이** ① 박제(剝製): 동물의 가죽을 곱게 벗기고 썩지 아니하도록 한 뒤에 솜이나 대팻밥 따위를 넣어 살아 있을 때와 같은 모양으로 만듦. 또는 그렇게 만든 물건. 예 그 박물관에는 <u>박제</u>된 동물들이 전시되어 있었다.
② 유제(類題): 비슷하거나 같은 종류의 문제나 제목. 예 <u>유제</u>를 많이 풀어 보면 이런 유형의 문제에 익숙해질 수 있을 거야.
③ 부제(副題): 서적, 논문, 문예 작품 따위의 제목에 덧붙어 그것을 보충하는 제목. 예 제목만으로는 내용을 파악하기 어려우니 <u>부제</u>를 붙이자.
⑤ 도제(徒弟): 직업에 필요한 지식, 기능을 배우기 위하여 스승의 밑에서 일하는 직공. 예 그는 <u>도제</u>가 되어 열심히 기술을 익히고 있다.

08 ② 연대

✅ **정답 풀이** '연대(잇닿을 連 띠 帶)'는 '여럿이 함께 무슨 일을 하거나 함께 책임을 짐.'이라는 의미의 한자어이다.

예 그 일을 극복하기 위해 우리는 <u>연대</u>하기로 하였다.

❌ **오답 풀이** ① 협동(協同): 서로 마음과 힘을 합함. 예 그 조별 과제는 <u>협동</u>해야만 해결할 수 있는 것이었다.
③ 단결(團結): 많은 사람들이 한데 뭉침. 예 이번 체육대회에서 우리 반의 <u>단결</u>을 보여 주자.
④ 단합(團合): 한데 뭉침. 예 부당한 일이 발생하면 함께 <u>단합</u>하여 극복하기로 하자.
⑤ 결속(結束): 뜻이 같은 사람이 서로 결합함. 예 그들은 <u>결속</u>이 매우 강해 어지간해서는 떨어지지 않을 것처럼 보였다.

09 ③ 왜곡

✅ **정답 풀이** '왜곡(기울 歪 굽을 曲)'은 '사실과 다르게 해석하거나 그릇되게 함.'이라는 의미의 한자어이다.

예 그는 자신에 대해 <u>왜곡</u>된 보도를 한 기자에게 항의했다.

❌ **오답 풀이** ① 조작(造作): 어떤 일을 사실인 듯이 꾸며 만듦. 예 그는 주가를 <u>조작</u>한 혐의로 검찰의 수사를 받았다.

② 허구(虛構): 사실에 없는 일을 사실처럼 꾸며 만듦. 📖 소설은 **허구**를 바탕으로 창작된 이야기이다.
④ 위조(僞造): 남을 속이려고 물건이나 문서 따위를 진짜와 비슷하게 만듦. 📖 화폐를 **위조**하여 유통한 일당이 검거되었다.
⑤ 변조(變造): 이미 이루어진 물체 따위를 다른 모양이나 다른 물건으로 바꾸어 만듦. 📖 녹음된 파일 속 목소리는 **변조**된 것이라, 누구의 목소리인지 알아듣기 어려웠다.

10 ① 매개

✅ **정답 풀이** '매개(중매 媒 낄 介)'는 '둘 사이에서 양편의 관계를 맺어 줌.'이라는 의미의 한자어이다.
📖 영수와 나는 축구를 **매개**로 친해졌다.

❌ **오답 풀이** ② 소개(紹介): 둘 사이에서 양편의 일이 진행되게 주선함. 📖 네가 할 만한 일을 **소개**해 주마.
③ 추천(推薦): 어떤 조건에 적합한 대상을 책임지고 소개함. 📖 이 업무를 하기에 적합한 사람이 있으면 **추천**해 주세요.
④ 안내(案內): 어떤 내용을 소개하여 알려 줌. 📖 다음 회의 장소를 **안내**해 드리겠습니다.
⑤ 중재(仲裁): 분쟁에 끼어들어 쌍방을 화해시킴. 📖 정부는 기업들의 갈등을 **중재**하고 나섰다.

11 ① 시도

✅ **정답 풀이** '시도(시험할 試 그림 圖)'는 '어떤 것을 이루어 보려고 계획하거나 행동함.'이라는 의미의 한자어이다.
📖 나는 잠긴 문을 열려고 **시도**하였다.

❌ **오답 풀이** ② 의도(意圖): 무엇을 하고자 하는 마음속의 생각이나 계획. 📖 그 사람이 어떤 **의도**로 네게 접근했는지 알고 있니?
③ 구상(構想): 앞으로 이루려는 일에 대하여 그 일의 내용이나 규모, 실현 방법 따위를 어떻게 정할 것인지 이리저리 생각함. 또는 그 생각. 📖 김 회장은 부서를 어떻게 개편할 것인지에 대해 **구상** 중이다.
④ 예상(豫想): 어떤 일을 직접 당하기 전에 미리 생각하여 둠. 📖 모두의 **예상**을 깨고 명희가 1등을 차지했다.
⑤ 준비(準備): 미리 마련해 갖춤. 📖 **준비**가 제대로 되어 있지 않으면 기회가 와도 잡을 수 없다.

12 ⑤ 성찰

✅ **정답 풀이** '성찰(살필 省 살필 察)'은 '자기의 마음을 반성하고 살핌.'이라는 의미의 한자어이다.
📖 일기를 쓰는 것은 자신을 **성찰**하는데 도움이 된다.

❌ **오답 풀이** ① 각성(覺醒): 깨달아 정신을 차림. 📖 우리가 **각성**하지 않으면 사회는 바뀌지 않는다.
② 고찰(考察): 어떤 것을 깊이 생각하고 연구함. 📖 이 논문은 한국 문학에 대한 **고찰**의 결과로 탄생한 것이다.
③ 숙고(熟考): 곰곰 잘 생각함. 또는 그런 생각. 📖 심사위원들은 **숙고** 끝에 지선이의 그림을 당선작으로 선택했다.

④ 재고(再考): 어떤 일이나 문제 따위를 다시 생각함. 📖 그 문제는 **재고**의 여지가 없습니다.

13 ④ 명확

✅ **정답 풀이** '명확(밝을 明 굳을 確)하다'는 '명백하고 확실하다.'를 의미한다. 문맥상 첫 번째 문장은 '범인이 확실하다.', 두 번째 문장은 '규정이 확실하다.'라는 의미를 표현할 수 있는 단어가 들어가야 하므로 '명확'이 빈칸에 공통으로 들어가기에 적절하다.

❌ **오답 풀이** ① 진솔(眞率): 진실하고 솔직함. 📖 우리는 밤새도록 **진솔**한 이야기를 나누었다.
② 확고(確固): 태도나 상황 따위가 튼튼하고 굳음. 📖 그의 **확고**한 태도에 나는 더 이상 그를 설득하지 못했다.
③ 진실(眞實): 거짓이 없는 사실. 📖 그날 밤의 **진실**이 무엇이었는지는 아직까지 밝혀지지 않았다.
⑤ 정직(正直): 마음에 거짓이나 꾸밈이 없이 바르고 곧음. 📖 **정직**하게 살면 두려울 일이 없다.

14 ① 만연

✅ **정답 풀이** '만연(덩굴 蔓 늘일 延)'은 '식물의 줄기가 널리 뻗는다는 뜻으로, 전염병이나 나쁜 현상이 널리 퍼짐.'을 비유적으로 이르는 한자어이다. 문맥상 첫 번째 문장은 '물질 만능주의가 퍼져 있다.', 두 번째 문장은 '법을 지키지 않아도 된다는 의식이 퍼져 있다.'라는 의미를 표현할 수 있는 단어가 들어가야 하므로 '만연'이 빈칸에 공통으로 들어가기에 적절하다.

❌ **오답 풀이** ② 유행(流行): 특정한 행동 양식이나 사상 따위가 일시적으로 많은 사람의 추종을 받아서 널리 퍼짐. 또는 그런 사회적 동조 현상이나 경향. 📖 요즘에는 바지의 통을 좁게 줄여 입고 다니는 것이 **유행**이다.
③ 확산(擴散): 흩어져서 널리 퍼짐. 📖 질병관리본부는 전염병의 **확산**을 막기 위해 최선을 다하고 있다.
④ 파급(波及): 어떤 일의 여파나 영향이 차차 다른 데로 미침. 📖 그 일의 **파급** 효과는 엄청났다.
⑤ 허다(許多): 수효가 매우 많음. 📖 요즘 세상에 그런 정도의 일은 **허다**하다.

15 ② 쇄신

✅ **정답 풀이** '쇄신(인쇄할 刷 새로울 新)'은 '그릇된 것이나 묵은 것을 버리고 새롭게 함.'을 의미하는 한자어이다. 문맥상 첫 번째 문장은 '분위기를 새롭게 한다.', 두 번째 문장은 '이미지를 새롭게 한다.'라는 의미를 표현할 수 있는 단어가 들어가야 하므로 '쇄신'이 빈칸에 공통으로 들어가기에 적절하다.

❌ **오답 풀이** ① 개혁(改革): 제도나 체제 따위를 새롭게 뜯어고침. 📖 갑자기 화폐 제도를 **개혁**하면 사회가 혼란스러워질 것이다.
③ 갱신(更新): 법률관계의 존속 기간이 끝났을 때 그 기간을 연장하는 일. 📖 비자를 **갱신**하기 위해 가까운 시일 내에 대사관에 방문하시기 바랍니다.

④ 혁명(革命): 이전의 관습이나 제도, 방식 따위를 단번에 깨뜨리고 질적으로 새로운 것을 급격하게 세우는 일. 📖 스마트폰의 발명은 우리의 통신 생활에 **혁명**을 가져왔다.
⑤ 보수(補修): 건물이나 시설 따위의 낡거나 부서진 것을 손보아 고침. 📖 시설을 **보수**하는 데에는 생각보다 많은 돈이 든다.

16 ⑤ 변성될

✅정답 풀이 '변성(변할 變 성품 性)'은 '성질이 변함.'을 의미하는 한자어로, 주로 화학적인 변화에 많이 쓰인다. 제시된 예문은 단백질의 성질이 변하게 된다는 의미이므로 '변성될'로 바꾸어 쓰는 것이 적절하다.

❌오답 풀이 ① 변천(變遷): 세월의 흐름에 따라 바뀌고 변함. 📖 김 박사는 의복의 역사적 **변천** 과정을 연구하고 있다.
② 변신(變身): 몸의 모양이나 태도 따위를 바꿈. 또는 그렇게 바꾼 몸. 📖 삼촌은 구멍가게 주인에서 어엿한 사업가로 **변신**했다.
③ 변경(變更): 다르게 바꾸어 새롭게 고침. 📖 회의 장소가 1층 다목적실로 **변경**되었습니다.
④ 변모(變貌): 모양이나 모습이 달라지거나 바뀜. 📖 오랜만에 돌아와 보니 서울의 **변모**가 놀라웠다.

17 ③ 모색해야

✅정답 풀이 '모색(본뜰 模 찾을 索)'은 '일이나 사건 따위를 해결할 수 있는 방법이나 실마리를 더듬어 찾음.'을 의미하는 한자어이다. 제시된 예문은 효율적인 작업 동선이 될 수 있는 방법을 찾아야 한다는 의미이므로 '모색해야'로 바꾸어 쓰는 것이 적절하다.

❌오답 풀이 ① 물색(物色): 어떤 기준으로 거기에 알맞은 사람이나 물건, 장소를 고르는 일. 📖 이번 업무의 적임자를 **물색**하고 있다.
② 색출(索出): 샅샅이 뒤져서 찾아냄. 📖 경찰은 범인을 **색출**하기 위해 모든 증거를 수집하고 있다.
④ 검출(檢出): 화학 분석에서, 시료(試料) 속에 화학종이나 미생물 따위의 존재 유무를 알아내는 일. 📖 연구원은 화학 염료에서 유해 성분을 **검출**해 냈다.
⑤ 수색(搜索): 구석구석 뒤지어 찾음. 📖 비가 많이 와서 실종자 **수색**에 어려움을 겪었다.

18 ③ 발생하지

✅정답 풀이 '발생(필 發 날 生)'은 '어떤 일이나 사물이 생겨남.'을 의미하는 한자어이다. 제시된 예문은 어떠한 일이 친구들 사이에서 생기지 않도록 해야 한다는 의미이므로 '발생하지'로 바꾸어 쓰는 것이 적절하다.

❌오답 풀이 ① 생성(生成): 사물이 생겨남. 📖 구름의 **생성** 과정을 알기 위해서는 물과 수증기의 관계를 알아야 한다.
② 부상(浮上): 어떤 현상이 관심의 대상이 되거나 어떤 사람이 훨씬 좋은 위치로 올라섬. 📖 영민이는 차기 회장감으로 **부상**하고 있다.

④ 유래(由來): 사물이나 일이 생겨남. 또는 그 사물이나 일이 생겨난 바. 📖 이 민속 행사의 **유래**는 신라 시대로 거슬러 올라간다.
⑤ 발발(勃發): 전쟁이나 큰 사건 따위가 갑자기 일어남. 📖 전쟁이 **발발**하자 피난 행렬이 줄을 이었다.

19 ① 선행되는

✅정답 풀이 '선행(먼저 先 다닐 行)'은 '어떠한 것보다 앞서가거나 앞에 있음, 딴 일에 앞서 행함. 또는 그런 행위.'를 의미하는 한자어이다. 제시된 예문은 어떤 일을 하기 전에 먼저 해 두어야 하는 작업이 있다는 의미이므로 '선행되는'으로 바꾸어 쓰는 것이 적절하다.

❌오답 풀이 ② 선발(先發): 남보다 먼저 어떤 일을 시작하거나 길을 떠남. 📖 우리는 현장 답사를 겸해서 새벽에 **선발**로 떠났다.
③ 전횡(專橫): 권세를 혼자 쥐고 제 마음대로 함. 📖 김 사장은 **전횡**을 휘둘러 사원들의 원성을 샀다
④ 서행(徐行): 사람이나 차가 천천히 감. 📖 교차로에서는 **서행**해야 한다.
⑤ 진행(進行): 앞으로 향하여 나아감. 📖 **진행**이 너무 느려 언제 완성할 수 있을지 모르겠다.

20 ② 미혹해서

✅정답 풀이 '미혹(미혹할 迷 미혹할 惑)'은 '무엇에 홀려 정신을 차리지 못함.'을 의미하는 한자어이다. 제시된 예문은 장자가 새의 모습을 보고 정신을 차리지 못했다는 의미이므로 '미혹'으로 바꾸어 쓰는 것이 적절하다.

❌오답 풀이 ① 혼미(昏迷): 의식이 흐림. 또는 그런 상태. 📖 충격을 받은 그녀는 **혼미**한 정신을 겨우 붙잡았다.
③ 실추(失墜): 명예나 위신 따위를 떨어뜨리거나 잃음. 📖 그 연예인은 말실수를 하는 바람에 이미지를 **실추**하게 되었다.
④ 산란(散亂): 흩어져 어지러움. 📖 나는 **산란**한 마음을 다잡기 위해 홀로 여행을 떠나기로 마음먹었다.
⑤ 혼잡(混雜): 여럿이 한데 뒤섞이어 어수선함. 📖 골목길이 너무 **혼잡**하여 길을 걷기가 어려울 정도였다.

21 ④

✅정답 풀이 '보급(넓을 普 미칠 及)'은 '널리 펴서 많은 사람들에게 골고루 미치게 하여 누리게 함'을 의미하는 한자어이다.
📖 세종대왕은 한글을 백성들에게 **보급**했다.
❌오답 풀이 ① '기이(奇異)'는 '기묘하고 이상함.'을 의미하는 한자어이다. '일정한 상태나 처지에서 완전히 벗어남.'을 의미하는 단어는 '탈피(脫皮)'이다.
📖 어젯밤에 일어난 사건은 정말 **기이**하였다.
📖 혼란과 무질서 상태를 **탈피**하다.
② '지배(支配)'는 '어떤 사람이나 집단, 조직, 사물 등을 자기의 의사대로 복종하게 하여 다스림.'을 의미하는 한자어이다. '남의 명령이나 의사를 그대로 따라서 좇음.'을 의미하는 단어는 '복종(服從)'이다.

예 인도는 오랜 시간 동안 영국의 <u>지배</u>를 받았다.
예 우리 강아지는 나에게 절대적으로 <u>복종</u>한다.
③ '도전(挑戰)'은 '정면으로 맞서 싸움을 걺.'을 의미하는 한자어이다. '어떤 분야의 종전 최고나 최저치를 깨뜨림.'을 의미하는 단어는 '경신(更新)'이다.
예 <u>도전</u>하지 않으면 얻을 수 있는 것도 없다.
예 그녀는 마라톤 세계 기록을 <u>경신</u>했다.
⑤ '해설(解說)'은 '문제나 사건의 내용 따위를 알기 쉽게 풀어 설명함. 또는 그런 글이나 책.'을 의미하는 한자어이다. '상대편이 이쪽 편의 이야기를 따르도록 여러 가지로 깨우쳐 말함.'을 의미하는 단어는 '설득(說得)'이다.
예 지휘자의 <u>해설</u>을 들으며 감상하니 이해가 더 잘 되는 것 같아.
예 내가 네 의견에 동의할 수 있도록 나를 <u>설득</u>해 봐.

22 ②

✅ **정답 풀이** '밀접(빽빽할 密 이을 接)'은 '아주 가깝게 맞닿아 있음. 또는 그런 관계에 있음.'을 의미하는 한자어이다. 제시된 예문은 오래 연락하지 않아 상대방의 연락처도 모른다는 의미이므로, 밀접이 아니라 '지내는 사이가 두텁지 아니하고 거리가 있어서 서먹서먹함.'을 의미하는 한자어인 '소원(疏遠)'이 적절하다.
예 두 사람의 사이가 아주 <u>밀접</u>하다.

❌ **오답 풀이** ① 전가(轉嫁): 잘못이나 책임을 다른 사람에게 넘겨씌움.
③ 구색(具色): 여러 가지 물건을 고루 갖춤.
④ 조우(遭遇): 우연히 서로 만남.
⑤ 색인(索引): 어떤 것을 뒤져서 찾아내거나 필요한 정보를 밝힘.

> **어·휘·력 Up** '관계'를 나타내는 한자어
>
> [가까운 관계]
> • **친밀(친할 親 빽빽할 密):** 지내는 사이가 매우 친하고 가까움.
> • **친숙(친할 親 익을 熟):** 친하여 익숙하고 허물이 없음.
> • **친근(친할 親 가까울 近):** 사귀어 지내는 사이가 아주 가까움.
> • **친선(친할 親 착할 善):** 서로 간에 친밀하여 사이가 좋음.
>
> [먼 관계]
> • **소외(소통할 疏 바깥 外):** 어떤 무리에서 기피하여 따돌리거나 멀리함.
> • **소격(소통할 疏 사이 뜰 隔):** 사귀는 사이가 서로 멀어져서 왕래가 막힘.

10 일차 한자어 ⑦

01 연관

✅ **정답 풀이** '연관(연이을 聯 빗장 關)'은 '사물이나 현상이 일정한 관계를 맺는 일.'을 의미하는 한자어이다. '연합(연이을 聯 합할 合)'은 '두 가지 이상의 사물이 서로 합동하여 하나의 조직체를 만듦.'을 의미하는 한자어이다. 제시된 예문은 직접적인 관련이 없는 사람에게 물어볼 수 없다는 의미이므로 '연관'이 적절하다.
예 두 정당은 <u>연합</u>하여 하나의 정당이 되기로 했다.

02 요청

✅ **정답 풀이** '요청(요구할 要 청할 請)'은 '필요한 어떤 일이나 행동을 청함. 또는 그런 청.'을 의미하는 한자어이다. '권장(권할 勸 장려할 奬)'은 '권하여 장려함.'을 의미하는 한자어이다. 제시된 예문은 보고서를 복사해 달라고 부탁했다는 의미이므로 '요청'이 적절하다.
예 <u>권장</u> 사항은 다음과 같습니다.

03 상호

✅ **정답 풀이** '각자(각각 各 스스로 自)'는 '각각의 자기 자신.'을 의미하는 한자어이다. '상호(서로 相 서로 互)'는 '상대가 되는 이쪽과 저쪽 모두.'를 의미하는 한자어이다. 제시된 예문은 서로가 신뢰를 쌓는 것이 중요하다는 의미이므로 '상호'가 적절하다.
예 <u>각자</u> 맡은 일에 힘써야 합니다.

04 부각

✅ **정답 풀이** '부각(뜰 浮 새길 刻)'은 '어떤 사물의 특징을 두드러지게 함.'을 의미하는 한자어이다. '자각(스스로 自 깨달을 覺)'은 '현실을 판단하여 자기의 입장이나 능력 따위를 스스로 깨달음.'을 의미하는 한자어이다. 제시된 예문은 자신의 장점인 글쓰기를 드러낸다는 의미이므로 '부각'이 적절하다.
예 너의 처지를 <u>자각</u>하고 분수에 맞게 행동하라.

05 우월

✅ **정답 풀이** '우월(뛰어날 優 넘을 越)'은 '다른 것보다 나음.'을 의미하는 한자어이다. '탁월(높을 卓 넘을 越)'은 '남보다 두드러지게 뛰어남.'을 의미하는 한자어이다. 제시된 예문은 그가 다른 사람보다 나은 지위를 차지했다는 의미이므로 '우월'이 적절하다.
예 그는 <u>탁월</u>한 감각으로 디자인 대회에서 우승을 차지했다.

> **어·휘·력 Up** '뛰어남'을 의미하는 한자어
>
> • **우수(뛰어날 優 빼어날 秀):** 여럿 가운데 뛰어남.
> • **걸출(뛰어날 傑 날 出):** 남보다 훨씬 뛰어남. 또는 그런 사람.
> • **비상(아닐 非 항상 常):** 평범하지 않고 뛰어남.
> • **비범(아닐 非 무릇 凡)하다:** 보통 수준보다 훨씬 뛰어나다.

06 ① 인지

✅ **정답 풀이** '인지(알 認 알 知)'는 '어떤 사실을 인정하여 앎.' 또는 '자극을 받아들이고, 저장하고, 인출하는 일련의 정신 과정.'을 의미하는 한자어이다.

❌ **오답 풀이** ② 긍지(矜持): 자신의 능력을 믿음으로써 가지는 당당함. '보람', '자랑'으로 순화해 쓸 수 있다. 예 자신이 하는 일

에 **긍지**를 가지고 열심히 하는 사람은 아름답다.

③ 인식(認識): 사물을 분별하고 판단하여 앎. 📵 청소년에게 역사에 대한 올바른 **인식**을 심어 주어야 한다.

④ 가식(假飾): 말이나 행동 따위를 거짓으로 꾸밈. 📵 내 친구는 언행에 **가식**이 없다.

⑤ 투지(鬪志): 싸우고자 하는 굳센 마음. 📵 그들은 불굴의 **투지**로 어려운 시합을 이겨 냈다.

07 ④ 사유

✅ **정답 풀이** '사유(생각 思 생각할 惟)'는 '대상을 두루 생각하는 일.' 또는 '개념, 구성, 판단, 추리 따위를 행하는 인간의 이성 작용.'을 의미한다.

❌ **오답 풀이** ① 명상(冥想): 고요히 눈을 감고 깊이 생각함. 또는 그런 생각. 📵 나는 아침마다 **명상**에 잠긴다.

② 관조(觀照): 고요한 마음으로 사물이나 현상을 관찰하거나 비추어 봄. 📵 우리는 그 상황에 대해 **관조**는 하되 비판하지 말자.

③ 사색(思索): 어떤 것에 대하여 깊이 생각하고 이치를 따짐. 📵 그녀는 **사색**에 잠겨 옆에서 부르는 소리도 듣지 못했다.

⑤ 전망(展望): 앞날을 헤아려 내다 봄. 또는 내다보이는 장래의 상황. 📵 그는 **전망**이 밝은 사업에 관심을 갖고 있다.

08 ③ 위상

✅ **정답 풀이** '위상(자리 位 서로 相)'은 '어떤 사물이 다른 사물과의 관계 속에서 가지는 위치나 상태.'를 의미하는 한자어이다.

❌ **오답 풀이** ① 관점(觀點): 사물이나 현상을 관찰할 때, 그 사람이 보고 생각하는 태도나 방향 또는 처지. 📵 그 사안은 **관점**에 따라 다르게 생각할 수 있다.

② 지점(地點): 땅 위의 일정한 점. 📵 여기가 바로 사고가 난 **지점**이다.

④ 계급(階級): 일정한 사회에서 신분, 재산, 직업 따위가 비슷한 사람들로 형성되는 집단. 또는 그렇게 나뉜 사회적 지위. 📵 그 사건은 **계급** 간의 대립으로 인해 발생한 것으로 볼 수 있다.

⑤ 위계(位階): 지위나 계층 따위의 등급. 📵 군대는 **위계**가 분명한 집단이다.

09 ⑤ 맹목

✅ **정답 풀이** '맹목(눈 멀 盲 눈 目)'은 '이성을 잃어 적절한 분별이나 판단을 못하는 일.'을 의미하는 한자어이다.

❌ **오답 풀이** ① 몰두(沒頭): 어떤 일에 온 정신을 다 기울여 열중함. 📵 그가 그렇게 말했다는 것은 그만큼 일에 **몰두**를 했다는 의미이다.

② 주목(注目): 관심을 가지고 주의 깊게 살핌. 📵 그 선수는 뛰어난 실력으로 국내외의 **주목**을 받고 있다.

③ 몰입(沒入): 깊이 파고들거나 빠짐. 📵 그녀가 책에 **몰입**하고 있을 때에는 아무 소리도 듣지 못하는 것 같았다.

④ 주시(注視): 어떤 목표물에 주의를 집중하여 봄. 📵 그녀는 다른 사람들의 **주시**에도 아랑곳하지 않은 채 자기 멋대로 행동했다.

10 ② 여파

✅ **정답 풀이** '여파(남을 餘 물결 波)'는 '어떤 일이 끝난 뒤에 남아 미치는 영향.'을 의미하는 한자어이다.

❌ **오답 풀이** ① 파란(波瀾): 순탄하지 아니하고 어수선하게 계속되는 여러 가지 어려움이나 시련. 📵 부장님의 무리한 결정으로 인해 부서 내에는 **파란**이 일었다.

③ 풍파(風波): 세상살이의 어려움이나 고통. 📵 모진 **풍파**를 이겨 낸 할머니의 미소는 아름다웠다.

④ 분란(紛亂): 어수선하고 소란스러움. 📵 대표 자리를 놓고 당 내부에서 적잖은 **분란**이 일어났다.

⑤ 여운(餘韻): 아직 가시지 않고 남아 있는 운치. 📵 음악회는 끝이 났지만 나는 **여운**을 느끼느라 그 자리를 쉽게 뜨지 못했다.

> **어·휘·력 Up** '여파(餘波)'와 유사한 의미의 한자어
> • **영향(그림자 影 울릴 響)**: 어떤 사물의 효과나 작용이 다른 것에 미치는 일.
> • **파문(물결 波 무늬 紋)**: 어떤 일이 다른 데에 미치는 영향.
> • **파급(물결 波 미칠 及)**: 어떤 일의 여파나 영향이 차차 다른 데로 미침.

11 ① 부과

✅ **정답 풀이** '부과(조세 賦 매길 課)'는 '세금이나 부담금 따위를 매기어 부담하게 함.'을 의미하는 한자어이다.

❌ **오답 풀이** ② 부가(附加): 주된 것에 덧붙임. 📵 이 장치는 **부가** 기능이 많아 쓸모가 있을 것 같다.

③ 전가(轉嫁): 잘못이나 책임을 다른 사람에게 넘겨씌움. 📵 그는 책임 회피나 **전가**를 일삼는 사람이었다.

④ 사명(使命): 맡겨진 임무. 📵 우리는 역사적 **사명**을 띠고 이 땅에 태어났다.

⑤ 가중(加重): 책임이나 부담 따위를 더 무겁게 함. 📵 업무 **가중** 때문에 요즘 너무 힘이 든다.

12 ⑤ 입각

✅ **정답 풀이** '입각(설 立 다리 脚)'은 '어떤 사실이나 주장 따위에 근거를 두어 그 입장에 섬.'을 의미하는 한자어이다.

❌ **오답 풀이** ① 처지(處地): 처하여 있는 사정이나 형편. 📵 그는 많은 빚 때문에 어려운 **처지**에 놓여 있다.

② 당면(當面): 바로 눈앞에 당함. 📵 우리의 **당면** 과제는 불경기 속에서도 수익률을 현재 수준으로 지켜나가는 것이다.

③ 표명(表明): 의사, 태도 따위를 분명히 드러냄. 📵 최 장관은 사의 **표명**을 거듭했다.

④ 논증(論證): 옳고 그름을 이유를 들어 밝힘. 또는 그 근거나 이유. 📵 **논증**이 불가능한 일을 근거로 내세울 수는 없다.

13 ③ 아집

✅ **정답 풀이** '아집(나 我 잡을 執)'은 '자기중심의 좁은 생각에 집착하여 다른 사람의 의견이나 입장을 고려하지 아니하고 자기만

을 내세우는 것.'을 의미하는 한자어이다. 그러므로 빈칸에 공통으로 들어가기에 적절한 단어는 '아집'이다.

❌오답풀이 ① 집념(執念): 한 가지 일에 매달려 마음을 쏟음. 또는 그 마음이나 생각. 예 음악에 대한 그의 **집념**은 위대한 명곡을 탄생시켰다.
② 오기(傲氣): 능력은 부족하면서도 남에게 지기 싫어하는 마음. 예 나는 **오기**가 나서 끝까지 운동장을 달렸다.
④ 억지(抑止): 억눌러 못 하게 함. 예 그들은 분쟁의 악화를 방지하고 **억지**할 수 있는 방안을 생각하였다.
⑤ 애착(愛着): 몹시 사랑하거나 끌리어서 떨어지지 아니함. 또는 그런 마음. 예 이 물건은 내가 어릴 적부터 사용한 것이라 **애착**이 간다.

14 ② 위선

✔정답풀이 '위선(거짓 僞 착할 善)'은 '겉으로만 착한 체함. 또는 그런 짓이나 일.'을 의미하는 한자어이다. 그러므로 빈칸에 공통으로 들어가기에 적절한 단어는 '위선'이다.
① 혐의(嫌疑): 범죄를 저질렀을 가능성이 있다고 봄. 또는 그 가능성. 예 그는 공금을 마음대로 사용했다는 **혐의**를 받고 있다.
③ 양심(良心): 사물의 가치를 변별하고 자기의 행위에 대하여 옳고 그름과 선과 악의 판단을 내리는 도덕적 의식. 예 나는 **양심**에 따라 행동하려고 노력한다.
④ 정체(正體): 참된 본디의 형체. **정체**를 파악할 수 없는 괴한이 들이닥쳤다.
⑤ 본색(本色): 본디의 특색이나 정체. 예 그는 시간이 흐를수록 자신의 **본색**을 드러내었다.

15 ① 빈번

✔정답풀이 '빈번(자주 頻 번성할 繁)하다'는 '번거로울 정도로 도수(度數)가 잦다.'를 의미한다. 그러므로 빈칸에 공통으로 들어가기에 적절한 단어는 '빈번'이다.
❌오답풀이 ② 빈출(頻出)하다: 자주 나오거나 나타나다. 예 아파서 그런지 그가 요새 지각이 **빈출**한 것 같다.
③ 소원(疏遠)하다: 지내는 사이가 두텁지 아니하고 거리가 있어서 서먹서먹하다. 예 작은 다툼 이후로 우리는 **소원한** 관계가 되어 버렸다.
④ 무지(無知)하다: 아는 것이 없다. 예 과학적인 영농법에 **무지한** 사람들은 그가 하는 일을 보고만 있었다.
⑤ 무성(茂盛)하다: 풀이나 나무 따위가 자라서 우거져 있다. 예 돌보지 않은 묘에 잡초가 **무성하게** 자라 있다.

16 ③ 수취하는

✔정답풀이 '수취하다(거둘 收 가질 取)'는 '거두어들여서 가지다.'를 의미한다. 제시된 예문은 타인의 물건을 거두어들여서 가져간다는 의미이므로, '수취하는'이 적절하다.
❌오답풀이 ① 소지(所持)하다: 가지고 있다. 예 그는 현금 백만 원을 **소지하고** 있다.

② 보전(保全)하다: 온전하게 보호하여 유지하다. 예 우리는 환경을 깨끗하게 **보전하여** 후손들에게 물려주어야 한다.
④ 보유(保有)하다: 가지고 있거나 간직하고 있다. 예 자산을 많이 **보유하고** 있는 사람들은 세금을 많이 낸다.
⑤ 유지(維持)하다: 어떤 상태나 상황을 그대로 보존하거나 변함없이 계속하여 지탱하다. 예 높은 성적을 계속 **유지하기** 위해서는 더 많이 노력해야 한다.

17 ⑤ 매진했다.

✔정답풀이 '매진(갈 邁 나아갈 進)하다'는 '어떤 일을 전심전력을 다하여 해 나가다.'를 의미한다. 제시된 예문은 학생을 가르치는 일에 전심전력을 다한다는 의미이므로 '매진했다'가 적절하다.
❌오답풀이 ① 도모(圖謀)하다: 어떤 일을 이루기 위하여 대책과 방법을 세우다. 예 우리 반 친구들의 단합을 **도모하기** 위하여 소풍을 가려고 한다.
② 빙자(憑藉)하다: 말막음을 위하여 핑계로 내세우다. 예 회의를 **빙자하여** 모여서 놀기만 하면 되겠니?
③ 의탁(依託)하다: 어떤 것에 몸이나 마음을 의지하여 맡기다. 예 이 한 몸 **의탁할** 곳을 찾아보아야 하지 않겠소.
④ 기탁(寄託)하다: 어떤 일을 부탁하여 맡겨 두다. 예 나는 모교에 천만 원을 장학금으로 **기탁했다.**

18 ④ 부합하는

✔정답풀이 '부합(부호 符 합할 合)하다'는 '사물이나 현상이 서로 꼭 들어맞다.'를 의미한다. 제시된 예문은 개혁의 기치에 들어맞는 적절한 인물을 뽑겠다는 내용이므로 '부합하는'이 적절하다.
❌오답풀이 ① 동조(同調)하다: 남의 주장에 자기의 의견을 일치시키거나 보조를 맞추다. 예 그의 의견에 **동조하는** 세력이 생겨났다.
② 찬동(贊同)하다: 어떤 행동이나 견해 따위가 옳거나 좋다고 판단하여 그에 뜻을 같이하다. 예 그들도 우리의 일에 **찬동하였다.**
③ 호응(呼應)하다: 부름이나 호소 따위에 대답하거나 응하다. 예 각 지역의 독립운동가들이 서로 **호응하여** 결집하였다.
⑤ 타결(妥結)하다: 의견이 대립된 양편에서 서로 양보하여 일을 마무르다. 예 협상을 조기에 **타결하여** 쌍방의 피해를 최소화하였다.

19 ① 무고한

✔정답풀이 '무고(없을 無 허물 辜)하다'는 '아무런 잘못이나 허물이 없다.'를 의미한다. 제시된 예문은 잘못이 없는 사람을 감옥에 가두어서는 안 된다는 의미이므로, '무고한'이 적절하다.
❌오답풀이 ② 청렴(淸廉)하다: 성품과 행실이 높고 맑으며, 탐욕이 없다. 예 고위 공직자라면 **청렴하게** 생활해야 한다.
③ 강건(剛健)하다: 의지나 기상이 굳세고 건전하다. 예 힘들고 어려운 일이 닥쳐도 **강건한** 정신으로 헤쳐나가야 한다.
④ 무탈(無頉)하다: 병이나 사고가 없다. 예 아이가 **무탈하게** 잘 자란다.

⑤ 순결(純潔)하다: 잡된 것이 섞이지 아니하고 깨끗하다. 예 아름답고 순결한 달빛을 보고 있으면 내 마음도 깨끗해지는 기분이다.

20 ② 본위로

✅정답풀이 '본위(근본 本 자리 位)'는 '판단이나 행동에서 중심이 되는 기준.'을 의미하는 한자어이다. 제시된 예문은 자신을 기준으로 두고 세상을 바라보면 다른 사람의 입장을 이해하기 어렵다는 의미이므로 '본위로'가 적절하다.

❌오답풀이 ① 법규(法規): 일반 국민의 권리와 의무에 관계있는 법 규범. 예 길을 갈 때에는 교통 법규를 잘 따라야 한다.
③ 척도(尺度): 평가하거나 측정할 때 의거할 기준. 예 돈을 가치의 척도로 삼으면 인생이 삭막해진다.
④ 범주(範疇): 동일한 성질을 가진 부류나 범위. 예 현대 사회에서 관찰할 수 있는 현상들은 대략 몇 가지 범주로 묶어 볼 수 있다.
⑤ 표준(標準): 사물의 정도나 성격 따위를 알기 위한 근거나 기준. 예 과학이 정한 표준에 의해서 판단해야만 한다.

21 ⑤

✅정답풀이 '선도(먼저 先 인도할 導)'는 '앞장서서 이끌거나 안내함.'을 의미하는 한자어이다. '사람이나 물건을 목적한 장소나 방향으로 이끎.'을 의미하는 단어는 '유도(꾈 誘 인도할 導)'이다. 예 바람직한 교육 문화 선도를 위해 노력하자.

❌오답풀이 ① 습성(習性): 습관이 되어 버린 성질. 예 나도 모르는 사이에 돌아다니는 습성이 생겼다.
② 국면(局面): 어떤 일이 벌어진 장면이나 형편. 예 사건이 새로운 국면으로 접어들었다.
③ 기습(奇襲): 어떤 일 따위가 뜻밖에 갑자기 들이침. 예 그의 방문은 내가 생전 처음으로 당하는 기습이었다.
④ 요식(要式): 일정한 규정이나 방식에 따라야 할 양식(樣式). 예 서류상의 요식을 갖추어 다시 제출하세요.

22 ②

✅정답풀이 '변환(변할 變 바꿀 換)하다'는 '달라져서 바뀌다. 또는 다르게 하여 바꾸다.'를 의미한다. 제시된 예문은 효에 대한 가치관이 달라졌다는 의미이지만, '변환'은 '가치관'과는 어울려 사용하지 않는다. 일반적으로 '변환'은 물리나 수학에서 원소, 함수 등에 변화(사물의 성질, 모양, 상태 따위가 바뀌어 달라짐.)가 생길 때 사용한다. 제시된 예문은 '무엇이 다른 것이 되거나 혹은 다른 성질로 달라지다.'를 의미하는 '변(變)하다'를 활용하여 '시대가 바뀌면서 효에 대한 가치관이 많이 변했다.'로 바꾸어 써야 한다.
예 자극은 전기 신호로 변환하여 뇌로 전달된다.

❌오답풀이 ① 낙착(落着)되다: 문제가 되던 일이 결말이 맺어지게 되다. 또는 문제가 되던 일의 해결을 위하여 결론이 내려지다.
③ 가미(加味)하다: 본래의 것에 다른 요소가 보태어지다.
④ 윤색(潤色)되다: (비유적으로) 사실이 과장되거나 미화되다.
⑤ 곡진(曲盡)하다: 매우 자세하고 간곡하다.

01 역량

✅정답풀이 '역량(힘 力 헤아릴 量)'은 '어떤 일을 해낼 수 있는 힘.'을 의미하는 한자어이다. '용량(얼굴 容 헤아릴 量)'은 '가구나 그릇 같은 데 들어갈 수 있는 분량.'을 의미하는 한자어이다. 제시된 예문은 일을 해낼 수 있는 힘이 부족하다는 의미이므로 '역량'이 적절하다.
예 이 그릇은 용량이 커서 음식을 많이 담아도 된다.

02 방안

✅정답풀이 '강령(벼리 綱 거느릴 領)'은 '정당이나 사회단체 등이 그 기본 입장이나 방침, 운동 규범 따위를 열거한 것.'을 의미하는 한자어이다. '방안(모 方 책상 案)'은 '일을 처리하거나 해결하여 나갈 방법이나 계획.'을 의미하는 한자어이다. 제시된 예문은 고객들의 불만을 해결할 방법을 찾아야 한다는 의미이므로 '방안'이 적절하다.
예 우리 당에서는 새로운 행동 강령을 만들고자 한다.

03 수습

✅정답풀이 '수습(거둘 收 주울 拾)하다'는 '어수선한 사태를 거두어 바로잡다.'를 의미한다. '수탈(거둘 收 빼앗을 奪)하다'는 '강제로 빼앗다.'를 의미한다. 제시된 예문은 일을 시작해 놓고 마무리를 제대로 하지 않는다는 의미이므로 '수습'이 적절하다.
예 양반 관리들은 백성들을 철저히 수탈해 갔다.

어·휘·력·(Up) '수습'의 동음이의어
• 수습(거둘 收 주울 拾): 어수선한 사태를 거두어 바로잡음.
  예 사건이 터지자마자 사고 수습 대책 본부가 마련되었다.
• 수습(닦을 修 익힐 習): 학업이나 실무 따위를 배워 익힘.
  예 입사 후 6개월을 수습 기간으로 보냈다.

04 멸절

✅정답풀이 '멸절(꺼질 滅 끊을 絶)하다'는 '멸망하여 아주 없어지다. 또는 멸망시켜 아주 없애 버리다.'를 의미한다. '요절(어릴 夭 꺾을 折)하다'는 '젊은 나이에 죽다.'를 의미한다. 제시된 예문은 고대 도시 국가가 흔적도 없이 사라졌다는 의미이므로 '멸절'이 적절하다.
예 민족 시인 윤동주는 안타깝게도 29세에 요절했다.

05 이치

✅정답풀이 '경지(지경 境 땅 地)'는 '몸이나 마음, 기술 따위가 어떤 단계에 도달해 있는 상태.'를 의미하는 한자어이다. '이치(다스릴 理 이를 致)'는 '사물의 정당한 조리. 또는 도리에 맞는

취지.'를 의미하는 한자어이다. 제시된 예문은 그의 말이 도리에 맞는다는 의미이므로 '이치'가 적절하다.
예 그는 성인(聖人)의 **경지**에 도달했다.

06 ② 숙련

✔정답 풀이 '숙련(익을 熟 단련할 鍊)'은 '연습을 많이 하여 능숙하게 익힘.'을 의미하는 한자어이다.

✘오답 풀이 ① 세련(洗練): 서투르거나 어색한 데가 없이 능숙하고 미끈하게 갈고닦음. 예 그의 문학적 **세련**은 본받을 만하다.
③ 수양(修養): 몸과 마음을 갈고닦아 품성이나 지식, 도덕 따위를 높은 경지로 끌어올림. 예 유학자들은 인격 **수양**을 중요한 가치로 여겼다.
④ 성숙(成熟): 몸과 마음이 자라서 어른스럽게 됨. 예 신체뿐 아니라 정신의 **성숙**도 필요하다.
⑤ 숙성(熟成): 효소나 미생물의 작용에 의하여 발효된 것이 잘 익음. 예 김치는 **숙성** 기간을 거치면 감칠맛이 난다.

07 ④ 압제

✔정답 풀이 '압제(누를 壓 억제할 制)'는 '권력이나 폭력으로 남을 꼼짝 못 하게 강제로 누름.'을 의미하는 한자어이다.

✘오답 풀이 ① 구속(拘束): 행동이나 의사의 자유를 제한하거나 속박함. 예 우리는 아무런 **구속**이 없는 자유로운 분위기에서 일한다.
② 억류(抑留): 억지로 머무르게 함. 예 그는 인질로 장기간 **억류** 생활을 하다가 무사히 본국으로 귀환하였다.
③ 제한(制限): 일정한 한도를 정하거나 그 한도를 넘지 못하게 막음. 또는 그렇게 정한 한계. 예 이곳은 **제한** 구역이오니 관계자 외 출입을 금합니다.
⑤ 한도(限度): 일정한 정도. 또는 한정된 정도. 예 너는 내가 허용해 줄 수 있는 **한도**를 넘어섰다.

08 ⑤ 논의

✔정답 풀이 '논의(논할 論 뜻 意)'는 '논하는 말이나 글의 뜻이나 의도.'를 의미하는 한자어이다.

✘오답 풀이 ① 논란(論難): 여럿이 서로 다른 주장을 내며 다툼. 예 사람들 간의 시각 차이로 **논란**이 예상된다.
② 반론(反論): 남의 논설이나 비난, 논평 따위에 대하여 반박함. 예 그의 주장은 격렬한 **반론**에 부딪쳤다.
③ 추궁(追窮): 잘못한 일에 대해 엄하게 따져 밝힘. 예 나는 선배의 집요한 **추궁**에 그만 진실을 말하고 말았다.
④ 토로(吐露): 마음에 있는 것을 죄다 드러내어서 말함. 예 그녀의 적나라한 **토로**에 입을 다물 수 없었다.

09 ③ 부수

✔정답 풀이 '부수(붙을 附 따를 隨)'는 '주된 것이나 기본적인 것에 붙어서 따름. 또는 그러한 것에 붙어 따르게 함.'을 의미하는 한자어이다.

✘오답 풀이 ① 전념(專念): 오로지 한 가지 일에만 마음을 씀. 예 공부에만 **전념**이더니 시험에 합격하였다.
② 선동(煽動): 남을 부추겨 어떤 일이나 행동에 나서도록 함. 예 그의 과격한 **선동**에 지지하던 사람들도 눈살을 찌푸렸다.
④ 부착(附着): 떨어지지 아니하게 붙음. 또는 그렇게 붙이거나 닮. 예 포스터 **부착**은 쉬운 일이 아니었다.
⑤ 주도(主導): 주동적인 처지가 되어 이끎. 예 공신력 있는 기관의 **주도** 아래 모든 업체가 실험에 참여하고 있다.

10 ② 봉착

✔정답 풀이 '봉착(만날 逢 붙을 着)'은 '어떤 처지나 상태에 부닥침.'을 의미하는 한자어이다.

✘오답 풀이 ① 상봉(相逢): 서로 만남. 예 이산가족 **상봉** 현장을 지켜보며 모두들 눈물지었다.
③ 착수(着手): 어떤 일에 손을 대어 시작함. 예 작업 **착수**가 빨리 진행되었다.
④ 상충(相衝): 맞지 아니하고 서로 어긋남. 예 우리의 이익에 **상충**되는 제안은 받아들일 수 없다.
⑤ 장착(裝着): 의복, 기구, 장비 따위에 장치를 부착함. 예 안전띠 **장착**을 의무화하다.

11 ⑤ 융성

✔정답 풀이 '융성(높을 隆 성할 盛)'은 '기운차게 일어나거나 대단히 번성함.'을 의미하는 한자어이다.

✘오답 풀이 ① 발육(發育): 생물체가 자라남. 예 그녀는 화분에 심은 토마토의 **발육**을 매일 관찰했다.
② 소생(蘇生): 거의 죽어가다가 다시 살아남. 예 만물의 **소생**은 봄의 특징이라고 할 수 있다.
③ 생장(生長): 나서 자람. 예 이 식물은 **생장** 기간이 매우 짧다.
④ 융화(融和): 서로 어울려 갈등이 없이 화목하게 됨. 예 세대 간의 **융화**가 필요하다.

12 ① 영합

✔정답 풀이 '영합(맞을 迎 합할 合)'은 '사사로운 이익을 위하여 아첨하며 좇음.'을 의미하는 한자어이다.

✘오답 풀이 ② 순진(純眞): 마음이 꾸밈이 없고 순박함. 예 그는 어린아이처럼 **순진**하다.
③ 항거(抗拒): 순종하지 아니하고 맞서서 반항함. 예 그들은 침략자에게 **항거**했다.
④ 시인(是認): 어떤 내용이나 사실이 옳다고 인정함. 예 그의 순순한 **시인**은 사건을 풀어나가는 실마리가 되었다.
⑤ 용납(容納): 너그러운 마음으로 남의 말이나 행동을 받아들임. 예 너의 이기적인 행동을 **용납**할 수 없다.

13 ② 매수

✔정답 풀이 '매수(살 買 거둘 收)'는 '물건을 사들임.' 또는 '금품

이나 그 밖의 수단으로 남의 마음을 사서 자기편으로 만드는 일.'을 의미하는 한자어이다. 그러므로 빈칸에 공통으로 들어가기에 적절한 단어는 '매수'이다.

❌오답풀이 ① 매각(賣却): 물건을 팔아 버림. ⑩ 부동산을 사고 팔 때에는 매각 증서를 잘 보관해야 한다.
③ 매입(買入): 물건 따위를 사들임. ⑩ 그의 사업은 공장 부지 매입부터 시작됐다.
④ 구매(購買): 물건 따위를 사들임. ⑩ 구매부터 용역까지 우리 회사에서 그의 손을 안 거친 일이 없다.
⑤ 구입(購入): 물건 따위를 사들임. ⑩ 구입 원가는 공개할 수 없습니다.

14 ② 배타

✅정답풀이 '배타(밀칠 排 다를 他)'는 '남을 배척함.'을 의미하는 한자어이다. 그러므로 빈칸에 공통으로 들어가기에 적절한 단어는 '배타'이다.

❌오답풀이 ① 반발(反撥): 어떤 상태나 행동 따위에 대하여 거스르고 반항함. ⑩ 회장 혼자 결정한 그 사안은 사람들의 거센 반발을 불러일으켰다.
③ 충돌(衝突): 서로 맞부딪치거나 맞섬. ⑩ 친구 사이에 반감이 생기면서 마침내 충돌을 일으켰다.
④ 굴복(屈服): 힘이 모자라서 복종함. ⑩ 굴복만 하지 말고 정정당당하게 마주해 보자.
⑤ 대치(對峙): 서로 맞서서 버팀. ⑩ 그 영화는 외국 전함들과 조선인들과의 대치 장면을 아주 사실적으로 재현하였다.

15 ④ 산출

✅정답풀이 '산출(셀 算 날 出)'은 '계산하여 냄.'을 의미하는 한자어이다. 그러므로 빈칸에 공통으로 들어가기에 적절한 단어는 '산출'이다.

❌오답풀이 ① 연산(演算): 식이 나타낸 일정한 규칙에 따라 계산함. ⑩ 그 아이는 어리지만 연산 능력이 뛰어나다.
② 회계(會計): 나가고 들어오는 돈을 따져서 셈함. ⑩ 회계 장부를 가지고 있는 사람이 누구요?
③ 가산(加算): 더하여 셈함. ⑩ 가산 금리가 인상되었다.
⑤ 타산(打算): 자신에게 도움이 되는지를 따져 헤아림. ⑩ 그는 자신의 이익을 위한 타산이 굉장히 빠른 사람이다.

16 ④ 몰두하게

✅정답풀이 '몰두(빠질 沒 머리 頭)하다'는 '어떤 일에 온 정신을 다 기울여 열중하다.'를 의미한다. 제시된 예문은 공포가 내면화된 사람들이 자기 방어 행동에만 열중하게 된다는 의미이므로 '몰두하게'가 적절하다.

❌오답풀이 ① 전락(轉落)하다: 나쁜 상태나 타락한 상태에 빠지다. ⑩ 그는 사기꾼으로 전락하고 말았다.
② 탐닉(耽溺)하다: 어떤 일을 몹시 즐겨서 거기에 빠지다. ⑩ 그는 공부는 하지 않고 유흥에만 탐닉하며 세월을 보냈다.

③ 분산(分散)하다: 갈라져 흩어지다. 또는 그렇게 되게 하다. ⑩ 서울의 인구를 지방으로 분산하는 정책이 필요하다.
⑤ 경도(傾倒)하다: 온 마음을 기울여 사모하거나 열중하다. ⑩ 그는 한때 러시아 문학에 경도한 때가 있었다.

17 ⑤ 유지하는

✅정답풀이 '유지(벼리 維 가질 持)하다'는 '어떤 상태나 상황을 그대로 보존하거나 변함없이 계속하여 지탱하다.'를 의미한다. 제시된 예문은 현상을 그대로 계속하는 것도 어렵다는 의미이므로 '유지하는'이 적절하다.

❌오답풀이 ① 견지(堅持)하다: 어떤 견해나 입장 따위를 굳게 지니거나 지키다. ⑩ 그녀는 그 안건에 대해 반대 입장을 견지하고 있다.
② 이행(履行)하다: 실제로 행하다. ⑩ 왜 약속을 이행하지 않는 거요?
③ 수비(守備)하다: 외부의 침략이나 공격을 막아 지키다. ⑩ 죽더라도 이 성을 수비해야 합니다.
④ 방비(防備)하다: 적의 침입이나 피해를 막기 위하여 미리 지키고 대비하다. ⑩ 태풍을 방비할 시설이 있어야 한다.

18 ④ 선정했다.

✅정답풀이 '선정(가릴 選 정할 定)하다'는 '여럿 가운데서 어떤 것을 뽑아 정하다.'를 의미한다. 제시된 예문은 올림픽 준비위원회가 새 개최지를 여럿 가운데 하나로 정했다는 의미이므로, '선정했다'가 적절하다.

❌오답풀이 ① 감정(鑑定)하다: 사물의 특성이나 참과 거짓, 좋고 나쁨을 분별하여 판정하다. ⑩ 골동품만을 전문적으로 감정하는 사람들이 있다.
② 판정(判定)하다: 판별하여 결정하다. ⑩ 은행 실사단은 그 회사의 재무 구조를 탄탄하다고 판정하였다.
③ 인정(認定)하다: 확실히 그렇다고 여기다. ⑩ 모두가 그녀가 진정한 승리자라고 인정했다.
⑤ 검정(檢定)하다: 일정한 규정에 따라 자격이나 조건을 검사하여 결정하다. ⑩ 사업의 타당성을 검정하는 절차가 꽤 까다롭다.

19 ② 용이한

✅정답풀이 '용이(얼굴 容 쉬울 易)하다'는 '어렵지 아니하고 매우 쉽다.'를 의미한다. 제시된 예문은 조립하는 것이 쉽다는 것이 이 책상의 장점이라는 의미이므로 '용이한'이 적절하다.

❌오답풀이 ① 난해(難解)하다: 뜻을 이해하기 어렵다. ⑩ 그 시는 너무 난해해서 해석이 쉽지 않다.
③ 원만(圓滿)하다: 성격이 모난 데가 없이 부드럽고 너그럽다. ⑩ 그는 원만한 성격을 가지고 있어 주변에 사람이 많다.
④ 온당(穩當)하다: 판단이나 행동 따위가 사리에 어긋나지 아니하고 알맞다. ⑩ 잘못을 했으면 야단을 맞는 것이 온당한 일이다.
⑤ 안일(安逸)하다: 무엇을 쉽고 편안하게 생각하여 관심을 적게 두는 태도가 있다. ⑩ 무조건 다 잘될 것이라고 생각하는 것은 너무 안일한 태도가 아닙니까?

20 ① 방치하면

☑️**정답 풀이** '방치(놓을 放 둘 置)하다'는 '내버려 두다.'를 의미한다. 제시된 예문은 삶의 풍요와 평화를 위해 위험을 그대로 두면 안 된다는 의미이므로 '방치하면'이 적절하다.

❌**오답 풀이** ② 축출(逐出)하다: 쫓아내거나 몰아내다. 예 사람들은 마을에서 그를 **축출했다**.

③ 방지(防止)하다: 어떤 일이나 현상이 일어나지 못하게 막다. 예 사고를 미연에 **방지하려면** 대비를 철저히 해야 한다.

④ 숙청(肅淸)하다: 정치 단체나 비밀 결사의 내부 또는 독재 국가 등에서 정책이나 조직의 일체성을 확보하기 위하여 반대파를 처단하거나 제거하다. 예 하루빨리 친일파를 **숙청해야** 한다.

⑤ 수수(收受)하다: 무상(無償)으로 금품을 받다. 예 그는 뇌물을 **수수한** 혐의로 경찰에 잡혀갔다.

21 ③

☑️**정답 풀이** '인내(참을 忍 견딜 耐)'는 '괴로움이나 어려움을 참고 견딤.'을 의미하는 한자어이다. '정도에 넘치 아니하도록 알맞게 조절하여 제한함.'을 의미하는 한자어는 '절제(마디 節 절제할 制)'이다.

예 **인내**로 역경을 극복해야 한다.

예 **절제** 있는 생활을 하는 것은 쉽지 않다.

❌**오답 풀이** ① 특유(特有): 일정한 사물만이 특별히 가지고 있음. 예 온돌은 한국의 **특유한** 난방 방식이다.

② 지칭(指稱): 어떤 대상을 가리켜 이르는 일. 또는 그런 이름. 예 무엇에 대한 **지칭**이 없는 것이 그 친구 화법의 특징이다.

④ 결박(結縛): 몸이나 손 따위를 움직이지 못하도록 동이어 묶음. 예 형사는 체포된 범인의 **결박**을 풀어 주었다.

⑤ 여간(如干): 그 상태가 보통으로 보아 넘길 만한 것임을 나타내는 말. 예 꼬마 아이가 **여간** 똑똑한 것이 아니었다.

어·휘·력 Up 부정의 의미를 가진 서술어와 함께 쓰는 한자어

• **비단(아닐 非 다만 但)**: 부정하는 말 앞에서 '다만', '오직'의 뜻으로 쓰이는 말.
예 이런 일은 **비단** 어제오늘의 일이 **아니다**.

• **별반(다를 別 일반 般)**: 따로 별다르게.
예 진상은 소문과 **별반** 다르지 **않다**.

• **절대(끊을 絶 대할 對)**: 절대로.
예 이 말은 남에게 **절대** 하지 **마라**.

---

22 ⑤

☑️**정답 풀이** '의탁(의지할 依 부탁할 託)'은 '어떤 것에 몸이나 마음을 의지하여 맡김.'을 의미하는 한자어이다. 제시된 예문은 물건의 책임을 맡는다는 의미이므로, '남에게 사물이나 사람의 책임을 맡김.'을 의미하는 한자어인 '위탁(맡길 委 부탁할 託)'으로 바꾸어 써야 한다.

예 그 무리들이 몸을 **의탁**하고 있는 산골 마을로 가 보았다.

❌**오답 풀이** ① 기색(氣色): 마음의 작용으로 얼굴에 드러나는 빛.

---

② 추세(趨勢): 어떤 현상이 일정한 방향으로 나아가는 경향.

③ 사태(事態): 일이 되어 가는 형편이나 상황. 또는 벌어진 일의 상태.

④ 동태(動態): 움직이거나 변하는 모습.

---

12 일차   한자어 ⑨

01 반향

☑️**정답 풀이** '반증(돌이킬 反 증거 證)'은 '어떤 사실이나 주장이 옳지 아니함을 그에 반대되는 근거를 들어 증명함. 또는 그런 증거.'를 의미하는 한자어이다. '반향(돌이킬 反 울릴 響)'은 '어떤 사건이나 발표 따위가 세상에 영향을 미치어 일어나는 반응.'을 의미하는 한자어이다. 제시된 예문은 정부의 발표가 사회에 영향을 미쳐 반응을 불러일으켰다는 의미이므로 '반향'이 적절하다.

예 그 이론을 증명하기까지 수많은 **반증**의 시도가 존재했다.

02 외경

☑️**정답 풀이** '외경(두려워할 畏 공경 敬)하다'는 '공경하면서 두려워하다.'를 의미한다. '외람(외람할 猥 넘칠 濫)하다'는 '하는 행동이나 생각이 분수에 지나치다.'를 의미한다. 제시된 예문은 초자연적 힘이 있는 조각상을 보자 공경하면서도 두려워하는 마음이 들었다는 의미이므로 '외경'이 적절하다.

예 **외람하게도** 제가 한 말씀 드리겠습니다.

03 배치

☑️**정답 풀이** '배치(배반할 背 달릴 馳)하다'는 '서로 반대로 되어 어그러지거나 어긋나다.'를 의미한다. '안배(누를 按 밀칠 排)하다'는 '알맞게 잘 배치하거나 처리하다.'를 의미한다. 제시된 예문은 국회 의원이 제안한 법이 상위법에 어긋난다는 의미이므로 '배치'가 적절하다.

예 각 부서에 필요한 인원을 적정하게 **안배해야** 한다.

04 이입

☑️**정답 풀이** '이입(옮길 移 들 入)하다'는 '옮기어 들이다.'를 의미한다. '전입(구를 轉 들 入)하다'는 '새 근무지나 학교 따위로 옮겨 오다.'를 의미한다. 제시된 예문은 시의 화자가 새에게 감정을 옮기어 시상을 전개하고 있다는 의미이므로 '이입'이 적절하다.

예 새로 **전입**해 오신 선생님을 소개합니다.

05 부연

☑️**정답 풀이** '개연(덮을 蓋 그럴 然)'은 '확실하게 단정할 수는 없

지만 대개 그럴 것이라고 생각되는 상태.'를 의미하는 한자어이다. '부연(필 敷 넓을 衍)'은 '이해하기 쉽도록 설명을 덧붙여 자세히 말함.'을 의미하는 한자이다. 제시된 예문은 학생들이 이해하기 어려우니 추가적인 설명이 필요하다는 의미이므로 '부연'이 적절하다.

📝 **예** 그래서 너는 그 사건이 개연이라고 생각하는 거지?

06 ① 완고

✅ **정답 풀이** '완고(완고할 頑 굳을 固)하다'는 '융통성이 없이 올곧고 고집이 세다.'를 의미한다.

❌ **오답 풀이** ② 강직(剛直)하다: 마음이 꼿꼿하고 곧다. **예** 그는 요즘 사람들로서는 드물게 **강직한** 성품을 지녔다.
③ 강건(剛健)하다: 의지나 기상이 굳세고 건전하다. **예** 고난이 닥칠지라도 **강건한** 정신으로 이겨 나가야 한다.
④ 불손(不遜)하다: 말이나 행동 따위가 버릇없거나 겸손하지 못하다. **예** 그렇게 **불손한** 태도로 손님을 맞으면 장사가 잘 되겠니?
⑤ 근엄(謹嚴)하다: 점잖고 엄숙하다. **예** 할아버지의 표정은 너무도 **근엄하여** 나는 한 마디도 꺼낼 수가 없었다.

07 ④ 생소

✅ **정답 풀이** '생소(날 生 소통할 疏)하다'는 '어떤 대상이 친숙하지 못하고 낯이 설다.'를 의미한다.

❌ **오답 풀이** ① 노련(老鍊)하다: 많은 경험으로 익숙하고 능란하다. **예** 형사는 **노련하게** 증거들을 수집해 나갔다.
② 숙지(熟知)하다: 익숙하게 또는 충분히 알다. **예** 사용 방법을 잘 **숙지하고** 있으면 앞으로 실수할 일이 없을 것이다.
③ 미숙(未熟)하다: 일 따위에 익숙하지 못하여 서투르다. **예** 그 신입 사원은 아직은 회사 일에 **미숙하다.**
⑤ 능란(能爛)하다: 익숙하고 솜씨가 있다. **예** 그는 처세에 **능란하여** 사람들과 사이가 좋다.

08 ① 비속

✅ **정답 풀이** '비속(낮을 卑 풍속 俗)하다'는 '격이 낮고 속되다.'를 의미한다.

❌ **오답 풀이** ② 야비(野卑)하다: 성질이나 행동이 야하고 천하다. **예** 남을 속이고 이익을 얻으려는 것은 **야비한** 행동이다.
③ 비루(鄙陋)하다: 행동이나 성질이 너절하고 더럽다. **예** 그의 **비루한** 태도는 사람들이 그를 꺼리게 만드는 이유였다.
④ 남루(襤褸)하다: 옷 따위가 낡아 해지고 차림새가 너저분하다. **예** 나는 **남루하지만** 마음만은 떳떳하다.
⑤ 비상(非常)하다: 평범하지 아니하고 뛰어나다. **예** 그녀는 재주가 **비상하다.**

09 ③ 완곡

✅ **정답 풀이** '완곡(순할 婉 굽을 曲)하다'는 '말하는 투가, 듣는 사람의 감정이 상하지 않도록 모나지 않고 부드럽다.'를 의미

한다.

❌ **오답 풀이** ① 원만(圓滿)하다: 성격이 모난 데가 없이 부드럽고 너그럽다. **예** 김 선생은 **원만해** 보이는 인상을 지녔다.
② 유려(流麗)하다: 글이나 말, 곡선 따위가 거침없이 미끈하고 아름답다. **예** 작가 특유의 **유려한** 문체가 인상적이었다.
④ 유창(流暢)하다: 말을 하거나 글을 읽는 것이 물 흐르듯이 거침이 없다. **예** 그녀는 어린 시절을 미국에서 보내서인지 영어를 매우 **유창하게** 구사한다.
⑤ 온건(穩健)하다: 생각이나 행동 따위가 사리에 맞고 건실하다. **예** 어머니는 어떠한 경우에도 **온건한** 태도를 잃지 않는다.

10 ② 범주

✅ **정답 풀이** '범주(법 範 이랑 疇)'는 '동일한 성질을 가진 부류나 범위.'를 의미하는 한자어이다.

❌ **오답 풀이** ① 개념(槪念): 어떤 사물 현상에 대한 일반적인 지식. **예** 아이들은 아직 돈에 대한 **개념이** 없다.
③ 구획(區劃): 토지 따위를 경계를 지어 가름. 또는 그런 구역. **예** **구획을** 나누어 토지를 정비하였다.
④ 분류(分類): 종류에 따라서 가름. **예** 도서 **분류가** 잘못되어 원하는 책을 찾기가 어렵다.
⑤ 세목(細目): 잘게 나눈 낱낱의 조항. **예** 전체 내용은 대충 파악했지만 **세목까지** 꼼꼼히 보지는 못했다.

11 ③ 비약

✅ **정답 풀이** '비약(날 飛 뛸 躍)'은 '논리나 사고방식 따위가 그 차례나 단계를 따르지 아니하고 뛰어넘음.'을 의미하는 한자어이다.

❌ **오답 풀이** ① 궤변(詭辯): 상대편을 이론으로 이기기 위하여 상대편의 사고(思考)를 혼란시키거나 감정을 격앙시켜 거짓을 참인 것처럼 꾸며 대는 논법. **예** 그런 구차스러운 변명은 **궤변에** 지나지 않는다.
② 오류(誤謬): 그릇되어 이치에 맞지 않는 일. **예** 이 보고서에는 맞춤법 **오류가** 전혀 없다.
④ 억설(臆說): 근거도 없이 억지로 고집을 세워서 우겨 댐. 또는 그런 말. **예** 이유도 대지 않고 자기 입장만 내세우다니, 그런 **억설이** 어디 있을까?
⑤ 오해(誤解): 그릇되게 해석하거나 뜻을 잘못 앎. 또는 그런 해석이나 이해. **예** 많은 대화로 서로 간에 **오해를** 풀어야 한다.

12 ⑤ 유장

✅ **정답 풀이** '유장(멀 悠 길 長)하다'는 '길고 오래다.' 또는 '급하지 않고 느릿하다.'를 의미한다. 그러므로 빈칸에 공통으로 들어가기에 적절한 단어는 '유장'이다.

❌ **오답 풀이** ① 유구(悠久)하다: 아득하게 오래다. **예** 우리는 반만 년의 **유구한** 역사를 가지고 있다.
② 무궁(無窮)하다: 끝이 없다. **예** 귀사의 **무궁한** 발전을 기원합니다.

③ 영구(永久)하다: 시간상으로 무한히 이어진 상태이다. 예 남극은 영구한 겨울이 이어지는 곳이다.
④ 무한(無限)하다: 수(數), 양(量), 공간, 시간 따위에 제한이나 한계가 없다. 예 우리는 무한한 우주의 시간 속에서 살아가고 있다.

13 ③ 완급

✅정답 풀이 '완급(느릴 緩 급할 急)'은 '느림과 빠름.' 또는 '일의 급함과 급하지 않음.'을 의미하는 한자어이다. 그러므로 빈칸에 공통으로 들어가기에 적절한 단어는 '완급'이다.

❌오답 풀이 ① 이완(弛緩): 굳어서 뻣뻣하게 된 근육 따위가 원래의 상태로 풀어짐. 예 한동안 근육의 긴장과 이완이 반복되었다.
② 해이(解弛): 긴장이나 규율 따위가 풀려 마음이 느슨함. 예 시험이 거의 다 끝났다는 마음의 해이 때문인지 마지막 시험에서 실수를 하고 말았다.
④ 완충(緩衝): 대립하는 것 사이에서 불화나 충돌을 누그러지게 함. 예 사이에 덧대어 놓은 스펀지가 완충 작용을 하고 있다.
⑤ 완화(緩和): 긴장된 상태나 급박한 것을 느슨하게 함. 예 정부는 우리 국민의 출국 제한 완화를 발표했다.

14 ④ 오판

✅정답 풀이 '오판(그르칠 誤 판단할 判)'은 '잘못 보거나 잘못 판단함. 또는 잘못된 판단.'을 의미하는 한자어이다. 그러므로 빈칸에 공통으로 들어가기에 적절한 단어는 '오판'이다.

❌오답 풀이 ① 혼동(混同): 구별하지 못하고 뒤섞어서 생각함. 예 그는 현실과 꿈 사이에서 혼동을 일으켰다.
② 오심(誤審): 잘못 심리하거나 심판함. 또는 그런 심리나 심판. 예 심판의 오심으로 우리 선수들이 피해를 입었다.
③ 착시(錯視): 시각적인 착각 현상. 예 이 문양은 사람들에게 착시를 일으킨다.
⑤ 차질(蹉跌): 하던 일이 계획이나 의도에서 벗어나 틀어지는 일. 예 갑자기 공사가 연기되는 바람에 내 계획에도 차질이 생겼다.

15 ③ 심오한

✅정답 풀이 '심오(깊을 深 깊을 奧)하다'는 '사상이나 이론 따위가 깊이가 있고 오묘하다.'를 의미한다. 제시된 예문은 미적 감수성을 깊이가 있는 지혜의 하나로 본다는 의미이므로 '심오한'이 적절하다.

❌오답 풀이 ① 심각(深刻)하다: 상태나 정도가 매우 깊고 중대하다. 또는 절박함이 있다. 예 환자의 상태가 심각하여 중환자실로 옮겼다.
② 미묘(微妙)하다: 뚜렷하지 않고 야릇하고 묘하다. 예 아이의 표정에서 감정의 미묘한 변화를 읽을 수 있었다.
④ 묵중(默重)하다: 말이 적고 몸가짐이 신중하다. 예 그는 그 자리에서 묵중하게 침묵을 지키고 있었다.
⑤ 고상(高尚)하다: 품위나 몸가짐이 속되지 아니하고 훌륭하다. 예 그녀는 인격이 고상하다.

16 ⑤ 요행하게도

✅정답 풀이 '요행(요행 僥 요행 倖)하다'는 '뜻밖으로 운수가 좋다.'를 의미한다. 제시된 예문은 뜻밖으로 운이 좋게 시험에 통과했다는 의미이므로 '요행하게도'가 적절하다.

❌오답 풀이 ① 요긴(要緊)하다: 꼭 필요하고 중요하다. 예 엄마가 주신 반짇고리는 요긴하게 잘 쓰고 있다.
② 간절(懇切)하다: 마음속에서 우러나와 바라는 정도가 매우 절실하다. 예 이번 시험에 합격하기를 간절히 바랐다.
③ 절실(切實)하다: 매우 시급하고도 긴요한 상태에 있다. 예 국제 경쟁력을 키우기 위해서는 기술의 첨단화가 절실하다.
④ 시급(時急)하다: 시각을 다툴 만큼 몹시 절박하고 급하다. 예 지진의 피해를 최소화하기 위한 대책이 시급하다.

어·휘·력 Up '요행'과 '다행'의 어감 차이

'요행(요행 僥 요행 倖)'은 '뜻밖에 얻는 행운.'을 의미하는 한자어이고 '다행(많을 多 다행 幸)'은 '뜻밖에 일이 잘되어 운이 좋음.'을 의미하는 한자어이다. 두 단어의 사전적 의미는 큰 차이가 없지만, 실제로 사용할 때에는 어감 차이가 존재한다.
예 나는 요행을 바라며 복권을 샀다.
예 목숨만이라도 건질 수 있게 된 것을 무척 다행으로 생각했다.
이처럼 '요행'은 노력이나 능력을 넘어서 과분하게 얻는 행운을 의미할 때 많이 쓰이고, '다행'은 원하는 방향으로 일이 풀려 안심할 수 있다는 의미로 쓰이는 경우가 많다.

17 ② 위무하고

✅정답 풀이 '위무(위로할 慰 어루만질 撫)하다'는 '위로하고 어루만져 달래다.'를 의미한다. 제시된 예문은 그녀가 슬픔에 빠져 있는 사람들을 위로한다는 의미이므로 '위무하고'가 적절하다.

❌오답 풀이 ① 종용(慫慂)하다: 잘 설득하고 달래어 권하다. 예 죄인에게 관용을 베풀도록 사법부에 종용했다.
③ 회유(懷柔)하다: 어루만지고 잘 달래어 시키는 말을 듣도록 하다. 예 그는 내게 돈을 주며 증언을 포기하라고 회유했다.
④ 사주(使嗾)하다: 남을 부추겨 좋지 않은 일을 시키다. 예 그는 동생에게 돈을 빼돌릴 것을 사주했다.
⑤ 치하(致賀)하다: 남이 한 일에 대하여 고마움이나 칭찬의 뜻을 표시하다. 예 교장은 열심히 노력한 교사들의 노고를 치하했다.

18 ④ 소요되는

✅정답 풀이 '소요(바 所 요긴할 要)되다'는 '필요로 되거나 요구되다.'를 의미한다. 제시된 예문은 집에서 학교까지 걸어가는 데 15분 정도가 요구된다는 의미이므로 '소요되는'이 적절하다.

❌오답 풀이 ① 저촉(抵觸)되다: 법률이나 규칙 따위에 위반되거나 거슬리다. 예 무단 횡단은 법에 저촉되는 행동이다.
② 소비(消費)되다: 돈이나 물자, 시간, 노력 따위가 들거나 쓰여 없어지다. 예 이 일에는 많은 시간과 돈이 소비된다.
③ 허비(虛費)되다: 헛되이 쓰이다. 예 공연한 일에 시간과 돈이 허비되었다.

⑤ 적발(摘發)되다: 숨겨져 있는 일이나 드러나지 아니한 것이 들추어내어지다. 예 그 학생은 시험 시간에 부정행위를 하다가 **적발되었다.**

19 ① 수용하면

✅정답풀이 '수용(받을 受 얼굴 容)하다'는 '어떠한 것을 받아들이다.'를 의미한다. 제시된 예문은 사실을 과장하거나 왜곡해서 내면화하면 안 된다는 의미이므로 '수용하면'이 적절하다.
❌오답풀이 ② 도입(導入)하다: 기술, 방법, 물자 따위를 끌어들이다. 예 새로운 미술 기법을 연극에 **도입하기** 위해 애쓰고 있다.
③ 신봉(信奉)하다: 사상이나 학설, 교리 따위를 옳다고 믿고 받들다. 예 그들은 자유주의를 **신봉하는** 세력이라고 볼 수 있다.
④ 신뢰(信賴)하다: 굳게 믿고 의지하다. 예 의사와 환자는 서로를 **신뢰하면서** 병을 치료해 나가야 한다.
⑤ 접수(接受)하다: 신청이나 신고 따위를 구두(口頭)나 문서로 받다. 예 늦어도 이번 달 말까지는 지원 서류를 **접수할** 예정이다.

20 ③

✅정답풀이 '소지(바 所 가질 持)'는 '가지고 있는 일. 또는 그런 물건.'을 의미하는 한자어이다. '얻어 내거나 얻어 가짐.'을 의미하는 한자어는 '획득(얻을 獲 얻을 得)'이다.
예 신용 카드는 현금 **소지**에 따른 불편과 분실 위험을 덜어 준다.
예 그는 국내 시장보다는 외화 **획득**을 위한 국외 시장에 더 관심이 많다.
❌오답풀이 ① 개입(介入): 자신과 직접적인 관계가 없는 일에 끼어듦. 예 부모님의 **개입**으로 친구 사이가 더 나빠졌다.
② 확산(擴散): 흩어져 널리 번짐. 예 전염병의 **확산**을 막기 위해 노력해야 한다.
④ 피력(披瀝): 생각하는 것을 털어놓고 말함. 예 그런 식의 무죄 **피력**은 그에게 도움이 되지 않았다.
⑤ 간주(看做): 상태, 모양, 성질 따위가 그와 같다고 봄. 또는 그렇다고 여김. 예 나는 그의 침묵을 찬성의 뜻으로 **간주**했다.

21 ①

✅정답풀이 '용인(얼굴 容 참을 忍)하다'는 '너그러운 마음으로 참고 용서하다.'를 의미한다. 제시된 예문은 부회장에게 나의 모든 권한을 넘겨준다는 의미이므로 '어떤 일을 책임 지워 맡기다.'를 의미하는 '위임(맡길 委 맡길 任)하다'가 적절하다.
예 오늘과 같은 행동은 다시는 **용인하지** 않을 것이다.
❌오답풀이 ② 무마(撫摩)하다: 분쟁이나 사건 따위를 어물어물 덮어 버리다.
③ 돈독(敦篤)하다: 도탑고 성실하다.
④ 요령(要領): 일을 하는 데 꼭 필요한 묘한 이치.
⑤ 연식(年式): 기계류, 특히 자동차를 만든 해에 따라 구분하는 방식.

01 봉변

✅정답풀이 '모멸(업신여길 侮 업신여길 蔑)'은 '업신여기고 얕잡아 봄.'을 의미하는 한자어이다. '봉변(만날 逢 변할 變)'은 '뜻밖의 변이나 망신스러운 일을 당함. 또는 그 변.'을 의미하는 한자어이다. 제시된 예문은 지나가다 물을 맞는 뜻밖의 변을 당했다는 의미이므로 '봉변'이 적절하다.
예 그는 자신을 모른 체하는 친구를 보며 **모멸**을 느꼈다.

02 면모

✅정답풀이 '면모(얼굴 面 모양 貌)'는 '사람이나 사물의 겉모습. 또는 그 됨됨이.'를 의미하는 한자어이다. '용모(얼굴 容 모양 貌)'는 '사람의 얼굴 모양.'을 의미하는 한자어이다. 제시된 예문은 그에게 소년 같은 됨됨이가 있다는 의미이므로 '면모'가 적절하다.
예 그는 **용모**가 준수하여 처음 본 사람에게도 호감을 샀다.

03 속성

✅정답풀이 '만성(늦을 晩 이룰 成)'은 '늦게 이루어짐.'을 의미하는 한자어이다. '속성(빠를 速 이룰 成)'은 '빨리 이루어짐. 또는 빨리 깨침.'을 의미하는 한자어이다. 제시된 예문은 내가 기술을 빨리 배워 금방 취직했다는 의미이므로 '속성'이 적절하다.
예 그녀는 **만성**이라도 자신의 진짜 꿈을 이루는 것이 중요하다고 생각했다.

04 인도

✅정답풀이 '유도(꾈 誘 이끌 導)하다'는 '사람이나 물건을 목적한 장소나 방향으로 이끌다.'를 의미한다. '인도(끌 引 이끌 導)하다'는 '이끌어 지도하다.'를 의미한다. 제시된 예문은 그 사람이 나를 올바른 사람이 되도록 이끌어 지도해 주었다는 의미이므로 '인도'가 적절하다.
예 점원은 손님이 옷을 입어 보도록 **유도하였다.**

05 만기

✅정답풀이 '만기(찰 滿 기약할 期)'는 '미리 정한 기한이 다 참. 또는 그 기한.'을 의미하는 한자어이다. '만료(찰 滿 마칠 了)'는 '기한이 다 차서 끝남.'을 의미하는 한자어이다. 제시된 예문은 적금의 기한이 얼마 남지 않았다는 의미이므로 '만기'가 적절하다.
예 품질 보증 기간 **만료**가 다가오고 있다.

> **어·휘·력 Up** '만기'와 '만료'
>
> '만기'와 '만료'는 유사한 의미이지만, 어울려 쓰는 어휘에서 차이가 난다.
> '만기'는 경제학 용어로는 '어음 금액의 지급일로서 어음에 적힌 날

짜.'라는 의미로, 주로 예금이나 적금 등과 어울려 쓰인다. 이 외에도 군대에서의 제대나 교도소에서의 출소와 같이 일정 기간을 다 채우고 나올 때 사용하기도 한다.
'만료'는 법률 행위의 효력이 다했다는 의미로 많이 쓰인다. 따라서 계약 기간이나 저작권 연한, 공소 시효 등 법적인 행위와 관련된 어휘와 많이 어울려 쓰인다.

06 ④ 병치

✔정답 풀이 '병치(나란히 並 둘 置)'는 '두 가지 이상의 것을 한 곳에 나란히 두거나 설치함.'을 의미하는 한자어이다.

✘오답 풀이 ① 장치(裝置): 어떤 목적에 따라 기능하도록 기계, 도구 따위를 그 장소에 장착함. 또는 그 기계, 도구, 설비. 예 가스 배출 장치를 설치해야 공기의 흐름이 원활해진다.
② 설립(設立): 기관이나 조직체 따위를 만들어 일으킴. '세움'으로 순화. 예 대학원 설립 신청 서류를 작성해 주세요.
③ 가설(假設): 임시로 설치함. 예 가설 무대라도 무너지지 않게 안전하게 설치해야 한다.
⑤ 부설(附設): 어떤 기관 따위에 부속시켜 설치함. 예 우리 학교는 산업체 부설 야간 학교이다.

07 ① 암시

✔정답 풀이 '암시(어두울 暗 보일 示)'는 '넌지시 알림. 또는 그 내용.'을 의미하는 한자어이다.

✘오답 풀이 ② 언질(言質): 나중에 꼬투리나 증거가 될 말. 또는 앞으로 어찌할 것이라는 말. 예 그는 내게 아무런 언질도 주지 않고 떠나버렸다.
③ 조언(助言): 말로 거들거나 깨우쳐 주어서 도움. 또는 그 말. 예 언니의 조언은 나의 진로 선택에 큰 도움이 되었다.
④ 내포(內包): 어떤 성질이나 뜻 따위를 속에 품음. 예 동생의 표정은 무언가 궁금함를 내포하고 있는 것 같다.
⑤ 함축(含蓄): 말이나 글이 많은 뜻을 담고 있음. 예 그는 그 문제에 대해서 묘한 함축을 남긴 채 결코 단언하지 않았다.

08 ③ 세태

✔정답 풀이 '세태(세상 世 모습 態)'는 '사람들의 일상생활, 풍습 따위에서 보이는 세상의 상태나 형편.'을 의미하는 한자어이다.

✘오답 풀이 ① 세파(世波): 모질고 거센 세상의 어려움. 예 할아버지는 온갖 세파를 다 겪으셨다.
② 시국(時局): 현재 당면한 국내 및 국제 정세나 대세. 예 요즘 같은 시국에 그렇게 태평한 소리만 하고 있을 수가 있겠는가?
④ 세간(世間): 세상 일반. 예 두 사람의 사랑은 세간의 이목을 끌 만했다.
⑤ 속세(俗世): 불가에서 일반 사회를 이르는 말. 예 대사는 속세를 떠나 깊은 산속의 절에서 한평생을 수양했다.

09 ② 염원

✔정답 풀이 '염원(생각 念 원할 願)'은 '마음에 간절히 생각하고 기원함. 또는 그런 것.'을 의미하는 한자어이다.

✘오답 풀이 ① 비망(非望): 분에 넘치는 희망. 예 가난한 형편에 대학에 간다는 것은 비망에 지나지 않는다.
③ 촉망(屬望): 잘되기를 바라고 기대함. 또는 그런 대상. 예 그는 촉망을 받는 젊은이였는데, 한순간의 실수로 몰락했다.
④ 예기(豫期): 앞으로 닥쳐올 일에 대하여 미리 생각하고 기다림. 예 곧 비가 올 것이라고 우산을 챙겼던 그의 예기가 맞아떨어졌다.
⑤ 포부(抱負): 마음속에 지니고 있는, 미래에 대한 계획이나 희망. 예 소녀는 큰 포부를 가지고 미래를 계획하기 시작했다.

10 ① 숭고

✔정답 풀이 '숭고(높을 崇 높을 高)하다'는 '뜻이 높고 고상하다.'를 의미한다.

✘오답 풀이 ② 신성(神聖)하다: 함부로 가까이할 수 없을 만큼 고결하고 거룩하다. 예 예로부터 흰 말은 신성한 동물로 여겨졌다.
③ 존엄(尊嚴)하다: 인물이나 지위 따위가 감히 범할 수 없을 정도로 높고 엄숙하다. 예 나는 인간이 가장 존엄하다고 생각한다.
④ 미천(微賤)하다: 신분이나 지위 따위가 하찮고 천하다. 예 장영실은 미천한 신분이었음에도 조선 최고의 과학자가 되었다.
⑤ 우아(優雅)하다: 고상하고 기품이 있으며 아름답다. 예 그녀는 우아한 자태를 뽐내며 방으로 걸어 들어왔다.

11 ② 문란

✔정답 풀이 '문란(어지러울 紊 어지러울 亂)'은 '도덕, 질서, 규범 따위가 어지러움.'을 의미하는 한자어이다.

✘오답 풀이 ① 퇴락(頹落): 낡아서 무너지고 떨어짐. 예 그 집은 오래 손질하지 않고 버려두어서인지 퇴락의 빛이 역력했다.
③ 탈선(脫線): 말이나 행동 따위가 나쁜 방향으로 빗나감. 예 청소년들의 탈선을 막기 위해서는 사회의 관심이 필요하다.
④ 일탈(逸脫): 정하여진 영역 또는 본디의 목적이나 길, 사상, 규범, 조직 따위로부터 빠져 벗어남. 예 단 하루의 일탈이었지만, 그날은 우리 모두에게 해방감을 가져다주었다.
⑤ 방탕(放蕩): 주색잡기에 빠져 행실이 좋지 못함. 예 왕이 방탕에 빠지면 나라가 망하기 마련이다.

12 ⑤ 양상

✔정답 풀이 '양상(모양 樣 서로 相)'은 '사물이나 현상의 모양이나 상태.'를 의미하는 한자어이다.

✘오답 풀이 ① 자태(姿態): 어떤 모습이나 모양. 주로 여성의 고운 맵시나 태도에 대하여 이르며 식물, 건축물, 강, 산 따위를 사람에 비유하여 이르기도 한다. 예 그녀는 아름다운 자태로 모두의 마음을 빼앗았다.
② 풍채(風采): 드러나 보이는 사람의 겉모양. 예 아저씨는 풍채가 더 좋아지신 것 같아요.
③ 신수(身手): 용모나 풍채를 통틀어 이르는 말. 예 사업에 성공하더니 신수가 아주 번듯해졌네그려.
④ 외양(外樣): 겉모양. 예 사람을 외양으로만 판단해서는 안 된다.

13 ③ 발송

✔️정답풀이 '발송(필 發 보낼 送)'은 '물건, 편지, 서류 따위를 우편이나 운송 수단을 이용하여 보냄.'을 의미하는 한자어이다. 그러므로 빈칸에 공통으로 들어가기에 적절한 단어는 '발송'이다.

❌오답풀이 ① 발신(發信): 소식이나 우편 또는 전신을 보냄. 또는 그런 것. 예 발신 날짜가 언제입니까?
② 송신(送信): 주로 전기적 수단을 이용하여 전신이나 전화, 라디오, 텔레비전 방송 따위의 신호를 보냄. 또는 그런 일. 예 송신 장비에 문제가 생겨 방송이 잘 나가지 않는다.
④ 수신(受信): 우편이나 전보 따위의 통신을 받음. 또는 그런 일. 전신이나 전화, 라디오, 텔레비전 방송 따위의 신호를 받음. 또는 그런 일. 예 우리 동네에는 위성 방송 수신 시설이 마련되어 있다.
⑤ 전송(電送): 글이나 사진 따위를 전류나 전파를 이용하여 먼 곳에 보냄. 예 시스템 오류로 데이터 전송에 실패하고 말았다.

14 ⑤ 입성

✔️정답풀이 '입성(들 入 성 城)'은 '적이 있던 도시를 함락하고 들어가 점령함.'을 의미하며, '상당한 노력 끝에 선망하던 세계나 방면으로 진출하는 일.'을 비유적으로 이르는 한자어이다. 그러므로 빈칸에 공통으로 들어가기에 적절한 단어는 '입성'이다.

❌오답풀이 ① 입장(入場): 장내(場內)로 들어가는 것. 예 이 장소는 미성년자 입장이 불가하다.
② 철수(撤收): 진출하였던 곳에서 시설이나 장비 따위를 거두어 가지고 물러남. 예 참모 회의에서 부대의 철수를 결정하였다.
③ 철야(徹夜): 밤샘. 예 기한 내에 작업을 마무리하기 위해서 철야를 하고 있다.
④ 사임(辭任): 맡아보던 일자리를 스스로 그만두고 물러남. 예 영업 부장은 실적 압박을 견디다 못하여 사임을 하였다.

15 ④ 용의

✔️정답풀이 '용의(쓸 用 뜻 意)'는 '어떤 일을 하려고 마음을 먹음. 또는 그 마음.'을 의미한다. 그러므로 빈칸에 공통으로 들어가기에 적절한 단어는 '용의'이다.

❌오답풀이 ① 의의(意義): 어떤 사실이나 행위 따위가 갖는 중요성이나 가치. 예 남북 정상 회담이 갖는 역사적 의의에 대해 생각해 보자.
② 사상(思想): 어떠한 사물에 대하여 가지고 있는 구체적인 사고나 생각. 예 그는 나와는 다른 사상을 가지고 있는 인물이었다.
③ 취지(趣旨): 어떤 일의 근본이 되는 목적이나 긴요한 뜻. 예 이 프로그램의 취지는 좋았으나 결과는 좋지 않았다.
⑤ 심경(心境): 마음의 상태. 예 지금 심경이 어떠십니까?

16 ③ 입증할

✔️정답풀이 '입증(설 立 증거 證)하다'는 '어떤 증거 따위를 내세워 증명하다.'를 의미한다. 제시된 예문은 흰 까마귀가 존재한다는 증거가 있으면 모든 까마귀가 검다는 지식이 증명될 수 없다는 의미이므로, '입증할'이 적절하다.

❌오답풀이 ① 추출(抽出)하다: 전체 속에서 어떤 물건, 생각, 요소 따위를 뽑아내다. 예 이 화장품은 식물에서 피부에 좋은 성분만을 추출하여 만든 것이다.
② 예측(豫測)하다: 미리 헤아려 짐작하다. 예 아무도 예측하지 못한 일이 일어났다.
④ 추정(推定)하다: 미루어 생각하여 판정하다. 예 경찰은 이번 화재의 원인을 전기 누전으로 추정하고 있다.
⑤ 예견(豫見)하다: 앞으로 일어날 일을 미리 짐작하다. 예 어떤 점쟁이라도 미래를 정확히 예견할 수는 없다.

17 ⑤ 유발해서

✔️정답풀이 '유발(꾈 誘 필 發)하다'는 '어떤 것이 다른 일을 일어나게 하다.'를 의미한다. 제시된 예문은 앞에서 일어난 접촉 사고가 교통 체증을 일어나게 한다는 의미이므로 '유발해서'가 적절하다.

❌오답풀이 ① 격발(激發)하다: 기쁨이나 분노 따위의 감정이 격렬히 일어나다. 또는 그렇게 하다. 예 부패한 양반들에 대한 증오심이 격발하여 민중 봉기로 이어졌다.
② 남발(濫發)하다: 어떤 말이나 행동 따위를 자꾸 함부로 하다. 예 후보자들은 지키지 못할 공약을 남발하는 경향이 있다.
③ 도발(挑發)하다: 남을 집적거려 일이 일어나게 하다. 예 그것은 전쟁을 도발하는 일이 없도록 하라는 경고였다.
④ 촉발(觸發)하다: 어떤 일을 당하여 감정, 충동 따위가 일어나다. 또는 그렇게 되게 하다. 예 이유 없는 질책과 독설은 분노를 촉발하기 마련이다.

18 ③ 수립하자.

✔️정답풀이 '수립(나무 樹 설 立)하다'는 '국가나 정부, 제도, 계획 따위를 이룩하여 세우다.'를 의미한다. 제시된 예문은 이왕 이렇게 된 거 빨리 대책을 이룩하여 세우자는 의미이므로, '수립하자.'가 적절하다.

❌오답풀이 ① 건립(建立)하다: 건물, 기념비, 동상, 탑 따위를 만들어 세우다. 예 기념관을 유적지에 건립하였다.
② 설립(設立)하다: 기관이나 조직체 따위를 만들어 일으키다. 예 그 학과에서는 부설 연구소를 설립하는 데 힘을 기울이고 있다.
④ 옹립(擁立)하다: 임금으로 받들어 모시다. 예 신하들은 세자를 임금으로 옹립했다.
⑤ 적립(積立)하다: 모아서 쌓아 두다. 예 불경기를 대비하여 자본금을 넉넉히 적립해 두었다.

19 ④ 선천적으로

✔️정답풀이 '선천적(먼저 先 하늘 天 과녁 的)'은 '태어날 때부터 지니고 있는. 또는 그런 것.'을 의미하는 한자어이다. 제시된 예문은 그가 뛰어난 그림 실력을 태어날 때부터 지니고 있다는 의미이므로, '선천적으로'가 적절하다.

❌오답풀이 ① 본능적(本能的): 본능에 따라 움직이려고 하는. 또는 그런 것. 예 사람은 **본능적**으로만 행동하면 안 된다.
② 선험적(先驗的): 경험에 앞서서 인식의 주관적 형식이 인간에게 있다고 주장하는. 또는 그런 것. 대상에 관계되지 않고 대상에 대한 인식이 선천적으로 가능함을 밝히려는 인식론적 태도를 말한다. 예 그것은 기술 이전에 생성되어 있던 **선험적**인 것이었다.
③ 계획적(計劃的): 미리 정해진 계획에 따른. 또는 그런 것. 예 그는 내게 **계획적**으로 접근했다.
⑤ 충동적(衝動的): 마음속에서 어떤 욕구 같은 것이 갑작스럽게 일어나는. 또는 그런 것. 예 나는 **충동적**으로 친구에게 화를 내고 말았다.

20 ① 요충지

✅정답풀이 '요충지(요긴할 要 찌를 衝 땅 地)'는 '지세가 군사적으로 아주 중요한 곳.'을 의미하는 한자어이다. 제시된 예문은 그곳이 군사 전략 면에서 아주 중요한 곳이라는 의미이므로, '요충지'가 적절하다.
❌오답풀이 ② 저수지(貯水池): 물을 모아 두기 위하여 하천이나 골짜기를 막아 만든 큰 못. 관개(灌漑), 상수도, 수력 발전, 홍수 조절 따위에 쓴다. 예 **저수지**에는 많은 생물들이 산다.
③ 유적지(遺跡地): 유적이 있는 곳. 예 신라의 **유적지** 답사를 떠나 보자.
④ 도래지(渡來地): 철새 따위가 다른 곳에서 들어와 머무는 곳. 예 때가 되면 철새들은 **도래지**로 와서 머문다.
⑤ 정착지(定着地): 일정한 곳에 자리를 잡아 머물러 사는 땅. 예 그곳은 오래 떠돌던 그들의 **정착지**가 되었다.

21 ⑤

✅정답풀이 '신기(귀신 神 재주 技)'는 '매우 뛰어난 기술이나 재주.'를 의미하는 한자어이다. '꿈과 환상이라는 뜻으로, 허황한 생각을 이르는 말.'을 의미하는 한자어는 '몽환(夢幻)'이다.
예 그 점쟁이는 **신기**하게도 나의 과거를 이야기했다.
예 나는 **몽환**에 빠져 한동안 정신을 차리지 못했다.
❌오답풀이 ① 우매(愚昧): 어리석고 사리에 어두움. 예 한 사람의 **우매**로 많은 사람이 고통을 겪었다.
② 기약(期約): 때를 정하여 약속함. 또는 그런 약속. 예 **기약** 없는 기다림은 너무 힘들구나.
③ 효험(效驗): 일의 좋은 보람. 또는 어떤 작용의 결과. 예 이 약은 **효험**이 있기로 유명하다.
④ 기우(杞憂): 앞일에 대해 쓸데없는 걱정을 함. 또는 그 걱정. 예 혹시 일이 잘못되지나 않을까 하는 걱정은 **기우**였다.

22 ②

✅정답풀이 '이질성(다를 異 바탕 質 성품 性)'은 '서로 바탕이 다른 성질이나 특성.'을 의미하는 한자어이다. 제시된 예문은 그것이 다른 나라의 관습이지만 비슷한 느낌을 느꼈다는 의미이므로 '사람이나 사물의 바탕이 같은 성질이나 특성.'을 의미하는 한

자어인 '동질성(한 가지 同 바탕 質 성품 性)'이 적절하다.
예 통일 이후 남북한 **이질성** 극복이 무엇보다 중요하다.
❌오답풀이 ① 신축성(伸縮性): 물체가 늘어나고 줄어드는 성질.
③ 신뢰성(信賴性): 굳게 믿고 의지할 수 있는 성질.
④ 복잡성(複雜性): 갈피를 잡기 어려울 만큼 여러 가지가 얽혀 있거나 어수선한 성질.
⑤ 상대성(相對性): 사물이 그 자체로서 독립하여 존재하지 아니하고, 다른 사물과 의존적인 관계를 가지는 성질.

적용 문제

1 ⑤

✅정답풀이 ⓜ'주재(주인 主 재상 宰)하다'는 '어떤 일을 중심이 되어 맡아 처리하다.'를 의미한다. '맡기다'는 '어떤 일에 대한 책임을 지고 담당하다.'를 의미하는 '맡다'의 사동사이다. ⓜ의 앞뒤 문맥을 살펴보면 하늘이 중심이 되어 만물을 맡아 처리하는 것이지, 하늘이 다른 대상으로 하여금 만물을 맡아 처리하도록 시키는 것은 아니기 때문에 '맡기는'으로 바꾸어 쓰는 것은 적절하지 않다.
예 부장님은 김 대리에게 그 일을 **맡겼다**.
❌오답풀이 ① 추구(追求)하다: 목적을 이룰 때까지 뒤좇아 구하다. / 좇다: 목표, 이상, 행복 따위를 추구하다.
② 충족(充足)하다: 일정한 분량을 채워 모자람이 없게 하다. / 채우다: 만족하게 하다.
③ 실현(實現)되다: 꿈, 기대 따위가 실제로 이루어지다. / 이루어지다: 뜻한 대로 되다.
④ 해소(解消)되다: 어려운 일이나 문제가 되는 상태가 해결되어 없어지다. / 없어지다: 어떤 일이나 현상이나 증상 따위가 나타나지 않게 되다.

2 ④

✅정답풀이 ⓡ'지점(땅 地 점 點)'은 '땅 위의 일정한 점.'을 의미하는 한자어이다. 반면에 ④의 '지점(가를 支 가게 店)'은 '본점에서 갈라져 나온 점포.'를 의미하는 한자어이다. 따라서 '지점'의 의미가 서로 다르다.
❌오답풀이 ① 인지(認知): 어떤 사실을 인정하여 앎.
② 편향(偏向): 한쪽으로 치우침.
③ 주기(週期): 같은 현상이나 특징이 한 번 나타나고부터 다음 번 되풀이되기까지의 기간.
⑤ 경로(經路): 지나는 길.

3 ⑤

✅정답풀이 ⓜ'비방(헐뜯을 誹 헐뜯을 謗)'은 '남을 비웃고 헐뜯어서 말함.'을 의미하는 한자어이다. '공개하지 않고 비밀리에 하

는 방법.'을 의미하는 한자어는 '비방(숨길 祕 본뜰 方)'이다. '비방(誹謗)'과 '비방(祕方)'은 글자의 소리가 서로 같으나 뜻이 다른 동음이의 관계의 단어이다.

例 시험에 한 번에 합격할 수 있는 **비방**을 알려 주시오.

❌ 오답 풀이 ① 핍박(逼迫): 바싹 죄어서 몹시 괴롭게 굶. 例 그는 모진 **핍박**을 견뎌 내고 사업에 성공했다.

② 터득(攄得): 깊이 생각하여 이치를 깨달아 알아냄. 例 나는 혼자서 지렛대의 원리를 **터득**했다.

③ 유풍(遺風): 옛날부터 전하여 내려오는 풍속. 例 두레에는 공동 경작의 **유풍**이 담겨 있다.

④ 경향(京鄉): 서울과 시골을 아울러 이르는 말. 例 그녀는 **경향**에 널리 이름을 떨쳤다.

14일차 한자어 ⑪

01 자문

✅ 정답 풀이 '자문(물을 諮 물을 問)'은 '어떤 일을 좀 더 효율적이고 바르게 처리하려고 그 방면의 전문가나, 전문가들로 이루어진 기구에 의견을 물음.'을 의미하는 한자어이다. 제시된 예문은 정부가 학계에 의견을 물어 환경 보호 구역을 정했다는 의미이므로 '자문'이 적절하다.

어·휘·력 Up '자문(諮問)'과 관련된 적절한 표현

'자문'은 '전문가나 전문가들로 이루어진 기구에 의견을 물음.'을 뜻하므로 '자문하다. / 자문에 응하다.'가 올바른 표현이다.

- 자문을 해 주다. (×) → 자문에 응하다. (○)
  조언을 해 주다. (○)
  자문에 대한 답변을 해 주다. (○)
- 자문을 구하다. (×) → 자문하다. (○)
  자문을 요청하다. (×)

02 타파

✅ 정답 풀이 '타파(칠 打 깨트릴 破)'는 '부정적인 규정, 관습, 제도 따위를 깨뜨려 버림.'을 의미하는 한자어이다. 제시된 예문은 사회 발전을 막는 지역 이기주의를 없애야 한다는 의미이므로 '타파'가 적절하다.

03 조짐

✅ 정답 풀이 '조짐(조 兆 나 朕)'은 '좋거나 나쁜 일이 생길 기미가 보이는 현상.'을 의미하는 한자어이다. 제시된 예문은 경기가 풀릴 기미가 보인다는 의미이므로 '조짐'이 적절하다.

04 폄하

✅ 정답 풀이 '폄하(낮출 貶 아래 下)'은 '가치를 깎아내림.'을 의미

하는 한자어이다. 제시된 예문은 나이가 어리다고 해서 그의 작품까지 무시해서는 안 된다는 의미이므로 '폄하'가 적절하다.

05 진수

✅ 정답 풀이 '진수(참 眞 뼛골 髓)'는 '사물이나 현상의 가장 중요하고 본질적인 부분.'을 의미하는 한자어이다. 제시된 예문은 한국 팀이 전반에 다섯 골을 넣어 공격 축구의 본모습을 보여 주었다는 의미이므로 '진수'가 적절하다.

06 평판

✅ 정답 풀이 '평판(평할 評 판단할 判)'은 '세상 사람들의 비평.'을 의미하는 한자어이다. 제시된 예문은 그 사람에 대한 사람들의 평가가 어떠하냐는 의미이므로 '평판'이 적절하다.

07 착오

✅ 정답 풀이 '착오(어긋날 錯 그르칠 誤)'는 '착각을 하여 잘못함. 또는 그런 잘못.'을 의미하는 한자어이다. 제시된 예문은 담당자의 잘못으로 문제가 발생했다는 의미이므로 '착오'가 적절하다.

08 항간

✅ 정답 풀이 '항간(거리 巷 사이 間)'은 '일반 사람들 사이.'를 의미하는 한자어이다. 제시된 예문은 사람들 사이에 떠도는 소문을 모두 믿지는 말라는 의미이므로 '항간'이 적절하다.

09 ② 조소

✅ 정답 풀이 '조소(비웃을 嘲 웃음 笑)'는 '비웃음.'을 의미하는 한자어이다.

❌ 오답 풀이 ① 미소(微笑): 소리 없이 빙긋이 웃음. 또는 그런 웃음. 例 잠든 아기를 보는 엄마의 얼굴에 미소가 번졌다.

③ 실소(失笑): 어처구니가 없어 저도 모르게 웃음이 툭 터져 나옴. 또는 그 웃음. 例 발표자의 엉뚱한 대답이 청중들의 실소를 자아냈다.

④ 비소(非笑): 남을 비방하거나 비난하여 웃음. 또는 그런 미소. 例 두 사람에게 손가락질하며 비소를 머금었다.

⑤ 고소(苦笑): 쓴웃음. 例 나는 풋내기 같은 내 어투에 스스로 고소를 지었다.

10 ④ 탈피하여

✅ 정답 풀이 '탈피(벗을 脫 가죽 皮)하다'는 '일정한 상태나 처지에서 완전히 벗어나다.'를 의미한다. 제시된 예문은 편견과 아집에 빠진 상태에서 벗어난다는 의미이므로 '탈피하여'가 적절하다.

❌ 오답 풀이 ① 초월(超越)하다: 어떠한 한계나 표준을 뛰어넘다. 例 인간은 공간을 초월할 수 없다.

② 초연(超然)하다: 어떤 현실 속에서 벗어나 그 현실에 아랑곳하지 않고 의젓하다. 例 그는 살림이 넉넉하지 않아도 항상 돈에 초연했고, 돈에 엄격했다.

③ 초탈(超脫)하다: 세속적인 것이나 일반적인 한계를 벗어나다. 예 좋게 보자면 그는 재물에 대한 욕심을 초탈한 사람이라고도 할 수 있다.
⑤ 탈속(脫俗)하다: 부나 명예와 같은 현실적인 이익을 추구하는 마음으로부터 벗어나다. 예 남루한 모습이지만 그에게서는 어딘가 탈속한 듯한 분위기가 느껴졌다.

11 ④ 파급되었다.
✅정답 풀이 '파급(물결 波 미칠 及)되다'는 '어떤 일의 여파나 영향이 차차 다른 데로 미치게 되다.'를 의미한다. 제시된 예문은 소비자 운동의 영향이 우리 마을까지 가해졌다는 의미이므로 '파급되었다'가 적절하다.
❌오답 풀이 ① 전달(傳達)되다: 지시, 명령, 물품 따위가 다른 사람이나 기관에 전하여져 이르게 되다. 예 그는 그 물건이 누구에게서 누구에게로 전달되는 것인지도 전혀 모르고 있었다.
② 전이(轉移)되다: 사물이 시간이 지남에 따라 변하고 바뀌다. 예 '어리다'라는 단어는 '어리석다'에서 '나이가 적다'로 의미가 전이된 것이다.
③ 보급(普及)되다: 널리 펴져서 많은 사람들에게 골고루 미치게 되어 누리게 되다. 예 태권도는 전 세계에 보급되어 있는 우리나라 무술이다.
⑤ 하달(下達)되다: 상부나 윗사람의 명령, 지시, 결정 및 의사 따위가 하부나 아랫사람에게 내려지거나 전달되다. 예 지침이 각 부서로 하달되었다.

12 ① 지칭하는
✅정답 풀이 '지칭(가리킬 指 일컬을 稱)하다'는 '어떤 대상을 가리켜 이르다.'를 의미한다. 제시된 예문은 원래 군자는 정치적 지배 계층을 이르는 말이었다는 의미이므로 '지칭하는'이 적절하다.
❌오답 풀이 ② 지명(指名)하다: 여러 사람 가운데 누구의 이름을 지정하여 가리키다. 예 회장은 나를 서기로 지명하였다.
③ 지정(指定)하다: 가리키어 확실하게 정하다. 예 선생님께서는 소풍날 모일 장소를 지정해 주셨다.
④ 지휘(指揮)하다: 목적을 효과적으로 이루기 위하여 단체의 행동을 통솔하다. 예 체육대회 연습을 하는 동안 반장이 반 아이들을 지휘했다.
⑤ 지령(指令)하다: 단체 따위에서 상부로부터 하부 또는 소속원에게 그 활동 방침에 대하여 명령을 내리다. 예 부장은 부서원들에게 홍보 활동을 적극적으로 하라고 지령했다.

13 ④ 포괄할
✅정답 풀이 '포괄(쌀 包 묶을 括)하다'는 '일정한 대상이나 현상 따위를 어떤 범위나 한계 안에 모두 끌어넣다.'를 의미한다. 제시된 예문은 함축 관계를 이루는 명제들을 모두 범위 안에 넣을 수 있다는 의미이므로 '포괄할'이 적절하다.
❌오답 풀이 ① 응집(凝集)하다: 명령이나 요구 따위에 응하여 모이다. 예 모두 모이라는 회장의 말에 반 친구들이 모두 응집했다.

② 종합(綜合)하다: 여러 가지를 한데 모아서 합하다. 예 회장은 체험 학습 장소에 대한 학생들의 의견을 종합했다.
③ 합성(合成)하다: 둘 이상의 것을 합쳐서 하나를 이루다. 예 그는 자신의 사진과 친구의 사진을 합성했다.
⑤ 배합(配合)하다: 이것저것을 일정한 비율로 한데 섞어 합치다. 예 유자와 설탕을 1:1로 배합하여 유리병에 재워 두면 유자청이 완성된다.

14 ②
✅정답 풀이 '연체(늘일 延 막힐 滯)하다'는 '정한 기한에 약속을 지키지 못하고 지체하다.'를 의미한다. 제시된 예문은 기술 개발을 늦추거나 질질 끌게 되면 산업 발전에 지장이 있다는 의미이므로 '때를 늦추거나 질질 끌다.'를 의미하는 '지체(더딜 遲 막힐 滯)하다'의 활용형인 '지체하면'이 적절하다.
예 도서를 연체하면 대출이 정지될 수도 있습니다.
❌오답 풀이 ① 제고(提高)하다: 쳐들어 높이다.
③ 함양(涵養)하다: 능력이나 품성 따위를 길러 쌓거나 갖추다.
④ 태만(怠慢)하다: 열심히 하려는 마음이 없고 게으르다.
⑤ 척결(剔抉)하다: 나쁜 부분이나 요소들을 깨끗이 없애 버리다.

15 ⑤
✅정답 풀이 제시된 예문은 그가 일을 하면서 새로운 기술을 알아 갔다는 의미이다. 제시된 예문에 쓰인 '터득(펼 攄 얻을 得)하다'는 '깊이 생각하여 이치를 깨달아 알아내다.'를 의미한다. '드러나지 않은 사물이나 현상 따위를 찾아내거나 밝히기 위하여 살피어 찾다.'는 '탐색(찾을 探 찾을 索)하다'의 의미이다.
예 한국 고대 문화에 대해 진지하게 탐색해 보자.
❌오답 풀이 ① 확정(確定)하다: 일을 확실하게 정하다.
② 타협(妥協)하다: 어떤 일을 서로 양보하여 협의하다.
③ 직시(直視)하다: 사물의 진실을 바로 보다.
④ 현저(顯著)하다: 뚜렷이 드러나 있다.

16 토로
✅정답 풀이 '토로(토할 吐 이슬 露)하다'는 '마음에 있는 것을 죄다 드러내어서 말하다.'를 의미한다. 제시된 예문은 내가 그동안의 고민과 서러움을 친구에게 모두 말했다는 의미이므로 '토로'가 적절하다.

17 정착
✅정답 풀이 '정착(정할 定 붙을 着)하다'는 '새로운 문화 현상, 학설 따위가 당연한 것으로 사회에 받아들여지다.'를 의미한다. 제시된 예문은 새로운 제도가 사회에 당연하게 받아들여지기에는 시간이 필요하다는 의미이므로 '정착'이 적절하다.

18 통념
✅정답 풀이 '통념(통할 通 생각 念)'은 '일반적으로 널리 통하는 개념.'을 의미하는 한자어이다. 제시된 예문은 그 예술품이 일반

적으로 통하는 생각을 넘어서는 것이라는 의미이므로 '통념'이 적절하다.

19 품위

✅정답풀이 '품위(물건 品 자리 位)'는 '사람이 갖추어야 할 위엄이나 기품.'을 의미하는 한자어이다. 제시된 예문은 그분이 점잖고 기품이 있어 보인다는 의미이므로 '품위'가 적절하다.

20 착각

✅정답풀이 '착각(어긋날 錯 깨달을 覺)'은 '어떤 사물이나 사실을 실제와 다르게 지각하거나 생각함.'을 의미하는 한자어이다. 제시된 예문은 꿈에 본 사람을 실제로 만난 것 같이 잘못 생각을 했다는 의미이므로 '착각'이 적절하다.

21 황당하다

✅정답풀이 '당황(당당할 唐 어리둥절할 惶)하다'는 '놀라거나 다급하여 어찌할 바를 모르다.'를 의미한다. '황당(거칠 荒 당당할 唐)하다'는 '말이나 행동 따위가 참되지 않고 터무니없다.'를 의미한다.
예 그 사람은 엉뚱한 질문으로 사람을 당황하게 하였다.
예 소문이 너무 황당하여 어이없다.

22 처치

✅정답풀이 '처치(곳 處 둘 置)'는 '상처나 헌데 따위를 치료함.'을 의미하는 한자어이다. '처방(곳 處 모 方)'은 '병을 치료하기 위하여 증상에 따라 약을 짓는 방법'을 의미하는 한자어이다.
예 넘어진 상처라도 빠른 처치가 중요하다.
예 의사의 처방에 따라 약국에 가서 약을 지었다.

23 정체

✅정답풀이 '정체(머무를 停 막힐 滯)'는 '사물이 발전하거나 나아가지 못하고 한자리에 머물러 그침.'을 의미하는 한자어이다. '정지(머무를 停 그칠 止)'는 '움직이고 있던 것이 멎거나 그침. 또는 중도에서 멎거나 그치게 함.'을 의미하는 한자어이다.
예 경제의 정체로 불황이 지속된다.
예 폭설로 자동차 운행 정지 명령이 떨어졌다.

어·휘·력 Up **'막힐 체(滯)'가 사용된 한자어**

• **침체**(잠길 沈 막힐 滯): 어떤 현상이나 사물이 진전하지 못하고 제자리에 머무름.
• **연체**(늘일 延 막힐 滯): 정한 기한에 약속을 지키지 못하고 지체함.
• **지체**(더딜 遲 막힐 滯): 때를 늦추거나 질질 끎.
• **적체**(쌓을 積 막힐 滯): 쌓이고 쌓여 제대로 통하지 못하고 막힘.

24 재연

✅정답풀이 '재연(두 再 펼 演)'은 '연극이나 영화 따위를 다시

상연하거나 상영함.' 또는 '한 번 하였던 행위나 일을 다시 되풀이함.'을 의미하는 한자어이다. '재현(두 再 나타날 現)'은 '다시 나타남. 또는 다시 나타냄.'을 의미하는 한자어이다.
예 흘러간 옛 영화를 재연해 달라는 요청이 들어왔다.
예 백여 년 전의 농촌을 재현한 마을에 관광객이 줄을 이었다.

15일차 한자어 ⑫

01 진척

✅정답풀이 '전진(앞 前 나아갈 進)'은 '앞으로 나아감.'을 의미하는 한자어이다. '진척(나아갈 進 오를 陟)'은 '일이 목적한 방향대로 진행되어 감.'을 의미하는 한자어이다. 제시된 예문은 공사가 계획한 대로 진행되지 못했다는 의미이므로 '진척'이 적절하다.
예 올림픽을 전진과 도약의 기회로 삼자.

02 파탄

✅정답풀이 '파산(깨트릴 破 낳을 産)'은 '재산을 모두 잃고 망함.'을 의미하는 한자어이다. '파탄(깨트릴 破 터질 綻)'은 '일이나 계획 따위가 원만하게 진행되지 못하고 중도에서 잘못됨.'을 의미하는 한자어이다. 제시된 예문은 노조와 회사 측의 협상이 원만하게 진행되지 못할 위기에 처했다는 의미이므로 '파탄'이 적절하다.
예 사장은 회사의 파산을 막으려고 갖은 애를 쓰고 있다.

03 해명

✅정답풀이 '변명(분별할 辨 밝을 明)하다'는 '어떤 잘못이나 실수에 대하여 구실을 대며 그 까닭을 말하다.'를 의미한다. '해명(풀 解 밝을 明)하다'는 '까닭이나 내용을 풀어서 밝히다.'를 의미한다. 제시된 예문은 그가 기자에게 사건의 거짓 없는 내용을 밝혔다는 의미이므로 '해명'이 적절하다.
예 그는 내게 자신의 실수를 변명하였다.

04 중재

✅정답풀이 '중재(버금 仲 마를 裁)'는 '분쟁에 끼어들어 쌍방을 화해시킴.'을 의미하는 한자어이다. '중개(버금 仲 낄 介)'는 '제삼자로서 두 당사자 사이에 서서 일을 주선함.'을 의미한다. 제시된 예문은 싸움이 날 것 같아 해결을 위해 나섰다는 의미이므로 '중재'가 적절하다.
예 나의 중개로 10년 넘은 그 집이 팔렸다.

05 향유

✅정답풀이 '향연(잔치할 饗 잔치 宴)'은 '특별히 융숭하게 손님

을 대접하는 잔치.'를 의미하는 한자어이다. '향유(누릴 享 있을 有)'는 '누리어 가짐.'을 의미하는 한자어이다. 제시된 예문은 대중들에게 예술을 누릴 수 있는 기회를 적극적으로 제공해야 한다는 의미이므로 '향유'가 적절하다.

예 왕은 승리한 장군들을 위하여 <u>향연</u>을 준비하였다.

06 탐구 – ⓒ

✅정답 풀이 '탐구(찾을 探 연구할 究)'는 '진리, 학문 따위를 파고들어 깊이 연구함.'을 의미하는 한자어이다.

예 언어에 대한 철학적 <u>탐구</u>는 학문적 깊이가 얕은 사람에겐 몹시 어려운 일이다.

07 조장 – ㉠

✅정답 풀이 '조장(도울 助 길 長)'은 '바람직하지 않은 일을 더 심해지도록 부추김.'을 의미하는 한자어이다.

예 그 광고는 과소비 <u>조장</u> 우려로 방송이 금지되었다.

08 주저 – ㉡

✅정답 풀이 '주저(머뭇거릴 躊 머뭇거릴 躇)'는 '머뭇거리며 망설임.'을 의미하는 한자어이다.

예 필요한 게 있으면 <u>주저</u> 말고 말씀하세요.

09 폐단 – ㉣

✅정답 풀이 '폐단(폐단 弊 끝 端)'은 '어떤 일이나 행동에서 나타나는 옳지 못한 경향이나 해로운 현상.'을 의미하는 한자어이다.

예 이와 같은 <u>폐단</u>을 바로잡아야 한다.

10 환기 – ㉢

✅정답 풀이 '환기(부를 喚 일어날 起)'는 '주의나 여론, 생각 따위를 불러일으킴.'을 의미하는 한자어이다.

예 정부는 새 정책에 대한 여론의 <u>환기</u>를 위해 각종 홍보 행사를 마련했다.

11 ① 추이

✅정답 풀이 '추이(밀 推 옮길 移)'는 '일이나 형편이 시간의 경과에 따라 변하여 나감. 또는 그런 경향.'을 의미하는 한자어이다. 제시된 예문은 작업이 되어 가는 형편을 보아 가며 이후 계획을 세운다는 의미이므로 '추이'가 적절하다.

❌오답 풀이 ② 추진(推進): 목표를 향하여 밀고 나아감. 예 우리는 시간 부족으로 행사 <u>추진</u>에 어려움을 겪고 있다.
③ 촉진(促進): 다그쳐 빨리 나아가게 함. 예 양국은 경제 협력 강화와 공업화 <u>촉진</u>을 목표로 한 공동 연구를 추진하였다.
④ 이체(移替): 계좌 따위에 들어 있는 돈을 다른 계좌 따위로 옮김. 예 도시가스비 <u>이체</u>는 정해진 날짜에 이루어진다.
⑤ 이행(移行): 다른 상태로 옮아감. 예 그 나라는 독재 정치에서 민주 정치로의 <u>이행</u>이 순조롭게 진행됐다.

12 ② 타개

✅정답 풀이 '타개(칠 打 열 開)'는 '매우 어렵거나 막힌 일을 잘 처리하여 해결의 길을 엶.'을 의미하는 한자어이다. 제시된 예문은 수출 부진을 해결하기 위해 정부가 경기 부양책을 내놓았다는 의미이므로 '타개'가 적절하다.

❌오답 풀이 ① 처분(處分): 처리하여 치움. 예 경매로 땅의 <u>처분</u>은 쉽게 이루어졌다.
③ 평정(平定): 적을 쳐서 자기에게 예속되게 함. 예 반란 <u>평정</u>에 공을 세운 사람들에게 상을 내렸다.
④ 정리(整理): 흐트러지거나 혼란스러운 상태에 있는 것을 한데 모으거나 치워서 질서 있는 상태가 되게 함. 예 공부를 시작하기 전에 책상 <u>정리</u>를 했다.
⑤ 처리(處理): 사무나 사건 따위를 절차에 따라 정리하여 치르거나 마무리를 지음. 예 교통사고 <u>처리</u>에 비용이 많이 들었다.

13 ⑤ 혁신

✅정답 풀이 '혁신(가죽 革 새 新)'은 '묵은 풍속, 관습, 조직, 방법 따위를 완전히 바꾸어서 새롭게 함.'을 의미하는 한자어이다. 제시된 예문은 기존의 유통 과정을 새롭게 바꾸었다는 의미이므로 '혁신'이 적절하다.

❌오답 풀이 ① 갱신(更新): 이미 있던 것을 고쳐 새롭게 함.(주로 법률 분야나 컴퓨터 분야에서 사용함.) 예 단체 협상 <u>갱신</u>이 무산되었다.
② 수정(修訂): 글이나 글자의 잘못된 점을 고침. 예 대본 <u>수정</u>은 빠른 시일 내에 이루어져야 한다.
③ 변조(變造): 권한 없이 기존물의 형상이나 내용에 변경을 가하는 일. 예 여권 <u>변조</u>는 범법 행위이다.
④ 개정(改正): 주로 문서의 내용 따위를 고쳐 바르게 함. 예 규칙 <u>개정</u>은 회원들의 요구에 따라 진행된 것이다.

어·휘·력 Up '갱신(更新)'과 '경신(更新)'

'갱신(다시 更 새 新)'과 '경신(고칠 更 새 新)'은 한자어 표기가 같으며, '이미 있던 것을 고쳐 새롭게 함.'을 의미하는 한자어이다. 하지만 두 어휘는 같이 사용하는 어휘에 따라 의미의 차이가 존재한다.
• 갱신(更新)
「1」『법률』 법률관계의 존속 기간이 끝났을 때 그 기간을 연장하는 일. 예 운전면허증을 <u>갱신</u>했다.
「2」『컴퓨터』 기존의 내용을 변동된 사실에 따라 변경·추가·삭제하는 일. 예 컴퓨터 시스템을 <u>갱신</u>해야 한다.
• 경신(更新)
「1」 기록경기 따위에서, 종전의 기록을 깨뜨림. 예 그가 마라톤 세계 기록을 <u>경신</u>했다.
「2」 어떤 분야의 종전 최고치나 최저치를 깨뜨림. 예 무더위로 최대 전력 수요 <u>경신</u>이 계속되었다.

14 ④ 팽배

✅정답 풀이 '팽배(물소리 澎 물결칠 湃)'는 '어떤 기세나 사조 따위가 매우 거세게 일어남.'을 의미하는 한자어이다. 제시된 예문

은 사회 전체에 불안감이 강하게 나타난다는 의미이므로 '팽배(澎湃)'가 적절하다.

❌ 오답 풀이 ① 팽창(膨脹): 부풀어서 부피가 커짐. 예 고무풍선이 너무 팽창해서 터질 것 같다.
② 번성(蕃盛): 한창 성하게 일어나 퍼짐. 예 나는 그의 사업이 번성했으면 좋겠다.
③ 성행(盛行): 매우 성하게 유행함. 예 과소비가 성행하는 것은 우리에게 경각심을 불러일으킨다.
⑤ 창성(昌盛): 기세가 크게 일어나 잘 뻗어 나감. 예 한 나라가 창성하는 것은 국민의 의지와 노력에 달려 있다.

15 ④

✅ 정답 풀이 '전락(구를 轉 떨어질 落)'은 '나쁜 상태나 타락한 상태에 빠짐.'을 의미하는 한자어이다. '도덕, 질서, 규범 따위가 어지러움.'을 의미하는 한자어는 '문란(어지러울 紊 어지러울 亂)'이다.
예 그는 사기꾼으로 전락을 하고 말았다.
예 공공질서의 문란은 사회 문제의 원인이 된다.

❌ 오답 풀이 ① 방치(放置): 내버려 둠. 예 쓰레기의 방치로 온 동네가 지저분해졌다.
② 연대(連帶): 여럿이 함께 무슨 일을 하거나 함께 책임을 짐. 예 이 사업은 관련 업체와 연대가 잘 이루어져야만 성공할 수 있다.
③ 표출(表出): 겉으로 나타냄. 예 개성의 과감한 표출은 타인의 자유를 침해하지 않는 한도에서 이루어져야 한다.
⑤ 몰입(沒入): 깊이 파고들거나 빠짐. 예 집중과 몰입을 통해 성과를 얻을 수 있다.

16 ②

✅ 정답 풀이 '치우치다'는 '균형을 잃고 한쪽으로 쏠리다.'를 의미한다. '치중(둘 置 무거울 重)하다'는 '어떠한 것에 특히 중점을 두다.'를 의미하므로, '치우치면'을 '치중하면'으로 바꾸어 쓰는 것은 적절하지 않다.
예 외형에 치중하다 보면 정작 중요한 것을 잊고 지내게 된다.

❌ 오답 풀이 ① 청취(聽取)하다: 의견, 보고, 방송 따위를 듣다. 예 어머니는 매일 이 시간에 라디오 방송을 청취하신다.
③ 파악(把握)하다: 어떤 대상의 내용이나 본질을 확실하게 이해하여 알다. 예 교과서를 읽으며 중요한 내용을 파악하는 것이 중요하다.
④ 발생(發生)하다: 어떤 일이나 사물이 생겨나다. 예 화재가 발생하지 않도록 각별히 주의해라.
⑤ 감소(減少)하다: 양이나 수치가 줄다. 또는 양이나 수치를 줄이다. 예 수출이 감소하고 수입이 늘어서 나라 살림이 어려워지고 있다.

어·휘·력 Up '감소(減少)', '감축(減縮)', '축소(縮小)'
• 감소(덜 減 적을 少): 양이나 수치가 줆. 또는 양이나 수치를 줄임.
  예 이 장치는 매연 감소에 효과가 있다.

• 감축(덜 減 줄일 縮): 덜어서 줄임.
  예 두 나라는 무기 감축에 대한 협정을 체결했다.
• 축소(줄일 縮 작을 小): 모양이나 규모 따위를 줄여서 작게 함.
  예 이 복사기는 축소 복사가 가능하다.
'감소'와 '감축'은 '무기 감소', '무기 감축'처럼 서로 바꾸어 쓸 수 있다. 또 '감소'와 '축소'는 각각 '양이나 수치', '모양이나 규모'에 주로 사용된다는 점에서 차이가 있다.

17 ○

✅ 정답 풀이 '탁월(높을 卓 넘을 越)하다'는 '남보다 두드러지게 뛰어나다.'를 의미한다.
예 그림을 보는 그의 안목은 듣던 대로 탁월했다.

18 ×

✅ 정답 풀이 '판단(판단할 判 끊을 斷)'은 '사물을 인식하여 논리나 기준 등에 따라 판정을 내림.'을 의미하는 한자어이다. '서로 다른 일이나 사물을 구별하여 가름.'을 의미하는 한자어는 '분별(나눌 分 나눌 別)'이다.
예 사람은 자기의 주관적 판단에 따라 자기의 일을 결정한다.
예 지금은 직업의 귀천에 대한 분별이 없어졌다.

19 ○

✅ 정답 풀이 '체결(맺을 締 맺을 結)'은 '얽어서 맺음.' 또는 '계약이나 조약 따위를 공식적으로 맺음.'을 의미하는 한자어이다.
예 경제 조약 체결로 두 나라 사이의 무역 장벽이 완화되었다.

20 ○

✅ 정답 풀이 '포착(잡을 捕 잡을 捉)'은 '요점이나 요령을 얻음.' 또는 '어떤 기회나 정세를 알아차림.'을 의미하는 한자어이다.
예 그는 요점 포착이 날카롭고 빠르다.

21 ×

✅ 정답 풀이 '호황(좋을 好 상황 況)'은 '경기가 좋음. 또는 그런 상황.'을 의미하는 한자어이다. '사치스럽고 화려함.'을 의미하는 한자어는 '호화(호걸 豪 빛날 華)'이다.
예 건설업이 수십 년 만에 최대 호황을 맞고 있다.
예 호화 별장을 갖는 것이 그의 꿈이었다.

22

¹추			³자	
¹천	²진	난	만	
	보			
	²주	력		
³편	의			

정답 풀이 〈가로 열쇠〉

1. '천진난만(하늘 天 참 眞 빛날 爛 흩어질 漫)'은 '말이나 행동에 아무런 꾸밈이 없이 그대로 나타날 만큼 순진하고 천진함.'을 의미하는 한자어이다.
예 천진난만이 그 아이의 가장 큰 무기였다.

2. '주력(부을 注 힘 力)'은 '어떤 일에 온 힘을 기울임.'을 의미하는 한자어이다.
예 나는 자기 소개서를 완성하는 데 주력하고 있다.

3. '편의(편할 便 마땅 宜)'는 '형편이나 조건 따위가 편하고 좋음.'을 의미하는 한자어이다.
예 학교 측은 학생들의 편의를 최대한 봐주고 있다.

〈세로 열쇠〉

1. '추천(밀 推 천거할 薦)'은 '어떤 조건에 적합한 대상을 책임지고 소개함.'을 의미하는 한자어이다.
예 도서부원은 이번 주 내내 추천 도서 목록을 정리했다.

2. '진보주의(나아갈 進 걸음 步 주인 主 옳을 義)'는 '사회의 모순을 변화와 개혁을 통하여 점진적으로 해결해 나가려는 사고방식.'을 의미하는 한자어이다.
예 그 학교는 진보주의 교육 이론의 바탕이 되는 곳이다.

3. '자만(스스로 自 거만할 慢)'은 '자신이나 자신과 관련 있는 것을 스스로 자랑하며 뽐냄.'을 의미하는 한자어이다.
예 상대가 약하다 하더라도 자만을 해서는 안 된다.

오답 풀이 • 사고방식(思考方式): 어떤 문제에 대하여 생각하고 궁리하는 방법이나 태도. **예** 그와 나는 사고방식이 서로 다르다.
• 이기주의(利己主義): 자기 자신의 이익만을 꾀하고, 사회 일반의 이익은 염두에 두지 않으려는 태도. **예** 이기주의는 이웃의 고통을 모른 체하는 메마른 풍토를 조성했다.
• 자긍(自矜): 스스로에게 긍지를 가짐. 또는 그 긍지. **예** 자신의 재능에 대해 자긍을 가져야 한다.
• 추첨(抽籤): 제비를 뽑음. '제비뽑기'로 순화. **예** 선물은 경기가 끝난 후에 추첨을 통해 드립니다.

16 일차 한자어 ⑬

01 ③ 자초

정답 풀이 '자초(스스로 自 부를 招)'는 '어떤 결과를 자기가 생기게 함. 또는 제 스스로 끌어들임.'을 의미하는 한자어이다.
오답 풀이 ① 자청(自請): 어떤 일에 나서기를 스스로 청함. **예** 그는 그 일을 맡겠다고 자청을 하고 나섰다.
② 자체(自體): (다른 명사나 '그' 뒤에 쓰여) 바로 그 본래의 바탕. **예** 그가 무사히 돌아왔다는 것은 그 자체가 기적이다.
④ 자립(自立): 남에게 예속되거나 의지하지 아니하고 스스로 섬. **예** 성인이 된 후에는 경제적으로 자립 생활을 해야 한다.

⑤ 자생(自生): 자기 자신의 힘으로 살아감. **예** 자생과 자멸을 거듭했다.

02 ② 타당한

정답 풀이 '타당(온당할 妥 마땅 當)하다'는 '일의 이치로 보아 옳다.'를 의미한다.
오답 풀이 ① 당연(當然)하다: 일의 앞뒤 사정을 놓고 볼 때 마땅히 그러하다. **예** 부모가 자식을 걱정하는 것은 당연하다.
③ 적합(適合)하다: 일이나 조건 따위에 꼭 알맞다. **예** 목욕을 하기에 적합한 온도로 물을 데웠다.
④ 적당(適當)하다: 정도에 알맞다. **예** 이번 과제는 내 수준에 적당한 것 같다.
⑤ 적절(適切)하다: 꼭 알맞다. **예** 그는 매우 적절한 시기에 나에게 도움을 주었다.

03 ④ 통찰

정답 풀이 '통찰(밝을 洞 살필 察)'은 '예리한 관찰력으로 사물을 꿰뚫어 봄.'을 의미하는 한자어이다.
오답 풀이 ① 주시(注視): 어떤 일에 온 정신을 모아 자세히 살핌. **예** 그 일이 앞으로 어떻게 전개될 것인지가 학생들의 관심과 주시의 대상이 되고 있다.
② 주목(注目): 관심을 가지고 주의 깊게 살핌. 또는 그 시선. **예** 나는 이번 일로 다른 친구들의 주목을 받게 되었다.
③ 응시(凝視): 눈길을 모아 한 곳을 똑바로 바라봄. **예** 그녀는 한참 동안 천장의 한 곳을 응시만 하고 있었다.
⑤ 통달(通達): 사물의 이치나 지식, 기술 따위를 훤히 알거나 아주 능란하게 함. **예** 그 친구는 국어 과목 통달 후 한국사 공부에 매진하겠다고 말했다.

04 ① 한계

정답 풀이 '한계(한할 限 지경 界)'는 '사물이나 능력, 책임 따위가 실제 작용할 수 있는 범위. 또는 그런 범위를 나타내는 선.'을 의미하는 한자어이다.
오답 풀이 ② 경계(境界): 사물이 어떠한 기준에 의하여 분간되는 한계. **예** 나는 꿈과 현실의 경계를 구별할 수 없었다.
③ 범주(範疇): 동일한 성질을 가진 부류나 범위. **예** 현대 사회에서 관찰할 수 있는 현상들은 대략 몇 가지 범주로 묶어 볼 수 있다.
④ 정도(程度): 사물의 성질이나 가치를 양부(良否, 좋음과 나쁨), 우열 따위에서 본 분량이나 수준. **예** 오늘 본 수학 수행 평가는 중학생이 풀 정도의 문제였다.
⑤ 한정(限定): 수량이나 범위 따위를 제한하여 정함. 또는 그런 한도. **예** 그 과일은 한정 수량만 판매됩니다.

05 ② 해이

정답 풀이 '해이(풀 解 늦출 弛)'는 '긴장이나 규율 따위가 풀려 마음이 느슨함.'을 의미하는 한자어이다.
오답 풀이 ① 해제(解除): 묶인 것이나 행동에 제약을 가하는 법령 따위를 풀어 자유롭게 함. 예 한바탕 폭풍이 지나가자 폭풍 해제 사이렌이 울렸다.
③ 저조(低調): 활동이나 감정이 왕성하지 못하고 침체함. 예 김 교수는 연구 활동의 저조로 연구비 지원을 받지 못하게 되었다.
④ 태만(怠慢): 열심히 하려는 마음이 없고 게으름. 예 어떤 직원들은 직무 태만이라는 명목으로 징계를 받기도 하였다.
⑤ 완충(緩衝): 대립하는 것 사이에서 불화나 충돌을 누그러지게 함. 예 그는 우리 부서에서 완충 역할을 한다.

06 ⑤ 척도
✅정답풀이 '척도(자 尺 법도 度)'는 '자로 재는 길이의 표준.' 또는 '평가하거나 측정할 때 의거할 기준.'을 의미하는 한자어이다.
❌오답풀이 ① 규격(規格): 제품이나 재료의 품질, 모양, 크기, 성능 따위의 일정한 표준. 예 서류를 보낼 때에는 규격 봉투를 사용하세요.
② 모범(模範): 본받아 배울 만한 대상. 예 나는 그 친구를 모범으로 삼았다.
③ 규범(規範): 인간이 행동하거나 판단할 때에 마땅히 따르고 지켜야 할 가치 판단의 기준. 예 우리 조상들은 충효를 가장 중요한 생활 규범으로 삼았다.
④ 목표(目標): 어떤 목적을 이루려고 지향하는 실제적 대상으로 삼음. 또는 그 대상. 예 우리 팀은 종합 우승을 목표로 세웠다.

07 진술
✅정답풀이 '진술(베풀 陳 펼 述)'은 '일이나 상황에 대하여 자세하게 이야기함. 또는 그런 이야기.'를 의미하는 한자어이다. 제시된 첫 번째 예문은 문학이 감정을 자세하게 이야기한 것이라 할 수 있다는 의미이고, 두 번째 예문은 사건에 대한 두 사람의 이야기가 엇갈린다는 의미이므로 '진술'이 적절하다.

08 침투
✅정답풀이 '침투(잠길 浸 사무칠 透)'는 '액체 따위가 스며들어 뱀.' 또는 '어떤 사상이나 현상, 정책 따위가 깊이 스며들어 퍼짐.'을 의미하는 한자어이다. 제시된 첫 번째 예문은 신발에 물이 스며드는 것을 막는다는 의미이고, 두 번째 예문은 외국 자본이 국내 시장에 깊이 스며들어 퍼지는 현상이 심각해진다는 의미이므로 '침투'가 적절하다.

09 투하
✅정답풀이 '투하(던질 投 아래 下)'는 '던져 아래로 떨어뜨림.' 또는 '어떤 일에 물자, 자금, 노력 따위를 들임.'을 의미하는 한자어이다. 제시된 첫 번째 예문은 적 진지로 폭탄을 던져 떨어뜨린다는 의미이고, 두 번째 예문은 오염된 강을 되살리기 위해 노력한다는 의미이므로 '투하'가 적절하다.

10 호전
✅정답풀이 '호전(좋을 好 구를 轉)'은 '일의 형세가 좋은 쪽으로

바뀜.' 또는 '병의 증세가 나아짐.'을 의미하는 한자어이다. 제시된 첫 번째 예문은 회사 사정이 점차 좋아질 기미가 보인다는 의미이고, 두 번째 예문은 병세가 많이 나아졌다는 의미이므로 '호전'이 적절하다.

11 추진
✅정답풀이 '추진(밀 推 나아갈 進)'은 '물체를 밀어 앞으로 내보냄.' 또는 '목표를 향하여 밀고 나아감.'을 의미하는 한자어이다. 제시된 첫 번째 예문은 로켓을 앞으로 내보내게 하는 엔진을 개발할 계획이라는 의미이고, 두 번째 예문은 공사가 예정대로 완공을 향해 순조롭게 나아가고 있다는 의미이므로 '추진'이 적절하다.

12 ③ 지도해야
✅정답풀이 '지도(가리킬 指 인도할 導)하다'는 '어떤 목적이나 방향으로 남을 가르쳐 이끌다.'를 의미한다. 제시된 예문은 새로운 사람이 될 수 있도록 백성들을 가르쳐 이끈다는 의미이므로 '지도해야'로 바꾸어 쓰는 것이 적절하다.
❌오답풀이 ① 감독(監督)하다: 일이나 사람 따위가 잘못되지 아니하도록 살피어 단속하다. 또는 일의 전체를 지휘하다. 예 아버지는 그 공사를 감독하는 책임자이시다.
② 육성(育成)하다: 길러 자라게 하다. 예 실업난 해소를 위해 중소기업을 육성해야 한다.
④ 유도(誘導)하다: 사람이나 물건을 목적한 장소나 방향으로 이끌다. 예 행사를 공개적으로 하여 일반인의 참여를 유도하였다.
⑤ 통솔(統率)하다: 무리를 거느려 다스리다. 예 김 선생이 소풍 장소에서 학생들을 통솔하기로 하였다.

13 ① 합당한
✅정답풀이 '합당(합할 合 마땅 當)하다'는 '어떤 기준, 조건, 용도, 도리 따위에 꼭 알맞다.'를 의미한다. 제시된 예문은 군주가 군주다운 덕성에 알맞은 예를 실천한다는 의미이므로 '합당한'으로 바꾸어 쓰는 것이 적절하다.
❌오답풀이 ② 가당(可當)하다: 대체로 사리에 맞다. 예 우리 형편에 유학이라니 가당하기나 하니?
③ 정당(正當)하다: 이치에 맞아 올바르고 마땅하다. 예 그날 야구 경기에서 심판의 판정은 정당하였다.
④ 명확(明確)하다: 명백하고 확실하다. 예 이 문제에 대해 명확한 입장을 밝혀 주십시오.
⑤ 분명(分明)하다: 태도나 목표 따위가 흐릿하지 않고 확실하다. 예 그는 매사에 맺고 끊는 것이 분명하다.

14 ③ 회피해
✅정답풀이 '회피(돌아올 回 피할 避)하다'는 '꾀를 부려 마땅히 져야 할 책임을 지지 아니하다.'를 의미한다. 제시된 예문은 검찰이 마땅히 공개적으로 언급을 해야 함에도 불구하고 사태가 민감하여 그것을 피해 왔다는 의미이므로 '회피해'로 바꾸어 쓰

는 것이 적절하다.

❌오답풀이 ① 변통(變通)하다: 돈이나 물건 따위를 융통하다.
예 학비를 변통하지 못해 휴학을 할 수밖에 없었다.
② 피신(避身)하다: 위험을 피하여 몸을 숨기다. 예 적이 쳐들어오자 마을 사람들은 산으로 피신했다.
④ 탈피(脫皮)하다: 일정한 상태나 처지에서 완전히 벗어나다.
예 그 나라는 후진국에서 탈피하여 선진국 대열로 들어섰다.
⑤ 도피(逃避)하다: 도망하여 몸을 피하다. 예 그는 외국으로 도피하였다.

15 ① 피력한다.

✅정답풀이 '피력(헤칠 披 스밀 瀝)하다'는 '생각하는 것을 털어놓고 말하다.'를 의미한다. 제시된 예문은 칸트가 미적 감수성이 이성에 못지않은 가치를 갖는다고 주장한다는 의미이므로 '피력한다.'로 바꾸어 쓰는 것이 적절하다.
❌오답풀이 ② 구술(具述)하다: 구체적으로 상세하게 진술하다.
예 앞으로의 연구 계획을 구술하시오.
③ 공포(公布)하다: 일반 대중에게 널리 알리다. 예 정부는 한강 하류 지역에 환경 오염이 심각하다고 공포했다.
④ 선포(宣布)하다: 세상에 널리 알리다. 예 정부는 전국에 모든 위험이 사라졌음을 선포하였다.
⑤ 통고(通告)하다: 서면(書面)이나 말로 소식을 전하여 알리다.
예 그들은 마을 사람에게 마을 회관으로 모이라고 통고했다.

16 ③ 착수했다.

✅정답풀이 '착수(붙을 着 손 手)하다'는 '어떤 일에 손을 대다. 또는 어떤 일을 시작하다.'를 의미한다. 제시된 예문은 정부가 가뭄과 관련된 대책 마련을 시작했다는 의미이므로 '착수했다.'로 바꾸어 쓰는 것이 적절하다.
❌오답풀이 ① 봉착(逢着)하다: 어떤 처지나 상태에 부닥치다.
예 그 회사는 경영난에 봉착했다.
② 착안(着眼)하다: 어떤 일을 주의하여 보다. 또는 어떤 문제를 해결하기 위한 실마리를 잡다. 예 그는 눈의 구조에 착안하여 사진기를 발명하였다.
④ 천착(穿鑿)하다: 어떤 원인이나 내용 따위를 따지고 파고들어 알려고 하거나 연구하다. 예 우리는 암세포 파괴의 원인을 알아내기 위해 깊이 천착하고 있는 중이다.
⑤ 당면(當面)하다: 바로 눈앞에 당하다. 예 불리한 상황에 당면하더라도 극복하려고 노력해 보자.

17 장애

✅정답풀이 '장애(막을 障 거리낄 礙)는 유선 통신이나 무선 통신에서 유효 신호의 전송을 방해하는 잡음이나 혼신 따위의 물리적 현상.'을 의미하는 한자어이다. '장해(막을 障 해할 害)'는 '하고자 하는 일을 막아서 방해함. 또는 그런 것.'을 의미하는 한자어이다. 제시된 예문은 신호를 보내는 시설의 이상으로 방송에 문제가 발생한 것이므로 '장애'가 적절하다.

예 그 절벽을 오르는 데에 큰 장해는 없다.

18 충돌

✅정답풀이 '추돌(쫓을 追 갑자기 突)'은 '자동차나 기차 따위가 뒤에서 들이받음.'을 의미하는 한자어이다. '충돌(찌를 衝 갑자기 突)'은 '서로 맞부딪치거나 맞섬.'을 의미하는 한자어이다. 제시된 예문은 의견이 서로 맞서는 것을 피한다는 의미이므로 '충돌'이 적절하다.
예 버스가 승용차에 부딪히는 추돌 사고가 일어났다.

19 참견

✅정답풀이 '참관(참여할 參 볼 觀)하다'는 '어떤 자리에 직접 나아가서 보다.'를 의미한다. '참견(참여할 參 볼 見)하다'는 '자기와 별로 관계없는 일이나 말 따위에 끼어들어 쓸데없이 아는 체하거나 이래라저래라 하다.'를 의미한다. 제시된 예문은 내가 끼어들어 이래라저래라 할 문제가 아니라는 의미이므로 '참견'이 적절하다.
예 부모님들께서 우리들의 수업을 참관하셨다.

어·휘·력 Up '참여할 참(參)'이 사용된 한자어

• 참가(참여할 參 더할 加): 모임이나 단체 또는 일에 관계하여 들어감.
예 참가에 의의를 두자.
• 참석(참여할 參 자리 席): 모임이나 회의 따위의 자리에 참여함.
예 선약이 있어서 그 모임에 참석이 어렵게 되었다.
• 참전(참여할 參 싸움 戰): 전쟁에 참가함. 운동 경기 따위에 선수로 참가함을 비유적으로 이르는 말.
예 우리 할아버지는 참전 용사이시다.
• 참배(참여할 參 절 拜): 신이나 부처에게 절함. 무덤, 또는 죽은 사람을 기념하는 기념비 따위의 앞에서 추모의 뜻을 나타냄.
예 우리 모두 호국 영령을 위해 참배를 드리자.

20 조정

✅정답풀이 '조정(고를 調 가지런할 整)'은 '어떤 기준이나 실정에 맞게 정돈함.'을 의미하는 한자어이다. '조종(잡을 操 세로 縱)'은 '비행기나 선박, 자동차 따위의 기계를 다루어 부림.'을 의미하는 한자어이다. 제시된 예문은 시내버스 노선을 어떤 기준이나 실정에 맞게 정돈한다는 의미이므로 '조정'이 적절하다.
예 그 파일럿은 비행기 조종 기술이 뛰어나다.

21 ②

✅정답풀이 '집정(잡을 執 정사 政)'은 '정권을 잡음.'을 의미하는 한자어이다. '군주가 직접 통치할 수 없을 때에 군주를 대신하여 나라를 다스림. 또는 그런 사람.'을 의미하는 한자어는 '섭정(다스릴 攝 정사 政)'이다.
예 그는 대원군의 집정보다는 진취적인 개혁을 꾀하는 분위기에 더 흥미를 느끼고 있었다.
예 대비의 섭정은 왕권 약화의 계기가 되었다.
❌오답풀이 ① 화복(禍福): 재화(災禍)와 복록(福祿)을 아울러

이르는 말. 예 생사와 **화복**은 모두 하늘의 뜻에 달려 있다.
③ 개간(開墾): 거친 땅이나 버려 둔 땅을 일구어 논밭이나 쓸모 있는 땅으로 만듦. '일굼'으로 순화. 예 그곳은 간석지 **개간** 사업이 한창이다.
④ 위상(位相): 어떤 사물이 다른 사물과의 관계 속에서 가지는 위치나 상태. 예 국제 사회에서 우리나라의 **위상**을 강화해야 한다.
⑤ 아성(牙城): 아주 중요한 근거지를 비유적으로 이르는 말. 예 수십 년간 이어져 온 그의 **아성**을 무너뜨리기는 어렵다.

22 ②

✅정답풀이 '확고(굳을 確 굳을 固)하다'는 '태도나 상황 따위가 튼튼하고 굳다.'를 의미한다. '바르고 확실하다.'는 '정확(바를 正 굳을 確)하다'의 의미이다.
예 **정확**한 판단을 근거로 하여 주장을 펼쳐야 한다.
❌오답풀이 ① 표결(票決): 투표를 하여 결정함.
③ 첨단(尖端): 시대, 사조, 학문, 유행 따위의 맨 앞장.
④ 타결(妥結)하다: 의견이 대립된 양편에서 서로 양보하여 일을 마무르다.
⑤ 활력(活力): 살아 움직이는 힘.

17 일차 한자어 ⑭

01 ○

✅정답풀이 '회상(돌아올 回 생각 想)'은 '지난 일을 돌이켜 생각함. 또는 그런 생각.'을 의미하는 한자어이다.
예 그는 내리는 눈을 보며 **회상**에 잠겼다.

02 ○

✅정답풀이 '초조(탈 焦 마를 燥)'는 '애가 타서 마음이 조마조마함.'을 의미하는 한자어이다.
예 자기 순서를 기다리는 그의 얼굴은 **초조**의 빛을 띠고 있었다.

03 ×

✅정답풀이 '폭압(사나울 暴 누를 壓)'은 '폭력으로 억압함.'을 의미하는 한자어이다. '난폭한 행동.'을 의미하는 한자어는 '폭행(사나울 暴 다닐 行)'이다.
예 사람들은 **폭압**에 견디다 못해서 봉기를 일으켰다.
예 **폭행**을 휘두르는 것은 옳지 못하다.

04 ○

✅정답풀이 '획일적(그을 劃 한 一 과녁 的)'은 '모두가 한결같아서 다름이 없는. 또는 그런 것.'을 의미하는 한자어이다.
예 학교는 학생을 **획일적**으로 길들이는 곳이 아닙니다.

05 ×

✅정답풀이 '해박(갖출 該 넓을 博)하다'는 '여러 방면으로 학식이 넓다.'를 의미한다. '크게 놀랄 정도로 매우 괴이하고 야릇하다.'를 의미하는 단어는 '해괴(놀랄 駭 괴이할 怪)하다'이다.
예 그 분은 법률 상식에 **해박**한 듯 보였다.
예 마을에 **해괴**한 일이 벌어졌다.

06 침체

✅정답풀이 '침체(잠길 沈 막힐 滯)'는 '어떤 현상이나 사물이 진전하지 못하고 제자리에 머무름.'을 의미하는 한자어이다. 제시된 예문은 경기가 한동안 지금과 같은 상황으로 지속될 것이라는 의미이므로 '침체'가 적절하다.

07 전제

✅정답풀이 '전제(앞 前 끌 提)'는 '어떠한 사물이나 현상을 이루기 위하여 먼저 내세우는 것.'을 의미하는 한자어이다. 제시된 예문은 결혼을 먼저 염두에 두고 사귄다는 의미이므로 '전제'가 적절하다.

08 환상

✅정답풀이 '환상(헛보일 幻 생각 想)'은 '현실적인 기초나 가능성이 없는 헛된 생각이나 공상.'을 의미하는 한자어이다. 제시된 예문은 대학 생활에 대한 헛된 생각이나 공상에 빠져들었다는 의미이므로 '환상'이 적절하다.

09 판별

✅정답풀이 '판별(판단할 判 나눌 別)'은 '옳고 그름이나 좋고 나쁨을 판단하여 구별함. 또는 그런 구별.'을 의미하는 한자어이다. 제시된 예문은 그의 진심이 옳은지, 그른지를 판단하기 어렵다는 의미이므로 '판별'이 적절하다.

어·휘·력 Up '판단할 판(判)'이 사용된 한자어
- **판정**(판단할 判 정할 定): 판별하여 결정함.
  예 심판의 **판정**에 따르다.
- **판명**(판단할 判 밝을 明): 어떤 사실을 판단하여 명백하게 밝힘.
  예 **판명**이 나다.
- **판결**(판단할 判 결단할 決): 시비나 선악을 판단하여 결정함.
  예 공평한 **판결**이 나다.
- **평판**(평할 評 판단할 判): 세상 사람들의 비평. 비평하여 시비를 판정함.
  예 **평판**이 나쁘다. / 어떻게 설명해야 정확한 **평판**이 될지 모르겠다.

---

10 적중

✅정답풀이 '적중(과녁 的 가운데 中)'은 '예상이나 추측 또는 목표 따위에 꼭 들어맞음.'을 의미하는 한자어이다. 제시된 예문은 불안한 예감이 꼭 들어맞았다는 의미이므로 '적중'이 적절하다.

11 짐작

✓ 정답 풀이 '짐작(짐작할 斟 술 부을 酌)하다'는 '사정이나 형편 따위를 어림잡아 헤아리다.'를 의미한다. '예측(미리 豫 헤아릴 測)하다'는 '미리 헤아려 짐작하다.'를 의미한다. 제시된 예문은 사건의 진상을 어림잡아 헤아린다는 의미이므로 '짐작'이 적절하다.
예 주최 측이 행사 참가 인원을 잘못 <u>예측하는</u> 바람에 많은 참여자들이 혼란스러워했다.

12 추모

✓ 정답 풀이 '회고(돌아올 回 돌아볼 顧)하다'는 '지나간 일을 돌이켜 생각하다.'를 의미한다. '추모(쫓을 追 그릴 慕)하다'는 '죽은 사람을 그리며 생각하다.'를 의미한다. 제시된 예문은 민주 열사를 그리며 생각한다는 의미이므로 '추모'가 적절하다.
예 그는 눈을 감고 지난날을 <u>회고했다</u>.

13 풍부

✓ 정답 풀이 '윤택(윤택할 潤 못 澤)하다'는 '광택에 윤기가 있다.' 또는 '살림이 풍부하다.'를 의미한다. '풍부(풍년 豊 부유할 富)하다'는 '넉넉하고 많다.'를 의미한다. 제시된 예문은 경주에 문화재가 많다는 의미이므로 '풍부'가 적절하다.
예 그녀는 <u>윤택한</u> 가정에서 태어났다.

14 확산

✓ 정답 풀이 '확산(넓힐 擴 흩을 散)하다'는 '흩어져 널리 퍼지다.'를 의미한다. '보급(넓을 普 미칠 及)하다.'는 '널리 펴서 많은 사람들에게 골고루 미치게 하여 누리게 하다.'를 의미한다. 제시된 예문은 가뭄 피해가 전국으로 퍼진다는 의미이므로 '확산'이 적절하다.
예 우리 고장에서는 농민들에게 좋은 종자를 싼값으로 <u>보급하고</u> 있다.

15 저해

✓ 정답 풀이 '저해(막을 沮 해할 害)하다'는 '막아서 못하도록 해치다.'를 의미한다. '방지(막을 防 그칠 止)하다'는 '어떤 일이나 현상이 일어나지 못하게 막다.'를 의미한다. 즉 '사회 발전을 저해하다.'처럼 '저해'의 결과는 부정적 상황이 되고, '화재를 방지하다.'처럼 '방지'의 결과는 긍정적 상황이 된다. 제시된 예문은 지나친 자기만족이 발전을 막는다는 의미이므로 '저해'가 적절하다.
예 수질 오염을 <u>방지하기</u> 위한 환경 운동을 벌이고 있다.

어·휘·력 Up **'방지(防止)', '예방(豫防)', '대비(對備)'**

'방지, 예방, 대비'는 비슷한 의미이지만 같이 쓰이는 단어와 상황이 다르다.
- **방지(막을 防 그칠 止)**: 어떤 일이나 현상이 일어나지 못하게 막음.
  예 사고 방지 대책을 마련하다.
- **예방(미리 豫 막을 防)**: 질병이나 재해 따위가 일어나기 전에 미리 대처하여 막는 일.
  예 전염병은 치료보다 예방이 중요하다.
- **대비(대할 對 갖출 備)**: 앞으로 일어날지도 모르는 어떠한 일에 대응하기 위하여 미리 준비함. 또는 그런 준비.
  예 학생들은 중간고사 대비에 힘을 쏟았다.

'방지'는 어떤 일이나 현상을 대상으로 하므로 '전염병 발생 방지', '쓰레기 무단 투기 방지' 등에 쓰일 수 있다. 반면 '예방'은 '산불, 전염병, 산사태, 홍수, 불상사' 등과 같이 사용된다. '대비'는 앞으로 일어날지도 모르는 어떤 일을 대상으로 하므로 '노후, 비상사태, 시험, 침략, 재난' 등과 같이 쓰일 수 있다.

16 ④ 퇴화

✓ 정답 풀이 '퇴화(물러날 退 될 化)하다'는 '진보 이전의 상태로 되돌아가다.'를 의미한다. 제시된 예문은 순수 학문이 가치를 인정받지 못하고 진보 이전의 상태로 돌아갈 우려가 있다는 의미이므로 '퇴화'가 적절하다.
✗ 오답 풀이 ① 퇴각(退却)하다: 뒤로 물러가다. **예** 마을에서 <u>퇴각하는</u> 적군을 모두 생포해야 한다.
② 퇴거(退去)하다: 있던 자리에서 옮겨 가거나 떠나다. **예** 사건 현장에 있던 수사대원들이 모두 <u>퇴거하였다</u>.
③ 퇴색(退色)하다: 빛이나 색이 바래다. (비유적으로) 무엇이 낡거나 몰락하면서 그 존재가 희미해지거나 볼품없이 되다. **예** 나의 꿈은 지지부진한 세월 속에 <u>퇴색하고</u> 말았다.
⑤ 역행(逆行)하다: 보통의 방향과 반대 방향으로 거슬러 나아가다. **예** 그러한 결정은 시대의 흐름을 <u>역행하는</u> 것이다.

17 ② 호응

✓ 정답 풀이 '호응(부를 呼 응할 應)하다'는 '부름이나 호소 따위에 대답하거나 응하다.'를 의미한다. 제시된 예문은 그의 빼어난 웅변이 대중의 뜨거운 반응을 이끌어냈다는 의미이므로 '호응'이 적절하다.
✗ 오답 풀이 ① 상응(相應)하다: 서로 응하거나 어울리다. **예** 그녀는 자신의 능력에 <u>상응하는</u> 보수를 받고 있다.
③ 대답(對答)하다: 부르는 말에 응하여 어떤 말을 하다. **예** 내가 아무리 불러도 동생은 <u>대답하지</u> 않았다.
④ 상대(相對)하다: 서로 마주 대하다. **예** 의사 한 명이 수십 명의 환자를 <u>상대해야</u> 하는 실정이다.
⑤ 대응(對應)하다: 어떤 일이나 사태에 맞추어 태도나 행동을 취하다. **예** 급변하는 사태에 따라 신속하게 <u>대응해야</u> 한다.

18 ③ 재고

✓ 정답 풀이 '재고(두 再 생각할 考)하다'는 '어떤 일이나 문제 따위에 대하여 다시 생각하다.'를 의미한다. 제시된 예문은 한 시간 안에 결정을 다시 생각해 보라는 의미이므로 '재고'가 적절하다.
✗ 오답 풀이 ① 고찰(考察)하다: 어떤 것을 깊이 생각하고 연구하다. **예** 인간의 삶을 이해하려면 문화에 대해 <u>고찰해야</u> 한다.
② 자각(自覺)하다: 현실을 판단하여 자기의 입장이나 능력 따위

를 스스로 깨닫다. 예 민주화 운동은 국민이 주인이라고 <u>자각하게</u> 하는 계기가 되었다.
④ 성찰(省察)하다: 자기의 마음을 반성하고 살피다. 예 수도자는 꾸준히 자신의 내면을 <u>성찰해야</u> 한다.
⑤ 장고(長考)하다: 오랫동안 깊이 생각하다. 예 내가 <u>장고해</u> 보았는데, 아무래도 그 일은 하지 않는 것이 좋겠다.

19 ⑤ 철저

✔정답풀이 '철저(통할 徹 밑 底)하다'는 '속속들이 꿰뚫어 미치어 밑바닥까지 빈틈이나 부족함이 없다.'를 의미한다. 제시된 예문은 행사가 차질 없이 진행되도록 준비하자는 의미이므로 '철저'가 적절하다.

❌오답풀이 ① 명철(明哲)하다: 총명하고 사리에 밝다. 예 모든 사회 현상에 대한 <u>명철한</u> 분석이 필요하다.
② 평탄(平坦)하다: 일이 순조롭게 되어 나가는 데가 있다. 예 세상일이란 것이 마음먹은 대로 <u>평탄히</u> 되지를 않는다.
③ 투명(透明)하다: 사람의 말이나 태도, 펼쳐진 상황 따위가 분명하다. 예 심사 기준을 <u>투명하게</u> 공개해야 한다.
④ 명료(明瞭)하다: 뚜렷하고 분명하다. 예 지나간 성인들의 가르침은 하나같이 간단하고 <u>명료했다</u>.

20 ①

✔정답풀이 '주최(주인 主 재촉할 催)하다'는 '행사나 모임을 주장하고 기획하여 열다.'를 의미한다. 제시된 예문은 그가 일에 대한 실질적인 책임자로서 실무 집행을 담당한 것이므로 '어떤 일을 책임을 지고 맡아 관리했다.'를 의미하는 '주관(주인 主 주관할 管)했다'가 더 적절하다.
예 신문사에서 마라톤 대회를 <u>주최하였다</u>.

❌오답풀이 ② 후일담(後日譚): 어떤 사실과 관련하여, 그 후에 벌어진 경과에 대하여 덧붙이는 이야기.
③ 시급(時急)하다: 시각을 다툴 만큼 몹시 절박하고 급하다.
④ 정열(情熱): 가슴속에서 맹렬하게 일어나는 적극적인 감정.
⑤ 범상(凡常)하다: 중요하게 여길 만하지 아니하고 예사롭다.

어·휘·력 Up '주최(主催)'와 '주관(主管)'

'주최(주인 主 재촉할 催)하다'는 '행사나 모임을 주장하고 기획하여 연다'는 의미로, 어떤 일이나 행사에 대해 계획하거나 최종 결정을 하며 이에 따르는 책임을 질 때 쓰이는 것이 일반적이다. 반면 '주관(주인 主 주관할 管)하다'는 '어떤 일을 책임을 지고 맡아 관리한다'는 의미로, 어떤 일이나 행사에 대한 실무를 처리할 때 쓰이는 것이 일반적이다.
한 기관에서 행사나 모임을 주장, 기획, 진행하는 경우 '교육청 주최/교육청 주관'처럼 '주최'와 '주관'을 혼용하여 표현할 수도 있다.

---

21 ①

✔정답풀이 '제조(지을 製 지을 造)되다'는 '공장에서 큰 규모로 물건이 만들어지다.'를 의미한다. 제시된 예문은 선들이 교차하

여 문양이 이루어졌다는 의미이므로 '어떤 형상이 이루어진'을 의미하는 '형성(모양 形 이룰 成)된'으로 바꾸어 쓰는 것이 적절하다.
예 가공식품을 살 때에는 <u>제조된</u> 날짜를 꼭 확인해야 한다.

❌오답풀이 ② 지칭(指稱)하다: 어떤 대상을 가리켜 이르다.
③ 소실(消失)되다: 사라져 없어지다.
④ 분할(分割)되다: 나뉘어 쪼개지다.
⑤ 위치(位置)하다: 일정한 곳에 자리를 차지하다.

22 ⑤

✔정답풀이 '확충(넓힐 擴 채울 充)'은 '늘리고 넓혀 충실하게 함.'을 의미하는 한자어이다. '모양이나 규모 따위를 더 크게 함.'을 의미하는 단어는 '확대(넓힐 擴 클 大)'이다.
예 교육 시설의 <u>확충</u>으로 대학의 교육 여건을 개선해야 한다.
예 생산 설비의 <u>확대</u>가 가장 큰 문제이다.

❌오답풀이 ① 도모(圖謀): 어떤 일을 이루기 위하여 대책과 방법을 세움. 예 부원들 간의 친목 <u>도모</u>를 위해 주말에 야유회를 간다.
② 야기(惹起): 일이나 사건 따위를 끌어 일으킴. 예 혼란의 <u>야기</u>는 그가 의도한 바는 아니었다.
③ 경향(傾向): 현상이나 사상, 행동 따위가 어떤 방향으로 기울어짐. 예 요즘은 평균 결혼 연령이 과거에 비해 높아지는 <u>경향</u>이 나타난다.
④ 조성(造成): 무엇을 만들어서 이룸. 예 면학 분위기 <u>조성</u>에 힘쓰자.

18일차 한자어 ⑮

01 정립

✔정답풀이 '정립(정할 定 설 立)'은 '정하여 세움.'을 의미하는 한자어이다. '설립(베풀 設 설 立)'은 '기관이나 조직체 따위를 만들어 일으킴.'을 의미하는 한자어이다.
예 시정의 올바른 방향 <u>정립</u>을 위한 공청회를 여는 것이 어떨까요?
예 국제 연합의 <u>설립</u> 목적은 무엇인지 서술하시오.

02 지위

✔정답풀이 '자격(재물 資 격식 格)'은 '일정한 신분이나 지위를 가지거나 일정한 일을 하는 데 필요한 조건이나 능력.'을 의미하는 한자어이다. '지위(땅 地 자리 位)'는 '개인의 사회적 신분에 따르는 위치나 자리.'를 의미하는 한자어이다.
예 그 프로그램은 신청 <u>자격</u>에 제한이 없다.
예 그는 열심히 노력한 덕분에 높은 <u>지위</u>에 오를 수 있었다.

03 탐닉

✔정답풀이 '탐닉(즐길 耽 빠질 溺)'은 '어떤 일을 몹시 즐겨서

거기에 빠짐.'을 의미하는 한자어이다. '몰두(빠질 沒 머리 頭)'는 '어떤 일에 온 정신을 다 기울여 열중함.'을 의미하는 한자어이다.

예 그는 게임에 대한 탐닉으로 몸과 마음이 상해 버렸다.

예 어떤 일에 대한 지나친 몰두는 건강을 해칠 수도 있다.

어·휘·력 Up '몰두(沒頭)하다'와 '몰입(沒入)하다'

• 몰두(빠질 沒 머리 頭)하다: 어떤 일에 온 정신을 다 기울여 열중하다.
• 몰입(빠질 沒 들 入)하다: 깊이 파고들거나 빠지다.

'몰두하다'와 '몰입하다'는 비슷한 의미이지만 '몰입'은 '깊이 빠진다'는 의미를, '몰두'는 '온 정신을 기울여 열중한다'는 의미를 표현하므로, 전달하고자 하는 의도나 문맥에 따라 적절히 선택하여 사용해야 한다. 두 단어가 사용된 예는 다음과 같다.

예 나는 어떤 일에 몰두하면 누가 불러도 모른다.
예 나는 드라마를 볼 때 감정에 몰입하는 편이다.

04 추세

✔정답풀이 '정세(뜻 情 형세 勢)'는 '일이 되어 가는 형편.'을 의미하는 한자어이다. '추세(달아날 趨 형세 勢)'는 '어떤 현상이 일정한 방향으로 나아가는 경향.'을 의미하는 한자어이다.

예 한반도를 둘러싼 정세를 파악해야 한다.

예 아파트 값이 하락하는 추세가 2년째 계속되고 있다

어·휘·력 Up '추세(趨勢)'와 '추이(推移)'

'추세'와 '추이'의 의미는 유사하지만, '추세'는 '일정한 방향으로'에, '추이'는 '시간의 경과에 따른 변화'에 초점이 맞추어져 있다.

• 추세(달아날 趨 형세 勢)
「1」 어떤 현상이 일정한 방향으로 나아가는 경향.
예 결혼을 늦게 하는 것이 요즘의 추세이다.
「2」 어떤 세력이나 세력 있는 사람을 붙좇아서 따름.
예 그는 추세를 잘하기로 유명하다.

• 추이(밀 推 옮길 移)
일이나 형편이 시간의 경과에 따라 변하여 나감. 또는 그런 경향.
예 우리는 결단을 내리기에 앞서 사건의 추이를 살펴보기로 했다.

05 장담

✔정답풀이 '장담(장할 壯 말씀 談)'은 '확신을 가지고 아주 자신 있게 말함. 또는 그런 말.'을 의미하는 한자어이다. '여담(남을 餘 말씀 談)'은 '이야기하는 과정에서 본 줄거리와 관계없이 흥미로 하는 딴 이야기.'를 의미하는 한자어이다.

예 그는 다시 오겠다고 장담을 하였지만 그 말은 믿을 것이 못 된다.

예 그는 잠시 후 핵심에서 벗어난 질문을 여담처럼 꺼냈다.

06 적응

✔정답풀이 '대응(대할 對 응할 應)'은 '어떤 일이나 사태에 맞추어 태도나 행동을 취함.'을 의미하는 한자어이다. '적응(맞을 適 응할 應)'은 '일정한 조건이나 환경 따위에 맞추어 응하거나 알맞

게 됨.'을 의미하는 한자어이다.

예 급변하는 사태에 대한 신속한 대응이 필요하다.

예 그 사람은 새로운 환경에 적응을 잘한다.

07 착상

✔정답풀이 '착상(붙을 着 생각 想)'은 '어떤 일이나 창작의 실마리가 되는 생각이나 구상 따위를 잡음. 또는 그 생각이나 구상.'을 의미하는 한자어이다. '창안(비롯할 創 책상 案)'은 '어떤 방안, 물건 따위를 처음으로 생각하여 냄. 또는 그런 생각이나 방안.'을 의미하는 한자어이다.

예 문제 해결을 위한 기발한 착상이 떠올랐다.

예 그는 두뇌가 명석하고 여러 가지 창안에 뛰어난 인물이다.

08 ② 진출하게

✔정답풀이 '진출(나아갈 進 날 出)하다'는 '어떤 방면으로 활동 범위나 세력을 넓혀 나아가다.'를 의미한다. 제시된 예문은 두 기업이 해외로 활동 범위를 넓히게 되었다는 의미이므로 '진출하게'가 적절하다.

✖오답풀이 ① 전진(前進)하다: 앞으로 나아가다. 예 그는 목표를 향해 끊임없이 전진할 것을 다짐하였다.

③ 추진(推進)하다: 목표를 향하여 밀고 나아가다. 예 우리는 계획대로 일을 추진하기로 했다.

④ 진입(進入)하다: 향하여 내처 들어가다. 예 한참을 헤맨 끝에 고속도로에 진입했다.

⑤ 진행(進行)하다: 일 따위를 처리하여 나가다. 예 체험 학습과 관련된 회의를 예정대로 진행하겠습니다.

09 ⑤ 획득하게

✔정답풀이 '획득(얻을 獲 얻을 得)하다'는 '얻어 내거나 얻어 가지다.'를 의미한다. 제시된 예문은 그림의 사실성이 본질이나 실재에 다가갈 때 얻어낼 수 있는 것이란 의미이므로 '획득하게'가 적절하다.

✖오답풀이 ① 습득(拾得)하다: 주워서 얻다. 예 그는 길에서 습득한 돈을 파출소에 맡겼다.

② 체득(體得)하다: 몸소 체험하여 알다. 예 그녀는 싸우는 것보다 참는 것이 낫다는 것을 경험으로 체득했다.

③ 취득(取得)하다: 자기 것으로 만들어 가지다. 예 그는 운전면허증을 취득하고 바로 차를 샀다.

④ 터득(攄得)하다: 깊이 생각하여 이치를 깨달아 알아내다. 예 그는 이제야 청소기를 작동하는 요령을 제대로 터득했다.

10 ④ 차단되었다.

✔정답풀이 '차단(가릴 遮 끊을 斷)되다'는 '액체나 기체 따위의 흐름 또는 통로가 막히거나 끊어져서 통하지 못하게 되다.'를 의미한다. 제시된 예문은 소음이 방음벽을 통하지 못하게 되었다는 의미이므로 '차단되었다'가 적절하다.

✖오답풀이 ① 밀봉(密封)되다: 단단히 붙여 꼭 봉해지다. 예 아

무도 볼 수 없게 편지가 **밀봉되어** 있었다.
② 단절(斷絕)되다: 유대나 연관 관계가 끊어지다. 예 그곳은 외져 있어 눈이 내리면 바깥세상과 완전히 **단절된다.**
③ 폐쇄(閉鎖)되다: 문 따위가 닫히거나 막히다. 예 지하 차도 두 곳이 연말까지 **폐쇄되어** 통행할 수 없게 된다.
⑤ 두절(杜絕)되다: 교통이나 통신 따위가 막히거나 끊어지다. 예 어젯밤에 내린 폭설로 시내로 가는 모든 길이 **두절되었다.**

11 ① 취합하여

정답 풀이 '취합(모을 聚 합할 合)하다'는 '모아서 합치다.'를 의미한다. 제시된 예문은 흩어져 있는 숫자들을 한데 합쳐서 함수를 만든다는 의미이므로 '취합하여'가 적절하다.

오답 풀이 ② 융합(融合)하다: 다른 종류의 것이 녹아서 서로 구별이 없게 하나로 합하여지다. 또는 다른 종류의 것을 녹여서 서로 구별이 없게 하나로 합하다. 예 대부분의 종교는 그 나라의 고유 신앙에 조금씩은 **융합하기** 마련이다.
③ 조합(組合)하다: 여럿을 한데 모아 한 덩어리로 짜다. 예 한글은 자음 14개, 모음 10개로 총 1만 1172자를 **조합해** 낼 수 있는 문자이다.
④ 규합(糾合)하다: 어떤 일을 꾸미려고 세력이나 사람을 모으다. 예 그는 자신과 뜻을 같이하는 이들을 **규합했다.**
⑤ 결합(結合)하다: 둘 이상의 사물이나 사람이 서로 관계를 맺어 하나가 되다. 예 그는 국악과 클래식을 **결합한** 퓨전 음악 형태를 선보였다.

12 촉발

정답 풀이 '촉발(닿을 觸 필 發)'은 '어떤 일을 당하여 감정, 충동 따위가 일어남. 또는 그렇게 되게 함.'을 의미하는 한자어이다. 제시된 예문은 그의 말이 오해를 불러일으킬 수 있다는 의미이므로 '촉발'이 적절하다.

13 증폭

정답 풀이 '증폭(더할 增 폭 幅)'은 '사물의 범위가 늘어나 커짐. 또는 사물의 범위를 넓혀 크게 함.'을 의미하는 한자어이다. 제시된 예문은 국가 간의 군비 경쟁이 전쟁 재발의 가능성을 키웠다는 의미이므로 '증폭'이 적절하다.

14 타격

정답 풀이 '타격(칠 打 칠 擊)'은 '어떤 일에서 크게 기를 꺾음. 또는 그로 인한 손해 · 손실.'을 의미하는 한자어이다. 제시된 예문은 소고기 가격의 하락으로 돼지고기 판매업자가 큰 손해를 입었다는 의미이므로 '타격'이 적절하다.

15 점검

정답 풀이 '점검(점 點 검사할 檢)'은 '낱낱이 검사함. 또는 그런 검사.'를 의미하는 한자어이다. 제시된 예문은 일 년에 두 번씩 전기 제품을 검사한다는 의미이므로 '점검'이 적절하다.

16 특단

정답 풀이 '특단(특별할 特 층계 段)'은 '보통과 구별되게 다름.'을 의미하는 한자어이다. 제시된 예문은 이번 사태는 예전과는 다른 대책 마련이 필요하다는 의미이므로 '특단'이 적절하다.

17 회의

정답 풀이 '회의(품을 懷 의심할 疑)'는 '의심을 품음. 또는 마음속에 품고 있는 의심.'을 의미하는 한자어이다. 제시된 예문은 어떠한 일을 겪은 후 사회생활에 대해 믿지 못하는 마음이 생겼다는 의미이므로 '회의'가 적절하다.

18 정비

정답 풀이 '정비(가지런할 整 갖출 備)'는 '흐트러진 체계를 정리하여 제대로 갖춤.' 또는 '도로나 시설 따위가 제 기능을 하도록 정리함.'을 의미하는 한자어이다. 첫 번째 예문은 교육 제도를 정리하여 제대로 갖출 필요가 있다는 의미이고, 두 번째 예문은 도서관 시설이 제 기능을 하도록 정리하고 있다는 의미이다. 따라서 빈칸에 공통으로 들어가기에 적절한 단어는 '정비'이다.

19 찬란

정답 풀이 '찬란(빛날 燦 빛날 爛)하다'는 '빛이 번쩍거리거나 수많은 불빛이 빛나는 상태이다. 또는 그 빛이 매우 밝고 강렬하다.' 또는 '일이나 이상(理想) 따위가 매우 훌륭하다.'를 의미한다. 첫 번째 예문은 문을 나서자 햇살이 강렬하게 쏟아지고 있었다는 의미이고, 두 번째 예문은 세종 때에는 과학의 발전도 훌륭했다는 의미이다. 따라서 빈칸에 공통으로 들어가기에 적절한 단어는 '찬란'이다.

20 편파

정답 풀이 '편파(치우칠 偏 자못 頗)'는 '공정하지 못하고 어느 한쪽으로 치우쳐 있음.'을 의미하는 한자어이다. 첫 번째 예문은 한쪽 편만 든다는 의미이고, 두 번째 예문은 기사가 공정하지 못하다는 의미이다. 따라서 빈칸에 공통으로 들어가기에 적절한 단어는 '편파'이다.

어·휘·력 Up '치우칠 편(偏)'이 사용된 한자어

• **편향(치우칠 偏 향할 向)**: 한쪽으로 치우침.
  예 그는 개인적인 편향에 치우쳐 있다.
• **편재(치우칠 偏 있을 在)**: 한곳에 치우쳐 있음.
  예 우리 사회는 부의 편재가 심하다.
• **편애(치우칠 偏 사랑 愛)**: 어느 한 사람이나 한쪽만을 치우치게 사랑함.
  예 할아버지께서는 동생에 대한 편애가 심하시다.
• **편협(치우칠 偏 좁을 狹)**: 한쪽으로 치우쳐 도량이 좁고 너그럽지 못함.
  예 사고의 편협에서 벗어나야 한다.
• **편식(치우칠 偏 먹을 食)**: 어떤 특정한 음식만을 가려서 즐겨 먹음.
  예 그의 음식 편식은 정도를 벗어난 수준이다.

21 훼손

✅ **정답 풀이** '훼손(헐 毁 덜 損)'은 '체면이나 명예를 손상함.' 또는 '헐거나 깨뜨려 못 쓰게 만듦.'을 의미하는 한자어이다. 첫 번째 예문은 손상된 회사의 이미지를 바꾸기 위해 노력했다는 의미이고, 두 번째 예문은 산업화가 자연을 못 쓰게 만든다는 의미이다. 따라서 빈칸에 공통으로 들어가기에 적절한 단어는 '훼손'이다.

22 정곡

✅ **정답 풀이** '정곡(바를 正 과녁 鵠)'은 '가장 중요한 요점 또는 핵심.' 또는 '('정곡으로' 꼴로 쓰여) 조금도 틀림없이 바로.'를 의미하는 한자어이다. 첫 번째 예문은 말 한마디가 핵심을 찔렀다는 의미이고, 두 번째 예문은 선배가 이 사회의 허점을 조금도 틀림없이 바로 꿰뚫었다는 의미이다. 따라서 빈칸에 공통으로 들어가기에 적절한 단어는 '정곡'이다.

23 ⑤

✅ **정답 풀이** '포섭(쌀 包 다스릴 攝)'은 '상대편을 자기편으로 감싸 끌어들임.'을 의미하는 한자어이다. '남을 너그럽게 감싸 주거나 받아들임.'을 의미하는 단어는 '포용(쌀 包 얼굴 容)'이다.
📝 적에게 **포섭**을 당할 수는 없다.
📝 그는 타인에 대한 이해와 **포용**의 폭이 넓다.
❌ **오답 풀이** ① 추구(追求): 목적을 이룰 때까지 뒤좇아 구함.
📝 나는 행복의 **추구**를 인생의 목표로 삼았다.
② 검약(儉約): 돈이나 물건, 자원 따위를 낭비하지 않고 아껴 씀. 또는 그런 데가 있음. 📝 교실의 책걸상 하나라도 자기 물건 아끼듯이 **검약**으로 대해야 한다.
③ 응용(應用): 어떤 이론이나 이미 얻은 지식을 구체적인 개개의 사례나 다른 분야의 일에 적용하여 이용함. 📝 그는 **응용** 능력이 뛰어나다.
④ 모색(摸索): 일이나 사건 따위를 해결할 수 있는 방법이나 실마리를 더듬어 찾음. 📝 그는 사태에 대한 해결 방안의 **모색**을 직원에게 지시했다.

1 ⑤

✅ **정답 풀이** '직면(곧을 直 낯 面)'은 '어떠한 일이나 사물을 직접 당하거나 접함.'을 의미하는 한자어이다. '바로 눈앞에 당함.'을 의미하는 단어는 '당면(마땅 當 낯 面)'이다.
📝 그는 **당면**한 문제를 우선적으로 해결해야 한다고 말했다.
❌ **오답 풀이** ① 본위(本位): (흔히 명사 뒤에 쓰여) 판단이나 행동에서 중심이 되는 기준. 📝 나는 흥미 **본위**로 이루어진 이야기는 좋아하지 않는다.
② 자각(自覺): 현실을 판단하여 자기의 입장이나 능력 따위를 스스로 깨달음. 📝 나는 나의 잘못을 **자각**하고 친구에게 사과했다.
③ 설정(設定): 새로 만들어 정해 둠. 📝 아무래도 목표 **설정**이 잘못된 것 같다.
④ 파급(波及): 어떤 일의 여파나 영향이 차차 다른 데로 미침. 📝 세계적 경제 대공황이 일본에도 **파급**해 왔다.

2 ① 조절하여

✅ **정답 풀이** '조절(고를 調 마디 節)하다'는 '균형이 맞게 바로잡다. 또는 적당하게 맞추어 나가다.'를 의미한다. ㉠은 물의 양과 움직임을 적당하게 맞춘다는 의미이므로 '조절(調節)하여'로 바꾸어 쓸 수 있다.
❌ **오답 풀이** ② 조성(造成)하다: 「1」 무엇을 만들어서 이루다. 📝 서울시는 한강 변에 시민 공원을 **조성했다**.
「2」 분위기나 정세 따위를 만들다. 📝 나는 조용히 공부할 수 있는 분위기를 **조성해** 달라고 선생님께 요청했다.
③ 조율(調律)하다: (비유적으로) 문제를 어떤 대상에 알맞거나 마땅하도록 조절하다. 📝 각 부서의 다양한 의견을 **조율할** 필요가 있다.
④ 조종(操縱)하다: 비행기나 선박, 자동차 따위의 기계를 다루어 부리다. 📝 그는 비행기를 20년간 **조종한** 베테랑이다.
⑤ 조치(措置)하다: 벌어지는 사태를 잘 살펴서 필요한 대책을 세워 행하다. 📝 동장은 장마철을 앞두고 하수 시설을 점검하여 빗물이 신속하게 빠지도록 **조치하였다**.

3 ④

✅ **정답 풀이** '호화(호걸 豪 빛날 華)롭다'는 '사치스럽고 화려한 느낌이 있다.'를 의미한다. '눈부시다'는 '빛이 아주 아름답고 황홀하다.' 또는 '활약이나 업적이 뛰어나다.'를 의미하는 단어이므로, '휘황(빛날 輝 빛날 煌)하다' 등으로 바꾸어 쓸 수 있다.
📝 그 사람은 아버지 덕분에 **호화로운** 생활을 누리고 있다.
📝 동편 하늘엔 햇빛이 **휘황하게** 떠올랐다.
❌ **오답 풀이** ① 의지(依支)하다: 「1」 다른 것에 몸을 기대다. 📝 할아버지께서는 지팡이에 몸을 **의지하셨다**.
「2」 다른 것에 마음을 기대어 도움을 받다. 📝 그는 종교에 **의지**하며 살았다.
② 망연(茫然)히: 아무 생각이 없이 멍한 태도로. 📝 그는 제자리에 털썩 주저앉아 **망연히** 물잔을 집어 들었다.
③ 인도(引導)하다: 이끌어 지도하다. 📝 그는 나를 훌륭한 선생님에게 **인도해** 주었다.
⑤ 배회(徘徊)하다: 아무 목적도 없이 어떤 곳을 중심으로 어슬렁거리며 이리저리 돌아다니다. 📝 그는 도시의 거리를 이곳저곳 **배회하였다**.

19일차 단어의 의미 관계 ①

01 가난하다 – ⓒ 궁핍하다

✅정답 풀이 '가난하다'는 '살림살이가 넉넉하지 못하여 몸과 마음이 괴로운 상태에 있다.'를 의미한다. '궁핍(다할 窮 모자랄 乏)하다'는 '몹시 가난하다.'를 의미한다.

예 그는 너무 **가난하여** 끼니를 잇기가 어려웠다.

예 **궁핍한** 살림살이에 학비를 내기란 힘든 일이었다.

02 어색하다 – ⓔ 겸연쩍다

✅정답 풀이 '어색(말씀 語 막힐 塞)하다'는 '잘 모르거나 아니면 별로 만나고 싶지 않았던 사람과 마주 대하여 자연스럽지 못하다.'를 의미한다. '겸연(찐덥지 않을 慊 그럴 然)쩍다'는 '쑥스럽거나 미안하여 어색하다.'를 의미한다.

예 예전에 싸웠던 친구와 다시 만나니 **어색하다**.

예 그는 자신의 실수가 **겸연쩍어** 웃고 말았다.

03 따르다 – ⑤ 순응하다

✅정답 풀이 '따르다'는 '관례, 유행이나 명령, 의견 따위를 그대로 실행하다.'를 의미한다. '순응(순할 順 응할 應)하다'는 '환경이나 변화에 적응하여 익숙하여지거나 체계, 명령 따위에 적응하여 따르다.'를 의미한다.

예 나는 그의 제안을 **따르기**로 하였다.

예 그는 명령을 거부하지 않고 지시대로 **순응하였다**.

04 이탈하다 – ⓒ 벗어나다

✅정답 풀이 '이탈(떠날 離 벗을 脫)하다'는 '어떤 범위나 대열 따위에서 떨어져 나오거나 떨어져 나가다.'를 의미한다. '벗어나다'는 '공간적 범위나 경계 밖으로 빠져나오다.'를 의미한다.

예 무리에서 **이탈하지** 말고 잘 따라오너라.

예 나는 친구들이 공부하고 있는 교실에서 **벗어나** 밖으로 나왔다.

05 넘어지다 – ⓜ 엎어지다

✅정답 풀이 '넘어지다'는 '사람이나 물체가 한쪽으로 기울어지며 쓰러지다.'를 의미한다. '엎어지다'는 '서 있는 사람이나 물체 따위가 앞으로 넘어지다.'를 의미한다.

예 급하게 뛰어가다가 **넘어지고** 말았다.

예 나는 돌부리에 걸려 **엎어졌다**.

06 ② 하락하다

✅정답 풀이 제시된 예문은 물가가 올라갔다는 의미로, 여기에서의 '상승(위 上 오를 昇)하다'는 '낮은 데서 위로 올라가다.'를 의미한다. '상승하다'의 반의어는 '값이나 등급 따위가 떨어지다.'를 의미하는 '하락(아래 下 떨어질 落)하다'이다.

예 물건의 값이 큰 폭으로 **하락하였다**.

❌오답 풀이 ① 낙방(落榜)하다: 시험, 모집, 선거 따위에 응하였다가 떨어지다. 예 그 학생은 시험에 **낙방하고** 풀이 죽었다.

③ 탈락(脫落)하다: 범위에 들지 못하고 떨어지거나 빠지다. 예 그 선수는 예선에서 **탈락한** 사실을 믿을 수 없었다.

④ 낙하(落下)하다: 높은 데서 떨어지다. 예 군인들은 헬리콥터에서 **낙하하는** 훈련을 받았다.

⑤ 하차(下車)하다: 타고 있던 차에서 내리다. 예 승객은 정류장에서 **하차하여** 짐을 내렸다.

07 ③ 마치다

✅정답 풀이 제시된 예문은 회의를 개최하여 문제를 해결하자는 의미로, 여기에서의 '열다'는 '모임이나 회의 따위를 시작하다.'를 의미한다. '열다'의 반의어는 '어떤 일이나 과정, 절차 따위가 끝나다. 또는 그렇게 하다.'를 의미하는 '마치다'가 적절하다.

예 우리는 회의를 **마치고** 함께 식사를 하러 갔다.

❌오답 풀이 ① 가리다: 보이거나 통하지 못하도록 막다. 예 손으로 얼굴을 **가리면서** 웃지 마라.

② 다물다: 입술이나 그처럼 두 쪽으로 마주 보는 물건을 꼭 맞대다. 예 그는 입을 꼭 **다물고** 아무 말이 없었다.

④ 덮다: 그릇 같은 것의 아가리를 뚜껑 따위로 막다. 예 뚜껑을 **덮어서** 벌레가 들어가지 않도록 했다.

⑤ 잠그다: 여닫는 물건을 열지 못하도록 자물쇠를 채우거나 빗장을 걸거나 하다. 예 문을 **잠가** 아무도 들어오지 못하게 했다.

08 ④ 수락하다

✅정답 풀이 제시된 예문은 함께 일하자는 그의 의견을 내가 거절했다는 의미로, 여기에서의 '거부(막을 拒 아닐 否)하다'는 '요구나 제의 따위를 받아들이지 않고 물리치다.'를 의미한다. '거부하다'의 반의어는 '요구를 받아들이다.'를 의미하는 '수락(받을 受 허락할 諾)하다'이다.

예 입사 제의를 **수락하지** 않을 수 없었다.

❌오답 풀이 ① 시인(是認)하다: 어떤 내용이나 사실이 옳거나 그러하다고 인정하다. 예 범인은 그것이 자신이 한 일이라고 **시인했다**.

② 대응(對應)하다: 어떤 일이나 사태에 맞추어 태도나 행동을 취하다. 예 그 연예인은 자신을 향한 나쁜 소문에 즉각 **대응했다**.

③ 대답(對答)하다: 부르는 말에 응하여 어떤 말을 하다. 예 그녀는 면접관의 질문에 큰 소리로 **대답하였다**.

⑤ 통과(通過)하다: 제출된 의안이나 청원 따위가 담당 기관이나 회의에서 승인되거나 가결되다. 예 많은 국회의원들이 찬성하여 그 법안이 국회를 **통과하였다**.

09 ② 모이다

✅정답 풀이 제시된 예문은 그들이 사방으로 퍼져서 도망갔다는 의미로, 여기에서의 '흩어지다'는 '한데 모였던 것이 따로따로 떨

어지거나 사방으로 퍼지다.'를 의미한다. '흩어지다'의 반의어는 '여러 사람을 한곳에 오게 하거나 한 단체에 들게 하다.'를 의미하는 '모으다'의 피동사인 '모이다'이다.

예 많은 사람들이 광장에 <u>모여서</u> 공연을 구경했다.

(X) 오답 풀이 ① 퍼지다: 어떤 물질이나 현상 따위가 넓은 범위에 미치다. 예 향기가 방 안에 <u>퍼졌다</u>.
③ 쌓이다: '쌓다(여러 개의 물건을 겹겹이 포개어 얹어 놓다.)'의 피동사. 예 책상에 먼지가 <u>쌓여</u> 있었다.
④ 파하다: 어떤 일을 마치거나 그만두다. 예 모임이 <u>파하고</u> 사람들은 하나 둘 자리를 떴다.
⑤ 헤어지다: 모여 있던 사람들이 따로따로 흩어지다. 예 친구들과 <u>헤어져</u> 집으로 가는 버스를 탔다.

10 ① 차다

(✔) 정답 풀이 제시된 예문은 먹은 것이 없어 속에 음식물이 들어 있지 않다는 의미로, 여기에서의 '비다'는 '일정한 공간에 사람, 사물 따위가 들어 있지 아니하게 되다.'를 의미한다. '비다'의 반의어는 '일정한 공간에 사람, 사물, 냄새 따위가 더 들어갈 수 없이 가득하게 되다.'를 의미하는 '차다'이다.

예 버스에 사람이 가득 <u>찼다</u>.

(X) 오답 풀이 ② 마르다: 살이 빠져 야위다. 예 그는 요새 잘 먹지 않아 몸이 많이 <u>말랐다</u>.
③ 남다: 다 쓰지 않거나 정해진 수준에 이르지 않아 나머지가 있게 되다. 예 통장에 돈이 <u>남아</u> 있으니 필요할 때 써라.
④ 빠지다: 차례를 거르거나 일정하게 들어 있어야 할 곳에 들어 있지 아니하다. 예 명단에 내 이름이 <u>빠져</u> 있다.
⑤ 휑하다: 휑뎅그렁하다. 속이 비고 넓기만 하여 매우 허전하다. 예 집이 너무 커서인지 그의 빈자리가 <u>휑하게</u> 드러난다.

11 ③ 태양>지구

(✔) 정답 풀이 '금붕어', '교과서', '고양이', '붓'은 각각 '물고기', '책', '동물', '필기구'의 한 종류에 해당한다. 따라서 '물고기', '책', '동물', '필기구'는 상위어이고 '금붕어', '교과서', '고양이', '붓'은 하위어이다. 반면 '지구'는 '태양'의 주변을 돌고는 있지만 '태양'이 '지구'의 의미를 포함하거나 더 일반적이고 포괄적인 의미를 지닌 것이 아니기 때문에 두 단어가 상하 관계를 이루고 있다고 보기는 어렵다.

12 ⑤ 부모>자식

(✔) 정답 풀이 '운동화', '테니스', '피리', '바지'는 각각 '신발', '운동', '악기', '의복'의 한 종류에 해당한다. 따라서 '신발', '운동', '악기', '의복'은 상위어이고 '운동화', '테니스', '피리', '바지'는 하위어이다. 반면 '부모'는 윗사람이고 '자식'은 아랫사람이기는 하나, '부모'가 '자식'의 의미를 포함하거나 더 일반적이고 포괄적인 의미를 지닌 것이 아니기 때문에 두 단어가 상하 관계를 이루고 있다고 보기는 어렵다.

13 ④

(✔) 정답 풀이 첫 번째 예문의 '걸다'는 '벽이나 못 따위에 어떤 물체를 떨어지지 않도록 매달아 올려놓다.'의 의미로 사용되었고, 두 번째 예문의 '걸다'는 '액체 따위가 내용물이 많고 진하다.'의 의미로 사용되었다. 따라서 '걸다'는 소리만 같을 뿐 뜻이 전혀 다른 동음이의어이다.

(X) 오답 풀이 ① 첫 번째 예문의 '보다'는 '일정한 목적 아래 만나다.'의 의미로 사용되었고, 두 번째 예문의 '보다'는 '책이나 신문 따위를 읽다.'의 의미로 사용되었다. 따라서 '보다'는 서로 연관성이 있는 두 가지 이상의 뜻을 가진 다의어이다.
② 첫 번째 예문의 '일어나다'는 '위로 솟거나 부풀어 오르다.'의 의미로 사용되었고, 두 번째 예문의 '일어나다'는 '잠에서 깨어나다.'의 의미로 사용되었다. 따라서 '일어나다'는 서로 연관성이 있는 두 가지 이상의 뜻을 가진 다의어이다.
③ 첫 번째 예문의 '시키다'는 '어떤 일이나 행동을 하게 하다.'의 의미로 사용되었고, 두 번째 예문의 '시키다'는 '음식 따위를 만들어 오거나 가지고 오도록 주문하다.'의 의미로 사용되었다. 따라서 '시키다'는 서로 연관성이 있는 두 가지 이상의 뜻을 가진 다의어이다.
⑤ 첫 번째 예문의 '눈'은 '사물을 보고 판단하는 힘.'의 의미로 사용되었고, 두 번째 예문의 '눈'은 '무엇을 보는 표정이나 태도.'의 의미로 사용되었다. 따라서 '눈'은 서로 연관성이 있는 두 가지 이상의 뜻을 가진 다의어이다.

14 ⑤

(✔) 정답 풀이 첫 번째 예문의 '서리'는 '대기 중의 수증기가 지상의 물체 표면에 얼어붙은 것.'의 의미로 사용되었고, 두 번째 예문의 '서리'는 '떼를 지어 남의 과일, 곡식, 가축 따위를 훔쳐 먹는 장난.'의 의미로 사용되었다. 따라서 '서리'는 소리만 같을 뿐 뜻이 전혀 다른 동음이의어이다.

(X) 오답 풀이 ① 첫 번째 예문의 '벌이다'는 '일을 계획하여 시작하거나 펼쳐 놓다.'의 의미로 사용되었고, 두 번째 예문의 '벌이다'는 '전쟁이나 말다툼 따위를 하다.'의 의미로 사용되었다. 따라서 '벌이다'는 서로 연관성이 있는 두 가지 이상의 뜻을 가진 다의어이다.
② 첫 번째 예문의 '찾다'는 '현재 주변에 없는 것을 얻거나 사람을 만나려고 여기저기를 뒤지거나 살피다.'의 의미로 사용되었고, 두 번째 예문의 '찾다'는 '모르는 것을 알아내기 위하여 책 따위를 뒤지거나 컴퓨터를 검색하다.'의 의미로 사용되었다. 따라서 '찾다'는 서로 연관성이 있는 두 가지 이상의 뜻을 가진 다의어이다.
③ 첫 번째 예문의 '넘다'는 '일정한 시간, 시기, 범위 따위에서 벗어나 지나다.'의 의미로 사용되었고, 두 번째 예문의 '넘다'는 '경계를 건너 지나다.'의 의미로 사용되었다. 따라서 '넘다'는 서로 연관성이 있는 두 가지 이상의 뜻을 가진 다의어이다.
④ 첫 번째 예문의 '마시다'는 '공기나 냄새 따위를 입이나 코로 들이쉬다.'의 의미로 사용되었고, 두 번째 예문의 '마시다'는 '물

이나 술 따위의 액체를 목구멍으로 넘기다.'의 의미로 사용되었다. 따라서 '마시다'는 서로 연관성이 있는 두 가지 이상의 뜻을 가진 다의어이다.

15 ②

정답 풀이 첫 번째 예문의 '사고(일 事 연고 故)'는 '뜻밖에 일어난 불행한 일.'의 의미로 사용되었고, 두 번째 예문의 '사고'는 '사람에게 해를 입혔거나 말썽을 일으킨 나쁜 짓.'의 의미로 사용되었다. 따라서 '사고'는 서로 연관성이 있는 두 가지 이상의 뜻을 가진 다의어이다.

오답 풀이 ① 첫 번째 예문의 '인정(認定)'은 '확실히 그렇다고 여김.'의 의미로 사용되었고, 두 번째 예문의 '인정(人情)'은 '남을 동정하는 따뜻한 마음.'의 의미로 사용되었다. 따라서 '인정'은 소리만 같을 뿐 뜻이 전혀 다른 동음이의어이다.
③ 첫 번째 예문의 '의사(醫師)'는 '일정한 자격을 가지고 병을 고치는 것을 직업으로 하는 사람.'의 의미로 사용되었고, 두 번째 예문의 '의사(意思)'는 '무엇을 하고자 하는 생각.'의 의미로 사용되었다. 따라서 '의사'는 소리만 같을 뿐 뜻이 전혀 다른 동음이의어이다.
④ 첫 번째 예문의 '영화(映畫)'는 '일정한 의미를 갖고 움직이는 대상을 촬영하여 영사기로 영사막에 재현하는 종합 예술.'의 의미로 사용되었고, 두 번째 예문의 '영화(榮華)'는 '몸이 귀하게 되어 이름이 세상에 빛남.'의 의미로 사용되었다. 따라서 '영화'는 소리만 같을 뿐 뜻이 전혀 다른 동음이의어이다.
⑤ 첫 번째 예문의 '신임(信任)'은 '믿고 일을 맡김. 또는 그 믿음.'의 의미로 사용되었고, 두 번째 예문의 '신임(新任)'은 '새로 임명되거나 새로 취임함. 또는 그 사람.'의 의미로 사용되었다. 따라서 '신임'은 소리만 같을 뿐 뜻이 전혀 다른 동음이의어이다.

어·휘·력 Up '사고'의 의미 관계

어떤 단어는 다의어이면서 동음이의어일 수도 있다. 바로 '사고'가 다의어가 되기도 하지만, 다른 한자를 사용할 때에는 동음이의어가 되기도 하는 단어이다.

• **사고**(일 事 연고 故)
「1」 뜻밖에 일어난 불행한 일. ·················· ⓐ
    예 큰 사고가 아니어서 정말 다행이다.
「2」 사람에게 해를 입혔거나 말썽을 일으킨 나쁜 짓 ·········· ⓑ
    예 저놈은 허구한 날 사고만 내고 다닌다.
• **사고**(생각 思 생각할 考)
생각하고 궁리함. ·································· ⓒ
    예 다양한 분야의 책을 읽으면 사고의 영역을 넓힐 수 있다.
'사고'는 위의 ⓐ와 ⓑ의 경우에는 서로 다의 관계이지만, ⓐ와 ⓒ, ⓑ와 ⓒ의 경우에는 서로 동음이의 관계이다.

16 ⑤

정답 풀이 두 예문의 '소식(사라질 消 쉴 息)'은 '멀리 떨어져 있는 사람의 사정을 알리는 말이나 글.'의 의미로 사용되었다.

오답 풀이 ① 첫 번째 예문의 '유용(有用)하다'는 '쓸모가 있다.'

의 의미로 사용되었고, 두 번째 예문의 '유용(流用)하다'는 '남의 것이나 다른 곳에 쓰기로 되어 있는 것을 다른 데로 돌려쓰다.'의 의미로 사용되었다. 따라서 '유용하다'는 소리만 같을 뿐 뜻이 전혀 다른 동음이의어이다.
② 첫 번째 예문의 '과실(過失)'은 '부주의나 태만 따위에서 비롯된 잘못이나 허물.'의 의미로 사용되었고, 두 번째 예문의 '과실(果實)'은 '열매'의 의미로 사용되었다. 따라서 '과실'은 소리만 같을 뿐 뜻이 전혀 다른 동음이의어이다.
③ 첫 번째 예문의 '자신(自身)'은 '그 사람의 몸 또는 바로 그 사람.'의 의미로 사용되었고, 두 번째 예문의 '자신(自信)'은 '어떤 일을 해낼 수 있다거나 어떤 일이 꼭 그렇게 되리라는 데 대하여 스스로 굳게 믿음. 또는 그런 믿음.'의 의미로 사용되었다. 따라서 '자신'은 소리만 같을 뿐 뜻이 전혀 다른 동음이의어이다.
④ 첫 번째 예문의 '경로(經路)'는 '지나는 길.'의 의미로 사용되었고 두 번째 예문의 '경로(敬老)'는 '노인을 공경함.'의 의미로 사용되었다. 따라서 '경로'는 소리만 같을 뿐 뜻이 전혀 다른 동음이의어이다.

17 ①

정답 풀이 '오르다'는 여러 가지 의미를 가진 다의어이다. ①에서 '오르다'는 '값이나 수치, 온도, 성적 따위가 이전보다 많아지거나 높아지다.'의 의미로 사용되었다. '기록에 적히다.'를 의미하는 '오르다'는 '그 단어는 사전에 오른 단어가 아니다.'에서처럼 활용될 수 있다.

18 ②

정답 풀이 '시원하다'는 여러 가지 의미를 가진 다의어이다. ②에서 '시원하다'는 '음식이 차고 산뜻하거나, 뜨거우면서 속을 후련하게 하는 점이 있다.'의 의미로 사용되었다. '기대, 희망 따위에 부합하여 충분히 만족스럽다.'를 의미하는 '시원하다'는 보통 '시원하지' 꼴로 '않다', '못하다'의 앞에 쓰이며, '일하는 모양이 영 시원치 않다.'에서처럼 활용될 수 있다.

19 ④

정답 풀이 '깨끗하다'는 여러 가지 의미를 가진 다의어이다. ④에서 '깨끗하다'는 '후유증이 없이 말짱하다.'의 의미로 사용되었다. '마음이나 표정 따위에 구김살이 없다.'를 의미하는 '깨끗하다'는 '아이들의 깨끗한 마음에 절로 미소가 지어졌다.'에서처럼 활용될 수 있다.

20 ②

정답 풀이 '손'은 여러 가지 의미를 가진 다의어이다. ②에서 '손'은 '일을 하는 사람.'의 의미로 사용되었다. '지나가다가 잠시 들른 사람.' 즉 '손님[客]'을 의미하는 '손'은 신체의 일부인 '손'의 동음이의어이다. '저는 지나가는 손으로, 하룻밤만 재워 주십시오.'에서처럼 활용될 수 있다.

20^{일차} 단어의 의미 관계 ②

01 그만두다

✅**정답 풀이** '끊지 않고 이어 나가다.'를 의미하는 단어는 '계속 (이을 繼 이을 續)하다'이다. '계속하다'의 반의어는 '하던 일을 그치고 안 하다.'를 의미하는 '그만두다'이다.

🗨 그녀는 낮은 목소리로 이야기를 **계속했다**.

🗨 나는 하던 이야기를 <u>그만두고</u> 밖으로 나갔다.

02 벗다

✅**정답 풀이** '옷을 몸에 꿰거나 두르다.'를 의미하는 단어는 '입다'이다. '입다'의 반의어는 '사람이 자기 몸 또는 몸의 일부에 착용한 물건을 몸에서 떼어 내다.'를 의미하는 '벗다'이다.

🗨 오늘은 예쁜 옷을 <u>입어서</u> 기분이 좋다.

🗨 집에 돌아와서 겉옷을 <u>벗고</u> 편한 잠옷으로 갈아입었다.

어·휘·력 **Up** '벗다'의 반의어

한 단어가 같은 의미로 쓰일지라도 함께 사용되는 단어에 따라 반의어가 달라질 수 있다. '벗다'는 몸에 착용한 물건이 무엇이냐에 따라 반의어가 달라진다.

🗨 옷을 벗다 ↔ 옷을 입다
　 안경(모자)을 벗다 ↔ 안경(모자)을 쓰다
　 신발(양말)을 벗다 ↔ 신발(양말)을 신다

---

03 얼다

✅**정답 풀이** '추워서 굳어진 몸이나 신체 부위가 풀리다.'를 의미하는 단어는 '녹다'이다. '녹다'의 반의어는 '추위로 인하여 신체 또는 그 일부가 뻣뻣하여지고 감각이 없어질 만큼 아주 차가워지다.'를 의미하는 '얼다'이다.

🗨 난롯가로 오니 몸이 좀 **녹는다**.

🗨 밖이 어찌나 추운지 손이 다 **얼었다**.

04 때리다

✅**정답 풀이** '외부로부터 어떤 힘이 가해져 몸에 해를 입다.'를 의미하는 단어는 '맞다'이다. '맞다'의 반의어는 '손이나 손에 든 물건 따위로 아프게 치다.'를 의미하는 '때리다'이다.

🗨 운동장을 지나다 공에 <u>맞아서</u> 팔에 멍이 들었다.

🗨 벌칙으로 팔뚝을 <u>때리는</u> 게임을 하였다.

05 모르다

✅**정답 풀이** '교육이나 경험, 사고 행위를 통하여 사물이나 상황에 대한 정보나 지식을 갖추다.'를 의미하는 단어는 '알다'이다. '알다'의 반의어는 '사람이나 사물 따위를 알거나 이해하지 못하다.'를 의미하는 '모르다'이다.

🗨 그는 <u>아는</u> 것이 많아서 척척박사라고 불린다.

🗨 나는 너의 말뜻을 <u>모르겠다</u>.

06 중복되다

✅**정답 풀이** '겹치다'는 '여러 사물이나 내용 따위가 서로 덧놓이거나 포개어지다.'를 의미한다. '중복(무거울 重 겹칠 複)되다'는 '거듭되거나 겹쳐지다.'를 의미하므로, '겹치다'의 유의어는 '중복되다'이다.

🗨 똑같은 내용이 <u>중복되지</u> 않도록 주의해라.

07 총명하다

✅**정답 풀이** '똑똑하다'는 '사리에 밝고 총명하다.'를 의미한다. '총명(귀 밝을 聰 밝을 明)하다'는 '썩 영리하고 재주가 있다.'를 의미하므로, '똑똑하다'의 유의어는 '총명하다'이다.

🗨 그 강아지는 <u>총명해서</u> 발자국 소리를 구분한다.

08 민망하다

✅**정답 풀이** '부끄럽다'는 '일을 잘 못하거나 양심에 거리끼어 볼 낯이 없거나 매우 떳떳하지 못하다.'를 의미한다. '민망(민망할 憫 멍할 惘)하다'는 '낯을 들고 대하기가 부끄럽다.'를 의미하므로, '부끄럽다'의 유의어는 '민망하다'이다.

🗨 그는 너무나도 <u>민망하여</u> 얼굴을 들 수가 없었다.

09 판이하다

✅**정답 풀이** '다르다'는 '비교가 되는 두 대상이 서로 같지 아니하다.'를 의미한다. '판이(판단할 判 다를 異)하다'는 '비교 대상의 성질이나 모양, 상태 따위가 아주 다르다.'를 의미하므로, '다르다'의 유의어는 '판이하다'이다.

🗨 보고서가 예전과는 너무 <u>판이한</u> 내용으로 기획되었다.

10 인접하다

✅**정답 풀이** '이웃하다'는 '나란히 또는 가까이 있어 경계가 서로 붙어 있다.'를 의미한다. '인접(이웃 隣 이을 接)하다'는 '이웃하여 있다. 또는 옆에 닿아 있다.'를 의미하므로 '이웃하다'의 유의어는 '인접하다'이다.

🗨 그들은 직장이 서로 <u>인접해</u> 있어 자주 마주치고는 하였다.

11 ① 건물

✅**정답 풀이** '건물(세울 建 물건 物)'은 '사람이 들어 살거나, 일을 하거나, 물건을 넣어 두기 위하여 지은 집.'을 통틀어 이르는 말이다. '주택', '상가', '오피스텔', '아파트'는 모두 건물의 한 종류에 해당하므로 하위어이고 '건물'은 상위어이다.

🗨 이번에 새로 짓는 아파트는 40층이나 되는 높은 **건물**이다.

❌**오답 풀이** ② 주택(住宅): 사람이 들어가 살 수 있게 지은 건물. 🗨 <u>주택</u> 지구와 상업 지구가 구분되어 있다.

③ 상가(商家): 이익을 얻으려고 물건을 사서 파는 집. 🗨 집 앞

큰 **상가**에서는 다양한 물건을 판매하고 있다.
④ 오피스텔: 간단한 주거 시설을 갖춘 사무실. **예** 우리 회사는 **오피스텔**에서 여러 사무를 본다.
⑤ 아파트: 공동 주택 양식의 하나. 오 층 이상의 건물을 층마다 여러 집으로 일정하게 구획하여 각각의 독립된 가구가 생활할 수 있도록 만든 주거 형태이다. **예** 예전보다 고층 **아파트**가 많아졌다.

12 ② 도구

✓ 정답 풀이 '도구(길 道 갖출 具)'는 '일에 쓰이는 여러 가지 연장.'을 의미한다. '골무', '집게', '줄자', '가위'는 모두 바느질을 할 때 사용하는 도구에 해당하므로 하위어이고 '도구'는 상위어이다. **예** **도구**를 사용하면 좀 더 편하게 일을 할 수 있다.
✗ 오답 풀이 ① 골무: 바느질할 때 바늘귀를 밀기 위하여 손가락에 끼는 도구. **예** **골무**를 사용하면 바늘로부터 손가락을 보호할 수 있다.
③ 집게: 물건을 집는 데 쓰는, 끝이 두 가닥으로 갈라진 도구. **예** 손으로 집기 어려운 얇은 실을 **집게**로 집었다.
④ 줄자: 헝겊이나 강철로 띠처럼 만든 자. **예** **줄자**로 옷감의 길이를 재었다.
⑤ 가위: 옷감, 종이, 머리털 따위를 자르는 기구. **예** 천을 자르려면 잘 드는 **가위**가 필요하다.

13 ④ 굴

✓ 정답 풀이 첫 번째 예문의 '굴'은 '굴과의 연체동물.'을 통틀어 이르는 말로 사용되었고, 두 번째 예문의 '굴(굴 窟)'은 '자연적으로 땅이나 바위가 안으로 깊숙이 패어 들어간 곳.'의 의미로 사용되었다. 따라서 '굴'은 소리는 같으나 뜻이 다른 동음이의어이다.
✗ 오답 풀이 ① 방(房): 사람이 살거나 일을 하기 위하여 벽 따위로 막아 만든 칸. **예** **방**이 너무 좁아서 침대가 들어갈 수 없다.
② 회(膾): 고기나 생선 따위를 날로 잘게 썰어서 먹는 음식. **예** 광어를 **회**로 먹으면 맛이 참 좋다.
③ 밤: 해가 져서 어두워진 때부터 다음 날 해가 떠서 밝아지기 전까지의 동안. **예** **밤**이 되자 주변이 어둑해졌다.
⑤ 안: 어떤 물체나 공간의 둘러싸인 가에서 가운데로 향한 쪽. 또는 그런 곳이나 부분. **예** 바깥보다 **안**이 훨씬 따뜻하다.

14 ③ 가사

✓ 정답 풀이 첫 번째 예문의 '가사(집 家 일 事)'는 '살림살이에 관한 일.'의 의미로 사용되었고, 두 번째 예문의 '가사(노래 歌 글 詞)'는 '가곡, 가요, 오페라 따위로 불릴 것을 전제로 하여 쓰인 글.'의 의미로 사용되었다. 따라서 '가사'는 소리는 같으나 뜻이 다른 동음이의어이다.
✗ 오답 풀이 ① 살림: 한집안을 이루어 살아가는 일. **예** 그는 혼자 **살림**을 도맡아 했다.
② 집안: 가족을 구성원으로 하여 살림을 꾸려 나가는 공동체. **예** 그는 **집안**을 꾸려 나가는 일에 어려움을 느꼈다.

④ 취미(趣味): 전문적으로 하는 것이 아니라 즐기기 위하여 하는 일. **예** 나의 **취미**는 음악 감상이다.
⑤ 가락: 소리의 높낮이가 길이나 리듬과 어울려 나타나는 음의 흐름. **예** 우리의 전통 **가락**은 언제나 내 맘을 뭉클하게 한다.

15 ② 기상

✓ 정답 풀이 첫 번째 예문의 '기상(일어날 起 평상 牀)'은 '잠자리에서 일어남.'의 의미로 사용되었고, 두 번째 예문의 '기상(기운 氣 모양 像)'은 '사람이 타고난 기개나 마음씨. 또는 그것이 겉으로 드러난 모양.'의 의미로 사용되었다. 따라서 '기상'은 소리는 같으나 뜻이 다른 동음이의어이다.
✗ 오답 풀이 ① 체격(體格): 근육, 골격, 영양 상태 따위로 나타나는 몸 전체의 외관적 형상. **예** 그는 **체격**이 좋아서 멀리서도 눈에 띄었다.
③ 심지(心地): 마음의 본바탕. **예** **심지**가 굳은 사람은 쉽게 좌절하지 않는다.
④ 포부(抱負): 마음속에 지니고 있는, 미래에 대한 계획이나 희망. **예** 그녀는 부모님께 자기가 가진 **포부**를 자랑스럽게 밝혔다.
⑤ 배짱: 조금도 굽히지 아니하고 버티어 나가는 성품이나 태도. **예** 그런 **배짱**도 없이 어떻게 큰일을 하겠느냐?

16 ① 고장

✓ 정답 풀이 첫 번째 예문의 '고장(연고 故 막을 障)'은 '기구나 기계가 제대로 움직이지 못하게 되는 기능상의 장애.'의 의미로 사용되었고, 두 번째 예문의 '고장'은 '어떤 물건이 특히 많이 나거나 있는 곳.'의 의미로 사용되었다. 따라서 '고장'은 소리는 같으나 뜻이 다른 동음이의어이다.
✗ 오답 풀이 ② 지역(地域): 일정하게 구획된 어느 범위의 토지. **예** 이 **지역**에서는 장사를 하면 안 된다.
③ 산지(産地): 생산되어 나오는 곳. **예** **산지**에서 바로 가져오는 양파는 정말 맛있다.
④ 지방(地方): 어느 방면의 땅. **예** 그는 낯선 **지방**으로 여행을 떠났다.
⑤ 고향(故鄕): 자기가 태어나서 자란 곳. **예** **고향**에 가는 길은 언제나 즐겁다.

17 ②

✓ 정답 풀이 '가다'는 여러 의미를 가진 다의어이다. ㉠과 ㉡의 '가다'는 '한 곳에서 다른 곳으로 장소를 이동하다.'의 의미로 사용되었고, ㉢과 ㉣의 '가다'는 '가치나 값, 순위 따위를 나타내는 말과 결합하여 어떤 대상을 기준으로 해서 어느 정도까지 이르다.'의 의미로 사용되었다.

18 ③

✓ 정답 풀이 '떠나다'는 여러 의미를 가진 다의어이다. ㉠과 ㉡의 '떠나다'는 '어떤 일이나 사람들과 관계를 끊거나 관련이 없는 상

태가 되다.'의 의미로 사용되었고, ⓒ과 ⓔ의 '떠나다'는 '있던 곳에서 다른 곳으로 옮기다.'의 의미로 사용되었다.

19 ④

✅정답 풀이 '지나다'는 여러 의미를 가진 다의어이다. ⊙, ⓒ, ⓔ의 '지나다'는 '어디를 거치어 가거나 오거나 하다.'의 의미로 사용되었고, ⓒ의 '지나다'는 '어떤 일을 그냥 넘겨 버리다.'의 의미로 사용되었다.

20 ⑤

✅정답 풀이 '끊다'는 여러 의미를 가진 다의어이다. ⊙, ⓒ, ⓔ의 '끊다'는 '관계를 이어지지 않게 하다.'의 의미로 사용되었고, ⓒ의 '끊다'는 '습관처럼 하던 것을 더 이상 하지 않다.'의 의미로 사용되었다.

21 ②

✅정답 풀이 '진주'는 '진주조개 · 대합 · 전복 따위의 조가비나 살 속에 생기는 딱딱한 덩어리. 탄산 칼슘이 주성분이며, 우아하고 아름다운 빛깔의 광택이 나는 것.'을 의미한다. 그러나 제시된 예문의 '진주'는 '눈물'을 의미한다.
❌오답 풀이 ① 머리: 사람이나 동물의 목 위의 부분.
③ 꽃: 종자식물의 번식 기관.
④ 발: 사람이나 동물의 다리 맨 끝부분.
⑤ 물: 자연계에 강, 호수, 바다, 지하수 따위의 형태로 널리 분포하는 액체.

> **어·휘·력 Up 다의어 '발'**
>
> 「1」 사람이나 동물의 다리 맨 끝부분.
>   예 명수는 발을 헛디뎌 계단에서 구르고 말았다.
> 「2」 가구 따위의 밑을 받쳐 균형을 잡고 있는, 짧게 도드라진 부분.
>   예 이 의자는 한쪽 발이 짧다.
> 「3」 '걸음'을 비유적으로 이르는 말.
>   예 그는 발을 멈추고 주변 풍경을 바라보았다.

22 ③

✅정답 풀이 '들다'는 여러 의미를 가진 다의어이다. ③에서 '들다'는 '손에 가지다.'를 의미하는데, '나르다'는 '물건을 한 곳에서 다른 곳으로 옮기다.'를 의미한다. 그러므로 '나르다'가 '들다'의 유의어라고 보기는 어렵다.
예 더운 날 무거운 짐을 <u>나르는</u> 것은 더욱 힘이 든다.
❌오답 풀이 ① 제시된 예문에서 '들다'는 '몸에 병이나 증상이 생기다.'를 의미한다. '오다'는 '질병이나 졸음 따위의 생리적 현상이 일어나거나 생기다.'를 의미하므로 '들다'의 유의어로 볼 수 있다.
② 제시된 예문에서 '들다'는 '아래에 있는 것을 위로 올리다.'를 의미한다. '올리다'는 '위쪽으로 높게 하거나 세우다.'를 의미하므로 '들다'의 유의어로 볼 수 있다.

④ 제시된 예문에서 '들다'는 '적금이나 보험 따위의 거래를 시작하다.'를 의미한다. '가입(加入)하다'는 '단체나 조직 따위에 들어가다.'를 의미하므로 '들다'의 유의어라고 볼 수 있다.
⑤ 제시된 예문에서 '들다'는 '물감, 색깔, 물기, 소금기가 스미거나 배다.'를 의미한다. '스미다'는 '물, 기름 따위의 액체가 배어들다.'를 의미하므로 '들다'의 유의어라고 볼 수 있다.

21 일차 단어의 의미 관계 ③

01 꺼내다

✅정답 풀이 '한정된 공간 속으로 들게 하다.'를 의미하는 단어는 '넣다'이다. '넣다'의 반의어는 '속이나 안에 들어 있는 물건 따위를 손이나 도구를 이용하여 밖으로 나오게 하다.'를 의미하는 '꺼내다'이다.
예 가방에 필통을 <u>넣었다</u>.
예 필통을 가방에서 <u>꺼냈다</u>.

02 뽑다

✅정답 풀이 '초목의 뿌리나 씨앗 따위를 흙 속에 묻다.'를 의미하는 단어는 '심다'이다. '심다'의 반의어는 '박힌 것을 잡아당기어 빼내다.'를 의미하는 '뽑다'이다.
예 밭에 상추와 고추를 <u>심었다</u>.
예 밭에서 상추를 <u>뽑았다</u>.

03 줍다

✅정답 풀이 '곳곳에 흩어지도록 던지거나 떨어지게 하다.'를 의미하는 단어는 '뿌리다'이다. '뿌리다'의 반의어는 '바닥에 떨어지거나 흩어져 있는 것을 집다.'를 의미하는 '줍다'이다.
예 요즘 번화가는 광고지를 <u>뿌리는</u> 사람들로 넘쳐난다.
예 바닥에 뿌려져 있는 광고지를 <u>주워</u> 휴지통에 버렸다.

04 뱉다

✅정답 풀이 '무엇을 입에 넣어서 목구멍으로 넘기다.'를 의미하는 단어는 '삼키다'이다. '삼키다'의 반의어는 '입 속에 있는 것을 입 밖으로 내보내다.'를 의미하는 '뱉다'이다.
예 나는 알약을 두 개나 <u>삼켰다</u>.
예 약이 너무 써서 <u>뱉고</u> 말았다.

05 사다

✅정답 풀이 '값을 받고 물건이나 권리 따위를 남에게 넘기거나 노력 따위를 제공하다.'를 의미하는 단어는 '팔다'이다. '팔다'의 반의어는 '값을 치르고 어떤 물건이나 권리를 자기 것으로 만들다.'를 의미하는 '사다'이다.
예 그는 건물을 <u>팔아서</u> 많은 이익을 남겼다.

예 그는 나중에 많은 이익을 보기 위해 그 건물을 <u>샀다</u>.

06 몸담다

✅정답풀이 '종사(좇을 從 일 事)하다'는 '어떤 일을 일삼아서 하다.'를 의미한다. '몸담다'가 '어떤 직업이나 분야에 종사하거나 그 일을 하다.'를 의미하므로 '종사하다'의 유의어는 '몸담다'이다.
예 그녀는 열정을 가지고 금융업에 <u>몸담고</u> 있다.

07 내다

✅정답풀이 '제출(끌 提 날 出)하다'는 '문안(文案)이나 의견, 법안(法案) 따위를 내다.'를 의미한다. '내다'가 '문서, 서류, 편지 따위를 제출하거나 보내다.'를 의미하므로 '제출하다'의 유의어는 '내다'이다.
예 오늘 <u>내야</u> 할 서류의 종류는 총 4가지이다.

08 옭아매다

✅정답풀이 '구속(잡을 拘 묶을 束)하다'는 '행동이나 의사의 자유를 제한하거나 속박하다.'를 의미한다. '옭아매다'가 '자유롭지 못하게 구속하다.'를 의미하므로, '구속하다'의 유의어는 '옭아매다'이다.
예 그는 스스로를 <u>옭아매며</u> 엄격한 생활을 하였다.

09 쓰다

✅정답풀이 '투입(던질 投 들 入)하다'는 '사람이나 물자, 자본 따위를 필요한 곳에 넣다.'를 의미한다. '쓰다'가 '어떤 일을 하는 데 시간이나 돈을 들이다.'를 의미하므로, '투입하다'의 유의어는 '쓰다'이다.
예 정부는 예산의 많은 부분을 국방비로 <u>썼다</u>.

> **어·휘·력 Up 동음이의어 '쓰다'**
>
> 1. 붓, 펜, 연필과 같이 선을 그을 수 있는 도구로 종이 따위에 획을 그어서 일정한 글자의 모양이 이루어지게 하다.
>   예 연습장에 글씨를 <u>쓰다</u>.
> 2. 모자 따위를 머리에 얹어 덮다.
>   예 그녀는 모자를 <u>쓰고</u> 밖에 나갔다.
> 3. 혀로 느끼는 맛이 한약이나 소태, 씀바귀의 맛과 같다.
>   예 약이 너무 <u>써서</u> 먹기 힘들다.
> 4. 시체를 묻고 무덤을 만들다.
>   예 공동묘지에 할아버지의 무덤을 <u>썼다</u>.

10 빼돌리다

✅정답풀이 '횡령(가로 橫 거느릴 領)하다'는 '공금이나 남의 재물을 불법으로 차지하여 가지다.'를 의미한다. '빼돌리다'가 '사람 또는 물건을 슬쩍 빼내어 다른 곳으로 보내거나 남이 모르는 곳에 감추어 두다.'를 의미하므로 '횡령하다'의 유의어는 '빼돌리다'이다.
예 시민 단체는 거액의 돈을 <u>빼돌린</u> 혐의로 그를 고발하였다.

11 ④ 침구

✅정답풀이 '침구(잘 寢 갖출 具)'는 '잠을 자는 데 쓰는 이부자리, 베개 따위.'를 통틀어 이르는 말이다. '이불', '베개', '요', '이부자리'는 모두 침구의 한 종류에 해당하므로 하위어이고 '침구'는 상위어이다.
예 <u>침구</u>를 사러 아버지와 백화점에 갔다.

❌오답풀이 ① 이불: 잘 때 몸을 덮기 위하여 피륙 같은 것으로 만든 침구의 하나. 예 <u>이불</u>을 잘 덮고 자야 감기에 걸리지 않는다.
② 베개: 잠을 자거나 누울 때에 머리를 괴는 물건. 예 너무 높은 <u>베개</u>를 베고 자면 목이 아프다.
③ 요: 침구의 하나. 사람이 앉거나 누울 때 바닥에 깐다. 예 두꺼운 <u>요</u>를 깔았더니 매우 푹신하다.
⑤ 이부자리: 이불과 요를 통틀어 이르는 말. 예 좋은 <u>이부자리</u>에서 자니 잠도 잘 오는 것 같다.

12 ⑤ 입

✅정답풀이 '입'은 '입술에서 후두까지의 부분. 음식이나 먹이를 섭취하며, 소리를 내는 기관.'을 의미한다. '혀', '잇몸', '치아', '입술'은 모두 입의 일부분에 해당하므로 하위어이고 '입'은 상위어이다.
예 <u>입</u>이 아파서 음식을 제대로 먹을 수가 없다.

❌오답풀이 ① 혀: 동물의 입 안 아래쪽에 있는 길고 둥근 살덩어리. 맛을 느끼며 소리를 내는 구실을 한다. 예 내 동생은 장난스럽게 <u>혀</u>를 쏙 내밀었다.
② 잇몸: 이뿌리를 둘러싸고 있는 살. 예 이를 세게 닦아서인지 <u>잇몸</u>에서 피가 나온다.
③ 치아(齒牙): 이. 척추동물의 입 안에 있으며 무엇을 물거나 음식물을 씹는 역할을 하는 기관. 예 <u>치아</u>는 건강할 때 관리를 잘 해야 한다.
④ 입술: 포유류의 입 가장자리 위아래에 도도록이 붙어 있는 얇고 부드러운 살. 예 겨울이 되어서인지 <u>입술</u>이 다 텄다.

> **어·휘·력 Up 다의어 '입'**
>
> 「1」 입술에서 후두(喉頭)까지의 부분.
>   예 입을 크게 벌리고 하품을 했다.
> 「2」 입술.
>   예 그녀는 입에 붉게 립스틱을 발랐다.
> 「3」 음식을 먹는 사람의 수효.
>   예 동생이 떠나자 입이 하나 줄었다.
> 「4」 사람이 하는 말을 비유적으로 이르는 말.
>   예 그는 입이 거칠다.

13 ① 응시

✅정답풀이 첫 번째 예문의 '응시(엉길 凝 볼 視)'는 '눈길을 모아 한 곳을 똑바로 바라봄.'의 의미로 사용되었고, 두 번째 예문의 '응시(응할 應 시험 試)'는 '시험에 응함.'의 의미로 사용되었다. 따라서 '응시'는 소리는 같으나 뜻이 다른 동음이의어이다.

(X)(오답 풀이) ② 주시(注視): 어떤 목표물에 주의를 집중하여 봄.
(예) 아버님의 두 눈이 꾸짖듯이 나를 **주시**하고 있었다.
③ 관람(觀覽): 연극, 영화, 운동 경기, 미술품 따위를 구경함.
(예) 오랜만에 재미있는 영화를 **관람**했다.
④ 관망(觀望): 한발 물러나서 어떤 일이 되어 가는 형편을 바라봄. (예) 김 박사는 학회의 연구에 대해 이제까지는 소극적으로 **관망**했지만 앞으로는 적극적으로 나설 계획이라고 밝혔다.
⑤ 감상(鑑賞): 주로 예술 작품을 이해하여 즐기고 평가함. (예) 전시회에서 미술 작품들을 **감상**했다.

14 ② 해산

(✓)(정답 풀이) 첫 번째 예문의 '해산(풀 解 낳을 産)'은 '아이를 낳음.'의 의미로 사용되었고, 두 번째 예문의 '해산(풀 解 흩을 散)'은 '모였던 사람이 흩어짐.'의 의미로 사용되었다. 따라서 '해산'은 소리는 같으나 뜻이 다른 동음이의어이다.
(X)(오답 풀이) ① 분산(分散): 갈라져 흩어지다. 또는 그렇게 되게 함. (예) 서울 인구를 **분산**하려고 위성 도시를 만들었다.
③ 분만(分娩): 아이를 낳음. (예) 산모는 아들을 **분만**했다.
④ 출산(出産): 아이를 낳음. (예) 그녀는 예쁜 딸을 **출산**하였다.
⑤ 생산(生産): 인간이 생활하는 데 필요한 각종 물건을 만들어 냄. (예) 인간은 기술을 발전시켜 다양한 제품을 **생산**해 내고 있다.

15 ④ 필적

(✓)(정답 풀이) 첫 번째 예문의 '필적(짝 匹 대적할 敵)'은 '능력이나 세력이 엇비슷하여 서로 맞섬.'의 의미로 사용되었고, 두 번째 예문의 '필적(붓 筆 발자취 跡)'은 '글씨의 모양이나 솜씨.'의 의미로 사용되었다. 따라서 '필적'은 소리는 같으나 뜻이 다른 동음이의어이다.
(X)(오답 풀이) ① 대적(對敵): 적이나 어떤 세력, 힘 따위와 맞서 겨룸. 또는 그 상대. (예) **대적**도 안 되는 상대와 굳이 마주칠 필요는 없다.
② 필체(筆體): 서체. 글씨체. (예) **필체**만 보고도 너의 글인지 알아보겠다.
③ 비교(比較): 둘 이상의 사물을 견주어 서로 간의 유사점, 차이점, 일반 법칙 따위를 고찰하는 일. (예) 그와 그녀는 **비교** 대상이 아니다.
⑤ 비등(沸騰): 물이 끓듯 떠들썩하게 일어남. (예) 그 소문이 우리 동네까지 날아들었다는 것은 여론의 **비등**이 얼마만큼 대단한 것인지를 짐작하게 한다.

16 ②

(✓)(정답 풀이) '바르다'는 여러 의미를 가진 다의어이다. ㉠과 ㉡의 '바르다'는 '겉으로 보기에 비뚤어지거나 굽은 데가 없다.'의 의미로 사용되었고, ㉢과 ㉣의 '바르다'는 '말이나 행동 따위가 사회적인 규범이나 사리에 어긋나지 아니하고 들어맞다.'의 의미로 사용되었다.

(어·휘·력)(Up) **동음이의어 '바르다'**

1. 겉으로 보기에 비뚤어지거나 굽은 데가 없다.
   (예) 줄을 **바르게** 서다.
2. 풀칠한 종이나 헝겊 따위를 다른 물건의 표면에 고루 붙이다.
   (예) 종이에 풀을 발라 벽에 붙였다.
3. 껍질을 벗기어 속에 들어 있는 알맹이를 집어내다.
   (예) 할아버지는 씨를 **바른** 수박을 아기에게 주었다.

17 ②

(✓)(정답 풀이) '흔들다'는 여러 의미를 가진 다의어이다. ㉠, ㉡, ㉢의 '흔들다'는 '사람이나 동물 등이 몸의 일부나 전체, 또는 손에 잡은 물체 따위를 좌우나 앞뒤로 자꾸 움직이게 하다.'의 의미로 사용되었고, ㉣의 '흔들다'는 '사람이 권력 따위로 어떤 대상을 자기 마음대로 움직이게 하다.'의 의미로 사용되었다.

18 ④

(✓)(정답 풀이) '날'은 여러 의미를 가진 다의어이다. ㉠, ㉢의 '날'은 '날씨'의 의미로 사용되었고, ㉡, ㉣은 '하루 중 환한 동안.'의 의미로 사용되었다.

19 ①

(✓)(정답 풀이) '아침'은 여러 의미를 가진 다의어이다. ㉠은 '아침밥.'의 의미로 사용되었고, ㉡, ㉢, ㉣은 '날이 새면서 오전 반나절쯤까지의 동안.'의 의미로 사용되었다.

20 ④

(✓)(정답 풀이) '바람'은 '기압의 변화 또는 사람이나 기계에 의하여 일어나는 공기의 움직임.'을 의미한다. 그러나 ④에서는 '사회적으로 일어나는 일시적인 유행이나 분위기 또는 사상적인 경향.'이라는 의미로 사용되었다.
(예) **바람**이 세게 부니 창문을 잘 닫아라.
(X)(오답 풀이) ① 잠: 눈이 감긴 채 의식 활동이 쉬는 상태.
② 비: 대기 중의 수증기가 높은 곳에서 찬 공기를 만나 식어서 엉기어 땅 위로 떨어지는 물방울.
③ 손: 사람의 팔목 끝에 달린 부분.
⑤ 이슬: 공기 중의 수증기가 기온이 내려가거나 찬 물체에 부딪힐 때 엉겨서 생기는 물방울.

21 ⑤

(✓)(정답 풀이) '빼다'는 여러 의미를 가진 다의어이다. ⑤에서 '빼다'는 '저금이나 보증금 따위를 찾다.'를 의미한다. '찾다'는 '잃거나 빼앗기거나 맡기거나 빌려주었던 것을 돌려받아 가지게 되다.'를 의미한다. 따라서 '찾다'는 '빼다'의 반의어가 아니라 유의어로 보아야 한다.
(예) 적금을 **찾아** 필요한 곳에 썼다.

❌ 오답 풀이 ① 제시된 예문에서 '빼다'는 '속에 들어 있거나 끼여 있거나, 박혀 있는 것을 밖으로 나오게 하다.'를 의미한다. '대다'는 '차, 배 따위의 탈것을 멈추어 서게 하다.'를 의미하므로, '빼다'의 반의어라고 볼 수 있다.
② 제시된 예문에서 '빼다'는 '일정한 공간 속에 갇혀 있는 공기나 물·바람 따위를 밖으로 나오게 하다.'를 의미한다. '넣다'는 '한정된 공간 속으로 들게 하다.'를 의미하므로, '빼다'의 반의어라고 볼 수 있다.
③ 제시된 예문에서 '빼다'는 '살 따위를 줄이다.'를 의미한다. '찌우다'는 '살이 올라서 뚱뚱해지다.'를 의미하는 '찌다'의 사동사이므로, '빼다'의 반의어라고 볼 수 있다.
④ 제시된 예문에서 '빼다'는 '전체에서 일부를 제외하거나 덜어내다.'를 의미한다. '너하나'는 '너 보태어 늘리거나 많게 하다.'를 의미하므로, '빼다'의 반의어라고 볼 수 있다.

22일차 단어의 의미 관계 ④

01 치하하다 – ⓒ 칭찬하다

✅ 정답 풀이 '치하(이를 致 하례할 賀)하다'는 '남이 한 일에 대하여 고마움이나 칭찬의 뜻을 표시하다.'를 의미하며, 주로 윗사람이 아랫사람에게 사용한다. '칭찬(일컬을 稱 기릴 讚)하다'는 '좋은 점이나 착하고 훌륭한 일을 높이 평가하다.'를 의미한다.
예 사장님은 직원들의 성과를 치하하였다.
예 나는 친구의 장점을 칭찬해 주었다.

02 질의하다 – ⓓ 물어보다

✅ 정답 풀이 '질의(바탕 質 의심할 疑)하다'는 '의심나거나 모르는 점을 묻다.'를 의미한다. '물어보다'는 '무엇을 밝히거나 알아내기 위하여 상대편에게 묻다.'를 의미한다.
예 지금부터 강의에 대해 질의해 주십시오.
예 물어보고 싶은 내용이 있으면 언제든 전화하여라.

03 발췌하다 – ⓛ 뽑아내다

✅ 정답 풀이 '발췌(뽑을 拔 모을 萃)하다'는 '책, 글 따위에서 필요하거나 중요한 부분을 가려 뽑아내다.'를 의미한다. '뽑아내다'는 '여럿 가운데서 어떤 것을 가려서 뽑다.'를 의미한다.
예 두꺼운 책에서 필요한 내용만 발췌하여 요약본을 만들었다.
예 중요한 부분만 뽑아내어 한 장짜리 설명서로 만드는 것이 어때?

04 사냥하다 – ㉠ 포획하다

✅ 정답 풀이 '사냥하다'는 '총이나 활 또는 길들인 매나 올가미 따위로 산이나 들의 짐승을 잡다.'를 의미한다. '포획(잡을 捕 얻을 獲)하다'는 '짐승이나 물고기를 잡다.'를 의미한다.
예 그는 산에서 뱀을 사냥하였다.
예 경찰은 길에서 멧돼지를 포획하였다.

05 이루다 – ⓔ 달성하다

✅ 정답 풀이 '이루다'는 '뜻한 대로 되게 하다.'를 의미한다. '달성(통달할 達 이룰 成)하다'는 '목적한 것을 이루다.'를 의미한다.
예 그는 오랫동안 바랐던 소원을 이루었다.
예 그는 전교 10등이라는 목표를 달성했다.

06 ④ 달다

✅ 정답 풀이 '쓰다'는 '혀로 느끼는 맛이 한약이나 소태, 씀바귀의 맛과 같다.'를 의미한다. '쓰다'의 반의어는 '꿀이나 설탕의 맛과 같다.'를 의미하는 '달다'이다.
예 사탕이 매우 달다.
❌ 오답 풀이 ① 지우다: 쓴 글씨나 그린 그림, 흔적 따위를 지우개나 천 따위로 보이지 않게 없애다. 예 글을 모두 지워 버렸다.
② 벗다: 사람이 자기 몸 또는 몸의 일부에 착용한 물건을 몸에서 떼어 내다. 예 모자를 벗었더니 머리가 시원해졌다.
③ 덮다: 물건 따위가 드러나거나 보이지 않도록 넓은 천 따위를 얹어서 씌우다. 예 밥상을 보자기로 덮었다.
⑤ 베끼다: 글이나 그림 따위를 원본 그대로 옮겨 쓰거나 그리다. 예 그 소설은 다른 사람의 소설을 베낀 것으로 밝혀졌다.

07 ① 잊다

✅ 정답 풀이 '외우다'는 '말이나 글 따위를 잊지 않고 기억하여 두다.'를 의미한다. '외우다'의 반의어는 '한번 알았던 것을 기억하지 못하거나 기억해 내지 못하다.'를 의미하는 '잊다'이다.
예 나는 어제 공부한 내용을 전부 잊었다.
❌ 오답 풀이 ② 암기(暗記)하다: 외워 잊지 아니하다.
예 영어 문장을 암기하는 것은 너무 어렵다.
③ 기억(記憶)하다: 이전의 인상이나 경험을 의식 속에 간직하거나 도로 생각해 내다. 예 초등학교 때 친구들과 놀던 것을 기억하고 있다.
④ 새기다: 잊지 아니하도록 마음속에 깊이 기억하다. 예 선생님의 말씀을 깊이 새기겠습니다.
⑤ 날리다: 가지고 있던 재산이나 자료 따위를 잘못하여 모두 잃거나 없애다. 예 컴퓨터로 쓰고 있던 소설을 실수로 날려 버렸다.

08 ② 배웅하다

✅ 정답 풀이 '마중하다'는 '오는 사람을 나가서 맞이하다.'를 의미한다. '마중하다'의 반의어는 '떠나가는 손님을 일정한 곳까지 따라 나가서 작별하여 보내다.'를 의미하는 '배웅하다'이다.
예 기차역에 나가 손님을 배웅했다.
❌ 오답 풀이 ① 환영(歡迎)하다: 오는 사람을 기쁜 마음으로 반갑게 맞다. 예 새로 오신 모든 직원들을 환영합니다.

③ 만나다: 누군가 가거나 와서 둘이 서로 마주 보다. 예 우연히 길에서 너를 만나니 정말 반갑다.
④ 맞이하다: 오는 것을 맞다. 예 독립운동으로 광복을 맞이하게 되었다.
⑤ 들이다: 식구를 새로 맞이하다. 예 할머니는 친구의 딸을 며느리로 들였다.

09 ② 계속하다

✅ **정답 풀이** '중단(가운데 中 끊을 斷)하다'는 '중도에서 끊다.'를 의미한다. '중단하다'의 반의어는 '끊지 않고 이어 나가다.'를 의미하는 '계속(이을 繼 이을 續)하다'이다.
예 나는 너와의 동업을 계속하고 싶다.
❌ **오답 풀이** ① 사직(辭職)하다: 맡은 업무를 내놓고 물러나다.
예 나는 10년간 다니던 직장을 어제부로 사직하였다.
③ 교체(交替)하다: 사람이나 사물을 다른 사람이나 사물로 대신하다. 예 감독은 축구 경기가 후반으로 흘러가자 선수를 교체하였다.
④ 철수(撤收)하다: 진출하였던 곳에서 시설이나 장비 따위를 거두어 가지고 물러나다. 예 비가 오자 조명 감독은 조명 장비를 촬영장에서 철수하기 시작했다.
⑤ 수거(收去)하다: 거두어 가다. 예 음식물 쓰레기를 수거하는 날은 매주 수요일이다.

10 ⑤ 절약하다

✅ **정답 풀이** '낭비(물결 浪 쓸 費)하다'는 '시간이나 재물 따위를 헛되이 헤프게 쓰다.'를 의미한다. '낭비하다'의 반의어는 '함부로 쓰지 아니하고 꼭 필요한 데에만 써서 아끼다.'를 의미하는 '절약(마디 節 맺을 約)하다'이다.
예 그는 절약하는 습관을 길러 부자가 되었다.
❌ **오답 풀이** ① 허비(虛費)하다: 헛되이 써버리다. 예 시간을 허비하지 말고 열심히 살자.
② 수수(收受)하다: 무상(無償)으로 금품을 받다. 예 그는 금품을 수수한 죄로 구속되었다.
③ 소비(消費)하다: 돈이나 물자, 시간, 노력 따위를 들이거나 써서 없애다. 예 한 달 동안 식비로 10만원을 소비하였다.
④ 사치(奢侈)하다: 필요 이상의 돈이나 물건을 쓰거나 분수에 지나친 생활을 하다. 예 사치하는 습관은 가계에 악영향을 끼친다.

11 ⑤ 나무>종이

✅ **정답 풀이** '망치'는 '공구'의 한 종류이고 '주스'는 음료의 한 종류이다. '다리'는 신체의 일부이고, '국어'는 '언어'의 한 종류이다. 따라서 '망치', '주스', '다리', '국어'는 하위어이고 '공구', '음료', '신체', '언어'는 상위어이다. 그러나 '나무'는 '종이'의 재료이기는 하나, '나무'가 '종이'의 의미를 포함하거나 더 일반적이고 포괄적인 의미를 지닌 것이 아니기 때문에 종이와 상하 관계를 이루고 있다고 볼 수 없다.

12 ① 동물>식물

✅ **정답 풀이** '노랑', '책방', '하늘', '유화'는 각각 '색깔', '상점', '자연', '그림'의 종류에 해당한다. 따라서 '노랑', '책방', '하늘', '유화'는 하위어이고 '색깔', '상점', '자연', '그림'은 상위어이다. 그러나 '동물'과 '식물'은 모두 생물의 한 갈래로, '동물'이 '식물'의 의미를 포함하거나 더 일반적이고 포괄적인 의미를 지닌 것이 아니기 때문에 상하 관계를 이루고 있다고 볼 수 없다.

13 ④

✅ **정답 풀이** 첫 번째 예문의 '붓다'는 '살가죽이나 어떤 기관이 부풀어 오르다.'의 의미로 사용되었고, 두 번째 예문의 '붓다'는 '액체나 가루 따위를 다른 곳에 담다.'의 의미로 사용되었다. 따라서 '붓다'는 소리만 같을 뿐 뜻이 전혀 다른 동음이의어이다.
❌ **오답 풀이** ① 첫 번째 예문의 '줄다'는 '물체의 길이나 넓이, 부피 따위가 본디보다 작아지다.'의 의미로 사용되었고, 두 번째 예문의 '줄다'는 '수나 분량이 본디보다 적어지다.'의 의미로 사용되었다. 따라서 '줄다'는 서로 연관성을 지닌 두 가지 이상의 뜻을 가진 다의어이다.
② 첫 번째 예문의 '개다'와 두 번째 예문의 '개다'는 모두 '옷이나 이부자리 따위를 겹치거나 접어서 단정하게 포개다.'의 의미로 사용되었다.
③ 첫 번째 예문의 '당기다'는 '물건 따위를 힘을 주어 자기 쪽이나 일정한 방향으로 가까이 오게 하다.'의 의미로 사용되었고, 두 번째 예문의 '당기다'는 '정한 시간이나 기일을 앞으로 옮기거나 줄이다.'의 의미로 사용되었다. 따라서 '당기다'는 서로 연관성을 지닌 두 가지 이상의 뜻을 가진 다의어이다.
⑤ 첫 번째 예문의 '밀다'는 '뒤에서 보살피고 도와주다.'의 의미로 사용되었고, 두 번째 예문의 '밀다'는 '일정한 방향으로 움직이도록 반대쪽에서 힘을 가하다.'의 의미로 사용되었다. 따라서 '밀다'는 서로 연관성을 지닌 두 가지 이상의 뜻을 가진 다의어이다.

> **어·휘·력Up 동음이의어 '개다'**
> 1. 흐리거나 궂은 날씨가 맑아지다.
>   예 비가 개고 날이 맑아졌다.
> 2. 가루나 덩이진 것에 물이나 기름 따위를 쳐서 서로 섞이거나 풀어지도록 으깨거나 이기다.
>   예 약을 찬물에 개어 먹도록 하세요.
> 3. 옷이나 이부자리 따위를 겹치거나 접어서 단정하게 포개다.
>   예 아침에 일어나 이불을 개었다.

14 ②

✅ **정답 풀이** 첫 번째 예문의 '감다'는 '눈꺼풀을 내려 눈동자를 덮다.'의 의미로 사용되었고, 두 번째 예문의 '감다'는 '어떤 물체를 다른 물체에 말거나 빙 두르다.'의 의미로 사용되었다. 따라서 '감다'는 소리만 같을 뿐 뜻이 전혀 다른 동음이의어이다.
❌ **오답 풀이** ① 첫 번째 예문의 '익다'는 '김치, 술, 장 따위가 맛

이 들다.'의 의미로 사용되었고, 두 번째 예문의 '익다'는 '열매나 씨가 여물다.'의 의미로 사용되었다. 따라서 '익다'는 서로 연관성을 지닌 두 가지 이상의 뜻을 가진 다의어이다.
③ 첫 번째 예문의 '삭다'는 '물건이 오래되어 본바탕이 변하여 썩은 것처럼 되다.'의 의미로 사용되었고, 두 번째 예문의 '삭다'는 '사람의 얼굴이나 몸이 생기를 잃다.'의 의미로 사용되었다. 따라서 '삭다'는 서로 연관성을 지닌 두 가지 이상의 뜻을 가진 다의어이다.
④ 첫 번째 예문의 '닳다'는 '갈리거나 오래 쓰여서 어떤 물건이 낡아지거나, 그 물건의 길이, 두께, 크기 따위가 줄어들다.'의 의미로 사용되었고, 두 번째 예문의 '닳다'는 '기름 따위가 쓰여 줄다.'의 의미로 사용되었다. 따라서 '닳다'는 서로 연관성을 지닌 두 가지 이상의 뜻을 가진 다의어이다.
⑤ 첫 번째 예문의 '끌다'는 '시간이나 일을 늦추거나 미루다.'의 의미로 사용되었고, 두 번째 예문의 '끌다'는 '바닥에 댄 채로 잡아당기다.'의 의미로 사용되었다. 따라서 '끌다'는 서로 연관성을 지닌 두 가지 이상의 뜻을 가진 다의어이다.

15 ①

✅ 정답 풀이 첫 번째 예문의 '풀다'는 '모르거나 복잡한 문제 따위를 알아내거나 해결하다.'의 의미로 사용되었고, 두 번째 예문의 '풀다'는 '묶이거나 감기거나 얽히거나 합쳐진 것 따위를 그렇지 아니한 상태로 되게 하다.'의 의미로 사용되었다. 따라서 '풀다'는 서로 연관성을 지닌 두 가지 이상의 뜻을 가진 다의어이다.
❌ 오답 풀이 ② 첫 번째 예문의 '차다'는 '발로 내어 지르거나 받아 올리다.'의 의미로 사용되었고, 두 번째 예문의 '차다'는 '몸에 닿은 물체나 대기의 온도가 낮다.'의 의미로 사용되었다. 따라서 '차다'는 소리만 같을 뿐 뜻이 전혀 다른 동음이의어이다.
③ 첫 번째 예문의 '굽다'는 '불에 익히다.'의 의미로 사용되었고, 두 번째 예문의 '굽다'는 '한쪽으로 휘어져 있다.'의 의미로 사용되었다. 따라서 '굽다'는 소리만 같을 뿐 뜻이 전혀 다른 동음이의어이다.
④ 첫 번째 예문의 '수치(羞恥)'는 '다른 사람들을 볼 낯이 없거나 스스로 떳떳하지 못함. 또는 그런 일.'의 의미로 사용되었고, 두 번째 예문의 '수치(數値)'는 '계산하여 얻은 값.'의 의미로 사용되었다. 따라서 '수치'는 소리만 같을 뿐 뜻이 전혀 다른 동음이의어이다.
⑤ 첫 번째 예문의 '비행(飛行)'은 '공중으로 날아가거나 날아다님.'의 의미로 사용되었고, 두 번째 예문의 '비행(非行)'은 '잘못되거나 그릇된 행위.'의 의미로 사용되었다. 따라서 '비행'은 소리만 같을 뿐 뜻이 전혀 다른 동음이의어이다.

16 ③

✅ 정답 풀이 첫 번째 예문의 '켜다'는 '등잔이나 양초 따위에 불을 붙이거나 성냥이나 라이터 따위에 불을 일으키다.'의 의미로 사용되었고, 두 번째 예문의 '켜다'는 '전기나 동력이 통하게 하여, 전기 제품 따위를 작동하게 만들다.'의 의미로 사용되었다.

따라서 '켜다'는 서로 연관성을 지닌 두 가지 이상의 뜻을 가진 다의어이다.
❌ 오답 풀이 ① 첫 번째 예문의 '경기(景氣)'는 '매매나 거래에 나타나는 호황 · 불황 따위의 경제 활동 상태.'의 의미로 사용되었고, 두 번째 예문의 '경기(競技)'는 '일정한 규칙 아래 기량과 기술을 겨룸. 또는 그런 일.'의 의미로 사용되었다. 따라서 '경기'는 소리만 같을 뿐 뜻이 전혀 다른 동음이의어이다.
② 첫 번째 예문의 '이르다'는 '대중이나 기준을 잡은 때보다 앞서거나 빠르다.'의 의미로 사용되었고, 두 번째 예문의 '이르다'는 '어떤 장소나 시간에 닿다.'의 의미로 사용되었다. 따라서 '이르다'는 소리만 같을 뿐 뜻이 전혀 다른 동음이의어이다.
④ 첫 번째 예문의 '타다'는 '탈것이나 짐승의 등 따위에 몸을 얹다.'의 의미로 사용되었고, 두 번째 예문의 '타다'는 '뜨거운 열을 받아 검은색으로 변할 정도로 지나치게 익다.'의 의미로 사용되었다. 따라서 '타다'는 소리만 같을 뿐 뜻이 전혀 다른 동음이의어이다.
⑤ 첫 번째 예문의 '관장(館長)'은 '도서관, 박물관, 전시관 따위와 같이 '관(館)' 자가 붙은 기관의 최고 책임자.'의 의미로 사용되었고, 두 번째 예문의 '관장(管掌)'은 '일을 맡아서 주관함.'의 의미로 사용되었다. 따라서 '관장'은 소리만 같을 뿐 뜻이 전혀 다른 동음이의어이다.

17 ⑤

✅ 정답 풀이 '잡다'는 여러 가지 의미를 가진 다의어이다. ⑤에서 '잡다'는 '짐승을 죽이다.'의 의미로 사용되었다. '붙들어 손에 넣다.'를 의미하는 '잡다'는 '도둑을 <u>잡다</u>.'에서처럼 활용될 수 있다.

18 ③

✅ 정답 풀이 '높다'는 여러 가지 의미를 가진 다의어이다. ③에서 '높다'는 '지위나 신분 따위가 보통보다 위에 있다.'의 의미로 사용되었다. '기세 따위가 힘차고 대단한 상태에 있다.'를 의미하는 '높다'는 '병사들의 사기가 <u>높다</u>.'에서처럼 활용될 수 있다.

19 ②

✅ 정답 풀이 '돌다'는 여러 가지 의미를 가진 다의어이다. ②에서 '돌다'는 '기능이나 체제가 제대로 작용하다.'의 의미로 사용되었다. '소문이나 돌림병 따위가 퍼지다.'를 의미하는 '돌다'는 '요즘 학교에 독감이 <u>돌고</u> 있다.'에서처럼 활용될 수 있다.

20 ③

✅ 정답 풀이 '얼굴'은 여러 가지 의미를 가진 다의어이다. ③에서 '얼굴'은 '어떤 심리 상태가 나타난 형색.'의 의미로 사용되었다. '머리 앞면의 전체적 윤곽이나 생김새.'를 의미하는 '얼굴'은 '어른들은 그녀의 <u>얼굴</u>이 복스럽다며 매우 좋아하셨다.'에서처럼 활용될 수 있다.

01 못하다

(✔ 정답 풀이) '보다 더 좋거나 앞서 있다.'를 의미하는 단어는 '낫다'이다. '낫다'의 반의어는 '비교 대상에 미치지 아니하다.'를 의미하는 '못하다'이다.

(예) 둘 가운데 이것이 더 <u>나아</u> 보인다.

(예) 음식 맛이 예전보다 <u>못하다</u>.

02 축소하다

(✔ 정답 풀이) '모양이나 규모 따위를 더 크게 하다.'를 의미하는 단어는 '확대(넓힐 擴 클 大)하다'이다. '확대하다'의 반의어는 '모양이나 규모 따위를 줄여서 작게 하다.'를 의미하는 '축소(줄일 縮 작을 小)하다'이다.

(예) 정부는 새로운 정책을 <u>확대하여</u> 시행하기로 했다.

(예) 사업의 규모를 <u>축소하다</u>.

03 찾다

(✔ 정답 풀이) '종적을 잃어 간 곳이나 생사를 알 수 없게 되다.'를 의미하는 단어는 '실종(잃을 失 자취 蹤)되다'이다. '실종되다'의 반의어는 '현재 주변에 없는 것을 얻거나 사람을 만나려고 여기저기를 뒤지거나 살피다.'를 의미하는 '찾다'이다.

(예) <u>실종된</u> 사람을 경찰에 신고했다.

(예) 그는 잃어버렸던 동생을 <u>찾았다</u>.

04 떼다

(✔ 정답 풀이) '떨어지지 아니하게 붙다. 또는 그렇게 붙이거나 달다.'를 의미하는 단어는 '부착(붙을 附 붙을 着)하다'이다. '부착하다'의 반의어는 '붙어 있거나 잇닿은 것을 떨어지게 하다.'를 의미하는 '떼다'이다.

(예) 연극 포스터를 벽에 <u>부착했다</u>.

(예) 붙어 있던 포스터를 떼고 벽을 깨끗이 청소했다.

05 망가뜨리다

(✔ 정답 풀이) '고장이 나거나 못 쓰게 된 물건을 손질하여 제대로 되게 하다.'를 의미하는 단어는 '고치다'이다. '고치다'의 반의어는 '부수거나 찌그러지게 하여 못 쓰게 만들다.'를 의미하는 '망가뜨리다'이다.

(예) 장마철이 오기 전에 지붕을 <u>고쳐라</u>.

(예) 마음대로 버튼을 누르다가 오디오를 <u>망가뜨렸다</u>.

06 가리키다

(✔ 정답 풀이) '지칭(가리킬 指 일컬을 稱)하다'는 '어떤 대상을 가리켜 이르다.'를 의미한다. '가리키다'는 '어떤 대상을 특별히 집어서 두드러지게 나타내다.'를 의미하므로, '지칭하다'의 유의어는 '가리키다'이다.

(예) 그가 말하는 재간둥이는 아들을 <u>가리키는</u> 말이었다.

07 오다

(✔ 정답 풀이) '유래(말미암을 由 올 來)하다'는 '사물이나 일이 생겨나다.'를 의미한다. '오다'는 '어떤 현상이 어떤 원인에서 비롯하여 생겨나다.'를 의미하므로, '유래하다'의 유의어는 '오다'이다.

(예) 이곳의 이름은 여기에 있던 바위로부터 <u>온</u> 것이다.

08 펴다

(✔ 정답 풀이) '시행(베풀 施 다닐 行)하다'는 '법령을 공포한 뒤에 그 효력을 실제로 발생시키다.'를 의미한다. '펴다'는 '어떤 것을 널리 공포하여 실시하거나 베풀다.'를 의미하므로, '시행하다'의 유의어는 '펴다'이다.

(예) 그녀는 시장이 된 후 다양한 복지 정책을 <u>폈다</u>.

09 아우르다

(✔ 정답 풀이) '망라(그물 網 벌일 羅)하다'는 '널리 받아들여 모두 포함하다.'를 의미한다. '아우르다'는 '여럿을 모아 한 덩어리나 한 판이 되게 하다.'를 의미하므로, '망라하다'의 유의어는 '아우르다'이다.

(예) 이 책은 우주의 모든 것을 <u>아우르는</u> 내용을 담고 있다.

10 물려주다

(✔ 정답 풀이) '전수(전할 傳 줄 授)하다'는 '기술이나 지식 따위를 전하여 주다.'를 의미한다. '물려주다'는 '재물이나 지위 또는 기예나 학술 따위를 전하여 주다.'를 의미하므로, '전수하다'의 유의어는 '물려주다'이다.

(예) 무형 문화재인 그녀는 공예품 제작 기술을 제자에게 <u>물려주었다</u>.

어·휘·력 Up **동음이의어 '전수하다'**

'전수하다'는 서로 반의 관계를 형성하는 동음이의어이다.

- **전수(전할 傳 줄 授)하다**: 기술이나 지식 따위를 전하여 주다.
  (예) 아버지는 아들에게 기술을 전수해 주었다.
- **전수(전할 傳 받을 受)하다**: 기술이나 지식 따위를 전하여 받다.
  (예) 아들은 아버지에게서 기술을 <u>전수했다</u>.

---

11 ② 예술

(✔ 정답 풀이) '예술(재주 藝 재주 術)'은 '특별한 재료, 기교, 양식 따위로 감상의 대상이 되는 아름다움을 표현하려는 인간의 활동 및 그 작품.'을 의미한다. '미술', '음악', '영화', '문학'은 모두 예술의 한 갈래이므로 하위어이고 '예술'은 상위어이다.

(예) <u>예술</u> 작품을 창작하는 것은 쉽지 않은 일이다.

(✘ 오답 풀이) ① 미술(美術): 공간 및 시각의 미를 표현하는 예술.

예 고대 사회의 <u>미술</u> 활동은 주로 고분을 통해서 알 수 있다.
③ 음악(音樂): 박자, 가락, 음성 따위를 갖가지 형식으로 조화하고 결합하여, 목소리나 악기를 통하여 사상 또는 감정을 나타내는 예술. 예 나는 <u>음악</u>을 가까이하는 사람이 되고 싶다.
④ 영화(映畫): 일정한 의미를 갖고 움직이는 대상을 촬영하여 영사기로 영사막에 재현하는 종합 예술. 예 오늘 재미있는 <u>영화</u>나 한 편 보러 가자.
⑤ 문학(文學): 사상이나 감정을 언어로 표현한 예술. 예 <u>문학</u>은 우리의 삶을 글로 쓴 것이다.

12 ③ 원소

✅정답풀이 '원소(으뜸 元 본디 素)'는 '모든 물질을 구성하는 기본적 요소.'를 의미한다. '수소', '염소', '질소', '탄소'는 모두 원소의 한 종류이므로 하위어이고 '원소'는 상위어이다.
예 산소는 우리가 호흡할 때 꼭 필요한 <u>원소</u>이다.

13 ⑤ 매도

✅정답풀이 첫 번째 예문의 '매도(꾸짖을 罵 넘어질 倒)하다'는 '심하게 욕하며 나무라다.'의 의미로 사용되었고, 두 번째 예문의 '매도(팔 賣 건널 渡)하다'는 '값을 받고 물건의 소유권을 다른 사람에게 넘기다.'의 의미로 사용되었다. 따라서 '매도하다'는 소리는 같으나 뜻이 다른 동음이의어이다.
❌오답풀이 ① 음해(陰害)하다: 몸을 드러내지 아니한 채 음흉한 방법으로 남에게 해를 가하다. 예 당신을 <u>음해하려는</u> 세력이 있으니 조심하세요.
② 모함(謀陷)하다: 나쁜 꾀로 남을 어려운 처지에 빠지게 하다. 예 그는 그녀가 도둑질을 했다고 <u>모함했다</u>.
③ 매수(買收)하다: 물건을 사들이다. 예 그는 상가 건물을 싼 값에 <u>매수했다</u>.
④ 경매(競賣)하다: 물건을 사려는 사람이 여럿일 때 값을 가장 높이 부르는 사람에게 팔다. 예 미술품을 <u>경매하다</u>.

14 ④ 보고

✅정답풀이 첫 번째 예문의 '보고(보배 寶 곳집 庫)'는 '중한 것이 많이 나거나 간직되어 있는 곳.'을 비유적으로 이르는 말로 사용되었고, 두 번째 예문의 '보고(갚을 報 알릴 告)'는 '일에 관한 내용이나 결과를 말이나 글로 알림.'의 의미로 사용되었다. 따라서 '보고'는 소리는 같으나 뜻이 다른 동음이의어이다.
❌오답풀이 ① 신고(申告): 국민이 법령의 규정에 따라 행정 관청에 일정한 사실을 진술·보고함. 예 경찰은 주민의 <u>신고</u>를 받고 긴급 출동하였다.
② 보도(報道): 대중 전달 매체를 통하여 일반 사람들에게 새로운 소식을 알림. 예 그 신문은 항상 <u>보도</u>의 내용이 정확하다.
③ 보물(寶物): 썩 드물고 귀한 가치가 있는 보배로운 물건. 예 진귀한 <u>보물</u> 몇 점을 선물로 받았다.
⑤ 통보(通報): 통지하여 보고함. 또는 그 보고. 예 나는 합격 <u>통보</u>를 받았다.

15 ③ 침식

✅정답풀이 첫 번째 예문의 '침식(잘 寢 밥 食)'은 '잠자는 일과 먹는 일.'의 의미로 사용되었고, 두 번째 예문의 '침식(잠길 浸 좀먹을 蝕)'은 '비, 하천, 빙하, 바람 따위의 자연 현상이 지표를 깎는 일.'의 의미로 사용되었다. 따라서 '침식'은 소리는 같으나 뜻이 다른 동음이의어이다.
❌오답풀이 ① 손상(損傷): 물체가 깨지거나 상함. 예 이 물건은 외부의 충격으로 <u>손상</u>을 입었다.
② 절삭(切削): 금속 따위를 자르거나 깎음. 예 쇠를 달구어서 <u>절삭</u>을 시작했다.
④ 주야(晝夜): ('주야로' 꼴로 쓰여) 쉬지 아니하고 계속함. 예 그녀는 <u>주야</u>로 공부했다.
⑤ 식음(食飮): 먹고 마심. 예 여자친구와 헤어진 그는 <u>식음</u>을 전폐하였다.

16 ① 파장

✅정답풀이 첫 번째 예문의 '파장(마칠 罷 마당 場)'은 '여러 사람이 모여 벌이던 판이 거의 끝남. 또는 그 무렵.'의 의미로 사용되었고, 두 번째 예문의 '파장(물결 波 길 長)'은 '충격적인 일이 끼치는 영향 또는 그 영향이 미치는 정도나 동안.'을 비유적으로 이르는 말로 사용되었다. 따라서 '파장'은 소리는 같으나 뜻이 다른 동음이의어이다.
❌오답풀이 ② 개장(開場): 극장이나 시장, 해수욕장 따위의 영업을 시작함. 예 놀이공원의 <u>개장</u> 시간이 몇 시냐?
③ 여파(餘波): 어떤 일이 끝난 뒤에 남아 미치는 영향. 예 그 일의 <u>여파</u>는 아직도 우리 학교에 남아 있다.
④ 영향(影響): 어떤 사물의 효과나 작용이 다른 것에 미치는 일. 예 그 일이 내게 끼친 <u>영향</u>은 매우 크다.
⑤ 파문(波紋): 어떤 일이 다른 데에 미치는 영향. 예 나의 발언은 사회에 엄청난 <u>파문</u>을 일으켰다.

17 ④

✅정답풀이 '맵다'는 여러 의미를 가진 다의어이다. ㉠, ㉡, ㉣의 '맵다'는 '성미가 사납고 독하다.'의 의미로 사용되었고, ㉢의 '맵다'는 '고추나 겨자와 같이 맛이 알알하다.'의 의미로 사용되었다.

18 ③

✅정답풀이 '박다'는 여러 의미를 가진 다의어이다. ㉠과 ㉢의 '박다'는 '두들겨 치거나 틀어서 꽂히게 하다.'의 의미로 사용되었고, ㉡과 ㉣의 '박다'는 '속이나 가운데에 들여 넣다.'의 의미로 사용되었다.

19 ③

✅정답풀이 '접다'는 여러 의미를 가진 다의어이다. ㉠, ㉡, ㉢의 '접다'는 '천이나 종이 따위를 꺾어서 겹치다.'의 의미로 사용되었고, ㉣의 '접다'는 '자기의 의견, 주장 따위를 더 이상 내세우지

않고 거두어들이다.'의 의미로 사용되었다.

20 ④

✅정답풀이 '깎다'는 여러 의미를 가진 다의어이다. ㉠과 ㉣의 '깎다'는 '값이나 금액을 낮추어서 줄이다.'의 의미로 사용되었고, ㉡과 ㉢의 '깎다'는 '칼 따위로 물건의 거죽이나 표면을 얇게 벗겨 내다.'의 의미로 사용되었다.

21 ① 기르다

✅정답풀이 '기르다'를 〈보기〉의 밑줄 친 부분에 각각 넣어 보면, '돼지를 기르다.'와 '감나무를 기르다.'에서는 '동식물을 보살펴 자라게 하다.'의 의미로 사용되고, '수염을 기르다.'에서는 '머리카락이나 수염 따위를 깎지 않고 길게 자라도록 하다.'의 의미로 사용된다. 또 '인내심을 기르다.'에서는 '육체나 정신을 단련하여 더 강하게 만들다.'의 의미로 사용된다. 따라서 〈보기〉의 밑줄 친 부분에 공통으로 들어갈 수 있는 '키우다'의 유의어로는 '기르다'가 적절하다.

❌오답풀이 ② '먹이다'는 '가축 따위를 기르다.'를 의미하므로 '돼지를 먹이다.'만 가능할 뿐, '감나무를', '수염을', '인내심을'의 서술어로 쓸 수 없다.

③ '사육(飼育)하다'는 '어린 가축이나 짐승이 자라도록 먹이어 기르다.'를 의미하므로 '돼지를 사육하다.'만 가능할 뿐, '감나무를', '수염을', '인내심을'의 서술어로 쓸 수 없다.

④ '재배(栽培)하다'는 '식물을 심어 가꾸다.'를 의미하므로 '감나무를 재배하다.'만 가능할 뿐, '돼지를', '수염을', '인내심을'의 서술어로 쓸 수 없다.

⑤ '양육(養育)하다'는 '아이를 보살펴 자라게 하다.'를 의미하므로 '그녀는 아들 둘을 양육하고 있다.'와 같이 활용할 수 있을 뿐, 〈보기〉의 밑줄 친 부분 모두에 들어갈 수 없다.

1 ①

✅정답풀이 '건전지를 새로 넣었더니 시계가 잘 간다.'에서 '가다'는 '기계 따위가 제대로 작동하다.'를 의미한다. 따라서 이때 '가다'의 반의어는 '사물의 움직임이나 동작이 그치다.'를 의미하는 '멈추다'이다. 또한 '끊다'는 '관계를 이어지지 않게 하다.'를 의미하는데, 이것의 반의어는 '관심이나 눈길 따위가 쏠리다.'를 의미하는 '가다'이다. 이때의 '가다'는 '나도 모르게 그녀에게 관심이 갔다.'에서처럼 활용될 수 있다. '젊은 친구가 안타깝게도 일찍 가 버렸다.'에서의 '가다'는 '사람이 죽다.'를 의미한다. 따라서 이때 '가다'의 반의어로는 '생명을 지니고 있다.'를 의미하는 '살다'가 적절하다.

❌오답풀이 ② '액자가 왼쪽으로 좀 간 것 같다.'에서 '가다'는

'물체가 한쪽으로 기울어지다.'를 의미하므로, '관계를 이어지지 않게 하다.'를 의미하는 '끊다'의 반의어로 적절하지 않다. 또한 '움직이다'는 '멈추어 있던 자세나 자리가 바뀌다.'를 의미하므로 '사람이 죽다.'를 의미하는 '가다'의 반의어로 적절하지 않다. 🄲 그는 손가락을 움직여 피아노를 쳤다.

③ '회의가 엉뚱한 쪽으로 가고 있다.'에서 '가다'는 '한쪽으로 흘러가다.'를 의미하므로, '관계를 이어지지 않게 하다.'를 의미하는 '끊다'의 반의어로 적절하지 않다.

④ '그만두다'는 '하던 일을 그치고 안 하다.'를 의미한다. 따라서 '기계 따위가 제대로 작동하다.'를 의미하는 '가다'의 반의어로 적절하지 않다. 또한 '통일로 가는 길은 멀고도 험하다.'에서 '가다'는 '어떤 상태나 상황을 향하여 나아가다.'를 의미하므로, '관계를 이어지지 않게 하다.'를 의미하는 '끊다'의 반의어로 적절하지 않다.

⑤ '벽에 금이 가서 위험하다.'에서 '가다'는 '금, 줄, 주름살, 흠집 따위가 생기다.'를 의미하므로, '관계를 이어지지 않게 하다.'를 의미하는 '끊다'의 반의어로 적절하지 않다.

2 ④ 스스로

✅정답풀이 '저절로'는 '다른 힘을 빌리지 아니하고 제 스스로. 또는 인공의 힘을 더하지 아니하고 자연적으로.'를 의미한다. '스스로'는 '자신의 힘으로.'를 의미하므로 '저절로'와 바꾸어 쓰는 것이 적절하다.

🄲 나는 스스로 숙제를 다 했다.

❌오답풀이 ① 혼자: 다른 사람과 어울리거나 함께 있지 아니하고 동떨어져서. 🄲 집에 들어가 보니 동생이 혼자 밥을 먹고 있었다.

② 몸소: 직접 제 몸으로. 🄲 이것은 할머니께서 몸소 끓여 주신 탕이다.

③ 손수: 남의 힘을 빌리지 아니하고 제 손으로 직접. 🄲 아버지는 아들의 옷을 손수 만들어 주셨다.

⑤ 우연(偶然)히: 어떤 일이 뜻하지 아니하게 저절로 이루어져 공교롭게. 🄲 그녀의 소식을 친구를 통해서 우연히 듣게 되었다.

3 ⑤

✅정답풀이 제시된 예문인 '주장을 하려면 명확한 근거를 들어야 한다.'의 '들다'는 '설명하거나 증명하기 위하여 사실을 가져다 대다.'를 의미한다. 따라서 '들다04의 ㉡'의 예로 보기는 어렵다. '들다04의 ㉡'의 예로 '강아지가 앞발을 들었다.'를 들 수 있다.

❌오답풀이 ① '우리 집에 도둑이 들었다.'에서 '들다'는 '밖에서 속이나 안으로 향해 가거나 오거나 하다.'의 의미로 사용되었다.

② '빵 속에 든 단팥'에서 '들다'는 '안에 담기거나 그 일부를 이루다.'의 의미로 사용되었다.

③ '낫이 잘 안 들어 벼 베기가 힘들다.'에서 '들다'는 '날이 날카로워 물건이 잘 베어지다.'의 의미로 사용되었다.

④ '동생은 손에 가방을 들고 있었다.'에서 '들다'는 '손에 가지다.'의 의미로 사용되었다.

24일차 관용어 ①

01 못

✅정답풀이 '못을 박다'는 '다른 사람에게 원통한 생각을 마음속 깊이 맺히게 하다.'를 의미하는 관용어이다. '오금을 박다'는 '큰 소리치며 장담하던 사람이 그와 반대되는 말이나 행동을 할 때에, 장담하던 말을 빌미로 삼아 몹시 논박하다.' 또는 '다른 사람에게 함부로 말이나 행동을 하지 못하게 단단히 이르거나 으르다.'를 의미하는 관용어이다. 제시된 예문은 남에게 상처가 되는 짓을 하면 안 된다는 의미이므로 '못'이 적절하다.

㉮ 그 사건에 대해 내가 먼저 잘 알아야 그에게 **오금을 박을** 수 있다. 그는 나에게 사실을 발설해서는 안 된다고 **오금을 박았다**.

02 가닥

✅정답풀이 '가닥이 잡히다'는 '분위기, 상황, 생각 따위를 이치나 논리에 따라 바로 잡게 하다.'를 의미하는 관용어이고, '덜미를 잡히다'는 '못된 일 따위를 꾸미다가 발각되다.'를 의미하는 관용어이다. 제시된 예문은 그 상품은 해외에 수출하는 것으로 의견이 모아졌다는 의미이므로 '가닥'이 적절하다.

㉮ 그는 다시 도둑질을 하다가 **덜미를 잡혀** 경찰에 끌려갔다.

03 돈친

✅정답풀이 '날개(가) 돋치다'는 '상품이 시세를 만나 빠른 속도로 팔려 나가다.'를 의미하는 관용어이고, '날개(를) 펴다'는 '생각, 감정, 기세 따위를 힘차게 펼치다.'를 의미하는 관용어이다. 제시된 예문은 신상품이 잘 팔린다는 의미이므로 '돈친'이 적절하다.

㉮ 대통령의 정책이 **날개를 펴게** 되었다.

04 갈고

✅정답풀이 '칼(을) 갈다'는 '「1」 싸움이나 침략 따위를 준비하다. 「2」 복수를 준비하다.'를 의미하는 관용어이고, '칼(을) 맞다'는 '칼로 침을 당하다.'를 의미하는 관용어이다. 제시된 예문은 십 년 동안 복수를 준비했다는 의미이므로 '칼(을) 갈다 「2」'의 '갈고'가 적절하다.

㉮ 자객에게 **칼을 맞지** 않도록 조심해라.

> **어·휘·력** Up **'칼'과 관련된 관용어**
>
> • **칼(을) 품다**: 살의를 품다.
> ㉮ 그자는 아버지의 복수를 하기 위해 칼을 품고 있다.
> • **칼을 빼 들다**: 결함, 문제 따위를 해결하려고 하다.
> ㉮ 정부가 금융 개혁의 칼을 빼 들었다.

05 불

✅정답풀이 '불이 나다'는 '뜻밖에 몹시 화가 나는 일을 당하여 감정이 격렬해지다.'를 의미하는 관용어이고, '말이 나다'는 '어떤 이야기가 시작되다.'를 의미하는 관용어이다. 제시된 예문은 그가 일 처리를 하는 것이 답답하여 감정이 격렬해진다는 의미이므로, '불'이 적절하다.

㉮ **말이 난** 김에 얘기하는데 말이지 너 그러면 못쓴다.

> **어·휘·력** Up **'불이 나다'**
>
> 「1」 뜻밖에 몹시 화가 나는 일을 당하여 감정이 격렬해지다.
> ㉮ 요즘 그를 보면 가슴에 불이 난다.
> 「2」 몹시 긴장하거나 머리를 얻어맞거나 하여 눈에 불이 이는 듯하다.
> ㉮ 나는 눈에 불이 나도록 사내의 뒤통수를 후려쳤다.

06 나서는

✅정답풀이 '발 벗고 나서다'는 '적극적으로 나서다.'를 의미하는 관용어이다. '발 벗고 대들다'는 '적극적으로 나서서 대들다.'를 의미하는 관용어이다. 제시된 예문은 그가 옳은 일에 나선다는 의미이므로, '나서는'이 적절하다.

㉮ 구경만 하던 사람들이 **발 벗고 대들어** 일을 도왔다.

07 치마폭

✅정답풀이 '귓구멍이 넓다'는 '남의 말을 곧이 잘 듣다.'를 의미하는 관용어이다. '치마폭이 넓다'는 '(비꼬는 뜻으로) 남의 일에 쓸데없이 간섭하고 참견하다.'를 의미하는 관용어이다. 제시된 예문은 그가 온 동네의 일에 쓸데없이 간섭하고 참견한다는 의미이므로, '치마폭'이 적절하다.

㉮ 그 애는 **귓구멍이 넓어서** 남에게 쉽게 속는다.

08 색안경

✅정답풀이 '곁다리를 끼다'는 '당사자가 아닌 사람이 곁에서 참견하여 말하다.'를 의미하는 관용어이다. '색안경을 끼고 보다'는 '주관이나 선입견에 얽매여 좋지 아니하게 보다.'를 의미하는 관용어이다. 제시된 예문은 예전에 한 실수 때문에 사람들이 자신을 선입관을 가지고 본다고 생각했다는 의미이므로 '색안경'이 적절하다.

㉮ 자네가 무슨 상관인데 남의 일에 **곁다리를 끼고** 나서는가?

09 ② 말문이 막혔다.

✅정답풀이 '말문이 막히다'는 '말이 입 밖으로 나오지 않게 되다.'를 의미하는 관용어이다. 제시된 예문은 그의 조리 있는 대답에 말이 입 밖으로 나오지 않게 되었다는 의미이므로 '말문이 막혔다.'가 적절하다.

❌오답풀이 ① 말발(이) 서다: 말하는 대로 시행이 잘되다. ㉮ 반장이 되고 나니, 학급 회의를 할 때 **말발이 선다**.
③ 말길이 되다: 남에게 소개하는 의논의 길이 트이다. ㉮ 몇 달 만에야 **말길이 되어** 겨우 만나 보았다.
④ 말발을 세우다: 주장을 굽히지 않다. ㉮ 죽을 각오로 **말발을 세**

우는 자는 아무리 소수라 해도 두려운 법이다.
⑤ 말허리를 자르다: 상대방이 말하는 도중에 말을 중지시키다. 예 몇 마디 듣기도 전에 말허리를 잘라 버렸다.

10 ① 식은 죽 먹듯

✅ 정답 풀이 '식은 죽 먹듯'은 '거리낌 없이 아주 쉽게 예사로 하는 모양.'을 의미하는 관용어이다. 제시된 예문은 거짓말을 예사로 하는 사람과는 상종할 수 없다는 의미이므로 '식은 죽 먹듯'이 적절하다.

❌ 오답 풀이 ② 변죽(을) 울리다: 바로 집어 말을 하지 않고 둘러서 말을 하다. 예 토론에 참여한 그는 핵심은 말하지 않고 변죽만 울리고 있었다.
③ 변덕이 죽 끓듯 하다: 말이나 행동을 몹시 이랬다저랬다 하다. 예 그가 변덕이 죽 끓듯 하는 바람에 계획했던 일이 모두 엉망진창이 되었다.
④ 죽과 장이 맞다: 둘이 잘 조화되다. 예 그와 나는 죽과 장이 맞는 사이이다.
⑤ 죽도 밥도 안 되다: 어중간하여 이것도 저것도 안 되다. 예 지금 그만두면 죽도 밥도 안 된다.

11 ⑤ 가슴에 멍이 들게

✅ 정답 풀이 '가슴에 멍이 들다'는 '마음속에 쓰라린 고통과 모진 슬픔이 지울 수 없이 맺히다.'를 의미하는 관용어이다. 제시된 예문은 부모의 가슴에 고통과 슬픔이 맺히게 하는 불효자가 되지 말아야 한다는 의미이므로 '가슴에 멍이 들게'가 적절하다.

❌ 오답 풀이 ① 가슴을 펴다: 굽힐 것 없이 당당하다. 예 그녀는 가슴을 펴고 자기의 의견을 제시했다.
② 가슴을 열다: 속마음을 털어놓거나 받아들이다. 예 그와 나는 가슴을 열고 이야기하는 사이이다.
③ 가슴이 넓다: 이해심이 많다. 예 내가 까불고 덤벙대도 그는 귀엽게 봐 주는 가슴이 넓은 사람이다.
④ 가슴에 불붙다: 감정이 격해지다. 예 다시 한번 도전해 보겠다는 생각이 가슴에 불붙었다.

12 ⑤ 입만 아프니까

✅ 정답 풀이 '입만 아프다'는 '여러 번 말하여도 받아들이지 아니하여 말한 보람이 없다.'를 의미하는 관용어이다. 제시된 예문은 여러 번 말하여도 받아들이지 않아 보람이 없으니 그만두어야겠다는 의미이므로 '입만 아프니까'가 적절하다.

❌ 오답 풀이 ① 입만 살다: 말에 따르는 행동은 없으면서 말만 그럴듯하게 잘하다. 예 그 친구는 입만 살았지 막상 일은 형편없이 한다.
② 입이 달다: 입맛이 당기어 음식이 맛있다. 예 살이 찌려는지 요즘은 입이 달아 무엇이든 잘 먹는다.
③ 입(을) 맞추다: 서로의 말이 일치하도록 하다. 예 그 일이 탄로 나지 않으려면 우리가 입을 맞춰야 한다.

④ 입(을) 모으다: 여러 사람이 같은 의견을 말하다. 예 무리한 다이어트는 건강을 해친다고 의사들은 입을 모아 이야기한다.

13 ② 피가 뜨거운

✅ 정답 풀이 '피가 뜨겁다'는 '의지나 의욕 따위가 매우 강하다.'를 의미하는 관용어이다. 제시된 예문은 그녀는 어떤 일을 맡겨도 의욕이 매우 강해 잘 해낸다는 의미이므로, '피가 뜨거운'이 적절하다.

❌ 오답 풀이 ① 피가 마르다: 몹시 괴롭거나 애가 타다. 예 합격 소식을 기다리다 피가 마를 지경이다.
③ 피가 켕기다: 핏줄이 이어진 골육 사이에 남다른 친화력이 있다. 예 피가 켕겨서 그런지 사촌끼리는 뭘 해도 재미가 있다.
④ 피(를) 토하다: 격렬한 의분을 터뜨리다. 예 백성들은 왜적에게 강토를 빼앗길 수 없다고 피를 토하며 절규했다.
⑤ 피가 거꾸로 솟다[돌다]: 피가 머리로 모인다는 뜻으로, 매우 흥분한 상태를 비유적으로 이르는 말. 예 그에게 배신당했다는 생각이 들자 피가 거꾸로 솟는 듯했다.

14 ③

✅ 정답 풀이 '다리(를) 놓다'는 '일이 잘되게 하기 위하여 둘 또는 여럿을 연결하다.'를 의미하는 관용어이다. 하지만 ③에서는 '물을 건너거나 또는 한편의 높은 곳에서 다른 편의 높은 곳으로 건너다닐 수 있도록 만든 시설물.'인 '다리'를 두 마을 사이에 건설한다는 의미로 쓰였을 뿐이다.
예 그가 중간에서 다리를 놓아 물건을 쉽게 팔았다.

❌ 오답 풀이 ① 깜빡 죽다: 지나치게 좋아하거나 중요하게 생각하여 사리 분별을 못하다.
② 녹(을) 먹다: 벼슬아치가 되어 녹봉을 받다.
④ 문턱을 높이다: 접근하기 어렵게 만들다.
⑤ 비행기(를) 태우다: 남을 지나치게 칭찬하거나 높이 추어올려 주다.

15 ①

✅ 정답 풀이 '발이 저리다'는 '지은 죄가 있어 마음이 조마조마하거나 편안치 아니하다.'를 의미하는 관용어이다. 하지만 ①에서 '저리다'는 '뼈마디나 몸의 일부가 오래 눌려서 피가 잘 통하지 못하여 감각이 둔하고 아리다.'의 의미로 쓰였을 뿐이다.
예 제 발이 저리니까 입만 벌리면 변명이구나.

❌ 오답 풀이 ② 배꼽(을) 쥐다[잡다]: 웃음을 참지 못하여 배를 움켜잡고 크게 웃다.
③ 입김이 어리다: 애지중지 다루던 정이 담겨져 있다.
④ 고개가 수그러지다: 존경하는 마음이 일어나다.
⑤ 가슴에 새기다: 잊지 않게 단단히 마음에 기억하다.

16 ③

✅ 정답 풀이 '귀가 가렵다[간지럽다]'는 '남이 제 말을 한다고 느끼다.'를 의미하는 관용어이다. 하지만 ③에서는 귀를 긁고 싶은

느낌이 있어 병원에서 진찰을 받았다는 의미로 쓰였을 뿐이다.
예 이렇게 자기 이야기를 하고 있으니 그는 지금 **귀가 가려울** 것이다.
❌오답풀이 ① 바가지(를) 쓰다: 요금이나 물건값을 실제 가격보다 비싸게 지불하여 억울한 손해를 보다.
② 초(를) 치다: 한창 잘되고 있거나 잘되려는 일에 방해를 놓아서 일이 잘못되거나 시들하여지도록 만들다.
④ 꽁무니(를) 빼다: 슬그머니 피하여 물러나다.
⑤ 귀청(이) 떨어지다: 소리가 몹시 크다.

17 ③

✅정답풀이 '손(을) 내밀다'는 '무엇을 달라고 요구하거나 구걸하다.' 또는 '도움, 간섭 따위의 행위가 어떤 곳에 미치게 하다.'를 의미하는 관용어이다. 하지만 ③에서는 달리는 자동차 안에서 손을 창문 밖으로 나가게 하면 안 된다는 의미로 쓰였을 뿐이다.
❌오답풀이 ① 손(을) 끊다: 교제나 거래 따위를 중단하다.
② 손(을) 걸다: (비유적으로) 서로 약속하다.
④ 손(을) 거치다: 어떤 사람의 노력으로 손질되다.
⑤ 손(에) 익다: 일이 손에 익숙해지다.

18 ②

✅정답풀이 '머리(를) 깎다'는 '승려가 되다.'를 의미하는 관용어이다. 하지만 ②에서는 군 입대를 위해 머리카락을 짧게 잘라 냈다는 의미로 쓰였을 뿐이다.
❌오답풀이 ① 머리(가) 굵다: 어른처럼 생각하거나 판단하게 되다.
③ 머리(를) 굽히다: 굴복하거나 저자세를 보이다.
④ 머리(를) 굴리다: 머리를 써서 해결 방안을 생각해 내다.
⑤ 머리(가) 굳다: 사고방식이나 사상 따위가 완고하다.

19 ③ 간장이 녹는데

✅정답풀이 '간장이 녹다'는 '몹시 애가 타다.'를 의미하는 관용어이다. 제시된 부분은 「춘향가」에서 이몽룡이 부친을 따라 한양으로 떠나는데 춘향이 통곡하며 붙잡는 상황이다. 따라서 자신이 몹시 애가 탄다는 의미이므로 '간장이 녹는데'가 적절하다.
❌오답풀이 ① 뼈가 녹다[녹아나다]: 어렵거나 고된 일로 고생하다. 예 아버지는 여름 내내 **뼈가 녹도록** 일을 하셨다.
② 살을 떨다: 몹시 무섭거나 격분하여 온몸을 떨다. 예 그는 참을 수 없는 배신감에 **살을 떨었다**.
④ 심장에 새기다: 뼈에 새기다. 잊지 않게 단단히 마음에 기억하다. 예 그는 바른 사람이 되라는 선생님의 말씀을 **심장에 새기고** 살았다.
⑤ 마음에 차다: 마음에 흡족하게 여기다. 예 이 책을 손에 넣으니 이제 **마음에 차냐?**

20 ④ 마침표

✅정답풀이 '종지부(마칠 終 그칠 止 부호 符)를 찍는'다'는 '마침표를 찍다.'를 의미하는 관용어이다. '마침표를 찍다'는 '어떤 일이

끝장이 나거나 끝장을 내다.'를 의미하는 관용어이므로, '종지부' 대신 주로 문장을 끝맺을 때 쓰는 '마침표'로 바꾸어 써도 같은 의미라고 볼 수 있다.
❌오답풀이 ① 가위표: '×'의 이름. 틀린 것을 나타내거나 문장에서 알면서도 고의로 드러내지 않음을 나타낸다. 예 찬성하는 사람은 동그라미를, 반대하는 사람은 **가위표**를 해 주세요.
② 난수표: 0에서 9까지의 숫자를 각 숫자가 나오는 비율이 같도록 무질서하게 배열한 표. 예 검찰은 그가 간첩이라고 주장하면서 **난수표**와 무전기를 증거로 제출했다.
③ 느낌표: 문장 부호의 하나. '!'의 이름이다. 예 이 문장에서 **느낌표**를 사용함으로써 얻는 효과는 무엇일까?
⑤ 성적표: 학생들이 배운 지식, 기능, 태도 따위를 기록한 표. 예 오늘은 중간고사 **성적표**를 받는 날이다.

25일차 관용어 ②

01 고삐

✅정답풀이 '고삐를 늦추다'는 '경계심이나 긴장을 누그러뜨리다.'를 의미하는 관용어이다. '허리띠를 늦추다'는 '생활의 여유가 생기다.'를 의미하는 관용어이다. 제시된 예문은 적군이 추격을 할 때 경계심이나 긴장을 누그러뜨리지 않았다는 의미이므로, '고삐'가 적절하다.
예 빚을 다 갚고 나서야 그는 **허리띠를 늦추고** 살 수 있었다.

02 허파

✅정답풀이 '염통에 바람 들다'는 '마음이 들떠서 제대로 행동하지 못하다.'를 의미하는 관용어이다. '허파에 바람 들다'는 '실없이 행동하거나 지나치게 웃어 대다.'를 의미하는 관용어이다. 제시된 예문은 그가 지나치게 웃어 대고 있다는 의미이므로, '허파'가 적절하다.
예 네가 **염통에 바람 든** 사람처럼 일을 하지 못하는 이유가 있니?

03 감투

✅정답풀이 '가면을 쓰다'는 '본심을 감추고 겉으로는 그렇지 않은 것처럼 꾸미다.'를 의미하는 관용어이다. '감투를 쓰다'는 '벼슬자리나 높은 지위에 오름을 속되게 이르는 말.'을 의미하는 관용어이다. 제시된 예문은 그가 높은 지위에 올라 권력을 마구 휘둘렀다는 의미이므로, '감투'가 적절하다.
예 그는 양의 **가면을 쓴** 늑대 같은 사람이다.

04 걸음

✅정답풀이 '걸음을 떼다'는 '준비해 오던 일을 처음으로 하기 시작하다.'를 의미하는 관용어이다. '게걸을 떼다'는 '마음껏 먹

어서 더 먹고 싶은 마음이 없어지다.'를 의미하는 관용어이다. 제시된 예문은 준비해 오던 사업을 처음으로 하기 시작했지만 전망이 밝다는 의미이므로 '걸음'이 적절하다.
예 그렇게 많이 먹고도 아직 게걸을 떼지 못했니?

05 가랑이

(정답풀이) '가랑이(가) 찢어지다[째지다]'는 '몹시 가난한 살림살이.'를 비유적으로 이르는 관용어이다. '귀청이 찢어지다'는 '소리가 몹시 크다.'를 의미하는 관용어이다. 제시된 예문은 우리 집이 10년 전까지 몹시 가난했다는 의미이므로 '가랑이'가 적절하다.
예 갑작스러운 초인종 소리가 귀청이 찢어지게 집안을 가득 울렸다.

06 납작해진

(정답풀이) '코가 납작해지다'는 '몹시 무안을 당하거나 기가 죽어 위신이 뚝 떨어지다.'를 의미하는 관용어이다. '코가 높다'는 '잘난 체하고 뽐내는 기세가 있다.'를 의미하는 관용어이다. 제시된 예문은 토론에서 제대로 반박하지 못한 소년이 기가 죽어 위신이 떨어졌다는 의미이므로, '납작해진'이 적절하다.
예 그 친구는 코가 높아서 네가 상대하기 쉽지 않을 거야.

07 눈에 흙이 들어가기

(정답풀이) '눈에 흙이 들어가다[덮이다]'는 '죽어 땅에 묻히다.'를 의미하는 관용어이다. '흙내(를) 맡다'는 '옮겨 심은 식물이 새 땅에 뿌리를 내려 생기가 나다.'를 의미하는 관용어이다. 제시된 예문은 죽을 때까지 결혼을 반대한다는 의미이므로, '눈에 흙이 들어가기'가 적절하다.
예 옮겨 심은 지 일주일이 지난 난초가 드디어 흙내를 맡기 시작했다.

08 ④ 시치미를 떼다

(정답풀이) '시치미'는 '매의 주인을 밝히기 위하여 주소를 적어 매의 꽁지 속에다 매어 둔 네모골의 뿔.'을 의미한다. 여기에서 파생된 관용어인 '시치미(를) 떼다[따다]'는 '자기가 하고도 하지 아니한 체하거나 알고 있으면서도 모르는 체하다.'를 의미한다.
(오답풀이) ① 손(을) 떼다: 하던 일을 그만두다. 예 그는 사업에서 손을 뗀 지 오래되었다.
② 운(을) 떼다: 어떤 이야기를 하기 위하여 말을 하기 시작하다. 예 그는 어서 말해 보라는 친구들의 재촉에 비로소 운을 떼었다.
③ 걸음을 떼다: 걷기 시작하다. 예 병원에 가기 위해 억지로 걸음을 떼었다.
⑤ 차 떼고 포 떼다: 귀중하고 요긴한 것을 다 빼다. 예 그렇게 차 떼고 포 떼고 하다간 가장 중요한 것까지 빼앗기고 말 거야.

09 ④ 산통을 깨다

(정답풀이) '산통'은 '맹인이 점을 칠 때 쓰는, 산가지를 넣은 통.'을 의미한다. 여기에서 파생된 관용어인 '산통(을) 깨다'는

'다 잘되어 가던 일을 이루지 못하게 뒤틀다.'를 의미한다.
(오답풀이) ① 꿈(을) 깨다: 희망을 낮추거나 버리다. 예 그녀와 사귀는 것은 불가능하니 꿈을 깨야 한다.
② 그릇(을) 깨겠다: 얌전하지 못하다. 예 저 아이들, 와자지껄 떠들고 노는 것을 보니 그릇 깨겠다.
③ 머리가 깨다: 뒤떨어진 생각에서 벗어나다. 예 할머니는 머리가 깬 분이셔서 그 시절에 어머니를 유학까지 보내셨다.
⑤ 쪽박(을) 깨다: 일을 망치다. 예 사람들을 도와주지는 못할망정 쪽박을 깨서는 안 된다.

10 ② 나발을 불다

(정답풀이) '나발'은 옛 관악기의 하나로 놋쇠로 긴 대롱같이 만드는데, 위는 가늘고 끝은 퍼진 모양이다. 여기에서 파생된 관용어인 '나발(을) 불다'는 '당치 않은 말을 함부로 하다.'를 의미한다.
(오답풀이) ① 금을 치다: 물건값을 어림잡아 부르다. 예 대략 5만 원이라고 금을 치고 반응을 기다렸다.
③ 피리(를) 불다: (속되게) 뒤에서 부추겨 조종하다. 예 그에게 피리를 분 사람은 너밖에 없다.
④ 북장단을 치다[추다/맞추다]: 정황에 따라 일을 줏대 있게 잘 처리하다. 예 모든 일에 북장단을 치는 그는 믿음직하다.
⑤ 쟁북을 맞추다: 어떤 일이나 이야기 따위가 잘되도록 서로 말을 주고받다. 예 범인들끼리 쟁북을 맞추어 진술했다.

11 ② 발

(정답풀이) 빈칸에 공통으로 들어가기에 적절한 단어는 '발'이다. '발'은 '사람이나 동물의 다리 맨 끝부분.'을 의미한다. 각 관용어의 구체적인 의미는 다음과 같다.
• 발(이) 넓다[너르다]: 사귀어 아는 사람이 많아 활동하는 범위가 넓다.
예 내 친구 중에 네가 가장 발이 넓은 편이다.
• 발(이) 묶이다: 몸을 움직일 수 없거나 활동할 수 없는 형편이 되다.
예 갑작스러운 태풍으로 손님들이 발이 묶였다.
• 발(을) 빼다[씻다]: 어떤 일에서 관계를 완전히 끊고 물러나다.
예 어떤 일이든 시작하면 중간에 발을 빼기 어렵다.
• 발(을) 뻗다[펴다]: 걱정되거나 애쓰던 일이 끝나 마음을 놓다.
예 일이 해결되었으니 이젠 발을 뻗고 잠을 잘 수 있겠다.

12 ② 바닥

(정답풀이) 빈칸에 공통으로 들어가기에 적절한 단어는 '바닥'이다. '바닥'은 '평평하게 넓이를 이룬 부분.' 또는 '물체의 밑부분.'을 의미한다. 각 관용어의 구체적인 의미는 다음과 같다.
• 바닥(이) 드러나다: 다 소비되어 없어지다.
예 바닥이 드러난 우물을 보니 가뭄인 것이 확실하다.
• 바닥(을) 기다: 정도나 수준이 형편없다.
예 처음에는 수학 성적이 바닥을 기었는데 이제는 꽤 나아졌습니다.

• 바닥(을) 긁다: 생계가 곤란하다.
예 그들은 사업이 망하고 바닥을 긁을 정도로 어렵게 살고 있다.
• 바닥(을) 비우다: 일정한 분량의 것을 남김 없이 다 없애다.
예 목이 말랐는지 물 대접의 바닥을 비웠다.

13 ① 바람
✔정답풀이 빈칸에 공통으로 들어가기에 적절한 단어는 '바람'이다. '바람'은 '기압의 변화 또는 사람이나 기계에 의하여 일어나는 공기의 움직임.' 외에도 '사회적으로 일어나는 일시적인 유행이나 분위기 또는 사상적인 경향.' 등 다양한 주변적 의미를 갖고 있다. 각 관용어의 구체적인 의미는 다음과 같다.
• 바람(을) 넣다: 남을 부추겨서 무슨 행동을 하려는 마음이 생기게 만들다.
예 도서관에서 공부하는 친구에게 바람을 넣어 매점으로 내려갔다.
• 바람(이) 들다: 다 되어 가는 일에 탈이 생기다.
예 이 일이 끝까지 바람 들지 않도록 모두들 각별히 주의하기 바란다.
• 바람(을) 쐬다: 기분 전환을 위하여 바깥이나 딴 곳을 거닐거나 다니다.
예 공부를 하다가 잠시 바람을 쐬러 나갔다.
• 바람(을) 일으키다: 사회적으로 많은 사람에게 영향을 미치다.
예 그 유행어가 아이들 사이에서 바람을 일으켰다.

14 ③ 마음
✔정답풀이 빈칸에 공통으로 들어가기에 적절한 단어는 '마음'이다. '마음'은 '사람이 본래부터 지닌 성격이나 품성.' 외에도 '사람의 생각, 감정, 기억 따위가 생기거나 자리 잡는 공간이나 위치.' 등 다양한 주변적 의미를 갖고 있다. 각 관용어의 구체적인 의미는 다음과 같다.
• 마음을 붙이다: 어떤 것에 마음을 자리 잡게 하거나 전념하다.
예 전학 간 그 친구는 요즘 축구에 마음을 붙였다고 한다.
• 마음을 주다: 마음을 숨기지 아니하고 기꺼이 내보이다.
예 길고양이에게 마음을 주었더니, 안 보이면 자꾸 신경이 쓰인다.
• 마음에 차다: 마음에 흡족하게 여기다.
예 이 책을 손에 넣으니 이제 마음에 차냐?
• 마음이 통하다: 서로 생각이 같아 이해가 잘되다.
예 그와 나는 마음이 통하는 사이다.

15 ② 목이 막혀
✔정답풀이 '목(이) 막히다'는 '설움이 북받치다.'를 의미하는 관용어이다.
✖오답풀이 ① 맥(이) 풀리다: 기운이나 긴장이 풀어지다. 예 시험을 보고 나니 온몸에 맥이 풀리고 잠이 왔다.
③ 코(가) 빠지다: 근심에 싸여 기가 죽고 맥이 빠지다. 예 마을 사람들 모두 코가 빠져 아무 일도 하지 못했다.
④ 발목(을) 잡히다: 어떤 일에 꽉 잡혀서 벗어나지 못하다. 예 요즘은 다른 일에 발목을 잡혀서 그 일은 전혀 못하고 있다.
⑤ 귀(가) 따갑다: 너무 여러 번 들어서 듣기가 싫다. 예 그런 말

은 이미 귀가 따갑게 들었다.

16 ④ 서슬이 시퍼런
✔정답풀이 '서슬이 시퍼렇다'는 '권세나 기세 따위가 아주 대단하다.'를 의미하는 관용어이다.
✖오답풀이 ① 뱃속이 검다: 마음보가 더럽고 음흉하다. 예 그는 얼굴은 신사 같아도 뱃속이 검으니 조심해야 한다.
② 싹수(가) 노랗다: 잘될 가능성이나 희망이 애초부터 보이지 아니하다. 예 동물들에게 함부로 대하는 걸 보니 벌써 싹수가 노랗다.
③ 개뿔도 없다: 돈이나 명예, 능력 따위를 전혀 갖고 있지 아니하다. 예 개뿔도 없는 놈이 분수에 넘치는 사치를 한다.
⑤ 어안이 벙벙하다: 뜻밖에 놀랍거나 기막힌 일을 당하여 어리둥절하다. 예 졸지에 벌어진 사고에 어안이 벙벙해졌다.

17 ⑤ 어깨를 나란히 하게
✔정답풀이 '어깨를 나란히 하다'는 '서로 비슷한 지위나 힘을 가지다.'를 의미하는 관용어이다.
✖오답풀이 ① 죽고 못 살다: 몹시 좋아하거나 아끼다. 예 그녀는 떡이라면 죽고 못 산다.
② 한배를 타다: 운명을 같이하다. 예 이 일로 인해 우리는 한배를 타게 되었다.
③ 채찍을 가하다: 충고, 격려 따위를 하다. 예 나는 선생님의 모습을 떠올리면서 나 자신에게 채찍을 가했다.
④ 머리(를) 맞대다: 어떤 일을 의논하거나 결정하기 위하여 서로 마주 대하다. 예 머리를 맞대고 대책을 강구하다.

18 ⑤ 꼬리를 밟히고
✔정답풀이 '꼬리를 밟히다'는 '행적을 들키다.'를 의미하는 관용어이다.
✖오답풀이 ① 코를 떼다: 무안을 당하거나 핀잔을 맞다. 예 일을 대충 마무리한 그는 동료들에게 회의 시간 내내 코를 뗐다.
② 가슴(을) 태우다: 몹시 애태우다. 예 조바심에 가슴을 태우며 시간이 되기를 기다렸다.
③ 무릎(을) 꿇다: 항복하거나 굴복하다. 예 적국은 아군의 세력에 밀려 마침내 무릎을 꿇고 말았다.
④ 허리를 굽히다: 남에게 겸손한 태도를 취하다. 예 그는 우리에게 허리를 굽히며 정중히 사과했다.

19 ② 씨가 말랐다
✔정답풀이 '씨가 마르다'는 '어떤 종류의 것이 모조리 없어지다.'를 의미하는 관용어이다.
✖오답풀이 ① 속이 마르다: 성격이 꼬장꼬장하다. 예 그 할아버지는 매사에 속이 마른 편이다.
③ 애(가) 마르다: 몹시 안타깝고 초조하여 속이 상하다. 예 구걸하던 아이의 얼굴이 눈앞에 어른거려서 애가 말랐다.
④ 침이 마르다: 다른 사람이나 물건에 대하여 거듭해서 말하다.

예 그는 아내 자랑에 **침이 마르는** 줄 모른다.
⑤ 피가 마르다: 몹시 괴롭거나 애가 타다. 예 언제 이 고통이 끝나는지 알 수 없어 **피가 마르는** 심정이다.

20 ③ 곁을 비우지

✔정답풀이 '곁(을) 비우다'는 '보호하거나 지키는 사람이 없는 상태가 되게 하다.'를 의미하는 관용어이다.

❌오답풀이 ① 간(을) 졸이다: 매우 걱정되고 불안스러워 마음을 놓지 못하다. 예 합격자 발표의 순간을 **간을 졸이며** 기다렸다.
② 자리를 걷다: 병이 낫다. 예 본디 튼튼한 사람이니까 며칠 쉬면 **자리를 걷겠지.**
④ 눈(을) 돌리다: 관심을 돌리다. 예 이번에는 교육 환경 문제로 **눈을 돌려** 생각해 봅시다.
⑤ 죽을 쑤다: 어떤 일을 망치거나 실패하다. 예 오늘 시합은 **죽을 쑤었다.**

26일차 속담 ①

01 꿀 먹은 벙어리

✔정답풀이 '꿀 먹은 벙어리'는 '속에 있는 생각을 나타내지 못하는 사람.'을 비유적으로 이르는 속담이다. 제시된 예문은 할 말은 있지만 속에 있는 생각을 말하지 못하는 것을 이해하지 못하겠다는 의미이므로 '꿀 먹은 벙어리'가 적절하다.

02 개밥에 도토리

✔정답풀이 '개밥에 도토리'는 '개는 도토리를 먹지 아니하기 때문에 밥 속에 있어도 먹지 아니하고 남긴다'는 의미에서, '따돌림을 받아서 여럿의 축에 끼지 못하는 사람.'을 비유적으로 이르는 속담이다. 제시된 예문은 새로 이사 간 곳에서 사람들 사이에 끼지 못할까봐 걱정하였는데 이웃들이 친절해서 다행이라는 의미이므로 '개밥에 도토리'가 적절하다.

03 꿩 먹고 알 먹기

✔정답풀이 '꿩 먹고 알 먹기[먹는다]'는 '한 가지 일을 하여 두 가지 이상의 이익을 보게 됨.'을 비유적으로 이르는 속담이다. 제시된 예문은 공부를 열심히 해서 성적도 오르고 장학금도 받아 두 가지 이익을 보게 되었다는 의미이므로 '꿩 먹고 알 먹기'가 적절하다.

04 제 논에 물 대기

✔정답풀이 '제[내] 논에 물 대기'는 '자기에게만 이롭도록 일을 하는 경우.'를 비유적으로 이르는 속담이다. 제시된 예문은 나누어 먹으라고 사온 간식을 자기에게만 이롭도록 자기 책상에 올

려두었다는 의미이므로 '제 논에 물 대기'가 적절하다.

05 밑 빠진 독에 물 붓기

✔정답풀이 '밑 빠진 독[가마/항아리]에 물 붓기'는 '밑 빠진 독에 아무리 물을 부어도 독이 채워질 수 없다.'라는 뜻으로, '아무리 힘이나 밑천을 들여도 보람 없이 헛된 일이 되는 상태.'를 비유적으로 이르는 속담이다. 제시된 예문은 공부하려는 의지가 없는 아이에게 강제로 공부를 시켜봤자 헛된 일이 된다는 의미이므로 '밑 빠진 독에 물 붓기'가 적절하다.

06 모기 보고 칼 빼기

✔정답풀이 '모기 보고 칼[환도] 빼기[뽑기]'는 '시시한 일로 소란을 피움.' 또는 '보잘것없는 작은 일에 어울리지 않게 엄청나게 큰 대책을 씀.'을 이르는 속담이다. 제시된 예문은 살짝 베인 상처에 반창고 대신 깁스를 하는 것은 작은 일에 어울리지 않게 엄청나게 큰 대책을 쓰는 것과 같다는 의미이므로 '모기 보고 칼 빼기'가 적절하다.

07 내 코가 석 자

✔정답풀이 '내 코가 석자'는 '내 사정이 급하고 어려워서 남을 돌볼 여유가 없음.'을 비유적으로 이르는 속담이다. 제시된 예문은 숙제를 하느라 동생이 청소를 도와달라고 하는 것을 도울 수 없다는 의미이므로 '내 코가 석 자'가 적절하다.

08 ② 구슬이 서 말이라도 꿰어야 보배라.

✔정답풀이 '구슬이 서 말이라도 꿰어야 보배(라)'는 '아무리 훌륭하고 좋은 것이라도 다듬고 정리하여 쓸모 있게 만들어 놓아야 값어치가 있음.'을 비유적으로 이르는 속담이다. 제시된 상황은 집에 아무리 좋은 책이 많이 있어도 읽지 않으면 소용이 없다는 의미이므로, '구슬이 서 말이라도 꿰어야 보배라.'가 적절하다.

❌오답풀이 ① 간에 붙었다 쓸개[염통]에 붙었다 한다.: 자기에게 조금이라도 이익이 되면 지조 없이 이편에 붙었다 저편에 붙었다 함을 비유적으로 이르는 말.
③ 낮말은 새가 듣고 밤말은 쥐가 듣는다.: 아무도 안 듣는 데서라도 말조심해야 한다는 말. 또는 아무리 비밀히 한 말이라도 반드시 남의 귀에 들어가게 된다는 말.
④ 고슴도치도 제 새끼는 함함하다고 한다.: 털이 바늘같이 꼿꼿한 고슴도치도 제 새끼의 털이 부드럽다고 옹호한다는 뜻으로, 자기 자식의 나쁜 점은 모르고 도리어 자랑으로 삼는다는 말. 또는 어버이 눈에는 제 자식이 다 잘나고 귀여워 보인다는 말.
⑤ 미꾸라지 한 마리가 온 웅덩이를 흐려 놓는다.: 미꾸라지 한 마리가 흙탕물을 일으켜서 웅덩이의 물을 온통 다 흐리게 한다는 뜻으로, 한 사람의 좋지 않은 행동이 그 집단 전체나 여러 사람에게 나쁜 영향을 미침을 비유적으로 이르는 말.

09 ⑤ 물에 빠진 놈 건져 놓으니까 망건값 달라 한다.

✔정답풀이 '물에 빠진 놈 건져 놓으니까 망건값 달라 한다.'는

'남에게 은혜를 입고서도 그 고마움을 모르고 생트집을 잡음.'을 의미하는 속담이다. 제시된 상황은 연필깎이를 빌려달라고 하여 빌려준 나에게 그가 고마움을 모르고 도리어 화를 내고 있다는 의미이므로 '물에 빠진 놈 건져 놓으니까 망건값 달라 한다.'가 적절하다.

❌오답 풀이 ① 선무당이 사람 잡는다[죽인다].: 의술에 서투른 사람이 치료해 준다고 하다가 사람을 죽이기까지 한다는 뜻으로, 능력이 없어서 제구실을 못하면서 함부로 하다가 큰일을 저지르게 됨을 비유적으로 이르는 말.
② 사촌이 땅을 사면 배가 아프다.: 남이 잘되는 것을 기뻐해 주지는 않고 오히려 질투하고 시기하는 경우를 비유적으로 이르는 말.
③ 가는 말이 고와야 오는 말이 곱다.: 자기가 남에게 말이나 행동을 좋게 하여야 남도 자기에게 좋게 한다는 말.
④ 벼 이삭은 익을수록 고개를 숙인다.: 교양이 있고 수양을 쌓은 사람일수록 겸손하고 남 앞에서 자기를 내세우려 하지 않는다는 것을 비유적으로 이르는 말.

10 ① 백지장도 맞들면 낫다.

✅정답 풀이 '백지장도 맞들면 낫다.'는 '쉬운 일이라도 협력하여 하면 훨씬 쉽다.'라는 의미의 속담이다. 제시된 상황은 빌린 책을 혼자 들고 가면 무거웠을 텐데, 친구가 도와주어 가볍게 집에 올 수 있었다는 의미이므로 '백지장도 맞들면 낫다.'가 적절하다.
❌오답 풀이 ② 아는 길도 물어 가랬다.: 잘 아는 일이라도 세심하게 주의를 하라는 말.
③ 모로 가도 서울만 가면 된다.: 수단이나 방법은 어찌 되었든 간에 목적만 이루면 된다는 말.
④ 가랑잎이 솔잎더러 바스락거린다고 한다.: 더 바스락거리는 가랑잎이 솔잎더러 바스락거린다고 나무란다는 뜻으로, 자기의 허물은 생각하지 않고 도리어 남의 허물만 나무라는 경우를 비유적으로 이르는 말.
⑤ 남의 눈에 눈물 내면 제 눈에는 피눈물이 난다.: 남에게 악한 짓을 하면 자기는 그보다 더한 벌을 받게 됨을 비유적으로 이르는 말.

어·휘·력 Up '속담'과 '관용어'의 차이
• 속담: 예로부터 민간에 전하여 오는 쉬운 격언이나 잠언.
• 관용어: 두 개 이상의 단어로 이루어져 있으면서 그 단어들의 의미만으로는 전체의 의미를 알 수 없는, 특수한 의미를 나타내는 어구(語句).
기본적으로는 속담도 관용어에 해당된다. 그러나 관용어는 전체 문장에서 특정한 문장 성분으로 의미를 형성하는 데 사용되지만, 속담은 그 자체가 하나의 문장으로 기능하며 의미를 구성한다는 점에서 차이가 있다.

11 ① 빛 좋은 개살구.

✅정답 풀이 '빛 좋은 개살구.'는 '겉보기에는 먹음직스러운 빛깔을 띠고 있지만 맛은 없는 개살구.'라는 뜻으로, '겉만 그럴듯하고 실속이 없는 경우.'를 비유적으로 이르는 속담이다. 제시된 상황은 구입한 신발이 디자인만 예쁠 뿐, 실용성이 떨어진다는 의미이므로 '빛 좋은 개살구.'가 적절하다.
❌오답 풀이 ② 핑계 없는 무덤이 없다.: 아무리 큰 잘못을 저지른 사람도 그것을 변명하고 이유를 붙일 수 있다는 말.
③ 세 살 적 버릇[마음]이 여든까지 간다.: 어릴 때 몸에 밴 버릇은 늙어 죽을 때까지 고치기 힘들다는 뜻으로, 어릴 때부터 나쁜 버릇이 들지 않도록 잘 가르쳐야 함을 비유적으로 이르는 말.
④ 보기 좋은 떡이 먹기도 좋다.: 내용이 좋으면 겉모양도 반반함을 비유적으로 이르는 말. 또는 겉모양새를 잘 꾸미는 것도 필요함을 비유적으로 이르는 말.
⑤ 열 길(천 길) 물속은 알아도 한 길 사람의 속은 모른다.: 사람의 속마음을 알기란 매우 힘듦을 비유적으로 이르는 말.

12 ② 사공이 많으면 배가 산으로 간다.

✅정답 풀이 '사공이 많으면 배가 산으로 간다[올라간다].'는 '여러 사람이 저마다 제 주장대로 배를 몰려고 하면 결국에는 배가 물로 못 가고 산으로 올라간다.'라는 뜻으로, '주관하는 사람 없이 여러 사람이 자기주장만 내세우면 일이 제대로 되기 어려움.'을 비유적으로 이르는 속담이다. 제시된 상황은 학생들이 자신들의 주장만 내세워서 결국 학급 티셔츠를 고르지 못했다는 의미이므로, '사공이 많으면 배가 산으로 간다.'가 적절하다.
❌오답 풀이 ① 가난 구제는 나라[나라님/임금]도 못한다[어렵다].: 남의 가난한 살림을 도와주기란 끝이 없는 일이어서, 개인은 물론 나라의 힘으로도 구제하지 못한다는 말.
③ 산토끼를 잡으려다가 집토끼를 놓친다.: 지나치게 욕심을 부리다가 이미 차지한 것까지 잃어버리게 됨을 비유적으로 이르는 말. 또는 새로운 일을 자꾸만 벌여 놓으면서 이미 있는 것을 챙기는 데에 소홀하면 도리어 손해를 봄을 비유적으로 이르는 말.
④ 남의 잔치[장/제사]에 감 놓아라 배 놓아라 한다.: 남의 일에 공연히 간섭하고 나섬을 비유적으로 이르는 말.
⑤ 자라 보고 놀란 가슴 솥뚜껑[소댕] 보고 놀란다.: 어떤 사물에 몹시 놀란 사람은 비슷한 사물만 보아도 겁을 냄을 이르는 말.

13 ⑤ 고기도 먹어 본 사람이 많이 먹는다.

✅정답 풀이 '고기도 먹어 본 사람이 많이 먹는다.'는 '무슨 일이든지 늘 하던 사람이 더 잘한다.'라는 의미의 속담이다. 제시된 상황은 중학교 때까지 농구 선수로 활약한 그가 어려운 체육 실기 시험에서도 잘 했다는 의미이므로 '고기도 먹어 본 사람이 많이 먹는다.'가 적절하다.
❌오답 풀이 ① 꼬리가 길면 밟힌다.: 나쁜 일을 아무리 남모르게 한다고 해도 오래 두고 여러 번 계속하면 결국에는 들키고 만다는 것을 비유적으로 이르는 말.
② 도둑이 제 발 저리다.: 지은 죄가 있으면 자연히 마음이 조마조마하여짐을 비유적으로 이르는 말.
③ 까마귀 날자 배 떨어진다.: 아무 관계없이 한 일이 공교롭게

도 때가 같아 어떤 관계가 있는 것처럼 의심을 받게 됨을 비유적으로 이르는 말.
④ 가랑비에 옷 젖는 줄 모른다.: 가늘게 내리는 비는 조금씩 젖어 들기 때문에 여간해서도 옷이 젖는 줄을 깨닫지 못한다는 뜻으로, 아무리 사소한 것이라도 그것이 거듭되면 무시하지 못할 정도로 크게 됨을 비유적으로 이르는 말.

14 ② 등잔 밑이 어둡다.

정답풀이 '등잔 밑이 어둡다.'는 '대상에서 가까이 있는 사람이 도리어 대상에 대하여 잘 알기 어렵다.'라는 의미의 속담이다. 제시된 상황은 지갑이 바로 내 가방에 들어 있었는데 괜히 여기저기를 찾아다녔다는 의미이므로 '등잔 밑이 어둡다.'가 적절하다.

오답풀이 ① 달도 차면 기운다.: 세상의 온갖 것이 한번 번성하면 다시 쇠하기 마련이라는 말. 또는 행운이 언제까지나 계속되는 것은 아님을 비유적으로 이르는 말.
③ 미꾸라지 용 됐다.: 미천하고 보잘것없던 사람이 크게 되었음을 비유적으로 이르는 말.
④ 말 타면 경마 잡히고 싶다.: 사람의 욕심이란 한이 없다는 말.
⑤ 논 자취는 없어도 공부한 공은 남는다.: 놀지 않고 힘써 공부하면 훗날 그 공적이 반드시 드러날 것이니 아무쪼록 공부에 힘쓰라는 말.

15 ㉠

정답풀이 '옷이 날개라.'는 '옷이 좋으면 사람이 돋보임.'이라는 의미의 속담이다.
예 옷이 날개라더니, 새 옷을 입으니 얼굴이 확 사는 것 같다.

16 ㉤

정답풀이 '시작이 반이다.'는 '무슨 일이든지 시작하기가 어렵지 일단 시작하면 일을 끝마치기는 그리 어렵지 아니함.'을 비유적으로 이르는 속담이다.
예 시작이 반이라고 했으니 지금부터라도 열심히 수학 공부를 하겠어.

17 ㉡

정답풀이 '남의 다리 긁는다.'는 '기껏 한 일이 결국 남 좋은 일이 됨.'을 비유적으로 이르는 속담이다.
예 공책에 열심히 숙제를 했는데 알고 보니 친구 공책이라니, 완전 남의 다리 긁은 꼴이다.

18 ㉣

정답풀이 '우물에 가 숭늉 찾는다.'는 '모든 일에는 질서와 차례가 있는 법인데 일의 순서도 모르고 성급하게 덤빔.'을 비유적으로 이르는 속담이다.
예 재료 준비도 안 했는데 음식을 내오라는 것은 우물에 가 숭늉 찾는 격이다.

19 ㉢

정답풀이 '뚝배기보다 장맛이 좋다.'는 '겉모양은 보잘것없으나 내용은 훨씬 훌륭함.'이라는 의미의 속담이다.
예 어머니께서는 늘 내 음식을 보고 뚝배기보다 장맛이 좋다고 하신다.

20 ① 범을 피하니 이리가 앞을 막는다.

정답풀이 '범을 피하니 이리가 앞을 막는다.'는 '무서운 범을 겨우 피하니 이번에는 사나운 이리가 앞을 가로막아 섰다.'라는 뜻으로, '한 가지 위험에서 벗어나니 또 새로운 위험이나 난관에 부닥치게 됨.'을 비유적으로 이르는 속담이다. 제시문의 '조조'는 도망을 가고 있는 중인데, 갑자기 나타난 조자룡에게 위협을 당하고 있다. 따라서 조조는 간신히 도망쳤는데 다른 위험을 맞이하고 있으므로 '범을 피하니 이리가 앞을 막는다.'가 적절하다.

오답풀이 ② 가지 많은 나무에[나무가] 바람 잘 날이 없다.: 가지가 많고 잎이 무성한 나무는 살랑거리는 바람에도 잎이 흔들려서 잠시도 조용한 날이 없다는 뜻으로, 자식을 많이 둔 어버이에게는 근심, 걱정 끊일 날이 없음을 비유적으로 이르는 말.
③ 밥 아니 먹어도 배부르다.: 기쁜 일이 생겨서 마음이 매우 흡족하다는 말.
④ 소 잃고 외양간 고친다.: 소를 도둑맞은 다음에서야 빈 외양간의 허물어진 데를 고치느라 수선을 떤다는 뜻으로, 일이 이미 잘못된 뒤에는 손을 써도 소용이 없음을 비꼬는 말.
⑤ 병 주고 약 준다.: 남을 해치고 나서 약을 주며 그를 구원하는 체한다는 뜻으로, 교활하고 음흉한 자의 행동을 비유적으로 이르는 말.

27 일차 속담 ②

01 이웃

정답풀이 '먼 사촌보다 가까운 이웃이 낫다.'는 '이웃끼리 서로 친하게 지내다 보면 먼 곳에 있는 일가보다 더 친하게 되어 서로 도우며 살게 된다.'라는 의미의 속담이다. 제시된 예문은 요즘 시대엔 가까운 남이 멀리 있는 일가보다 낫다는 의미이므로 '이웃'이 적절하다.

02 다홍치마

정답풀이 '같은 값이면 다홍치마[검정 송아지].'는 '값이 같거나 같은 노력을 한다면 품질이 좋은 것을 택한다.'라는 의미의 속담이다. 제시된 예문은 같은 금액을 지불한다면 품질이 좋은 국산품을 쓰겠다는 의미이므로, '다홍치마'가 적절하다.

03 침 뱉기

정답풀이 '누워서 침 뱉기.'는 '누워서 침을 뱉어 보아야 자기 얼굴에 떨어진다.'라는 뜻으로, '자기에게 해가 돌아올 짓을 함.'을 비유적으로 이르는 속담이다. '누워서 떡 먹기'는 '하기가 매우 쉬운 것.'을 비유적으로 이르는 속담이다. 제시된 예문은 친구의 흉을 보면 그와 친구인 자신의 흉도 보는 것이라는 의미이므로 '침 뱉기'가 적절하다.

04 물고기

✔️정답 풀이 '물고기는 물을 떠나 살 수 없다.'는 '활동하는 데에 자신에게 걸맞은 터전이 있음.'을 비유적으로 이르는 속담이다. 제시된 예문은 내가 활동하기에 적합한 터전은 집이라는 의미이므로 '물고기'가 적절하다.

05 말

✔️정답 풀이 '가루는 칠수록 고와지고 말은 할수록 거칠어진다.'는 '가루는 체에 칠수록 고와지지만 말은 길어질수록 시비가 붙을 수 있고 마침내는 말다툼까지 가게 되니 말을 삼가라.'라는 의미의 속담이다. 제시된 예문은 말조심을 하자는 의미이므로, '말'이 적절하다.

06 귀신

✔️정답 풀이 '글 모르는 귀신 없다.'는 '귀신도 글을 알고 있은즉, 사람이라면 마땅히 글을 배워서 자신의 앞길을 닦아야 한다.'라는 의미의 속담이다. 제시된 예문은 사람이라면 누구나 글을 배워야 하는 것처럼 나도 더욱 열심히 공부를 하겠다는 의미이므로 '귀신'이 적절하다.

07 뒷걸음치다가

✔️정답 풀이 '황소 뒷걸음치다가 쥐 잡는다.'는 '어쩌다 우연히 이루거나 알아맞힘.'을 비유적으로 이르는 속담이다. 제시된 예문은 실험 중 우연히 생긴 곰팡이를 통해 항생제를 개발하게 되었다는 의미이므로 '뒷걸음치다가'가 적절하다.

08 새우

✔️정답 풀이 '고래 싸움에 새우 등 터진다.'는 '강한 자들끼리 싸우는 통에 아무 상관도 없는 약한 자가 중간에 끼어 피해를 입게 됨.'을 비유적으로 이르는 속담이다. 제시된 예문은 강대국 사이에서 약소국이 힘들어졌다는 의미이므로, '새우'가 적절하다.

09 개똥

✔️정답 풀이 '개똥도 약에 쓰려면 없다.'는 '평소에 흔하던 것도 막상 긴하게 쓰려고 구하면 없다.'라는 의미의 속담이다. 제시된 예문은 언젠가는 쓸모가 있을 수 있으니 물건을 함부로 버리지 말라는 의미이므로 '개똥'이 적절하다.

10 정승

✔️정답 풀이 '개같이 벌어서 정승같이 산다[먹는다].'는 '돈을 벌때는 천한 일이라도 하면서 벌고 쓸 때는 떳떳하고 보람 있게 씀.'을 비유적으로 이르는 속담이다. 제시된 예문은 고된 일로 번 돈을 사회에 기부했다는 의미이므로, '정승'이 적절하다.

11 ④ 될성부른 나무는 떡잎부터 알아본다.

✔️정답 풀이 '될성부른 나무는 떡잎부터 알아본다.'는 '잘될 사람은 어려서부터 남달리 장래성이 엿보인다.'라는 의미의 속담이다. 제시된 상황은 노벨상을 탄 과학자가 어린 시절부터 과학 과목에서 좋은 성적을 받았다는 의미이므로 '될성부른 나무는 떡잎부터 알아본다.'가 적절하다.

❌오답 풀이 ① 곧은 나무는 가운데 선다.: 곧고 좋은 나무는 한가운데 세우게 된다는 뜻으로, 재간 있고 훌륭한 사람을 기둥으로 내세우게 됨을 이르는 말.
② 나무를 보고 숲을 보지 못한다.: 부분만 보고 전체는 보지 못하는 근시안적인 행동을 비유적으로 이르는 말.
③ 나무에 오르라 하고 흔드는 격이다.: 남을 꾀어 위험한 곳이나 불행한 처지에 빠지게 함을 비유적으로 이르는 말.
⑤ 나무도 크게 자라야 소를 맬 수 있다.: 완전해야만 쓸모가 있음을 비유적으로 이르는 말.

12 ④ 눈 가리고 아웅 한다.

✔️정답 풀이 '눈 가리고 아웅 한다.'는 '얕은수로 남을 속이려 한다'는 의미의 속담이다. 제시된 상황은 동생이 청소를 하지 않으려고 꾀병을 부리고 있다는 의미이므로 '눈 가리고 아웅 한다.'가 적절하다.

❌오답 풀이 ① 눈먼 개 젖 탐한다.: 제 능력 이상의 짓을 한다는 말.
② 눈썹에 불이 붙는다.: 뜻밖에 큰 걱정거리가 닥쳐 매우 위급하게 된 것을 비유적으로 이르는 말.
③ 눈 뜨고 도둑맞는다.: 번번이 알면서도 속거나 손해를 본다는 말.
⑤ 눈에는 눈 이에는 이이다.: 해를 입은 만큼 앙갚음하는 것을 비유적으로 이르는 말.

13 ① 달도 차면 기운다.

✔️정답 풀이 '달도 차면 기운다.'는 '세상의 온갖 것이 한번 번성하면 다시 쇠하기 마련.'이라는 의미의 속담이다. 제시된 상황은 시간이 지나면 번성했던 국가도 결국 쇠락한다는 의미이므로 '달도 차면 기운다.'가 적절하다.

❌오답 풀이 ② 달밤에 삿갓 쓰고 나온다.: 가뜩이나 미운 사람이 더 미운 짓만 함을 비유적으로 이르는 말.
③ 발가벗고 달밤에 체조하다.: 분별없고 체통 없는 짓을 함을 비유적으로 이르는 말.
④ 초승달은 잰 며느리가 본다.: 초승달은 떴다가 곧 지기 때문에 부지런한 며느리만 볼 수 있다는 뜻으로, 슬기롭고 민첩한 사람만이 미세한 것을 살필 수 있음을 비유적으로 이르는 말.
⑤ 그믐밤에 달이 뜨는 것과 같다.: 불가능한 일을 비유적으로

이르는 말.

14 ① 재미난 골에 범 난다.

✅**정답풀이** '재미난 골에 범 난다.'는 '편하고 재미있다고 위험한 일이나 나쁜 일을 계속하면 나중에는 큰 화를 당하게 됨.'을 이르는 속담이다. 제시된 상황은 재미있다고 게임을 계속하다가 결국 시험을 망쳤다는 의미이므로 '재미난 골에 범 난다.'가 적절하다.

❌**오답풀이** ② 그 나물에 그 밥이다.: 서로 격이 어울리는 것끼리 짝이 되었을 경우를 두고 이르는 말.
③ 고추장이 밥보다 많다.: 밥을 비빌 때 밥보다 고추장이 많다는 뜻으로, 곁에 딸린 것이 주된 것보다 더 많음을 비유적으로 이르는 말.
④ 미운 자식 밥 많이 먹인다.: 미울수록 더 친절히 하고 생각하는 체라도 하여야 저편의 감정을 상하지 않고 후환도 없다는 말.
⑤ 밥 먹을 때는 개도 안 때린다.: 비록 하찮은 짐승일지라도 밥을 먹을 때에는 때리지 않는다는 뜻으로, 음식을 먹고 있을 때에는 아무리 잘못한 것이 있더라도 때리거나 꾸짖지 말아야 한다는 말.

15 ④ 사람

✅**정답풀이** 빈칸에 공통으로 들어가기에 적절한 단어는 '사람'이다. 각 속담의 풀이는 다음과 같다.
• 귀신보다 사람이 더 무섭다.: 사람의 증오와 음모가 가장 무섭다는 말.
• 눈은 그 사람의 마음을 닮는다.: 눈은 마음의 거울이다. 눈만 보아도 그 사람의 마음을 짐작할 수 있음을 비유적으로 이르는 말.
• 곡식과 사람은 가꾸기에 달렸다.: 곡식은 사람의 손이 많이 가고 부지런히 가꾸어야 잘되고, 사람은 어려서부터 잘 가르치고 이끌어야 훌륭하게 된다는 말.

16 ① 고양이

✅**정답풀이** 빈칸에 공통으로 들어가기에 적절한 단어는 '고양이'이다. 각 속담의 풀이는 다음과 같다.
• 고양이 개 보듯.: 사이가 매우 나빠서 서로 으르렁거리며 해칠 기회만 찾는 모양을 비유적으로 이르는 말.
• 고양이는 발톱을 감춘다.: 재주 있는 사람은 그것을 깊이 감추고서 함부로 드러내지 아니한다는 말.
• 고양이한테 생선을 맡기다.: 고양이한테 생선을 맡기면 고양이가 생선을 먹을 것이 뻔한 일이란 뜻으로, 어떤 일이나 사물을 믿지 못할 사람에게 맡겨 놓고 마음이 놓이지 않아 걱정함을 비유적으로 이르는 말.

17 ④ 날개

✅**정답풀이** 빈칸에 공통으로 들어가기에 적절한 단어는 '날개'이다. 각 속담의 풀이는 다음과 같다.
• 날개 돋친 범.: 몹시 날쌔고 용맹스러운 기상을 비유적으로 이

르는 말.
• 날개 없는 봉황.: 쓸모없고 보람 없게 된 처지를 비유적으로 이르는 말.
• 새도 날개가 생겨야 날아간다.: 새도 날개가 생겨나야 날 수 있다는 뜻으로, 무슨 일이든 필요한 조건이 갖추어져야 이루어질 수 있음을 비유적으로 이르는 말.

18 ③ 방귀

✅**정답풀이** 빈칸에 공통으로 들어가기에 적절한 단어는 '방귀'이다. 각 속담의 풀이는 다음과 같다.
• 방귀 뀐 놈이 성낸다.: 자기가 방귀를 뀌고 오히려 남보고 성낸다는 뜻으로, 잘못을 저지른 쪽에서 오히려 남에게 성냄을 비꼬는 말.
• 토끼가 제 방귀에 놀란다.: 남몰래 저지른 일이 염려되어 스스로 겁을 먹고 대수롭지 아니한 것에도 놀람을 비유적으로 이르는 말.
• 거미줄로 방귀 동이듯.: 지극히 약한 거미줄로 형체도 없는 방귀를 동여맨다는 뜻으로, 어떤 일에 실속 없이 건성으로만 하는 체하는 모양을 이르는 말.

19 ③ 아이

✅**정답풀이** 빈칸에 공통으로 들어가기에 적절한 단어는 '아이'이다. 각 속담의 풀이는 다음과 같다.
• 늙으면 아이 된다.: 늙으면 말과 행동이 오히려 어린아이와 같이 된다는 말.
• 아이 말도 귀여겨 들으랬다.: 어린아이가 하는 말이라도 일리가 있을 수 있으므로 소홀히 여기지 말고 귀담아들어야 한다는 뜻으로, 남이 하는 말을 신중하게 잘 들어야 함을 비유적으로 이르는 말.
• 아이 자라 어른 된다.: 보잘것없는 일이 차차 발전하여 크게 되거나 큰일이 됨을 비유적으로 이르는 말.

20 ② 산 입에 거미줄 치랴.

✅**정답풀이** '산 (사람) 입에 거미줄 치랴.'는 '거미가 사람의 입 안에 거미줄을 치자면 사람이 아무것도 먹지 않아야 한다.'라는 뜻으로, '아무리 살림이 어려워 식량이 떨어져도 사람은 그럭저럭 죽지 않고 먹고 살아가기 마련임.'을 비유적으로 이르는 속담이다. ㉠은 어떻게 해서든 세상은 먹고 살 방편이 생긴다는 의미에서 한 말이므로, '산 (사람) 입에 거미줄 치랴.'가 가장 적절하다.

❌**오답풀이** ① 목구멍이 포도청이라.: 먹고살기 위하여, 해서는 안 될 짓까지 하지 않을 수 없음을 이르는 말.
③ 쥐구멍에도 볕 들 날 있다.: 몹시 고생을 하는 삶도 좋은 운수가 터질 날이 있다는 말.
④ 씨를 뿌리면 거두게 마련이다.: 일한 보람이나 결과는 꼭 나타나게 된다는 말.
⑤ 개똥밭에 굴러도 이승이 좋다.: 아무리 천하고 고생스럽게 살더라도 죽는 것보다는 사는 것이 나음을 이르는 말.

28_{일차} 속담 ③

01 ㉠

✅정답풀이 '혀 아래 도끼 들었다.'는 '말을 잘못하면 재앙을 받게 되니 말조심을 하라.'라는 의미의 속담이다.

예 혀 아래 도끼 들었다고, 그 사안은 기밀이니 누구에게도 함부로 말하면 안 된다.

어·휘·력 Up '말조심'과 관련된 속담

- **세 치 혀가 사람 잡는다(죽인다).**: 세 치밖에 안 되는 짧은 혀라도 잘못 놀리면 사람이 죽게 되는 수가 있다는 뜻으로, 말을 함부로 하여서는 안 됨을 비유적으로 이르는 말.
- **군말이 많으면 쓸 말이 적다.**: 하지 않아도 될 말을 이것저것 많이 늘어놓으면 그만큼 쓸 말은 적어진다는 뜻으로, 말을 삼가라는 말.
- **입찬말은 묘 앞에 가서 하라.**: 자기를 자랑하며 장담하는 것은 죽고 나서야 하라는 뜻으로, 쓸데없는 장담은 하지 말라는 말.

---

02 ㉢

✅정답풀이 '나는 바담 풍 해도 너는 바람 풍 해라.'는 옛날 어느 서당에서 선생님이 '바람 풍(風)' 자를 가르치는데 혀가 짧아서 '바담 풍'으로 발음하니 학생들도 '바담 풍'으로 외운 데서 나온 말로, '자신은 잘못된 행동을 하면서 남보고는 잘하라고 요구한다.'라는 의미의 속담이다.

예 자신도 못하면서 부하 직원을 꾸짖는다면, 나는 바담 풍 해도 너는 바람 풍 해라가 되어 공감을 얻기 어렵다.

03 ㉡

✅정답풀이 '핑계 없는 무덤이 없다.'는 '아무리 큰 잘못을 저지른 사람도 그것을 변명하고 이유를 붙일 수 있다.'라는 의미의 속담이다.

예 매일 지각을 하면서도 항상 이러쿵저러쿵 변명을 하다니, 정말 핑계 없는 무덤이 없다.

04 ㉣

✅정답풀이 '중이 제 머리를 못 깎는다.'는 '자기가 자신에 관한 일을 좋게 해결하기는 어려운 일이어서 남의 손을 빌려야만 이루기 쉬움.'을 비유적으로 이르는 속담이다.

예 중이 제 머리를 못 깎는다고 김 선생은 자기가 의사이면서도 감기에 걸려 일주일째 콜록거리고 있다.

05 ㉢

✅정답풀이 '이도 아니 나서 콩밥을 씹는다[황밤을 먹는다].'는 '아직 준비가 안 되고 능력도 없으면서 또는 절차를 넘어서 어려운 일을 하려고 달려듦.'을 비유적으로 이르는 속담이다.

예 구구단을 겨우 외웠으면서 근의 공식을 활용한 문제를 풀겠다고

욕심을 부리다니, 네가 이도 아니 나서 콩밥을 씹겠다는 거로구나.

06 절

✅정답풀이 '엎드려 절 받기.'는 '상대편은 마음에 없는데 자기 스스로 요구하여 대접을 받는 경우.'를 비유적으로 이르는 속담이다. 제시된 예문은 상대편이 인사를 하지 않지만 굳이 말을 해서 상대방이 마음에도 없는 인사를 하게 하고 싶지 않다는 의미이므로 '절'이 적절하다.

07 손뼉

✅정답풀이 '두 손뼉이 맞아야 소리가 난다.'는 '무슨 일이든지 두 편에서 서로 뜻이 맞아야 이루어질 수 있다.' 또는 '서로 똑같기 때문에 말다툼이나 싸움이 된다.'라는 의미의 속담이다. 제시된 예문은 서로 똑같기 때문에 사건이 일어났다는 의미이므로 '손뼉'이 적절하다.

08 문고리

✅정답풀이 '봉사 문고리 잡기.'는 '눈먼 봉사가 요행히 문고리를 잡은 것과 같다.'라는 뜻으로, '그럴 능력이 없는 사람이 어쩌다가 요행수로 어떤 일을 이룬 경우.'를 비유적으로 이르는 속담이다. 제시된 예문은 그 친구가 공부도 하지 않고 요행히 좋은 점수를 받았다는 의미이므로, '문고리'가 적절하다.

09 나팔

✅정답풀이 '원님 덕에 나팔[나발] 분다.'는 '원님과 동행한 덕분에 나팔 불고 요란히 맞아 주는 호화로운 대접을 받는다.'라는 뜻으로, '남의 덕으로 당치도 아니한 행세를 하게 되거나 그런 대접을 받고 우쭐대는 모양.'을 비유적으로 이르는 속담이다. 제시된 예문은 부모님이 부자라서 자식인 그가 흥청망청 돈을 쓴다는 의미이므로 '나팔'이 적절하다.

10 땅

✅정답풀이 '사촌이 땅을 사면 배가 아프다.'는 '남이 잘되는 것을 기뻐해 주지는 않고 오히려 질투하고 시기하는 경우.'를 비유적으로 이르는 속담이다. 제시된 예문은 옆집에서 새 차를 산 것을 부러워하고 있다는 의미이므로 '땅'이 적절하다.

11 송충이

✅정답풀이 '송충이는 솔잎을 먹어야 한다.'는 '자기 분수에 맞게 처신하여야 함.'을 비유적으로 이르는 속담이다. 제시된 예문은 능력 밖의 일에는 욕심을 부리지 말라는 의미로, '송충이'가 적절하다.

12 호박

✅정답풀이 '호박이 넝쿨째로 굴러떨어졌다.'는 '뜻밖에 좋은 물

건을 얻거나 행운을 만났다.'라는 의미의 속담이다. 제시된 예문은 싸게 산 그릇이 값비싼 고려청자임을 알게 되었다는 의미이므로 '호박'이 적절하다.

13 ② 머리

✔️정답풀이 빈칸에 공통으로 들어가기에 적절한 단어는 '머리'이다. 각 속담의 풀이는 다음과 같다.
• 숙인 머리는 베지 않는다.: 항복하는 사람의 머리는 베지 않는다는 뜻으로, 잘못을 진실로 뉘우치는 사람은 관대히 용서함을 비유적으로 이르는 말.
• 검은 머리 파뿌리 될 때까지[되도록].: 검던 머리가 파뿌리처럼 하얗게 셀 때까지라는 뜻으로, 오래 살아 아주 늙을 때까지를 이르는 말.
• 머리를 감추고 꼬리를 숨긴다.: 몸을 숨기기 위하여 머리는 구멍에 감추고 꼬리는 사타구니에 감춘다는 뜻으로, 사실을 명백히 드러내어 놓지 않고 감추는 모양을 비유적으로 이르는 말.

14 ② 서울

✔️정답풀이 빈칸에 공통으로 들어가기에 적절한 단어는 '서울'이다. 각 속담의 풀이는 다음과 같다.
• 서울 (가서) 김 서방 찾는다[찾기].: 넓은 서울 장안에 가서 주소도 모르고 덮어놓고 김 서방을 찾는다는 뜻으로, 주소도 이름도 모르고 무턱대고 막연하게 사람을 찾아가는 경우를 비유적으로 이르는 말.
• 남이 서울 간다니 저도 간단다.: 자기 주견이 없이 남이 한다고 덩달아 따라 함을 비유적으로 이르는 말.
• 말은 나면 제주도로 보내고 사람은 나면 서울로 보내라.: 망아지는 말의 고장인 제주도에서 길러야 하고, 사람은 어릴 때부터 서울로 보내어 공부를 하게 하여야 잘될 수 있다는 말.

15 ② 도둑

✔️정답풀이 빈칸에 공통으로 들어가기에 적절한 단어는 '도둑'이다. 각 속담의 풀이는 다음과 같다.
• 도둑맞으면 어미 품도 들춰 본다.: 물건을 잃게 되면 누구나 다 의심스럽게 여겨짐을 비유적으로 이르는 말.
• 도둑을 맞으려면 개도 안 짖는다.: 운수가 나쁘면 모든 것이 제대로 되지 않음을 비유적으로 이르는 말.
• 늦게 배운 도둑이 날 새는 줄 모른다.: 어떤 일에 남보다 늦게 재미를 붙인 사람이 그 일에 더 열중하게 됨을 비유적으로 이르는 말.

16 ⑤ 하늘

✔️정답풀이 빈칸에 공통으로 들어가기에 적절한 단어는 '하늘'이다. 각 속담의 풀이는 다음과 같다.
• 마른하늘에 날벼락[생벼락]이다.: 뜻하지 아니한 상황에서 뜻밖에 입는 재난을 이르는 말.

• 댓구멍으로 하늘을 본다.: 바늘구멍으로 하늘 보기. 조그만 구멍으로 넓디넓은 하늘을 본다는 뜻으로, 전체를 포괄적으로 보지 못하는 매우 좁은 소견이나 관찰을 비꼬는 말.
• 구름 없는 하늘에 비 올까.: 필요한 조건 없이 결과가 이루어지는 법이 없음을 강조하여 이르는 말.

17 ② 벙어리

✔️정답풀이 빈칸에 공통으로 들어가기에 적절한 단어는 '벙어리'이다. 각 속담의 풀이는 다음과 같다.
• 벙어리 냉가슴 앓듯 한다.: 벙어리가 안타까운 마음을 하소연할 길이 없어 속만 썩이듯 한다는 뜻으로, 답답한 사정이 있어도 남에게 말하지 못하고 혼자만 괴로워하며 걱정하는 경우를 비유적으로 이르는 말.
• 벙어리 속은 그 어미도 모른다.: 말을 하지 않고 가만 있는 벙어리의 속마음은 그 어머니조차도 알 길이 없다는 뜻으로, 무슨 말을 실지로 들어 보지 않고는 그 내용을 알 수 없음을 비유적으로 이르는 말.
• 벙어리가 증문 가지고 있는 격.: 말 못 하는 벙어리가 어떤 사실을 증명하는 문서를 가지고 있으면서도 똑바로 증언할 수 없다는 뜻으로, 정당한 이유나 근거를 가지고도 내놓고 입증할 수 없는 경우를 비유적으로 이르는 말.

18 ② 구관이 명관이다.

✔️정답풀이 '구관이 명관이다.'는 '무슨 일이든 경험이 많거나 익숙한 이가 더 잘하는 법임.'을 비유적으로 이르는 속담, 또는 '나중 사람을 겪어 봄으로써 먼저 사람이 좋은 줄을 알게 된다.'라는 의미의 속담이다.

❌오답풀이 ① 초록은 동색이다.: 풀색과 녹색은 같은 색이라는 뜻으로, 처지가 같은 사람들끼리 한패가 되는 경우를 비유적으로 이르는 말.
③ 가재는 게 편이다.: 모양이나 형편이 서로 비슷하고 인연이 있는 것끼리 서로 잘 어울리고, 사정을 보아주며 감싸 주기 쉬움을 비유적으로 이르는 말.
④ 검정개는 돼지 편이다.: 모양이나 형편이 서로 비슷하고 인연이 있는 것끼리 서로 잘 어울리고, 사정을 보아주며 감싸 주기 쉬움을 비유적으로 이르는 말.
⑤ 그 속옷이 그 속옷이다.: 처지가 같은 사람들끼리 한패가 되는 경우를 비유적으로 이르는 말.

19 ③ 개가 똥을 마다할까.

✔️정답풀이 '개가 똥을 마다할까[마다한다].'는 '본디 좋아하는 것을 짐짓 싫다고 거절할 때 이를 비꼬는' 속담이다.
❌오답풀이 ① 개 발에 (주석) 편자이다.: 옷차림이나 지닌 물건 따위가 제격에 맞지 아니하여 어울리지 않음을 비유적으로 이르는 말.

② 거적문에 (국화) 돌쩌귀이다.: 제격에 맞지 아니하게 지나친 치장을 함을 비유적으로 이르는 말.
④ 돼지 발톱에 봉숭아(물)를 들인다.: 제격에 맞지 아니하게 지나친 치장을 함을 비유적으로 이르는 말.
⑤ 돼지우리에 주석 자물쇠이다.: 제격에 맞지 아니하게 지나친 치장을 함을 비유적으로 이르는 말.

20 ③ 송충이가 갈잎을 먹으면 죽는다.

(✔정답풀이) '송충이가 갈잎을 먹으면 죽는다[떨어진다].'는 '솔잎만 먹고 사는 송충이가 갈잎을 먹게 되면 땅에 떨어져 죽게 된다.'라는 뜻으로, '자기 분수에 맞지 않는 짓을 하다가는 낭패를 봄.'을 비유적으로 이르는 속담이다. 제시문의 ⊙은 자신의 분수를 지키는 것을 미덕으로 여겨 소극적으로 살아가는 태도에 대해 이야기하고 있으므로, '송충이가 갈잎을 먹으면 죽는다.'가 적절하다.

(✖오답풀이) ① 제 버릇 개 줄까.: 한번 젖어 버린 나쁜 버릇은 쉽게 고치기 어렵다는 말.
② 핑계 없는 무덤이 없다.: 아무리 큰 잘못을 저지른 사람도 그것을 변명하고 이유를 붙일 수 있다는 말.
④ 양반은 얼어 죽어도 겻불[짚불]은 안 쬔다.: 아무리 궁하거나 다급한 경우라도 체면을 깎는 짓은 하지 아니한다는 말.
⑤ 콩 심은 데 콩 나고 팥 심은 데 팥 난다.: 모든 일은 근본에 따라 거기에 걸맞은 결과가 나타나는 것임을 비유적으로 이르는 말.

적용 문제

1 ⑤

(✔정답풀이) '얼굴을 익히다'의 '얼굴'은 '머리 앞면의 전체적 윤곽이나 생김새.'를 의미한다. 또 '익히다'는 '여러 번 겪어 설지 않다.'를 의미하는 '익다'의 사동사이다. 그러므로 '얼굴을 익히다'는 '사람의 생김새를 익숙하게 하다.'라는 의미이지, 제시문의 ⊙에서처럼 두 말이 합쳐져 새로운 의미가 만들어지는 경우, 즉 관용어에 해당하지 않는다.

(✖오답풀이) ① 콩가루(가) 되다.: 집안이나 어떤 조직이 망하다.
② 가지(를) 치다.: 하나의 근본에서 딴 갈래가 생기다.
③ 잔뼈(가) 굵다.: 오랜 기간 일정한 곳이나 직장에서 일을 하여 그 일에 익숙하다.
④ 배꼽(을) 쥐다[잡다].: 웃음을 참지 못하여 배를 움켜잡고 크게 웃다.

2 ④ 외손뼉이 못 울고 한 다리로 가지 못한다.

(✔정답풀이) '외손뼉이 못 울고 한 다리로 가지 못한다.'는 '두 손뼉이 마주 쳐야 소리가 나지 외손뼉만으로는 소리가 나 아

니한다.'라는 뜻으로, '일은 상대가 같이 응하여야지 혼자서만 해서는 잘되는 것이 아님.'을 비유적으로 이르는 속담이다. 〈보기 2〉는 새로운 말을 만들어도 사용하는 사람들의 호응에 따라 그 말의 성립이 결정된다는 의미이므로, '외손뼉이 못 울고 한 다리로 가지 못한다.'가 적절하다.

(✖오답풀이) ① 백지장도 맞들면 낫다.: 쉬운 일이라도 협력하여 하면 훨씬 쉽다는 말. (예) 백지장도 맞들면 낫다고 이 옷장을 함께 옮기도록 하자.
② 소 잃고 외양간 고친다.: 소를 도둑맞은 다음에서야 빈 외양간의 허물어진 데를 고치느라 수선을 떤다는 뜻으로, 일이 이미 잘못된 뒤에는 손을 써도 소용이 없음을 비꼬는 말. (예) 소 잃고 외양간 고치는 것도 한두 번이지 매번 사고가 터지고 나서야 대책을 세우는 것을 보니 속이 터진다.
③ 발 없는 말이 천 리 간다.: 말은 비록 발이 없지만 천 리 밖까지도 순식간에 퍼진다는 뜻으로, 말을 삼가야 함을 비유적으로 이르는 말. (예) 발 없는 말이 천 리 간다고 남에게 상처를 주는 말은 해서는 안 된다.
⑤ 말은 해야 맛이고 고기는 씹어야 맛이다.: 마땅히 할 말은 해야 한다는 말. (예) 말은 해야 맛이고 고기는 씹어야 맛이듯 잘못한 부분에 대해서는 따끔하게 지적해 주는 것이 좋다.

3 ④ 귀에 걸면 귀걸이 코에 걸면 코걸이.

(✔정답풀이) '귀에 걸면 귀걸이 코에 걸면 코걸이.'는 '어떤 원칙이 정해져 있는 것이 아니라 둘러대기에 따라 이렇게도 되고 저렇게도 될 수 있음.'을 비유적으로 이르는 속담이다. 따라서 '옥희도'에 대한 평가가 원칙 없이 이루어진다는 '남편'의 비판에 사용하기 가장 적절한 속담은 ④이다.

(✖오답풀이) ① 모래 위에 쌓은 성[누각/집].: 기초가 튼튼하지 못하여 곧 허물어질 수 있는 물건이나 일을 비유적으로 이르는 말. (예) 기초 과정을 수료하지 않고 심화 과정을 공부하는 것은 모래 위에 쌓은 성이나 다름없다.
② 고양이 쥐 사정 보듯.: 고양이가 쥐 생각. 속으로는 해칠 마음을 품고 있으면서, 겉으로는 생각해 주는 척함을 이르는 말. (예) 그는 내가 잘못되기를 바라면서 고양이 쥐 사정 보듯 갑자기 나를 걱정하는 척을 해댄다.
③ 까마귀 날자 배 떨어진다.: 아무 관계없이 한 일이 공교롭게도 때가 같아 어떤 관계가 있는 것처럼 의심을 받게 됨을 비유적으로 이르는 말. (예) 우연히 도서관에서 만났을 뿐인데, 주변 사람들이 비밀 연애를 한다고 오해하는 것이 마치 까마귀 날자 배 떨어지는 격이다.
⑤ 될성부른 나무는 떡잎부터 알아본다.: 잘 자랄 나무는 떡잎부터 안다. 잘될 사람은 어려서부터 남달리 장래성이 엿보인다는 말. (예) 김 교수는 될성부른 나무는 떡잎부터 알아보듯 어릴 때부터 시를 잘 썼던 그 학생을 꾸준히 지켜봐 왔다.

01 가렴주구

✓ 정답 풀이 '가렴주구(가혹할 苛 거둘 斂 벨 誅 구할 求)'는 '세금을 가혹하게 거두어들이고, 무리하게 재물을 빼앗음.'을 의미하는 한자성어이다.

02 면종복배

✓ 정답 풀이 '면종복배(낯 面 좇을 從 배 腹 배반할 背)'는 '겉으로는 복종하는 체하면서 내심으로는 배반함.'을 의미하는 한자성어이다.

03 수구초심

✓ 정답 풀이 '수구초심(머리 首 언덕 丘 처음 初 마음 心)'은 '여우가 죽을 때에 머리를 자기가 살던 굴 쪽으로 둔다는 뜻으로, 고향을 그리워하는 마음.'을 의미하는 한자성어이다.

04 새옹지마

✓ 정답 풀이 '새옹지마(변방 塞 늙은이 翁 갈 之 말 馬)'는 '인생의 길흉화복은 변화가 많아서 예측하기가 어려움.'을 의미하는 한자성어이다.

어·휘·력 **Up** '새옹지마(塞翁之馬)'의 유래

옛날에 새옹이 기르던 말이 오랑캐의 땅으로 달아나서 노인이 낙심하였는데, 그 후에 달아났던 말이 빠르게 잘 달리는 말을 한 필 끌고와서 그 덕분에 훌륭한 말을 얻게 되었다. 이후 아들이 그 말을 타다가 떨어져서 다리가 부러졌고 노인은 다시 낙심하였다. 그러나 아들이 다리를 다친 덕에 전쟁에 끌려 나가지 아니하고 죽음을 면할 수 있었다.

05 선공후사

✓ 정답 풀이 '선공후사(먼저 先 공평할 公 뒤 後 사사 私)'는 '공적인 일을 먼저 하고 사사로운 일은 뒤로 미룸.'을 의미하는 한자성어이다.

06 물아일체

✓ 정답 풀이 '물아일체(물건 物 나 我 한 一 몸 體)'는 '외물(外物)과 자아, 객관과 주관, 또는 물질계와 정신계가 어울려 하나가 됨.'을 의미하는 한자성어이다.

07 감탄고토

✓ 정답 풀이 '감탄고토(달 甘 삼킬 呑 쓸 苦 토할 吐)'는 '달면 삼

키고 쓰면 뱉는다는 뜻으로, 자신의 비위에 따라서 사리의 옳고 그름을 판단함.'을 의미하는 한자성어이다.

08 사면초가

✓ 정답 풀이 '사면초가(넉 四 낯 面 초나라 楚 노래 歌)'는 '아무에게도 도움을 받지 못하는, 외롭고 곤란한 지경에 빠진 형편.'을 의미하는 한자성어이다.

어·휘·력 **Up** '사면초가(四面楚歌)'

초나라 항우가 사면을 둘러싼 한나라 군사 쪽에서 들려오는 초나라의 노랫소리를 듣고 초나라 군사가 이미 항복한 줄 알고 놀랐다는 데서 '사면초가(四面楚歌)'가 유래한다. 이와 유사한 한자성어에는 다음과 같은 것이 있다.

- **진퇴양난(나아갈 進 물러날 退 두 兩 어려울 難)**: 이러지도 저러지도 못하는 어려운 처지.
- **진퇴유곡(나아갈 進 물러날 退 벼리 維 골 谷)**: 이러지도 저러지도 못하고 꼼짝할 수 없는 궁지.
- **백난지중(일백 百 어려울 難 갈 之 가운데 中)**: 온갖 괴로움과 어려움을 겪는 가운데.

09 남부여대

✓ 정답 풀이 '남부여대(사내 男 질 負 여자 女 일 戴)'는 '남자는 지고 여자는 인다는 뜻으로, 가난한 사람들이 살 곳을 찾아 이리저리 떠돌아다님.'을 비유적으로 이르는 한자성어이다.

10 반포지효

✓ 정답 풀이 '반포지효(돌이킬 反 먹일 哺 갈 之 효도 孝)'는 까마귀 새끼가 자라서 늙은 어미에게 먹이를 물어다 주는 효(孝)라는 뜻으로, 자식이 자란 후에 어버이의 은혜를 갚는 효성.'을 의미하는 한자성어이다. 제시된 예문은 부모를 효로 모시는 것은 자식의 도리라는 의미이므로 '반포지효'가 적절하다.

11 당랑거철

✓ 정답 풀이 '당랑거철(사마귀 螳 사마귀 螂 막을 拒 바퀴 자국 轍)'은 '제 역량을 생각하지 않고, 강한 상대나 되지 않을 일에 덤벼드는 무모한 행동거지.'를 비유적으로 이르는 한자성어이다. 제시된 예문은 자신의 실력이 부족함도 모르면서 무모하게 덤벼든다는 의미이므로 '당랑거철'이 적절하다. 참고로 '당랑거철'은 중국 제나라 장공(莊公)이 사냥을 나가는데 사마귀가 앞발을 들고 수레바퀴를 멈추려 했다는 데서 유래한다.

12 상전벽해

✓ 정답 풀이 '상전벽해(뽕나무 桑 밭 田 푸를 碧 바다 海)'는 '뽕나무밭이 변하여 푸른 바다가 된다는 뜻으로, 세상일의 변천이심함.'을 비유적으로 이르는 한자성어이다. 제시된 예문은 어린

시절 뛰놀던 고향이 크게 변화했다는 의미이므로 '상전벽해'가 적절하다.

13 권토중래

✓ 정답 풀이 '권토중래(거둘 捲 흙 土 무거울 重 올 來)'는 '어떤 일에 실패한 뒤에 힘을 가다듬어 다시 그 일에 착수함.'을 비유적으로 의미하는 한자성어이다. 제시된 예문은 시험을 망친 후에 다시 공부를 열심히 하고자 하는 마음에 방과 후 수업을 신청했다는 의미이므로 '권토중래'가 적절하다.

14 백년하청

✓ 정답 풀이 '백년하청(일백 百 해 年 황하 河 맑을 淸)'은 '중국의 황허 강이 늘 흐려 맑을 때가 없다는 뜻으로, 아무리 오랜 시일이 지나도 어떤 일이 이루어지기 어려움.'을 의미하는 한자성어이다. 제시된 예문은 예산 부족을 이유로 계속 미룬다면 시간이 지나도 그 문제의 해결이 이루어지기 어렵다는 의미이므로 '백년하청'이 적절하다.

15 고립무원

✓ 정답 풀이 '고립무원(외로울 孤 설 立 없을 無 도울 援)'은 '고립되어 구원을 받을 데가 없음.'을 의미하는 한자성어이다. 제시된 예문은 요즘은 외톨이가 된 심정이라는 의미이므로 '고립무원'이 적절하다.

16 백중지세

✓ 정답 풀이 '백중지세(맏 伯 버금 仲 갈 之 형세 勢)'는 '서로 우열을 가리기 힘든 형세.'를 의미하는 한자성어이다. 제시된 예문은 쉽게 승부가 나지 않는 것을 보니 두 사람의 기량이 비슷하여 우열을 가리기 어렵다는 의미이므로 '백중지세'가 적절하다.

17 백척간두

✓ 정답 풀이 '백척간두(일백 百 자 尺 낚싯대 竿 머리 頭)'는 '백 자나 되는 높은 장대 위에 올라섰다는 뜻으로, 몹시 어렵고 위태로운 지경.'을 의미하는 한자성어이다. 제시된 예문은 국가의 운명이 절박한 상황에 놓여 있다는 의미이므로 '백척간두'가 적절하다.

> **어·휘·력 Up '위기 상황'과 관련된 한자성어**
> - **누란지위(여러 累 알 卵 갈 之 위태할 危):** 층층이 쌓아 놓은 알의 위태로움이라는 뜻으로, 몹시 아슬아슬한 위기를 비유적으로 이르는 말.
> - **풍전등화(바람 風 앞 前 등 燈 불 火):** 바람 앞의 등불이라는 뜻으로, 사물이 매우 위태로운 처지에 놓여 있음을 비유적으로 이르는 말.
> - **위기일발(위태할 危 틀 機 한 一 터럭 髮):** 여유가 조금도 없이 몹시 절박한 순간.
> - **명재경각(목숨 命 있을 在 잠깐 頃 새길 刻):** 거의 죽게 되어 곧 숨이 끊어질 지경에 이름.

18 ① 각골통한

✓ 정답 풀이 '각골통한(새길 刻 뼈 骨 아플 痛 한 恨)'은 '뼈에 사무칠 만큼 원통하고 한스러움. 또는 그런 일.'을 의미하는 한자성어이다. 밑줄 친 부분은 섬 사람들이 힘 있는 사람들에게 자신들의 땅을 빼앗기는 과정에서 땅에 대한 원한이 컸음을 의미하므로 '각골통한'이 적절하다.

✗ 오답 풀이 ② 노심초사(勞心焦思): 몹시 마음을 쓰며 애를 태움을 이르는 말. 예 그는 친구와 무슨 말다툼이라도 할까 봐 노심초사하는 기색이었다.
③ 전전반측(輾轉反側): 누워서 몸을 이리저리 뒤척이며 잠을 이루지 못함을 이르는 말. 예 생계 걱정 때문에 전전반측하다가 그만 밤을 새우고 말았다.
④ 풍수지탄(風樹之歎): 효도를 다하지 못한 채 어버이를 여읜 자식의 슬픔을 이르는 말. 예 부모님이 돌아가시고 난 후에야 풍수지탄의 심정을 알게 되었다.
⑤ 후회막급(後悔莫及): 이미 잘못된 뒤에 아무리 후회하여도 다시 어찌할 수가 없음. 예 진작에 대화로 문제를 해결하지 못한 것이 후회막급이다.

19 ② 망연자실

✓ 정답 풀이 '망연자실(아득할 茫 그럴 然 스스로 自 잃을 失)'은 '멍하니 정신을 잃음.'을 의미하는 한자성어이다. 밑줄 친 부분은 나기배 씨가 텔레비전을 보겠다고 하던 일을 버려 두고 가 버린 아들들의 행동을 보고 우두커니 서 있는 상황을 의미하므로 '망연자실'이 적절하다.

✗ 오답 풀이 ① 학수고대(鶴首苦待): 학의 목처럼 목을 길게 빼고 간절히 기다림을 이르는 말. 예 국민들은 우리나라 선수단의 승전보를 학수고대하였다.
③ 전전긍긍(戰戰兢兢): 몹시 두려워서 벌벌 떨며 조심함을 이르는 말. 예 성 안의 백성들은 새벽에 기습이라도 받을까 봐 전전긍긍하였다.
④ 절치부심(切齒腐心): 몹시 분하여 이를 갈며 속을 썩임을 이르는 말. 예 그 아이는 이유 없이 혼난 것이 분해 절치부심하였다.
⑤ 오매불망(寤寐不忘): 자나 깨나 잊지 못함. 예 우리 민족은 우리나라의 독립을 오매불망하였다.

20 ⑤ 목불인견

✓ 정답 풀이 '목불인견(눈 目 아니 不 참을 忍 볼 見)'은 '눈앞에 벌어진 상황 따위를 눈 뜨고는 차마 볼 수 없음.'을 의미하는 한자성어이다. 밑줄 친 부분은 자란이 운영과 진사가 불쌍하여 차마 바라보지 못하고 있는 상황을 의미하므로 '목불인견'이 적절하다.

✗ 오답 풀이 ① 불요불굴(不撓不屈): 한번 먹은 마음이 흔들리거나 굽힘이 없음. 예 그들은 불요불굴의 의지를 갖고 노력하였다.
② 목불식정(目不識丁): 아주 간단한 글자인 '丁' 자를 보고도 그것이 '고무래'인 줄을 알지 못한다는 뜻으로 아주 까막눈임을 이

르는 말. 예 그렇게 쉬운 것도 모르다니, **목불식정**이 따로 없네.
③ 불철주야(不撤晝夜): 어떤 일에 몰두하여 조금도 쉴 사이 없이 밤낮을 가리지 아니함. 예 그녀는 **불철주야**로 남편의 출세만을 바라고 있었다.
④ 구곡간장(九曲肝腸): 굽이굽이 서린 창자라는 뜻으로, 깊은 마음속 또는 시름이 쌓인 마음속을 비유적으로 이르는 말. 예 집에 혼자 남아 있는 어머니를 생각하면 언제나 **구곡간장**이 녹는 아픔을 느낀다.

30일차 한자성어 ②

01 단표누항 – ㄹ

✓정답 풀이 '단표누항(소쿠리 簞 바가지 瓢 더러울 陋 거리 巷)'은 '누항(좁고 지저분하며 더러운 거리)에서 먹는 한 그릇의 밥과 한 바가지의 물이라는 뜻으로, 선비의 청빈한 생활.'을 의미하는 한자성어이다.
예 세상에 대한 욕심이 없는 그는 **단표누항**을 자신의 좌우명으로 삼았다.

02 견리사의 – ㉠

✓정답 풀이 '견리사의(볼 見 이로울 利 생각 思 옳을 義)'는 '눈앞의 이익을 보면 의리를 먼저 생각함.'을 의미하는 한자성어이다. 참고로 '견리망의(볼 見 이로울 利 잊을 忘 옳을 義)'는 '눈앞의 이익을 보면 의리를 잊음.'을 의미하는 한자성어로, '견리사의'와 반대되는 말이다.
예 눈앞의 이익만 따지지 말고 **견리사의**해야지.

03 맥수지탄 – ㉡

✓정답 풀이 '맥수지탄(보리 麥 빼어날 秀 갈 之 탄식할 嘆)'은 '고국의 멸망을 한탄함.'을 의미하는 한자성어이다. '맥수지탄'은 기자(箕子)가 은(殷)나라가 망한 뒤에도 보리만은 잘 자라는 것을 보고 한탄하였다는 데서 유래한다.
예 조선이 건국되었을 때 고려의 유신들은 **맥수지탄**을 느꼈을 것이다.

04 부화뇌동 – ㉤

✓정답 풀이 '부화뇌동(붙을 附 화할 和 우레 雷 한가지 同)'은 '줏대 없이 남의 의견에 따라 움직임.'을 의미하는 한자성어이다.
예 다른 사람의 의견에 쉽사리 **부화뇌동**하는 것은 아예 처음부터 하지 않음만 못합니다.

05 사필귀정 – ㉢

✓정답 풀이 '사필귀정(일 事 반드시 必 돌아갈 歸 바를 正)'은 '모든 일은 반드시 바른길로 돌아감.'을 의미하는 한자성어이다.
예 이번 문제도 조만간 **사필귀정**이 될 것이니 기다려 보게.

06 간담상조

✓정답 풀이 '간담상조(간 肝 쓸개 膽 서로 相 비칠 照)'는 '서로 속마음을 털어놓고 친하게 사귐.'을 의미하는 한자성어이다. 제시된 예문은 오랫동안 알고 지낸 친구가 떠나 버려 쓸쓸하다는 의미이므로 '간담상조'가 적절하다.

07 기호지세

✓정답 풀이 '기호지세(말 탈 騎 범 虎 갈 之 형세 勢)'는 '호랑이를 타고 달리는 형세라는 뜻으로, 이미 시작한 일을 중도에서 그만둘 수 없는 경우.'를 비유적으로 이르는 한자성어이다. 제시된 예문은 하고 있는 일을 멈출 수가 없으니 목적을 달성할 때까지는 계속 버틸 수밖에 없다는 의미이므로 '기호지세'가 적절하다.

08 동병상련

✓정답 풀이 '동병상련(한가지 同 병 病 서로 相 불쌍히 여길 憐)'은 '같은 병을 앓는 사람끼리 서로 가엽게 여긴다는 뜻으로, 어려운 처지에 있는 사람끼리 서로 가엽게 여김.'을 의미하는 한자성어이다. 제시된 예문은 자신이 어려워 봐야 타인의 어려움도 생각할 줄 알게 된다는 의미이므로 '동병상련'이 적절하다.

09 문전성시

✓정답 풀이 '문전성시(문 門 앞 前 이룰 成 저자 市)'는 '찾아오는 사람이 많아 집 문 앞이 시장을 이루다시피 함.'을 의미하는 한자성어이다. 제시된 예문은 텔레비전 프로그램에 소개된 식당이 손님들로 붐빈다는 의미이므로 '문전성시'가 적절하다.

10 속수무책

✓정답 풀이 '속수무책(묶을 束 손 手 없을 無 꾀 策)'은 '손을 묶은 것처럼 어찌할 도리가 없어 꼼짝 못 함.'을 의미하는 한자성어이다. 제시된 예문은 그가 고집을 부리면 우리도 어떻게 할 수 없다는 의미이므로 '속수무책'이 적절하다.

11 설상가상

✓정답 풀이 '설상가상(눈 雪 위 上 더할 加 서리 霜)'은 '눈 위에 서리가 덮인다는 뜻으로, 난처한 일이나 불행한 일이 잇따라 일어남.'을 의미하는 한자성어이다. 제시된 예문은 눈보라도 치는데 거기에 더해 주위마저 어두워지는 상황이라는 의미이므로 '설상가상'이 적절하다.

어·휘·력 Up '설상가상(雪上加霜)'의 유의어와 반의어

• 유의어: 전호후랑(앞 前 범 虎 뒤 後 이리 狼)
  앞문에서 호랑이를 막고 있으려니까 뒷문으로 이리가 들어온다는 뜻으로, 재앙이 끊일 사이 없이 닥침을 비유적으로 이르는 말.
• 반의어: 금상첨화(비단 錦 위 上 더할 添 꽃 花)
  비단 위에 꽃을 더한다는 뜻으로, 좋은 일 위에 또 좋은 일이 더하여짐을 비유적으로 이르는 말.

12 수주대토 – ⓛ 각주구검

✅ **정답 풀이** '수주대토(지킬 守 그루 株 기다릴 待 토끼 兔)'는 '한 가지 일에만 얽매여 발전을 모르는 어리석은 사람.'을 비유적으로 이르는 한자성어이다. 중국 송나라의 한 농부가 우연히 나무 그루터기에 토끼가 부딪쳐 죽은 것을 잡은 후, 또 그와 같이 토끼를 잡을까 하여 일도 하지 않고 그루터기만 지키고 있었다는 데서 유래한다. '각주구검(새길 刻 배 舟 구할 求 칼 劍)'은 '융통성 없이 현실에 맞지 않는 낡은 생각을 고집하는 어리석음.'을 의미하는 한자성어이다. 초나라 사람이 배에서 칼을 물속에 떨어뜨리고 그 위치를 뱃전에 표시하였다가 나중에 배가 움직인 것을 생각하지 않고 칼을 찾았다는 데서 유래한다. 따라서 '수주대토'와 '각주구검'은 모두 융통성이 없음을 의미하는 한자성어이다.

㉠ 수주대토 격으로 오로지 요행만을 바라는 사람에게는 미래가 없다.
㉡ 시대가 바뀌었는데도 예전의 가치만을 강요하는 각주구검의 자세는 고쳐야 한다.

13 구밀복검 – ② 표리부동

✅ **정답 풀이** '구밀복검(입 口 꿀 蜜 배 腹 칼 劍)'은 '입에는 꿀이 있고 배 속에는 칼이 있다는 뜻으로, 말로는 친한 듯하나 속으로는 해칠 생각이 있음.'을 의미하는 한자성어이다. '표리부동(겉 表 속 裏 아닐 不 한가지 同)'은 '겉으로 드러나는 언행과 속으로 가지는 생각이 다름.'을 의미하는 한자성어이다. 따라서 '구밀복검'과 '표리부동'은 모두 겉과 속이 다름을 의미하는 한자성어이다.

㉠ 말이 너무 번드르르한 사람은 혹시 구밀복검일지도 모르니 신중하게 대해야 한다.
㉡ 나는 표리부동한 사람의 양면성에 상처를 받은 적이 있다.

14 막역지우 – ⓐ 수어지교

✅ **정답 풀이** '막역지우(없을 莫 거스를 逆 갈 之 벗 友)'는 서로 거스름이 없는 친구라는 뜻으로, '허물이 없이 아주 친한 친구.'를 의미하는 한자성어이다. '수어지교(물 水 물고기 魚 갈 之 사귈 交)'는 '물이 없으면 살 수 없는 물고기와 물의 관계라는 뜻으로, 아주 친밀하여 떨어질 수 없는 사이.'를 비유적으로 이르는 한자성어이다. 따라서 '막역지우'와 '수어지교'는 모두 절친한 친구를 의미하는 한자성어이다.

㉠ 그와는 어려서부터 싸움도 잦았지만 뜻이 맞는 유일한 막역지우였다.
㉡ 언제나 모든 일을 함께하는 저 두 친구는 수어지교라 할 만하다.

어·휘·력 Up '아주 친한 친구'를 의미하는 한자성어

- **관포지교(대롱 管 절인 물고기 鮑 갈 之 사귈 交):** 관중과 포숙의 사귐이란 뜻으로, 우정이 아주 돈독한 친구 관계를 이르는 말.
- **문경지교(목 벨 刎 목 頸 갈 之 사귈 交):** 서로를 위해서라면 목이 잘린다 해도 후회하지 않을 정도의 사이라는 뜻으로, 생사를 같이할 수 있는 아주 가까운 사이. 또는 그런 친구를 이르는 말.
- **간담상조(간 肝 쓸개 膽 서로 相 비칠 照):** 서로 속마음을 털어놓고 친하게 사귐.

- **금란지계(쇠 金 난초 蘭 갈 之 맺을 契):** 친구 사이의 매우 두터운 정을 이르는 말.
- **금석지교(쇠 金 돌 石 갈 之 사귈 交):** 쇠나 돌처럼 굳고 변함없는 사귐.

15 경국지색 – ㉠ 절세가인

✅ **정답 풀이** '경국지색(기울 傾 나라 國 갈 之 빛 色)'은 '임금이 혹하여 나라가 기울어져도 모를 정도의 미인이라는 뜻으로, 뛰어나게 아름다운 미인.'을 의미하는 한자성어이다. '절세가인(끊을 絕 인간 世 아름다울 佳 사람 人)'은 '세상에 견줄 만한 사람이 없을 정도로 뛰어나게 아름다운 여인.'을 의미하는 한자성어이다. 따라서 '경국지색'과 '절세가인'은 모두 세상에 견줄 데가 없을 정도의 아름다운 미인을 의미하는 한자성어이다.

㉠ 그녀는 경국지색은 아니지만 충분히 매력이 있는 여자이다.
㉡ 저 부인은 절세가인이었던 어머니를 닮아 미모를 타고났다.

16 난형난제 – ⓒ 막상막하

✅ **정답 풀이** '난형난제(어려울 難 형 兄 어려울 難 아우 弟)'는 '누구를 형이라 하고 누구를 아우라 하기 어렵다는 뜻으로, 두 사물이 비슷하여 낫고 못함을 정하기 어려움.'을 의미하는 한자성어이다. '막상막하(없을 莫 위 上 없을 莫 아래 下)'는 '더 낫고 더 못함의 차이가 거의 없음.'을 의미하는 한자성어이다. 따라서 '난형난제'와 '막상막하'는 모두 우열을 가리기 어려움을 의미하는 한자성어이다.

㉠ 결승전에서 만난 두 선수는 난형난제라 결과를 점칠 수 없다.
㉡ 막상막하의 접전을 펼치는 두 팀 간의 경기가 흥미진진하다.

17 근묵자흑 – ⓗ 남귤북지

✅ **정답 풀이** '근묵자흑(가까울 近 먹 墨 사람 者 검을 黑)'은 '먹을 가까이하는 사람은 검어진다는 뜻으로, 나쁜 사람과 가까이 지내면 나쁜 버릇에 물들기 쉬움.'을 비유적으로 이르는 한자성어이다. '남귤북지(남녘 南 귤 橘 북녘 北 탱자 枳)'는 '강남의 귤을 강북에 심으면 탱자가 된다는 뜻으로. 사람은 사는 곳의 환경에 따라 착하게도 되고 악하게도 됨.'을 비유적으로 이르는 한자성어이다. 따라서 '근묵자흑'과 '남귤북지'는 주변의 영향을 받는다는 것을 의미하는 한자성어이다.

㉠ 근묵자흑이라는 말이 있으니, 나쁜 친구를 가까이하지 말거라.
㉡ 범죄자였던 그가 봉사자들과 어울린 후 사회사업에 앞장서게 되다니 남귤북지라 할 만하군.

18 ② 낭중지추

✅ **정답 풀이** '낭중지추(주머니 囊 가운데 中 갈 之 송곳 錐)'는 '주머니 속의 송곳이라는 뜻으로, 재능이 뛰어난 사람은 숨어 있어도 저절로 사람들에게 알려짐.'을 의미하는 한자성어이다. 제시문의 밑줄 친 부분은 보배로운 칼이나 큰 조개 같은 것들은 묻혀 있어도 남의 눈에 드러난다는 의미이므로 '낭중지추'가 적절하다.

오답 풀이 ① 가인박명(佳人薄命): 미인은 불행하거나 병약하여 요절하는 일이 많음. = 미인박명. 예 가인박명이라더니, 아름다웠던 그녀가 젊은 나이에 세상을 뜬 것이 안타깝구나.

③ 당랑거철(螳螂拒轍): 제 역량을 생각하지 않고, 강한 상대나 되지 않을 일에 덤벼드는 무모한 행동거지를 비유적으로 이르는 말. 예 실현 가능성이 전혀 없는 일에 덤벼드는 것은 그야말로 당랑거철이다.

④ 금의야행(錦衣夜行): 비단옷을 입고 밤길을 다닌다는 뜻으로, 자랑삼아 하지 않으면 생색이 나지 않음을 이르는 말. 또는 아주 보람이 없는 일을 함을 이르는 말. 예 외국에서 큰 성공을 거뒀지만 국내에서는 아무도 알아주지 않으니 금의야행이로구나.

⑤ 삼고초려(三顧草廬): 인재를 맞아들이기 위하여 참을성 있게 노력함. 중국 삼국 시대에, 촉한의 유비가 난양에 은거하고 있던 제갈량의 초옥으로 세 번이나 찾아갔다는 데서 유래한다. 예 회사의 미래를 위해서라면 삼고초려라도 해서 그분을 모셔 와야만 합니다.

어·휘·력 Up '낭중지추(囊中之錐)'와 유사한 의미의 한자성어

추처낭중(송곳 錐 곳 處 주머니 囊 가운데 中): 송곳이 주머니에 있으면 그 끝이 밖으로 뚫고 나오는 것과 같이 재능 있는 사람은 머지않아 그 재능이 알려지기 마련임을 비유적으로 이르는 말.

19 ⑤ 과유불급

정답 풀이 '과유불급(지날 過 오히려 猶 아니 不 미칠 及)'은 '정도를 지나침은 미치지 못함과 같다는 뜻으로, 중용(中庸)이 중요함.'을 의미하는 한자성어이다. 제시문의 밑줄 친 부분은 욕심을 내면 화근이 깊어지고, 결과를 빨리 보고자 서두르게 되면 실패를 빨리 겪게 된다는 의미이므로 '과유불급'이 적절하다.

오답 풀이 ① 주마가편(走馬加鞭): 달리는 말에 채찍질한다는 뜻으로, 잘하는 사람을 더욱 장려함을 이르는 말. 예 우리 선생님은 열심히 공부하는 학생들을 주마가편 격으로 격려하신다.

② 적반하장(賊反荷杖): 도둑이 도리어 매를 든다는 뜻으로, 잘못한 사람이 아무 잘못도 없는 사람을 나무람을 이르는 말. 예 가해자가 피해자에게 보상을 요구하다니, 적반하장도 유분수지.

③ 와신상담(臥薪嘗膽): 불편한 섶에 몸을 눕히고 쓸개를 맛본다는 뜻으로, 원수를 갚거나 마음먹은 일을 이루기 위하여 온갖 어려움과 괴로움을 참고 견딤을 비유적으로 이르는 말. 예 올해는 꼴찌였지만 와신상담해서 내년에는 꼭 우승을 차지하자.

④ 파죽지세(破竹之勢): 대를 쪼개는 기세라는 뜻으로, 적을 거침없이 물리치고 쳐들어가는 기세를 이르는 말. 예 우리 팀은 파죽지세로 상대 팀의 방어벽을 뚫고 나갔다.

20 ② 좌정관천

정답 풀이 '좌정관천(앉을 坐 우물 井 볼 觀 하늘 天)'은 '우물 속에 앉아서 하늘을 본다는 뜻으로, 사람의 견문(見聞)이 매우 좁음.'을 의미하는 한자성어이다. 제시문의 밑줄 친 부분은 두더지가 수박 겉만 핥고 태어난 지 얼마 안 된 망아지가 서울을 다

녀온 것과 같다는 의미, 즉 상황이나 속 내용을 제대로 알지 못한다는 의미이므로 '좌정관천'이 적절하다.

오답 풀이 ① 어불성설(語不成說): 말이 조금도 사리에 맞지 아니함. 예 마음도 열지 않고 진정한 친구를 찾겠다는 말은 어불성설이다.

③ 우공이산(愚公移山): 우공이 산을 옮긴다는 뜻으로, 어떤 일이든 끊임없이 노력하면 반드시 이루어짐을 이르는 말. 예 하나씩 하나씩 우공이산의 마음으로 임하면 어려운 일도 이룰 수 있다.

④ 학행일치(學行一致): 배움과 실천이 하나로 들어맞음. 또는 배운 대로 실행함. 예 학교에서 배운 봉사 정신을 사회에서 실천해 나가는 그녀는 학행일치의 표본이다.

⑤ 우문현답(愚問賢答): 어리석은 질문에 대한 현명한 대답. 예 그는 내가 곤혹스러운 질문에 재치 있는 답변을 하자 우문현답이라며 감탄을 했다.

21 ① 간난신고

정답 풀이 '간난신고(어려울 艱 어려울 難 매울 辛 쓸 苦)'는 '몹시 힘들고 어려우며 고생스러움.'을 의미하는 한자성어이다. 제시문의 밑줄 친 부분은 원이 십 년 동안이나 매우 고생했다는 의미이므로 '간난신고'가 적절하다.

오답 풀이 ② 남가일몽(南柯一夢): 꿈과 같이 헛된 한때의 부귀영화를 이르는 말. 예 한평생을 돌아보니 마치 남가일몽 같구나.

③ 권불십년(權不十年): 권세는 십 년을 가지 못한다는 뜻으로, 아무리 높은 권세라도 오래가지 못함을 이르는 말. 예 권불십년이라더니, 김 대감도 결국 몰락의 길을 걸을 수밖에 없게 되었군.

④ 동상이몽(同床異夢): 같은 자리에 자면서 다른 꿈을 꾼다는 뜻으로, 겉으로는 같이 행동하면서도 속으로는 각각 딴생각을 하고 있음을 이르는 말. 예 지금 저들은 동업자 관계이지만 실제로는 서로 동상이몽을 하고 있다.

⑤ 오리무중(五里霧中): 오 리나 되는 짙은 안개 속에 있다는 뜻으로, 무슨 일에 대하여 방향이나 갈피를 잡을 수 없음을 이르는 말. 예 그 사건의 범인을 찾고 있지만 아직 오리무중 상태이다.

22 ③ 비분강개

정답 풀이 '비분강개(슬플 悲 분할 憤 슬플 慷 슬퍼할 慨)'는 '슬프고 분하여 의분이 북받침.'을 의미하는 한자성어이다. 제시문의 밑줄 친 부분은 백성들의 괴로움은 내버려 두고 권세만을 좇는 벼슬아치들에 대한 원통하고 분함을 의미하므로 '비분강개'가 적절하다.

오답 풀이 ① 발본색원(拔本塞源): 좋지 않은 일의 근본 원인이 되는 요소를 완전히 없애 버려서 다시는 그러한 일이 생길 수 없도록 함. 예 이번 기회에 우리 사회를 좀먹는 부정부패를 발본색원해야 한다.

② 소탐대실(小貪大失): 작은 것을 탐하다가 큰 것을 잃음. 예 비용 문제만 생각하고 안전을 소홀히 여기는 것은 소탐대실의 우려가 있다.

④ 암중모색(暗中摸索): 물건 따위를 어둠 속에서 더듬어 찾음.

또는 은밀한 가운데 일의 실마리나 해결책을 찾아내려 함. ⑩ 사건의 실마리를 찾기 위해 <u>암중모색</u>을 거듭하고 있다.

⑤ 경이원지(敬而遠之): 공경하되 가까이하지는 아니함. 또는 겉으로는 공경하는 체하면서 속으로는 꺼리어 멀리함. ⑩ 그는 스승에게 <u>경이원지</u>의 태도를 고수하였다.

23 ④ 자가당착

✔️**정답 풀이** '자가당착(스스로 自 집 家 칠 撞 붙을 着)'은 '같은 사람의 말이나 행동이 앞뒤가 서로 맞지 아니하고 모순됨.'을 의미하는 한자성어이다. 제시문의 밑줄 친 부분은 상황이 모순됨을 의미하므로 '자가당착'이 적절하다.

❌**오답 풀이** ① 도사구팽(兔死狗烹): 도끼가 죽으면 토끼를 잡던 사냥개도 필요 없게 되어 주인에게 삶아 먹히게 된다는 뜻으로, 필요할 때는 쓰고 필요 없을 때는 야박하게 버리는 경우를 이르는 말. ⑩ 그는 회사를 위해 열심히 일했지만 억울하게 <u>토사구팽</u>을 당하고 말았다.

② 풍전등화(風前燈火): 바람 앞의 등불이라는 뜻으로, 사물이 매우 위태로운 처지에 놓여 있음을 비유적으로 이르는 말. ⑩ 나라의 운명이 <u>풍전등화</u>와 같다.

③ 조삼모사(朝三暮四): 간사한 꾀로 남을 속여 희롱함을 이르는 말. ⑩ 그는 근본적인 대책은 세우지 않고 <u>조삼모사</u>로 우리를 구슬리려고만 한다.

⑤ 갈이천정(渴而穿井): 목이 말라야 비로소 샘을 판다는 뜻으로, 미리 준비를 하지 않고 있다가 일이 닥친 뒤에 서두르는 것을 비유적으로 이르는 말. ⑩ 시험에 임박해서야 <u>갈이천정</u> 격으로 벼락치기를 한다.

24 ② 반신반의

✔️**정답 풀이** '반신반의(반 半 믿을 信 반 半 의심할 疑)'는 '얼마쯤 믿으면서도 한편으로는 의심함.'을 의미하는 한자성어이다. 밑줄 친 부분은 심봉사가 눈앞의 사람이 심청인 것을 믿지 못하면서도 심청이인지 확인해 보려는 상황을 의미하므로 '반신반의'가 적절하다.

❌**오답 풀이** ① 기고만장(氣高萬丈): 펄펄 뛸 만큼 대단히 성이 남. 일이 뜻대로 잘될 때, 우쭐하여 뽐내는 기세가 대단함. ⑩ 예선에서 몇 번 이겼다고 <u>기고만장</u>하다니, 거만하기 짝이 없다.

③ 선우후락(先憂後樂): 세상의 근심할 일은 남보다 먼저 근심하고 즐거워할 일은 남보다 나중에 즐거워한다는 뜻으로, 지사나 어진 사람의 마음씨를 이르는 말. ⑩ 새로 당선된 시장은 <u>선우후락</u>의 자세로 시민들을 위해 일하겠노라고 말했다.

④ 점입가경(漸入佳境): 들어갈수록 점점 재미가 있음. 시간이 지날수록 하는 짓이나 몰골이 더욱 꼴불견임을 이르는 말. ⑩ 그들의 경쟁이 <u>점입가경</u>으로 치닫자 주변 사람들이 눈살을 찌푸렸다.

⑤ 일장춘몽(一場春夢): 한바탕의 봄꿈이라는 뜻으로, 헛된 영화나 덧없는 일을 이르는 말. ⑩ 인간의 일생은 <u>일장춘몽</u>이니 즐거움이 얼마나 있겠느냐?

01 고육지책

✔️**정답 풀이** 고육지책(쓸 苦 고기 肉 갈 之 꾀 策)'은 '자기 몸을 상해 가면서까지 꾸며 내는 계책이라는 뜻으로, 어려운 상태를 벗어나기 위해 어쩔 수 없이 꾸며 내는 계책.'을 의미하는 한자성어이다. '권모술수(권세 權 꾀 謀 재주 術 셈 數)'는 '목적 달성을 위하여 수단과 방법을 가리지 아니하는 온갖 모략이나 술책.'을 의미하는 한자성어이다. 제시된 예문은 정부가 농민들의 피해를 막기 위해 어쩔 수 없이 배추 공급량을 줄이는 방안을 내놓았다는 의미이므로 '고육지책'이 적절하다.

⑩ 그는 회사의 이익을 위해 온갖 <u>권모술수</u>를 다 썼다.

02 만시지탄

✔️**정답 풀이** '만시지탄(늦을 晩 때 時 갈 之 탄식할 歎)'은 '시기에 늦어 기회를 놓쳤음을 안타까워하는 탄식.'을 의미하는 한자성어이다. '망운지정(바랄 望 구름 雲 갈 之 뜻 情)'은 '자식이 객지에서 고향에 계신 어버이를 생각하는 마음.'을 의미하는 한자성어이다. 제시된 예문은 오랫동안 살아온 터전을 내준 후 후회한다는 의미이므로 '만시지탄'이 적절하다.

⑩ 그는 고향을 떠난 후 <u>망운지정</u>에 눈물이 마를 날이 없었다.

어·휘·력 Up '탄식할 탄(歎)'이 사용된 한자성어

- **맥수지탄**(보리 麥 빼어날 秀 갈 之 탄식할 歎): 고국의 멸망을 한탄함을 이르는 말.
- **풍수지탄**(바람 風 나무 樹 갈 之 탄식할 歎): 효도를 다하지 못한 채 어버이를 여읜 자식의 슬픔을 이르는 말.
- **망양지탄**(망할 亡 양 羊 갈 之 탄식할 歎): 학문의 길이 여러 갈래여서 한 갈래의 진리도 얻기 어려움을 이르는 말.
- **망국지탄**(망할 亡 나라 國 갈 之 탄식할 歎): 나라가 망하여 없어진 것에 대한 한탄.
- **비육지탄**(넓적다리 髀 고기 肉 갈 之 탄식할 歎): 재능을 발휘할 때를 얻지 못하여 헛되이 세월만 보내는 것을 한탄함을 이르는 말.

03 불치하문

✔️**정답 풀이** '주객전도(주인 主 손 客 엎드러질 顚 넘어질 倒)'는 '주인과 손의 위치가 서로 뒤바뀐다는 뜻으로, 사물의 경중·선후·완급 따위가 서로 뒤바뀜.'을 의미하는 한자성어이다. '불치하문(아닐 不 부끄러울 恥 아래 下 물을 問)'은 손아랫사람이나 지위나 학식이 자기만 못한 사람에게 모르는 것을 묻는 일을 부끄러워하지 아니함.'을 의미하는 한자성어이다. 제시된 예문은 그가 모르는 것이 있을 때에는 부끄러워하지 않고 묻는다는 의미이므로, '불치하문'이 적절하다.

⑩ <u>주객전도</u>라더니 위로를 받아야 할 사람이 위로를 주는구나.

04 십시일반

✔️**정답 풀이** '삼순구식(석 三 열흘 旬 아홉 九 밥 食)'은 '삼십 일

동안 아홉 끼니밖에 먹지 못한다는 뜻으로, 몹시 가난함.'을 의미하는 한자성어이다. '십시일반(열 十 순가락 匙 한 一 밥 飯)'은 '밥 열 술이 한 그릇이 된다는 뜻으로, 여러 사람이 조금씩 힘을 합하면 한 사람을 돕기 쉬움.'을 의미하는 한자성어이다. 제시된 예문은 여러 명이 조금씩 돈을 모아 친구 병원비를 보태 준다는 의미이므로, '십시일반'이 적절하다.
⑩ <u>삼순구식</u>을 할지라도 마음이 편하다면 행복할 것 같다.

05 기우

✅**정답 풀이** '계륵(닭 鷄 갈빗대 肋)'은 '닭의 갈비라는 뜻으로, 그다지 큰 소용은 없으나 버리기에는 아까운 것.'을 의미하는 한자성어이다. '기우(나라 이름 杞 근심 憂)'는 '앞일에 대해 쓸데없는 걱정을 함. 또는 그 걱정.'을 의미하는 한자성어이다. 제시된 예문은 일이 잘못되지 않을까 하는 걱정이 쓸데없는 걱정이었다는 의미이므로, '기우'가 적절하다.
⑩ 이 일은 내가 맡기에는 보수가 적은 편이고, 남을 주기에는 아까우니, 이것이야말로 <u>계륵</u>이로구나.

06 대경실색

✅**정답 풀이** '대경실색(큰 大 놀랄 驚 잃을 失 빛 色)'은 '몹시 놀라 얼굴빛이 하얗게 질림.'을 의미하는 한자성어이다. '도탄지고(칠할 塗 숯 炭 갈 之 쓸 苦)'는 '진구렁에 빠지고 숯불에 타는 괴로움.'을 의미하는 한자성어이다. 제시된 예문은 그녀가 아들의 사고 소식에 매우 놀랐다는 의미이므로, '대경실색'이 적절하다.
⑩ 관리들의 수탈로 백성들은 <u>도탄지고</u>에 빠져 있다.

07 ③ 무위도식

✅**정답 풀이** '무위도식(없을 無 할 爲 무리 徒 밥 食)'은 '하는 일 없이 놀고먹음.'을 의미하는 한자성어이다.
❌**오답 풀이** ① 동고동락(同苦同樂): 괴로움도 즐거움도 함께함. ⑩ 우리는 평생 동안 <u>동고동락</u>하기로 맹세했다.
② 호구지책(糊口之策): 가난한 살림에서 그저 겨우 먹고살아 가는 방책. ⑩ 그는 하루 일당으로 근근이 살아가는 <u>호구지책</u>을 마련했다.
④ 우이독경(牛耳讀經): 쇠귀에 경 읽기라는 뜻으로, 아무리 가르치고 일러 주어도 알아듣지 못함을 이르는 말. ⑩ 그 친구 고집이 워낙 세서 내가 그렇게 말해도 <u>우이독경</u>이다.
⑤ 견마지충(犬馬之忠): 주인에 대한 개나 말의 충성이라는 뜻으로, 신하나 백성이 임금이나 나라에 바치는 충성을 낮추어 이르는 말. ⑩ 저는 신하 된 자로서 <u>견마지충</u>을 다할 뿐입니다.

08 ⑤ 불편부당

✅**정답 풀이** '불편부당(아닐 不 치우칠 偏 아닐 不 무리 黨)'은 '아주 공평하여 어느 쪽으로도 치우침이 없음.'을 의미하는 한자성어이다.
❌**오답 풀이** ① 중과부적(衆寡不敵): 적은 수효로 많은 수효를

대적하지 못함. ⑩ 군민이 힘을 합해 도처에서 항거에 나섰으나 결국 <u>중과부적</u>으로 적에게 쫓기고 말았다.
② 침소봉대(針小棒大): 작은 일을 크게 불리어 떠벌림. ⑩ 별일도 아닌 것을 <u>침소봉대</u>하지 마라.
③ 격물치지(格物致知): 실제 사물의 이치를 연구하여 지식을 완전하게 함. ⑩ 선비들은 <u>격물치지</u>를 실천하고자 노력한다.
④ 역지사지(易地思之): 처지를 바꾸어서 생각하여 봄. ⑩ 두 사람이 <u>역지사지</u>로 상대편의 주장에 귀를 기울일 필요가 있다.

09 ② 순망치한

✅**정답 풀이** '순망치한(입술 脣 망할 亡 이 齒 찰 寒)'은 '입술이 없으면 이가 시리다는 뜻으로, 서로 이해관계가 밀접한 사이에 어느 한쪽이 망하면 다른 한쪽도 그 영향을 받아 온전하기 어려움.'을 의미하는 한자성어이다.
❌**오답 풀이** ① 자승자박(自繩自縛): 자기의 줄로 자기 몸을 옭아 묶는다는 뜻으로, 자기가 한 말과 행동에 자기 자신이 옭혀 곤란하게 됨을 비유적으로 이르는 말. ⑩ 내가 한 말 때문에 이러지도 저러지도 못하게 되다니, <u>자승자박</u>의 상황이군.
③ 배수지진(背水之陣): 강이나 바다를 등지고 치는 진. 어떤 일을 성취하기 위하여 더 이상 물러설 수 없음을 비유적으로 이르는 말. ⑩ 우리 앞에 놓인 어려움도 <u>배수지진</u>의 각오로 임한다면 극복할 수 있다.
④ 후안무치(厚顔無恥): 뻔뻔스러워 부끄러움이 없음. ⑩ 잘못을 하고도 당당한 것은 <u>후안무치</u>로밖에 설명할 수 없다.
⑤ 오월동주(吳越同舟): 서로 적의를 품은 사람들이 한자리에 있게 된 경우나 서로 협력하여야 하는 상황을 비유적으로 이르는 말. ⑩ 두 후보는 가장 유력한 다른 후보를 견제하기 위해 <u>오월동주</u>를 선택하였다.

10 ① 교각살우

✅**정답 풀이** '교각살우(바로잡을 矯 뿔 角 죽일 殺 소 牛)'는 '소의 뿔을 바로잡으려다가 소를 죽인다는 뜻으로, 잘못된 점을 고치려다가 그 방법이나 정도가 지나쳐 오히려 일을 그르침.'을 의미하는 한자성어이다.
❌**오답 풀이** ② 양두구육(羊頭狗肉): 양의 머리를 걸어 놓고 개고기를 판다는 뜻으로, 겉보기만 그럴듯하게 보이고 속은 변변하지 아니함을 이르는 말. ⑩ 그 사람 멋있는 줄 알았는데, 알고 보니 겉만 번지르르한 <u>양두구육</u>이었어.
③ 혼정신성(昏定晨省): 밤에는 부모의 잠자리를 보아 드리고 이른 아침에는 부모의 밤새 안부를 묻는다는 뜻으로, 부모를 잘 섬기고 효성을 다함을 이르는 말. ⑩ 그는 <u>혼정신성</u>이 깍듯하기로 소문이 났다.
④ 오만무도(傲慢無道): 태도나 행동이 건방지거나 거만하여 도의를 지키지 아니함. ⑩ 그 녀석의 <u>오만무도</u>는 정말 눈 뜨고 봐 줄 수가 없을 지경이었다.
⑤ 아전인수(我田引水): 자기 논에 물 대기라는 뜻으로, 자기에게만 이롭게 되도록 생각하거나 행동함을 이르는 말. ⑩ 그들은

아전인수 격으로 자기 위주로만 일을 해석했다.

11 ② 수불석권

✔정답 풀이 '수불석권(손 手 아닐 不 풀 釋 책 卷)'은 '손에서 책을 놓지 아니하고 늘 글을 읽음.'을 의미하는 한자성어이다.

✖오답 풀이 ① 형설지공(螢雪之功): 반딧불·눈과 함께 하는 노력이라는 뜻으로, 고생을 하면서 부지런하고 꾸준하게 공부하는 자세를 이르는 말. **예** 그는 **형설지공**으로 공부에 매진하였다.
③ 주경야독(晝耕夜讀): 낮에는 농사짓고, 밤에는 글을 읽는다는 뜻으로, 어려운 여건 속에서도 꿋꿋이 공부함을 이르는 말. **예** 나는 **주경야독**으로 합격의 기쁨을 맛보았다.
④ 문일지십(聞一知十): 하나를 듣고 열 가지를 미루어 안다는 뜻으로, 지극히 총명함을 이르는 말. **예** 그는 **문일지십**하여 젊은 나이에 큰 성과를 남겼다.
⑤ 절차탁마(切磋琢磨): 옥이나 돌 따위를 갈고 닦아서 빛을 낸다는 뜻으로, 부지런히 학문과 덕행을 닦음을 이르는 말. **예** 나는 피나는 **절차탁마**의 과정을 거쳐 드디어 위대한 작품을 완성했다.

12 격세지감

✔정답 풀이 '격세지감(사이 뜰 隔 세상 世 갈 之 느낄 感)'은 '오래지 않은 동안에 몰라보게 변하여 아주 다른 세상이 된 것 같은 느낌.'을 의미하는 한자성어이다. 제시된 예문은 세상이 많이 달라졌다는 의미이므로 '격세지감'이 적절하다.

13 괄목상대

✔정답 풀이 '괄목상대(긁을 刮 눈 目 서로 相 상대할 對)'는 '눈을 비비고 상대편을 본다는 뜻으로, 남의 학식이나 재주가 놀랄 만큼 부쩍 늚.'을 의미하는 한자성어이다. 제시된 예문은 피나는 노력으로 기타 연주 실력이 매우 늘었다는 의미이므로 '괄목상대'가 적절하다.

14 감언이설

✔정답 풀이 '감언이설(달 甘 말씀 言 이로울 利 말씀 說)'은 '귀가 솔깃하도록 남의 비위를 맞추거나 이로운 조건을 내세워 꾀는 말.'을 의미하는 한자성어이다. 제시된 예문은 꾀는 말에 속아 장사 밑천을 떼였다는 의미이므로 '감언이설'이 적절하다.

15 선견지명

✔정답 풀이 '선견지명(먼저 先 볼 見 갈 之 밝을 明)'은 '어떤 일이 일어나기 전에 미리 앞을 내다보고 아는 지혜.'를 의미하는 한자성어이다. 제시된 예문은 앞을 내다보는 지혜가 있는 사람이 성공한다는 의미이므로 '선견지명'이 적절하다.

16 견강부회

✔정답 풀이 견강부회(끌 牽 강할 強 붙을 附 모일 會)'는 '이치에 맞지 않는 말을 억지로 끌어 붙여 자기에게 유리하게 함.'을 의미하는 한자성어이다. 제시된 예문은 주장을 합리화하기 위해 근거를 억지로 끌어다 붙인다는 의미이므로 '견강부회'가 적절하다.

17 마이동풍

✔정답 풀이 '마이동풍(말 馬 귀 耳 동녘 東 바람 風)'은 '동풍이 말의 귀를 스쳐 간다는 뜻으로, 남의 말을 귀담아듣지 아니하고 지나쳐 흘려버림.'을 의미하는 한자성어이다. 제시된 예문은 아무리 조언을 해도 그가 흘려듣는다는 의미이므로 '마이동풍'이 적절하다.

18 방약무인

✔정답 풀이 '방약무인(곁 傍 같을 若 없을 無 사람 人)'은 '곁에 사람이 없는 것처럼 아무 거리낌 없이 함부로 말하고 행동하는 태도가 있음.'을 의미하는 한자성어이다. 제시된 예문은 그들이 아무 거리낌 없이 떠들어 댄다는 의미이므로 '방약무인'이 적절하다.

19 ⑤ 노심초사

✔정답 풀이 '노심초사(일할 勞 마음 心 탈 焦 생각 思)'는 '몹시 마음을 쓰며 애를 태움.'을 의미하는 한자성어이다. 제시문의 밑줄 친 부분은 대부인이 밤낮으로 걱정한다는 의미이므로 '노심초사'가 적절하다.

✖오답 풀이 ① 자포자기(自暴自棄): 절망에 빠져 자신을 스스로 포기하고 돌아보지 아니함. **예** 그는 될 대로 되라지 하는 **자포자기**의 심정에 일을 포기했다.
② 망양지탄(亡羊之歎): 갈림길이 매우 많아 잃어버린 양을 찾을 길이 없음을 탄식한다는 뜻으로, 학문의 길이 여러 갈래여서 한 갈래의 진리도 얻기 어려움을 이르는 말. **예** 공부하는 방법을 잘 모르니 **망양지탄**의 심정이야.
③ 등화가친(燈火可親): 등불을 가까이할 만하다는 뜻으로, 서늘한 가을밤은 등불을 가까이 하여 글 읽기에 좋음을 이르는 말. **예** 가을은 **등화가친**의 계절이다.
④ 각골난망(刻骨難忘): 남에게 입은 은혜가 뼈에 새길 만큼 커서 잊히지 아니함. **예** 그동안 보살펴 주신 선생님의 은혜는 정말로 **각골난망**입니다.

20 ④ 천우신조

✅정답풀이 '천우신조(하늘 天 도울 佑 귀신 神 도울 助)'는 '하늘이 돕고 신령이 도움. 또는 그런 일.'을 의미하는 한자성어이다. 제시문의 밑줄 친 부분은 위태로운 상황에서 하늘의 도움으로 살았다는 의미이므로 '천우신조'가 적절하다.

❌오답풀이 ① 전화위복(轉禍爲福): 재앙과 화난이 바뀌어 오히려 복이 됨. 예 그는 현재의 어려움을 전화위복의 계기로 삼기로 마음먹었다.

② 청출어람(靑出於藍): 쪽에서 뽑아낸 푸른 물감이 쪽보다 더 푸르다는 뜻으로, 제자나 후배가 스승이나 선배보다 나음을 비유적으로 이르는 말. 예 김철수 선수야말로 그의 스승을 넘어선, 청출어람의 좋은 예라 할 수 있다.

③ 읍참마속(泣斬馬謖): 큰 목적을 위하여 자기가 아끼는 사람을 버림을 이르는 말. 예 그녀는 나의 친구이지만 규정을 어겼기 때문에 나는 읍참마속의 심정으로 그녀를 탈락시켰다.

⑤ 명재조석(命在朝夕): 거의 죽게 되어 곧 숨이 끊어질 지경에 이름.= 명재경각. 예 그는 사고를 당해 명재조석의 상황에 처해 있다.

21 ④ 좌불안석

✅정답풀이 '좌불안석(앉을 坐 아닐 不 편안할 安 자리 席)'은 '앉아도 자리가 편안하지 않다는 뜻으로, 마음이 불안하거나 걱정스러워서 한군데에 가만히 앉아 있지 못하고 안절부절하는 모양.'을 의미하는 한자성어이다. 제시문의 밑줄 친 부분은 토끼가 자라의 등에 앉아서 불안함을 느끼고 있다는 의미이므로 '좌불안석'이 적절하다.

❌오답풀이 ① 견물생심(見物生心): 어떠한 실물을 보게 되면 그것을 가지고 싶은 욕심이 생김. 예 견물생심이라고 바닥에 떨어진 돈을 본 순간 나도 모르게 손이 갔다.

② 금의환향(錦衣還鄕): 비단옷을 입고 고향에 돌아온다는 뜻으로, 출세를 하여 고향에 돌아가거나 돌아옴을 비유적으로 이르는 말. 예 나는 금의환향을 꿈꾸며 서울로 공부를 하러 올라왔다.

③ 함분축원(含憤蓄怨): 분한 마음을 품고 원한을 쌓음. 예 일제 강점기 동안의 우리 민족의 함분축원을 풀어야 했다.

⑤ 회지막급(悔之莫及): 이미 잘못된 뒤에 아무리 후회하여도 다시 어찌할 수가 없음.= 후회막급. 예 그는 중학생 때 공부를 하지 않은 것이 생각할수록 회지막급이라고 말했다.

32일차 한자성어 ④

01 ⓒ 일거양득

✅정답풀이 '일거양득(한 一 들 擧 두 兩 얻을 得)'은 '한 가지 일을 하여 두 가지 이익을 얻음.'을 의미하는 한자성어이다. 제시

된 예문은 한 가지 일로 너도 나도 이득을 볼 수 있다는 의미이므로 '일거양득'이 적절하다.

02 ⓗ 수수방관

✅정답풀이 '수수방관(소매 袖 손 手 곁 傍 볼 觀)'은 '팔짱을 끼고 보고만 있다는 뜻으로, 간섭하거나 거들지 아니하고 그대로 버려둠.'을 의미하는 한자성어이다. 제시된 예문은 친구가 힘들게 학급 일을 하는데 그대로 보고만 있는 것은 옳지 않다는 의미이므로 '수수방관'이 적절하다.

03 ⓖ 인지상정

✅정답풀이 '인지상정(사람 人 갈 之 항상 常 뜻 情)'은 '사람이면 누구나 가지는 보통의 마음.'을 의미하는 한자성어이다. 제시된 예문은 마음이 불안하면 누군가에게 의지하고 싶은 것이 사람의 보편적인 마음이라는 의미이므로 '인지상정'이 적절하다.

04 ⓛ 주마간산

✅정답풀이 '주마간산(달릴 走 말 馬 볼 看 뫼 山)'은 '말을 타고 달리며 산천을 구경한다는 뜻으로, 자세히 살피지 아니하고 대충대충 보고 지나감.'을 의미하는 한자성어이다. 제시된 예문은 대충 보면서 공부하면 시험 때 기억이 나지 않는다는 의미이므로 '주마간산'이 적절하다.

05 ⓜ 타산지석

✅정답풀이 '타산지석(다를 他 뫼 山 갈 之 돌 石)'은 '다른 산의 나쁜 돌이라도 자신의 산의 옥돌을 가는 데에 쓸 수 있다는 뜻으로, 본이 되지 않은 남의 말이나 행동도 자신의 지식과 인격을 수양하는 데에 도움이 될 수 있음.'을 비유적으로 이르는 한자성어이다. 제시된 예문은 그 아이의 잘못된 행동을 통해 다른 아이들이 깨달음을 얻기를 바랐다는 의미이므로 '타산지석'이 적절하다.

06 ⓔ 일취월장

✅정답풀이 '일취월장(날 日 나아갈 就 달 月 장차 將)'은 '나날이 다달이 자라거나 발전함.'을 의미하는 한자성어이다. 제시된 예문은 그가 한번 마음을 먹고 공부하니 나날이 발전했다는 의미이므로 '일취월장'이 적절하다.

📙어·휘·력Up '일취월장(日就月將)'과 유사한 의미의 한자성어

• 괄목상대(긁을 刮 눈 目 서로 相 대할 對): 눈을 비비고 상대편을 본다는 뜻으로, 남의 학식이나 재주가 놀랄 만큼 부쩍 늚을 이르는 말.
예 나는 우리 반이 괄목상대하게 될 것이라고 생각한다.
• 일진월보(날 日 나아갈 進 달 月 걸음 步): 나날이 다달이 계속하여 진보·발전함.
예 국력이 일진월보로 뻗어 나가고 있다.

07 ② 언중유골이었다.

✔정답풀이 '언중유골(말씀 言 가운데 中 있을 有 뼈 骨)'은 '말 속에 뼈가 있다는 뜻으로, 예사로운 말 속에 단단한 속뜻이 들어 있음.'을 의미하는 한자성어이다.

✗오답풀이 ① 언어도단(言語道斷): 말할 길이 끊어졌다는 뜻으로, 어이가 없어서 말하려 해도 말할 수 없음을 이르는 말. **예** 책도 안 보는 학생이 전교 1등을 하겠다는 것은 <u>언어도단</u>이다.
③ 유구무언(有口無言): 입은 있어도 말은 없다는 뜻으로, 변명할 말이 없거나 변명을 못함을 이르는 말. **예** 모두 내 잘못이니 <u>유구무언</u>일세.
④ 언행일치(言行一致): 말과 행동이 하나로 들어맞음. 또는 말한 대로 실행함. **예** 그는 <u>언행일치</u>를 추구하기 때문에, 한번 한 말에 대해서는 반드시 지키려고 애쓴다.
⑤ 언즉시야(言則是也): 말인즉 옳음. **예** 사리에 맞는 그 말이야말로 <u>언즉시야</u>다.

08 ① 자강불식하다

✔정답풀이 '자강불식(스스로 自 강할 強 아닐 不 쉴 息)'은 '스스로 힘써 몸과 마음을 가다듬어 쉬지 아니함.'을 의미하는 한자성어이다.

✗오답풀이 ② 자화자찬(自畵自讚): 자기가 그린 그림을 스스로 칭찬한다는 뜻으로, 자기가 한 일을 스스로 자랑함을 이르는 말. **예** 이 말이 <u>자화자찬</u>처럼 들릴지는 모르겠지만, 이 작품은 내가 심혈을 기울인 것이다.
③ 자업자득(自業自得): 자기가 저지른 일의 결과를 자기가 받음. **예** 애초에 잘못은 자기에게 있었으니 <u>자업자득</u>이지요.
④ 자급자족(自給自足): 필요한 물자를 스스로 생산하여 충당함. **예** 농경 사회는 필요한 대부분의 것을 <u>자급자족</u>하는 사회이다.
⑤ 자장격지(自將擊之): 자기 스스로 군사를 거느리고 나아가 싸움. 또는 남에게 시키지 아니하고 손수 함. **예** 이 일을 계기로 검찰 내부에서 <u>자장격지</u>의 개혁을 단행해야 할 것이다.

09 ④ 와신상담하는

✔정답풀이 '와신상담(누울 臥 섶 薪 맛볼 嘗 쓸개 膽)'은 '불편한 섶에 몸을 눕히고 쓸개를 맛본다는 뜻으로, 원수를 갚거나 마음먹은 일을 이루기 위하여 온갖 어려움과 괴로움을 참고 견딤.'을 비유적으로 이르는 한자성어이다.

✗오답풀이 ① 비분강개(悲憤慷慨): 슬프고 분하여 의분이 북받침. **예** 나는 그의 행동을 참지 못하고 결국 <u>비분강개</u>를 터뜨렸다.
② 유유자적(悠悠自適): 속세를 떠나 아무 속박 없이 조용하고 편안하게 삶. **예** 그는 은퇴 후 낙향하여 <u>유유자적</u>의 생애를 보냈다.
③ 부창부수(夫唱婦隨): 남편이 주장하고 아내가 이에 잘 따름. 또는 부부 사이의 그런 도리. **예** 그 부부는 <u>부창부수</u>라서 정말 찰떡 궁합이야.
⑤ 등고자비(登高自卑): 높은 곳에 오르려면 낮은 곳에서부터 오른다는 뜻으로, 일을 순서대로 하여야 함을 이르는 말. 또는 지위가 높아질수록 자신을 낮춤을 이르는 말. **예** <u>등고자비</u>의 자세로 기본부터 차례로 익혀 나가야 한다.

10 ⑤ 파죽지세로

✔정답풀이 '파죽지세(깨뜨릴 破 대나무 竹 갈 之 형세 勢)'는 '대를 쪼개는 기세라는 뜻으로, 적을 거침없이 물리치고 쳐들어 가는 기세.'를 의미하는 한자성어이다.

✗오답풀이 ① 간두지세(竿頭之勢): 대막대기 끝에 선 형세라는 뜻으로, 매우 위태로운 형세를 이르는 말. **예** 우리 회사는 지금 간두지세에 있습니다.
② 정족지세(鼎足之勢): 솥발처럼 셋이 맞서 대립한 형세. **예** 그 문제를 둘러싼 세 집단의 세력은 <u>정족지세</u>처럼 팽팽했다.
③ 누란지세(累卵之勢): 층층이 쌓아 놓은 알의 형세라는 뜻으로, 몹시 위태로운 형세를 비유적으로 이르는 말. **예** 논개는 <u>누란지세</u>에 처한 나라를 구하기 위해 왜장을 안고 진주 남강에 떨어져 죽었다.
④ 백중지세(伯仲之勢): 서로 우열을 가리기 힘든 형세. **예** 그 경기의 진행 양상은 양 팀의 우열을 가리기 힘든 <u>백중지세</u>였다.

11 ③ 학수고대했다.

✔정답풀이 '학수고대(학 鶴 머리 首 쓸 苦 기다릴 待)'는 '학의 목처럼 목을 길게 빼고 간절히 기다림.'을 의미하는 한자성어이다.

✗오답풀이 ① 불문곡직(不問曲直): 옳고 그름을 따지지 아니함. **예** 죄 없는 그들을 <u>불문곡직</u> 잡아다가 어쩌겠다는 거요?
② 곡학아세(曲學阿世): 바른 길에서 벗어난 학문으로 세상 사람에게 아첨함. **예** 학문의 바른 길을 찾지 않고 <u>곡학아세</u>하는 사람들이 넘쳐나고 있다.
④ 전전반측(輾轉反側): 누워서 몸을 이리저리 뒤척이며 잠을 이루지 못함. **예** 밤새도록 <u>전전반측</u>하다가 아침에야 잠이 들었다.
⑤ 오만불손(傲慢不遜): 태도나 행동이 거만하고 공손하지 못함. **예** 그는 선배나 상사에게도 막말을 하며 <u>오만불손</u>하게 대들었다.

12 ⑤ 안하무인이었다.

✔정답풀이 '안하무인(눈 眼 아래 下 없을 無 사람 人)'은 '눈 아래에 사람이 없다는 뜻으로, 방자하고 교만하여 다른 사람을 업신여김.'을 의미하는 한자성어이다.

✗오답풀이 ① 고식지계(姑息之計): 우선 당장 편한 것만을 택하는 꾀나 방법. 한때의 안정을 얻기 위하여 임시로 둘러맞추어 처리하거나 이리저리 주선하여 꾸며 내는 계책을 이른다. **예** 그런 <u>고식지계</u>로 상황을 피해 봤자 소용없는 짓이야.
② 명불허전(名不虛傳): 명성이나 명예가 헛되이 퍼진 것이 아니라는 뜻으로, 이름날 만한 까닭이 있음을 이르는 말. **예** 장군이 큰 그릇이라는 말을 많이 들었더니, 과연 <u>명불허전</u>이오.
③ 자고현량(刺股懸梁): 허벅다리를 찌르고 머리털을 대들보에 묶는다는 뜻으로, 태만함을 극복하고 열심히 공부함을 이르는 말. **예** <u>자고현량</u>의 자세로 공부하여 고시에 합격하였다.

④ 마중지봉(麻中之蓬): 삼밭 속의 쑥이라는 뜻으로, 곧은 삼밭 속에서 자란 쑥은 곧게 자라게 되는 것처럼 선한 사람과 사귀면 그 감화를 받아 자연히 선해짐을 비유적으로 이르는 말. 🖍 열심히 공부하는 사람들과 어울리던 그녀는 **마중지봉** 격으로 열심히 공부하게 되었다.

13 화룡점정

✅ 정답 풀이 '화룡점정(그림 畵 용 龍 점 點 눈동자 睛)'은 '무슨 일을 하는 데에 가장 중요한 부분을 완성함.'을 비유적으로 이르는 한자성어이다.

🖍 음식을 만든 후 깨를 뿌려 장식하는 것이야말로 **화룡점정**이다.

어·휘·력 ⓤ '화룡점정(畵龍點睛)'의 유래

양(梁)나라의 장승요가 금릉에 있는 안락사(安樂寺)의 벽에 용 두 마리를 그렸는데 눈동자를 그리지 않았다. 사람들이 이상히 생각하여 그 까닭을 묻자 그는 "눈동자를 그리면 용이 날아가 버리기 때문이다."라고 대답하였다. 그러나 사람들은 그 말을 믿지 않았다. 그래서 그는 용 한 마리에 눈동자를 그려 넣었다. 그러자 갑자기 천둥이 울리고 번개가 치며 용이 벽을 차고 하늘로 올라가 버렸다고 한다.

14 지록위마

✅ 정답 풀이 '지록위마(가리킬 指 사슴 鹿 할 爲 말 馬)'는 '사슴을 가리켜 말이라고 한다는 뜻으로, 윗사람을 농락하여 권세를 마음대로 함.'을 의미하고, '모순된 것을 끝까지 우겨서 남을 속이려는 짓.'을 비유적으로 이르는 한자성어이다.

🖍 누군가의 신임을 받고 있다고 해서, **지록위마**의 잘못을 범해서는 안 된다.

15 교왕과직

✅ 정답 풀이 '교왕과직(바로잡을 矯 굽을 枉 지날 過 곧을 直)'은 '굽은 것을 바로잡으려다가 정도에 지나치게 곧게 한다는 뜻으로, 잘못된 것을 바로잡으려다가 너무 지나쳐서 오히려 나쁘게 됨.'을 의미하는 한자성어이다.

🖍 그런 식으로 꾸중하다가는 **교왕과직**의 우를 범할 수도 있다.

16 숙맥불변

✅ 정답 풀이 '숙맥불변(콩 菽 보리 麥 아닐 不 분별할 辨)'은 '콩인지 보리인지를 구별하지 못한다는 뜻으로, 사리 분별을 못하고 세상 물정을 잘 모름.'을 의미하는 한자성어이다.

🖍 그는 10년 동안 공부만 해서인지 **숙맥불변**이다.

17 촌철살인

✅ 정답 풀이 '촌철살인(마디 寸 쇠 鐵 죽일 殺 사람 人)'은 '한 치의 쇠붙이로도 사람을 죽일 수 있다는 뜻으로, 간단한 말로도 남을 감동하게 하거나 남의 약점을 찌를 수 있음.'을 의미하는 한자성어이다.

🖍 그녀가 하는 말은 죄다 **촌철살인**이다.

18 고진감래

✅ 정답 풀이 '고진감래(쓸 苦 다할 盡 달 甘 올 來)'는 '쓴 것이 다하면 단 것이 온다는 뜻으로, 고생 끝에 즐거움이 옴.'을 의미하는 한자성어이다.

🖍 **고진감래**라더니 이렇게 좋은 일도 생기는구나.

19 이심전심– ㉡ 불립문자

✅ 정답 풀이 '이심전심(써 以 마음 心 전할 傳 마음 心)'은 '마음과 마음으로 서로 뜻이 통함.'을 의미하는 한자성어이다. '불립문자(아닐 不 설 立 글월 文 글자 字)'는 '불도의 깨달음은 마음에서 마음으로 전하는 것이므로 말이나 글에 의지하지 않음.'을 의미하는 한자성어이다. 두 한자성어 모두 말이나 글에 의지하지 않고 마음과 마음이 서로 통한다는 의미이다.

🖍 두 사람 사이에는 어느덧 **이심전심**으로 우정이 싹트고 있었다.

🖍 동양은 언어를 신뢰하지 않는 **불립문자**의 사고를 가지고 있어.

20 구우일모 – ㉣ 창해일속

✅ 정답 풀이 '구우일모(아홉 九 소 牛 한 一 터럭 毛)'는 '아홉 마리의 소 가운데 박힌 하나의 털이란 뜻으로, 매우 많은 것 가운데 극히 적은 수.'를 의미하는 한자성어이다. '창해일속(큰 바다 滄 바다 海 한 一 조 粟)'은 '넓고 큰 바닷속의 좁쌀 한 알이라는 뜻으로, 아주 많거나 넓은 것 가운데 있는 매우 하찮고 작은 것.'을 의미하는 한자성어이다. 두 한자성어 모두 매우 작거나 적은 것이라는 의미이다.

🖍 이것은 고작 **구우일모**에 불과해.

🖍 광대한 우주에 비하면 우리는 **창해일속**만도 못하다.

21 견원지간 – ㉠ 불공대천

✅ 정답 풀이 '견원지간(개 犬 원숭이 猿 갈 之 사이 間)'은 '개와 원숭이의 사이라는 뜻으로, 사이가 매우 나쁜 두 관계.'를 비유적으로 이르는 한자성어이다. '불공대천(아닐 不 한가지 共 일 戴 하늘 天)'은 '하늘을 함께 이지 못한다는 뜻으로, 이 세상에서 같이 살 수 없을 만큼 큰 원한을 가짐.'을 비유적으로 이르는 한자성어이다. 두 한자성어 모두 사이가 나쁜 관계를 의미한다.

🖍 아무리 친한 사이도 틈이 벌어지면 **견원지간**이 될 수 있다.

🖍 그는 우리나라의 입장에서 보면 **불공대천**의 원수이다.

22 군계일학 – ㉤ 철중쟁쟁

✅ 정답 풀이 '군계일학(무리 群 닭 鷄 한 一 학 鶴)'은 '닭의 무리 가운데에서 한 마리의 학이란 뜻으로, 많은 사람 가운데서 뛰어난 인물.'을 의미하는 한자성어이다. '철중쟁쟁(쇠 鐵 가운데 中 쇳소리 錚 쇳소리 錚)'은 '여러 쇠붙이 가운데서도 유난히 맑게 쟁그랑거리는 소리가 난다는 뜻으로, 같은 무리 가운데서도 가장 뛰어남. 또는 그런 사람.'을 의미하는 한자성어이다. 두 한자

성어 모두 여럿 가운데 뛰어난 사람을 의미한다.

예 많은 사람들 사이에서 그녀는 **군계일학** 격으로 품격이 더욱 두드러져 보였다.

예 그는 같은 공부를 하는 무리들 가운데서 **철중쟁쟁**이었다.

23 동족방뇨 − ⓒ 임시변통

✅정답풀이 '동족방뇨(얼 凍 발 足 놓을 放 오줌 尿)'는 '언 발에 오줌 누기라는 뜻으로, 잠시 동안만 효력이 있을 뿐 효력이 바로 사라짐.'을 비유적으로 이르는 한자성어이다. '임시변통(임할 臨 때 時 변할 變 통할 通)'은 '갑자기 터진 일을 우선 간단하게 둘러맞추어 처리함.'을 의미하는 한자성어이다. 두 한자성어 모두 일시적인 방편을 의미한다.

예 **동족방뇨**하듯이 일을 처리하다가 나중에 큰 코 다칠걸?

예 시일이 너무 촉박해서 **임시변통**할 수조차 없다.

24 ② 유유상종

✅정답풀이 '유유상종(무리 類 무리 類 서로 相 좇을 從)'은 '같은 무리끼리 서로 사귐.'을 의미하는 한자성어이다. 제시문의 ㉠과 ㉡의 앞뒤를 살펴보면 만물이 다양하고, 온갖 동물들이 각기 다르다는 의미이므로 '유유상종'은 적절하지 않다.

예 **유유상종**이라더니, 정말 끼리끼리 잘 어울려 다니는군.

❌오답풀이 ① 각양각색(各樣各色): 각기 다른 여러 가지 모양과 빛깔. 예 예식장에는 **각양각색**의 차림을 한 사람들이 붐비고 있었다.

③ 천차만별(千差萬別): 여러 가지 사물이 모두 차이가 있고 구별이 있음. 예 요즘 상품은 색상부터 모양과 기능까지 **천차만별**이다.

④ 천태만상(千態萬象): 천 가지 모습과 만 가지 형상이라는 뜻으로, 세상 사물이 한결같지 아니하고 각각 모습·모양이 다름을 이르는 말. 예 그 산은 일출과 일몰, 계절과 날씨, 움직이는 그 모든 것에 따라서 **천태만상**으로 변하였다.

⑤ 형형색색(形形色色): 형상과 빛깔 따위가 서로 다른 여러 가지. 예 온실의 화분대 위에는 **형형색색**의 예쁜 꽃들이 피어 있었다.

1 ③ 일구이언

✅정답풀이 '일구이언(한 一 입 口 두 二 말씀 言)'은 '한 입으로 두 말을 한다는 뜻으로, 한 가지 일에 대하여 말을 이랬다저랬다 함.'을 의미하는 한자성어이다. 제시문의 밑줄 친 부분은 도련님이 언약을 어기지 않겠다고 맹세했지만 결국 언약을 어겼다는 의미이므로 '일구이언'이 적절하다.

예 그는 **일구이언**을 자주 하여 주위의 신임을 잃었다.

❌오답풀이 ① 금상첨화(錦上添花): 비단 위에 꽃을 더한다는

뜻으로, 좋은 일 위에 또 좋은 일이 더하여짐을 비유적으로 이르는 말. 예 그는 인물도 훤칠한데다 인품도 좋으니 **금상첨화**이다.

② 동병상련(同病相憐): 같은 병을 앓는 사람끼리 서로 가엾게 여긴다는 뜻으로, 어려운 처지에 있는 사람끼리 서로 가엾게 여김을 이르는 말. 예 어려운 사람들일수록 서로 **동병상련**하며 살아야 하지 않겠어?

④ 정저지와(井底之蛙): 우물 바닥의 개구리. 우물 안의 개구리처럼 생각이나 견문이 매우 좁음을 이르는 말. 예 그런 폭이 좁은 생각은 그가 **정저지와**라는 것을 보여 줄 뿐이다.

⑤ 천생연분(天生緣分): 하늘이 정하여 준 연분. 예 결혼을 앞두고 보니 그와 나는 **천생연분**이란 생각이 든다.

2 ⑤

✅정답풀이 '유구무언(있을 有 입 口 없을 無 말씀 言)'은 '입은 있어도 말은 없다는 뜻으로, 변명할 말이 없거나 변명을 못함.'을 의미하는 한자성어이다. 제시문의 ⓔ는 금송아지가 말은 못해도 사람의 말을 알아듣는다는 의미이므로 '유구무언'은 적절하지 않다.

예 모두 내 잘못이니 **유구무언**일세.

❌오답풀이 ① 호의호식(好衣好食): 좋은 옷을 입고 좋은 음식을 먹음. 예 그는 평생 가난을 모르고 **호의호식**하며 지냈다.

② 노심초사(勞心焦思): 몹시 마음을 쓰며 애를 태움. 예 그는 거짓말이 탄로 날까 봐 **노심초사**하였다.

③ 애지중지(愛之重之): 매우 사랑하고 소중히 여기는 모양. 예 그녀는 꽃을 **애지중지** 정성을 다하여 가꾸었다.

④ 이구동성(異口同聲): 입은 다르나 목소리는 같다는 뜻으로, 여러 사람의 말이 한결같음을 이르는 말. 예 모든 사람이 그를 **이구동성**으로 칭찬한다.

3 ⑤

✅정답풀이 '십벌지목(열 十 칠 伐 갈 之 나무 木)'은 '열 번 찍어 베는 나무라는 뜻으로, 열 번 찍어 안 넘어가는 나무가 없음.'을 의미하는 한자성어이다. 제시문의 ㉤은 호민들이 기회만 되면 변란을 일으킬 수 있다는 의미이므로, '십벌지목'은 적절하지 않다.

예 **십벌지목**이라고, 포기하지 말고 계속 시도해 봐.

❌오답풀이 ① 호시탐탐(虎視耽耽): 범이 눈을 부릅뜨고 먹이를 노려본다는 뜻으로, 남의 것을 빼앗기 위하여 형세를 살피며 가만히 기회를 엿봄. 또는 그런 모양. 예 그는 **호시탐탐** 기회를 노리고 있다.

② 여민동락(與民同樂): 임금이 백성과 함께 즐김. 예 **여민동락**을 실천하는 지도자가 대중의 지지를 받는다.

③ 유비무환(有備無患): 미리 준비가 되어 있으면 걱정할 것이 없음. 예 **유비무환**의 정신으로 노년을 준비해야 한다.

④ 가렴주구(苛斂誅求): 세금을 가혹하게 거두어들이고, 무리하게 재물을 빼앗음. 예 관리들의 **가렴주구**로 백성들의 삶은 더욱 피폐해졌다.

4 ⑤

✅ **정답 풀이** '호연지기(넓을 浩 그럴 然 갈 之 기운 氣)'는 '거침없이 넓고 큰 기개.'를 의미하는 한자성어이다. 제시문의 ⓔ는 임경업이 오랑캐 장수인 용골대를 꾸짖는 부분이므로 '호연지기'보다는 '더할 나위 없이 악하고 도리에 완전히 어긋나 있음.'을 의미하는 한자성어인 '극악무도(다할 極 악할 惡 없을 無 길 道)'가 적절하다.

⑨ 그는 산수가 뛰어난 곳에서 마음껏 즐기며 <u>호연지기</u>를 길렀다.

⑨ <u>극악무도</u>한 만행을 저지른 자는 처벌을 받아야 한다.

❌ **오답 풀이** ① '망지소조(罔知所措)'는 '너무 당황하거나 급하여 어찌할 줄을 모르고 갈팡질팡함.'을 의미하는 한자성어이다. 상감이 혼란한 상황 속에서 당황하고 있는 장면인 ⓐ에 쓰일 수 있다.

② '노기충천(怒氣衝天)'은 '성이 하늘을 찌를 듯이 머리끝까지 치받쳐 있음.'을 의미하는 한자성어이다. 아우 용홀대가 박씨의 시비인 계화에게 죽었다는 소식을 들은 용골대가 매우 화가 나 호통을 치는 장면인 ⓑ에 쓰일 수 있다.

③ '허장성세(虛張聲勢)'는 '실속은 없으면서 큰소리치거나 허세를 부림.'을 의미하는 한자성어이다. 용골대가 계화의 무술 실력에 당할 수 없다는 것을 알면서도 삼백 근이나 되는 철퇴를 둘러메고 계화에게 달려드는 장면인 ⓒ에 쓰일 수 있다.

④ '애걸복걸(哀乞伏乞)'은 '소원 따위를 들어 달라고 애처롭게 사정하며 간절히 빎.'을 의미하는 한자성어이다. 용골대가 살려 달라고 간절히 비는 장면인 ⓓ에 쓰일 수 있다.

33 일차 한자성어 ⑤

01 오리무중

✅ **정답 풀이** '금의야행(비단 錦 옷 衣 밤 夜 다닐 行)'은 '비단옷을 입고 밤길을 다닌다는 뜻으로, 자랑삼아 하지 않으면 생색이 나지 않음.'을 의미하는 한자성어이다. '오리무중(다섯 五 마을 里 안개 霧 가운데 中)'은 '오 리나 되는 짙은 안개 속에 있다는 뜻으로 어떤 일의 방향이나 갈피를 잡을 수가 없음.'을 의미하는 한자성어이다. 제시된 문장은 범인의 행방을 알 수 없다는 의미이므로 '오리무중'이 적절하다.

⑨ 너의 선행을 알리지 않는 것은 <u>금의야행</u>과 같다.

02 이구동성

✅ **정답 풀이** '유언비어(흐를 流 말씀 言 바퀴 蜚 말씀 語)'는 '아무 근거 없이 널리 퍼진 소문.'을 의미하는 한자성어이다. '이구동성(다를 異 입 口 한가지 同 소리 聲)'은 '입은 다르나 목소리는 같다는 뜻으로 여러 사람의 말이 한결같음.'을 의미하는 한자성어이다. 제시된 문장은 학생들이 한데 소리를 모아 선생님을 응

원했다는 의미이므로 '이구동성'이 적절하다.

⑨ 선거철에는 종종 상대 후보를 비방하는 <u>유언비어</u>가 떠돈다.

03 호가호위

✅ **정답 풀이** '전광석화(번개 電 빛 光 돌 石 불 火)'는 '번갯불이나 부싯돌의 불이 번쩍거리는 것과 같이 매우 짧은 시간이나 매우 재빠른 움직임 따위.'를 비유적으로 이르는 한자성어이다. '호가호위(여우 狐 거짓 假 범 虎 위엄 威)'는 '남의 권세를 빌려 위세를 부림.'을 의미하는 한자성어이다. 여우가 호랑이의 위세를 빌려 호기를 부린다는 데에서 유래한다. 제시된 문장은 회장님이 자리를 비우니 권세를 대신 부리려는 사람들이 많다는 의미이므로 '호가호위'가 적절하다.

⑨ 그의 뇌리에 한 가닥 불길한 생각이 <u>전광석화</u>처럼 스쳐갔다.

04 안분지족

✅ **정답 풀이** '아전인수(나 我 밭 田 끌 引 물 水)'는 '자기 논에 물 대기라는 뜻으로, 자기에게만 이롭게 되도록 생각하거나 행동함.'을 의미하는 한자성어이다. '안분지족(편할 安 나눌 分 알 知 발 足)'은 '편안한 마음으로 제 분수를 지키며 만족할 줄을 앎.'을 의미하는 한자성어이다. 제시된 문장은 자기 욕망을 줄이고 분수에 맞게 살아야 한다는 의미이므로 '안분지족'이 적절하다.

⑨ 그들은 서로들 <u>아전인수</u> 격으로 일을 해석했다.

어·휘·력 **Up** **'안분지족(安分知足)'과 유사한 의미의 한자성어**

- **단표누항(소쿠리 簞 바가지 瓢 더러울 陋 거리 巷):** 좁고 더러운 거리에서 먹는 한 그릇의 밥과 한 바가지의 물이라는 뜻으로, 선비의 청빈한 생활을 비유한 말.
- **단사표음(소쿠리 簞 먹을 食 바가지 瓢 마실 飮):** 대나무로 만든 밥그릇에 담은 밥과 표주박에 든 물이라는 뜻으로, 청빈하고 소박한 생활을 이르는 말.
- **안빈낙도(편안할 安 가난할 貧 즐거울 樂 길 道):** 가난한 생활을 하면서도 편안한 마음으로 도를 즐겨 지킴.

---

05 ④ 전전긍긍

✅ **정답 풀이** '전전긍긍(싸움 戰 싸움 戰 떨릴 兢 떨릴 兢)'은 '몹시 두려워서 벌벌 떨며 조심함.'을 의미하는 한자성어이다.

❌ **오답 풀이** ① 각골지통(刻骨之痛): 뼈에 사무칠 만큼 원통함. 또는 그런 일. ⑨ 낳은 지 일주일 만에 아이를 여읜 것은 두 부부에게 <u>각골지통</u>이었다.

② 살신성인(殺身成仁): 자기의 몸을 희생하여 인(仁)을 이룸. ⑨ <u>살신성인</u>의 자세로 국가에 이바지하는 사람이 되겠습니다.

③ 감탄고토(甘呑苦吐): 달면 삼키고 쓰면 뱉는다는 뜻으로, 자신의 비위에 따라서 사리의 옳고 그름을 판단함을 이르는 말. ⑨ 사업이 잘 될 때는 온갖 친한 척을 하더니 부도가 나니 연락을 딱 끊는 그의 태도는 <u>감탄고토</u>라고 볼 수 있다.

⑤ 청천벽력(靑天霹靂): 맑게 갠 하늘에서 치는 날벼락이라는 뜻으로, 뜻밖에 일어난 큰 변고나 사건을 비유적으로 이르는 말.

예 갑자기 이게 무슨 **청천벽력** 같은 소리냐.

06 ② 연목구어

✅정답풀이 '연목구어(인연 緣 나무 木 구할 求 물고기 魚)'는 '나무에 올라가서 물고기를 구한다는 뜻으로, 도저히 불가능한 일을 굳이 하려 함.'을 비유적으로 이르는 한자성어이다.

❌오답풀이 ① 암중모색(暗中摸索): 물건 따위를 어둠 속에서 더듬어 찾음, 어림으로 무엇을 알아내거나 찾아내려 함, 은밀한 가운데 일의 실마리나 해결책을 찾아내려 함. 예 그가 모습을 드러내지 않고 있는 동안은 **암중모색**의 시간이었다.

③ 방약무인(傍若無人): 곁에 사람이 없는 것처럼 아무 거리낌 없이 함부로 말하고 행동하는 태도가 있음. 예 그는 **방약무인**하는 태도 때문에 사람들의 손가락질을 받았다.

④ 망연자실(茫然自失): 멍하니 정신을 잃음. 예 김 사장은 큰불이 나서 다 타 버린 공장 자리를 **망연자실**하게 바라보았다.

⑤ 난형난제(難兄難弟): 누구를 형이라 하고 누구를 아우라 하기 어렵다는 뜻으로, 두 사물이 비슷하여 낫고 못함을 정하기 어려움을 이르는 말. 예 결승전에서 만난 두 사람에 대해 사람들은 **난형난제**라고 했다.

07 ③ 중언부언

✅정답풀이 '중언부언(무거울 重 말씀 言 다시 復 말씀 言)'은 '이미 한 말을 자꾸 되풀이함. 또는 그런 말.'을 의미하는 한자성어이다.

❌오답풀이 ① 낭중지추(囊中之錐): 주머니 속의 송곳이라는 뜻으로, 재능이 뛰어난 사람은 숨어 있어도 저절로 사람들에게 알려짐을 이르는 말. 예 재능이 있는 사람은 **낭중지추**처럼 금방 사람들의 눈에 띈다.

② 좌충우돌(左衝右突): 이리저리 마구 찌르고 부딪침. 아무에게나 또는 아무 일에나 함부로 맞닥뜨림. 예 이 드라마는 한 가족이 **좌충우돌** 살아가는 모습을 그리고 있다.

④ 언어도단(言語道斷): 말할 길이 끊어졌다는 뜻으로, 어이가 없어서 말하려 해도 말할 수 없음을 이르는 말. 예 네가 시간이 없어서 공부하지 못한다는 것은 **언어도단**이다.

⑤ 가담항설(街談巷說): 거리나 항간에 떠도는 소문. 예 **가담항설**은 믿을 게 못 된다.

08 ⑤ 적반하장

✅정답풀이 '적반하장(도둑 賊 돌이킬 反 꾸짖을 荷 지팡이 杖)'은 '도둑이 도리어 매를 든다는 뜻으로, 잘못한 사람이 아무 잘못도 없는 사람을 나무람.'을 의미하는 한자성어이다.

❌오답풀이 ① 자가당착(自家撞着): 같은 사람의 말이나 행동이 앞뒤가 서로 맞지 아니하고 모순됨. 예 그는 **자가당착**에 빠졌는지 말을 잇지 못했다.

② 일벌백계(一罰百戒): 한 사람을 벌주어 백 사람을 경계한다는 뜻으로, 다른 사람들에게 경각심을 불러일으키기 위하여 본보기로 한 사람에게 엄한 처벌을 하는 일을 이르는 말. 예 지금 너를 꾸짖는 것은 **일벌백계**를 위한 것이니 너무 서러워 말아라.

③ 자격지심(自激之心): 자기가 한 일에 대해 스스로 미흡하게 여기는 마음. 예 아마 그것은 열등감에서 나오는 **자격지심**이었을 것이다.

④ 자포자기(自暴自棄): 절망에 빠져 자신을 스스로 포기하고 돌아보지 아니함. 예 사고 이후, 그는 **자포자기**의 심정으로 식음을 전폐했다.

09 ① 박학다식

✅정답풀이 '박학다식(넓을 博 배울 學 많을 多 알 識)'은 '학식이 넓고 아는 것이 많음.'을 의미하는 한자성어이다.

❌오답풀이 ② 일도양단(一刀兩斷): 칼로 무엇을 대번에 쳐서 두 도막을 냄, 어떤 일을 머뭇거리지 아니하고 선뜻 결정함을 비유적으로 이르는 말. 예 지도자로서 **일도양단**의 태도가 필요한 시점이다.

③ 자중지란(自中之亂): 같은 편끼리 하는 싸움. 예 이러한 **자중지란**은 경쟁 업체의 배나 불리는 일이다.

④ 일취월장(日就月將): 나날이 다달이 자라거나 발전함. 예 그가 한번 마음을 먹고 공부에 전념하니 **일취월장**이었다.

⑤ 견강부회(牽強附會): 이치에 맞지 않는 말을 억지로 끌어 붙여 자기에게 유리하게 함. 예 그의 언변은 언뜻 보면 화려하지만 사실 **견강부회**이다.

10 ③ 요지부동

✅정답풀이 '요지부동(흔들 搖 갈 之 아니 不 움직일 動)'은 '흔들어도 꼼짝하지 아니함.'을 의미하는 한자성어이다.

❌오답풀이 ① 고립무원(孤立無援): 고립되어 구원받을 데가 없음. 예 그녀는 계속된 실수로 **고립무원**의 신세가 되었다.

② 공평무사(公平無私): 공평하고 사사로움이 없음. 예 선생님께서는 시종일관 **공평무사**한 태도로 우리를 대하셨다.

④ 수원수구(誰怨誰咎): 누구를 원망하고 누구를 탓하겠느냐는 뜻으로, 남을 원망하거나 탓할 것이 없음을 이르는 말. 예 내 잘못으로 일이 이 지경이 되었는데 어찌 **수원수구**하리오.

⑤ 타산지석(他山之石): 본이 되지 않은 남의 말이나 행동도 자신의 지식과 인격을 수양하는 데에 도움이 될 수 있음을 비유적으로 이르는 말. 예 내 실수를 **타산지석**으로 삼아 너는 더 잘 했으면 좋겠다.

11 ③ 오월동주

✅정답풀이 '오월동주(나라 이름 吳 나라 이름 越 한가지 同 배 舟)'는 '서로 적의를 품은 사람들이 한자리에 있게 된 경우나 서로 협력하여야 하는 상황.'을 비유적으로 이르는 한자성어이다. 중국 춘추 전국 시대에, 서로 적대시하는 오나라 사람과 월나라 사람이 같은 배를 탔으나 풍랑을 만나서 서로 단합하여야 했다는 데에서 유래한다.

❌ **오답 풀이** ① 백척간두(百尺竿頭): 백 자나 되는 높은 장대 위에 올라섰다는 뜻으로, 몹시 어렵고 위태로운 지경을 이르는 말. 예 **백척간두**의 상황을 슬기롭게 극복하는 지혜가 필요하다.
② 진퇴양난(進退兩難): 이러지도 저러지도 못하는 어려운 처지. 예 여기에 계속 있을 수도, 그렇다고 돌아갈 수도 없는 **진퇴양난**의 상황이다.
④ 유유상종(類類相從): 같은 무리끼리 서로 사귐. 예 **유유상종**이라더니 비슷한 견해를 가진 사람들끼리 모이셨구먼.
⑤ 이심전심(以心傳心): 마음과 마음으로 서로 뜻이 통함. 예 **이심전심**이라더니 내가 먹고 싶은 것을 어떻게 알고 이렇게 사 왔니?

12 ② 침소봉대

✅ **정답 풀이** '침소봉대(바늘 針 작을 小 몽둥이 棒 클 大)'는 '작은 일을 크게 불리어 떠벌림.'을 의미하는 한자성어이다.
❌ **오답 풀이** ① 천양지차(天壤之差): 하늘과 땅 사이와 같이 엄청난 차이. 예 그녀와 나의 실력은 **천양지차**야.
③ 표리부동(表裏不同): 겉으로 드러나는 언행과 속으로 가지는 생각이 다름. 예 **표리부동**한 사람은 나를 배신할 수 있으니 조심해야 한다.
④ 천려일실(千慮一失): 천 번 생각에 한 번 실수라는 뜻으로, 슬기로운 사람이라도 여러 가지 생각 가운데에는 잘못되는 것이 있을 수 있음을 이르는 말. 예 부장님의 이번 판단은 **천려일실**이었습니다.
⑤ 점입가경(漸入佳境): 들어갈수록 점점 재미가 있음. 예 이야기가 갈수록 **점입가경**이다.

13 ① 좌고우면

✅ **정답 풀이** '좌고우면(왼 左 돌아볼 顧 오른 右 곁눈질할 眄)'은 '이쪽저쪽을 돌아본다는 뜻으로, 앞뒤를 재고 망설임.'을 의미하는 한자성어이다. 제시된 예문은 무언가를 결정하지 못하고 망설인다는 의미이므로 '좌고우면'이 적절하다.
❌ **오답 풀이** ② 일진일퇴(一進一退): 한 번 앞으로 나아갔다 한 번 뒤로 물러섰다 함. 예 두 팀은 라이벌답게 **일진일퇴**를 거듭하다가 결국 승부를 가리지 못했다.
③ 견문발검(見蚊拔劍): 모기를 보고 칼을 뺀다는 뜻으로, 사소한 일에 크게 성내어 덤빔을 이르는 말. 예 그만한 일로 소송까지 하다니 너무 **견문발검**하는 행동 아니야?
④ 반신반의(半信半疑): 얼마쯤 믿으면서도 한편으로는 의심함. 예 평소에 못 미더웠던 사람의 말인지라 정말 그럴 수도 있는가 하고 **반신반의**했다.
⑤ 설왕설래(說往說來): 서로 변론을 주고받으며 옥신각신함. 또는 말이 오고 감. 예 아침부터 그들은 재개발 문제로 **설왕설래**했지만 결국 결론을 내지 못했다.

14 ⑤ 횡설수설

✅ **정답 풀이** '횡설수설(가로 橫 말씀 說 세울 竪 말씀 說)'은 '조리가 없이 말을 이러쿵저러쿵 지껄임.'을 의미하는 한자성어이

다. 제시된 예문은 범인이 범행 동기에 대해서 조리가 없이 말을 지껄인다는 의미이므로 '횡설수설'이 적절하다.
❌ **오답 풀이** ① 허장성세(虛張聲勢): 실속은 없으면서 큰소리치거나 허세를 부림. 예 빚더미에 나앉은 상태에서도 사업을 하겠다는 이야기를 하다니 **허장성세**가 아닐 수 없다.
② 토사구팽(免死狗烹): 토끼가 죽으면 토끼를 잡던 사냥개도 필요 없게 되어 주인에게 삶아 먹히게 된다는 뜻으로, 필요할 때는 쓰고 필요 없을 때는 야박하게 버리는 경우를 이르는 말. 예 한 치의 망설임도 없이 최측근을 저버리는 그의 태도를 두고 모두들 **토사구팽**이라고 했다.
③ 전인미답(前人未踏): 이제까지 그 누구도 가 보지 못함, 이제까지 그 누구도 손을 대어 본 일이 없음. 예 그녀가 **전인미답**의 영역을 연구 주제로 삼은 것은 아주 도전적이었다.
④ 호구지책(糊口之策): 가난한 살림에서 그저 겨우 먹고살아 가는 방책. 예 갑작스럽게 해고를 당하는 바람에 **호구지책**을 마련해야 할 처지이다.

15 ② 후회막급

✅ **정답 풀이** '후회막급(뒤 後 뉘우칠 悔 없을 莫 미칠 及)'은 '이미 잘못된 뒤에 아무리 후회하여도 다시 어찌할 수가 없음.'을 의미하는 한자성어이다. 제시된 예문은 진작에 방법을 생각하지 못한 것이 후회가 된다는 의미이므로 '후회막급'이 적절하다.
❌ **오답 풀이** ① 좌정관천(坐井觀天): 우물 속에 앉아서 하늘을 본다는 뜻으로, 사람의 견문(見聞)이 매우 좁음을 이르는 말. 예 외국에 나와 보니 그동안 내가 **좌정관천**하며 살았음을 깨닫게 되었다.
③ 하석상대(下石上臺): 아랫돌을 빼서 윗돌을 괴고 윗돌을 빼서 아랫돌을 괸다는 뜻으로, 임시변통으로 이리저리 둘러맞춤을 이르는 말. 예 철수에게 돈을 빌려 영희에게 갚다니 그건 **하석상대**야.
④ 후안무치(厚顔無恥): 뻔뻔스러워 부끄러움이 없음. 예 그런 잘못을 하고도 모임에 나오다니, 그는 정말 **후안무치**한 사람이다.
⑤ 폐포파립(敝袍破笠): 해진 옷과 부서진 갓이라는 뜻으로, 초라한 차림새를 비유적으로 이르는 말. 예 아버지는 **폐포파립**으로 찾아온 삼촌을 처음엔 알아보지 못했다.

16 ⑤ 애걸복걸

✅ **정답 풀이** '애걸복걸(슬플 哀 빌 乞 엎드릴 伏 빌 乞)'은 '소원 따위를 들어 달라고 애처롭게 사정하며 간절히 빎.'을 의미하는 한자성어이다. 제시된 예문은 과제를 제출하지 않은 잘못을 한 후에 용서를 빌어도 소용이 없다는 의미이므로 '애걸복걸'이 적절하다.
❌ **오답 풀이** ① 면종복배(面從腹背): 겉으로는 복종하는 체하면서 내심으로는 배반함. 예 덕으로 사람을 따르게 하지 않고 힘으로 사람을 따르게 하면 자연히 **면종복배**하는 자가 생기게 마련이다.
② 마이동풍(馬耳東風): 동풍이 말의 귀를 스쳐 간다는 뜻으로, 남의 말을 귀담아듣지 아니하고 지나쳐 흘려버림을 이르는 말. 예 방금 한 말인데도 기억을 못하다니 **마이동풍**이구나.
③ 임기응변(臨機應變): 그때그때 처한 사태에 맞추어 즉각 그

33일차 – 한자성어 ⑤ **97**

자리에서 결정하거나 처리함. 예 그 기자는 시민의 돌발 행동에 임기응변으로 대처했다.

④ 견마지로(犬馬之勞): 개나 말 정도의 하찮은 힘이라는 뜻으로, 윗사람에게 충성을 다하는 자신의 노력을 낮추어 이르는 말. 예 우리 반을 위해 어떤 일이든 견마지로를 다하겠습니다.

17 ③ 절치부심

✅ 정답 풀이 '절치부심(끊을 切 이 齒 썩을 腐 마음 心)'은 '몹시 분하여 이를 갈며 속을 썩임.'을 의미하는 한자성어이다. 제시된 예문은 이유도 없이 비난을 받은 것이 몹시 분하다는 의미이므로 '절치부심'이 적절하다.

❌ 오답 풀이 ① 백년하청(百年河淸): 중국의 황허 강이 늘 흐려 맑을 때가 없다는 뜻으로, 아무리 기다려도 어떤 일이 이루어지기 어려움을 이르는 말. 예 오래도록 품어 온 소망이지만 백년하청이라는 것을 알았다.

② 일거양득(一擧兩得): 한 가지 일을 하여 두 가지 이득을 얻음. 예 마을에는 저수지가 생겨서 좋고, 일을 한 사람들은 품삯이 나오니 일거양득인 셈입니다.

④ 새옹지마(塞翁之馬): 인생의 길흉화복은 변화가 많아서 예측하기가 어렵다는 말. 예 인생사는 새옹지마이니 너무 크게 걱정하지 마라.

⑤ 동병상련(同病相憐): 같은 병을 앓는 사람끼리 서로 가엾게 여긴다는 뜻으로, 어려운 처지에 있는 사람끼리 서로 가엾게 여김을 이르는 말. 예 저 두 사람은 같은 병을 앓다 보니까 동병상련이라고 형제보다 그 우애가 더하다.

18 ① 혼비백산

✅ 정답 풀이 '혼비백산(넋 魂 날 飛 넋 魄 흩을 散)'은 '혼백이 어지러이 흩어진다는 뜻으로, 몹시 놀라 넋을 잃음.'을 의미하는 한자성어이다. 제시문의 밑줄 친 부분은 적들이 크게 놀라 일시에 도망가는 모습을 의미하므로 '혼비백산'이 적절하다.

❌ 오답 풀이 ② 경거망동(輕擧妄動): 경솔하여 생각 없이 망령되이 행동함. 예 알지도 못하는 일에 끼어들어 경거망동한 것을 죄송하게 생각합니다.

③ 동분서주(東奔西走): 동쪽으로 뛰고 서쪽으로 뛴다는 뜻으로, 사방으로 이리저리 몹시 바쁘게 돌아다님을 이르는 말. 예 아버지는 사태를 해결하고자 동분서주하셨다.

④ 분기탱천(憤氣撑天): 분한 기운이 하늘을 찌를 듯 격렬하게 북받쳐 오름. 예 거듭되는 수탈에 백성들은 분기탱천하였다.

⑤ 문일지십(聞一知十): 하나를 듣고 열 가지를 미루어 안다는 뜻으로, 지극히 총명함을 이르는 말. 예 문일지십이라는 말처럼 그 아이는 습득력이 아주 뛰어나다.

19 ① 함구무언

✅ 정답 풀이 '함구무언(봉할 緘 입 口 없을 無 말씀 言)'은 '입을 다물고 아무 말도 하지 아니함.'을 의미하는 한자성어이다. 제시문의 밑줄 친 부분은 순이 입을 다물고 아무 말도 하지 않았다는

의미이므로 '함구무언'이 적절하다.

❌ 오답 풀이 ② 두문불출(杜門不出): 집에만 있고 바깥출입을 아니함. 예 그는 며칠째 두문불출하여 연락이 되지 않았다.

③ 중구난방(衆口難防): 뭇사람의 말을 막기가 어렵다는 뜻으로, 막기 어려울 정도로 여럿이 마구 지껄임을 이르는 말. 예 발표자의 파격적인 발언 때문에 청중들이 중구난방으로 떠들어 댔다.

④ 이실직고(以實直告): 사실대로 고함. 예 이실직고하자면, 잘못한 것은 저입니다.

⑤ 어불성설(語不成說): 말이 조금도 사리에 맞지 아니함. 예 회원도 아니면서 회칙 변경을 주장하는 것은 어불성설이다.

20 ④

✅ 정답 풀이 '외유내강(바깥 外 부드러울 柔 안 內 굳셀 剛)'은 '겉으로는 부드럽고 순하게 보이나 속은 곧고 굳셈.'을 의미하는 한자성어이다. ④에서 그녀는 겉으로는 강해 보이지만 속은 여리다는 의미이므로, '외유내강'이 아니라 '외강내유(바깥 外 굳셀 剛 안 內 부드러울 柔)'가 적절하다.

❌ 오답 풀이 ① 위풍당당(威風堂堂): 풍채나 기세가 위엄 있고 떳떳함.

② 우후죽순(雨後竹筍): 비가 온 뒤에 여기저기 솟는 죽순이라는 뜻으로, 어떤 일이 한때에 많이 생겨남을 비유적으로 이르는 말.

③ 전대미문(前代未聞): 이제까지 들어본 적이 없음.

⑤ 중상모략(中傷謀略): 중상과 모략을 아울러 이르는 말, 터무니없는 말과 근거 없는 말로 남을 헐뜯어 명예나 지위를 손상시키거나 사실을 왜곡하거나 속임수를 써 남을 해롭게 함.

34일차 한자성어 ⑥

01 ㉥ 어부지리

✅ 정답 풀이 '어부지리(고기 잡을 漁 아비 父 갈 之 이로울 利)'는 '두 사람이 이해관계로 서로 싸우는 사이에 엉뚱한 사람이 애쓰지 않고 가로챈 이익.'을 의미하는 한자성어이다. 도요새가 무명조개의 속살을 먹으려고 부리를 조가비 안에 넣는 순간 무명조개가 껍데기를 꼭 다물어 부리를 안 놓주는 틈을 타서, 어부가 둘 다 잡아 이익을 얻었다는 데서 유래한다. 제시된 문장은 여당과 야당 후보의 경쟁 덕에 무소속 후보가 당선되었다는 의미이므로 '어부지리'가 적절하다.

02 ㉣ 이실직고

✅ 정답 풀이 '이실직고(써 以 열매 實 곧을 直 알릴 告)'는 '사실 그대로 고함.'을 의미하는 한자성어이다. 제시된 문장은 잘못을 사실 그대로 고하면 용서해 주겠다는 의미이므로 '이실직고'가 적절하다.

03 ㉠ **유일무이**

✔정답 풀이 '유일무이(오직 唯 한 一 없을 無 두 二)'는 '오직 하나뿐이고 둘도 없음.'을 의미하는 한자성어이다. 제시된 문장은 오직 경수만이 학생회장 후보라는 의미이므로 '유일무이'가 적절하다.

04 ㉡ **절차탁마**

✔정답 풀이 '절차탁마(끊을 切 갈 磋 다듬을 琢 갈 磨)'는 '옥이나 돌 따위를 갈고 닦아서 빛을 낸다는 뜻으로, 부지런히 학문과 덕행을 닦음.'을 의미하는 한자성어이다. 제시된 문장은 목표 달성을 위해 부지런히 학문과 덕행을 닦아야 한다는 의미이므로 '절차탁마'가 적절하다.

05 ㉢ **유수도식**

✔정답 풀이 '유수도식(놀 遊 손 手 무리 徒 밥 食)'은 '아무 일도 하지 아니하고 놀고먹음.'을 의미하는 한자성어이다. 제시된 문장은 그가 직장에서 물러난 뒤 아무 일도 하지 않고 놀고먹는다는 의미이므로 '유수도식'이 적절하다.

06 ㉣ **하석상대**

✔정답 풀이 '하석상대(아래 下 돌 石 위 上 대 臺)'는 '아랫돌 빼서 윗돌 괴고 윗돌 빼서 아랫돌 괸다는 뜻으로, 임시변통으로 이리저리 둘러맞춤.'을 의미하는 한자성어이다. 제시된 문장은 새로운 빚으로 예전의 빚을 갚는 것은 임시변통일 뿐이라는 의미이므로 '하석상대'가 적절하다.

07 ㉤ **천양지차**

✔정답 풀이 '천양지차(하늘 天 흙덩이 壤 갈 之 다를 差)'는 '하늘과 땅 사이와 같이 엄청난 차이.'를 의미하는 한자성어이다. 제시된 문장은 현수와 너의 실력은 엄청난 차이가 있다는 의미이므로 '천양지차'가 적절하다.

08 ③ **환골탈태**

✔정답 풀이 '환골탈태(바꿀 換 뼈 骨 빼앗을 奪 아이 밸 胎)'는 '뼈대를 바꾸어 끼고 태를 바꾸어 쓴다는 뜻으로, 고인의 시문의 형식을 바꾸어서 그 짜임새와 수법이 먼저 것보다 잘되게 함.' 또는 '사람이 보다 나은 방향으로 변하여 전혀 딴사람처럼 됨.'을 의미하는 한자성어이다.

✖오답 풀이 ① 호형호제(呼兄呼弟): 서로 형이니 아우니 하고 부른다는 뜻으로, 매우 가까운 친구로 지냄을 이르는 말. 예 그 작가는 나와 호형호제하는 사이이다.
② 후생가외(後生可畏): 젊은 후학들을 두려워할 만하다는 뜻으로, 후진들이 선배들보다 젊고 기력이 좋아, 학문을 닦음에 따라 큰 인물이 될 수 있으므로 가히 두렵다는 말. 예 나날이 실력이 향상되는 후배를 보니 후생가외라는 말을 실감하게 된다.
④ 대경실색(大驚失色): 몹시 놀라 얼굴이 하얗게 질림. 예 사건의 경위를 알게 된 그는 대경실색하였다.

⑤ 기호지세(騎虎之勢): 호랑이를 타고 달리는 형세라는 뜻으로, 이미 시작한 일을 중도에서 그만둘 수 없는 경우를 비유적으로 이르는 말. 예 그의 일처리 속도는 워낙 빨라 기호지세라 할 만했다.

09 ④ **주마가편**

✔정답 풀이 '주마가편(달릴 走 말 馬 더할 加 채찍 鞭)'은 '달리는 말에 채찍질한다는 뜻으로, 잘하는 사람을 더욱 장려함.'을 의미하는 한자성어이다.

✖오답 풀이 ① 지록위마(指鹿爲馬): 윗사람을 농락하여 권세를 마음대로 함을 이르는 말. 예 김 대리가 부장님께 하는 행동이 바로 지록위마이다.
② 마이동풍(馬耳東風): 남의 말을 귀담아듣지 아니하고 지나쳐 흘려버림을 이르는 말. 예 그에게는 나의 충고가 마이동풍이었다.
③ 망양지탄(亡羊之歎): 갈림길이 매우 많아 잃어버린 양을 찾을 길이 없음을 탄식한다는 뜻으로, 학문의 길이 여러 갈래여서 한 갈래의 진리도 얻기 어려움을 이르는 말. 예 망양지탄의 상황에 빠지지 않도록 노력해야 한다.
⑤ 기고만장(氣高萬丈): 일이 뜻대로 잘될 때, 우쭐하여 뽐내는 기세가 대단함. 예 칭찬을 들었다고 기고만장한 모습을 보이면 주변의 노여움을 산다.

10 ⑤ **허장성세**

✔정답 풀이 '허장성세(빌 虛 베풀 張 소리 聲 형세 勢)'는 '실속은 없으면서 큰소리치거나 허세를 부림.'을 의미하는 한자성어이다.

✖오답 풀이 ① 목불인견(目不忍見): 눈앞에 벌어진 상황 따위를 눈 뜨고는 차마 볼 수 없음. 예 지진이 지나간 후의 현장은 목불인견이었다.
② 군계일학(群鷄一鶴): 닭의 무리 가운데에서 한 마리의 학이란 뜻으로, 많은 사람 가운데서 뛰어난 인물을 이르는 말. 예 이렇게 훌륭한 글을 써 내다니, 그 친구는 역시 군계일학이라 할 만하다.
③ 안하무인(眼下無人): 눈 아래에 사람이 없다는 뜻으로, 방자하고 교만하여 다른 사람을 업신여김을 이르는 말. 예 유명세를 탔다고 안하무인하는 태도를 보이면 인심을 잃는다.
④ 전화위복(轉禍爲福): 재앙과 화난이 바뀌어 오히려 복이 됨. 예 고통스러운 상황이지만 전화위복의 계기로 삼기를 바랍니다.

11 ① **자승자박**

✔정답 풀이 '자승자박(스스로 自 노끈 繩 스스로 自 얽을 縛)'은 '자기의 줄로 자기 몸을 옭아 묶는다는 뜻으로, 자기가 한 말과 행동에 자기 자신이 옭혀 곤란하게 됨.'을 비유적으로 이르는 한자성어이다.

✖오답 풀이 ② 견토지쟁(犬兔之爭): 개와 토끼의 다툼이라는 뜻으로, 두 사람의 싸움에 제삼자가 이익을 봄을 이르는 말. 예 어떤 사람들은 사람들 사이의 다툼에서 견토지쟁 격으로 이득을 보려고 혈안이 되어 있다.
③ 경국제세(經國濟世): 나라를 잘 다스려 세상을 구제함. 예 그

후보는 **경국제세**의 마음가짐으로 이번 선거에 출마했다.

④ 사고무친(四顧無親): 의지할 만한 사람이 아무도 없음. 예 오늘따라 <u>사고무친</u>의 외로운 신세가 더욱 서글프다.

⑤ 자강불식(自強不息): 스스로 힘써 몸과 마음을 가다듬어 쉬지 아니함. 예 <u>자강불식</u>하던 그녀는 드디어 원하는 시험에 합격했다.

12 ② 임기응변

✅정답 풀이 '임기응변(임할 臨 틀 機 응할 應 변할 變)'은 '그때그때 처한 사태에 맞추어 즉각 그 자리에서 결정하거나 처리함.'을 의미하는 한자성어이다. 제시된 예문은 그때그때 일을 처리하다가는 나중에 크게 봉변을 당하거나 무안을 당한다는 의미이므로 '임기응변'이 적절하다.

❌오답 풀이 ① 자격지심(自激之心): 자기가 한 일에 대해 스스로 미흡하게 여기는 마음. 예 그렇게 주눅 들어 있는 것은 <u>자격지심</u> 때문이야.

③ 조변석개(朝變夕改): 아침저녁으로 뜯어고친다는 뜻으로, 계획이나 결정 따위를 일관성이 없이 자주 고침을 이르는 말. 예 이번 달에 실시된 교통 법령을 한 달도 되지 않아 바꾸다니 <u>조변석개</u>도 이만저만이 아니다.

④ 유방백세(流芳百世): 꽃다운 이름이 후세에 길이 전함. 예 억울한 죽음을 맞이하였지만 그의 의로운 행동은 <u>유방백세</u>할 것이다.

⑤ 오불관언(吾不關焉): 나는 그 일에 상관하지 아니함. 예 내 소관이 아닌 일이니 <u>오불관언</u>하겠다.

> **어·휘·력 Up '오불관언(吾不關焉)'과 유사한 의미의 한자성어**
>
> **수수방관(소매 袖 손 手 곁 傍 볼 觀):** 팔장을 끼고 보고만 있다는 뜻으로, 간섭하거나 거들지 않고 그대로 버려둠을 이르는 말. 예 그는 지금까지 <u>수수방관</u>만 일삼아 왔다.

13 ③ 어불성설

✅정답 풀이 '어불성설(말씀 語 아니 不 이룰 成 말씀 說)'은 '말이 조금도 사리에 맞지 아니함.'을 의미하는 한자성어이다. 제시된 예문은 건강을 위해 운동을 하는 것인데 운동이 오히려 건강을 망치는 것은 사리에 맞지 않다는 의미이므로 '어불성설'이 적절하다.

❌오답 풀이 ① 논공행상(論功行賞): 공적의 크고 작음 따위를 논의하여 그에 알맞은 상을 줌. 예 그 왕은 후한 <u>논공행상</u>으로 신하들의 충성을 얻었다.

② 백면서생(白面書生): 한갓 글만 읽고 세상일에는 전혀 경험이 없는 사람. 예 <u>백면서생</u>들과 큰 사업을 도모할 수 있겠습니까?

④ 부화뇌동(附和雷同): 줏대 없이 남의 의견에 따라 움직임. 예 분위기에 휩쓸려 <u>부화뇌동</u>했다가 큰 손해를 볼 수도 있다.

⑤ 칠전팔기(七顚八起): 일곱 번 넘어지고 여덟 번 일어난다는 뜻으로, 여러 번 실패하여도 굴하지 아니하고 꾸준히 노력함을 이르는 말. 예 그는 이 일에서 <u>칠전팔기</u>하여 결국 성공했다.

14 ② 진퇴무로

✅정답 풀이 '진퇴무로(나아갈 進 물러날 退 없을 無 길 路)'는 '이러지도 저러지도 못하는 어려운 처지.'를 의미하는 한자성어이다. 제시된 예문은 밤새 강물이 불어나 이러지도 저러지도 못한다는 의미이므로 '진퇴무로'가 적절하다.

❌오답 풀이 ① 호각지세(互角之勢): 역량이 서로 비슷비슷한 위세. 예 양 팀의 실력이 <u>호각지세</u>라 경기가 아주 볼 만하다.

③ 욕속부달(欲速不達): 일을 빨리하려고 하면 도리어 이루지 못함. 예 <u>욕속부달</u>이라는 말이 있듯, 급하더라도 계획을 세워 일을 처리하자.

④ 음풍농월(吟風弄月): 맑은 바람과 밝은 달을 대상으로 시를 짓고 흥취를 자아내어 즐겁게 놂. 예 <u>음풍농월</u>하며 휴가를 보내고 싶다.

⑤ 적막강산(寂寞江山): 아주 적적하고 쓸쓸한 풍경을 이르는 말. 앞일을 내다볼 수 없게 캄캄하고 답답한 지경이나 심정을 비유적으로 이르는 말. 예 새소리조차 들리지 않으니 <u>적막강산</u>이 따로 없구나.

15 ① 좌충우돌

✅정답 풀이 '좌충우돌(왼 左 찌를 衝 오른 右 갑자기 突)'은 '이리저리 마구 찌르고 부딪침.' 또는 '아무에게나 또는 아무 일에나 함부로 맞닥뜨림.'을 의미하는 한자성어이다. 제시된 예문은 해외여행에서 여러 일을 맞닥뜨려 고생했다는 의미이므로 '좌충우돌'이 적절하다.

❌오답 풀이 ② 교각살우(矯角殺牛): 소의 뿔을 바로잡으려다가 소를 죽인다는 뜻으로, 잘못된 점을 고치려다 그 방법이나 정도가 지나쳐 오히려 일을 그르침을 이르는 말. 예 <u>교각살우</u>의 실수를 범하지 않도록 주의하자.

③ 자가당착(自家撞着): 같은 사람의 말이나 행동이 앞뒤가 서로 맞지 아니하고 모순됨. 예 이 글은 서문에서 주장한 내용을 결론에서 비판하고 있어 <u>자가당착</u>에 빠져 버렸다.

④ 첩첩산중(疊疊山中): 여러 산이 겹치고 겹친 산속. 예 이 산은 말 그대로 <u>첩첩산중</u>이다.

⑤ 수주대토(守株待兔): 한 가지 일에만 얽매여 발전을 모르는 어리석은 사람을 비유적으로 이르는 말. 예 그렇게 <u>수주대토</u> 하지 말고 다른 방법도 좀 찾아보렴.

16 ④ 일벌백계

✅정답 풀이 '일벌백계(한 一 벌할 罰 일백 百 경계할 戒)'는 '한 사람을 벌주어 백 사람을 경계한다는 뜻으로, 다른 사람들에게 경각심을 불러일으키기 위하여 본보기로 한 사람에게 엄한 처벌을 하는 일.'을 의미하는 한자성어이다. 제시된 예문은 교칙이 제대로 지켜지지 않아 본보기로 엄하게 처벌해야 한다는 주장이 있었다는 의미이므로 '일벌백계'가 적절하다.

❌오답 풀이 ① 고육지책(苦肉之策): 자기 몸을 상해 가면서까지 꾸며 내는 계책이라는 뜻으로, 어려운 상태를 벗어나기 위해 어

쩔 수 없이 꾸며 내는 계책을 이르는 말. 예 식음을 전폐하면서까지 농성을 이어나간 것은 고육지책의 일환이었다.
② 기사회생(起死回生): 거의 죽을 뻔하다가 다시 살아남. 예 그는 극적으로 기사회생하였다.
③ 연하고질(煙霞痼疾): 자연의 아름다운 경치를 몹시 사랑하고 즐기는 성벽. 예 그녀는 연하고질을 어쩌지 못해 주말마다 산과 바다를 찾아 떠났다.
⑤ 흥진비래(興盡悲來): 즐거운 일이 다하면 슬픈 일이 닥쳐온다는 뜻으로, 세상일은 순환되는 것임을 이르는 말. 예 흥진비래라고 하지만 지금의 기쁨이 지속되었으면 좋겠다.

17 ① 이란격석

✅ 정답 풀이 '이란격석(써 以 알 卵 칠 擊 돌 石)'은 '달걀로 돌을 친다는 뜻으로, 아주 약한 것으로 강한 것에 대항하려는 어리석음.'을 비유적으로 이르는 한자성어이다.

❌ 오답 풀이 ② 이열치열(以熱治熱): 열은 열로써 다스림. 예 이열치열이라고, 더울수록 따뜻한 음식을 먹어야 한다.
③ 속수무책(束手無策): 손을 묶은 것처럼 어찌할 도리가 없어 꼼짝 못 함. 예 우리 팀은 상대편의 거센 공격에 속수무책으로 당할 수밖에 없었다.
④ 식자우환(識字憂患): 학식이 있는 것이 오히려 근심을 사게 됨. 예 조금 안다고 끼어들었다가 일을 망쳤으니 식자우환이라는 말이 딱 맞다.
⑤ 난공불락(難攻不落): 공격하기가 어려워 쉽사리 함락되지 아니함. 예 이곳은 난공불락의 요새이다.

18 ④ 온고지신의

✅ 정답 풀이 '온고지신(따뜻할 溫 옛 故 알 知 새 新)'은 '옛것을 익히고 그것을 미루어서 새것을 앎.'을 의미하는 한자성어이다.

❌ 오답 풀이 ① 양자택일(兩者擇一): 둘 중에서 하나를 고름. 예 진학과 취업 사이에서 양자택일을 해야 하는 상황이다.
② 고진감래(苦盡甘來): 쓴 것이 다하면 단 것이 온다는 뜻으로 고생 끝에 즐거움이 찾아옴을 이르는 말. 예 고진감래라고 했으니 조금만 더 참고 견뎌라.
③ 풍찬노숙(風餐露宿): 바람을 먹고 이슬을 맞으며 잠잔다는 뜻으로, 객지에서 많은 고생을 겪음을 이르는 말. 예 무작정 상경한 그는 한동안 풍찬노숙했다.
⑤ 백절불굴(百折不屈): 어떠한 난관에도 결코 굽히지 않음. 예 모진 고문에도 그는 백절불굴의 자세로 비밀을 지켰다.

19 ③ 일편단심

✅ 정답 풀이 '일편단심(한 一 조각 片 붉을 丹 마음 心)'은 '한 조각의 붉은 마음이라는 뜻으로, 진심에서 우러나오는 변치 아니하는 마음.'을 의미하는 한자성어이다.

❌ 오답 풀이 ① 풍수지탄(風樹之歎): 효도를 다하지 못한 채 어버이를 여읜 자식의 슬픔을 이르는 말. 예 부모님을 여읜 그는 풍수지탄의 심정을 느꼈다.

② 일장춘몽(一場春夢): 한바탕의 봄꿈이라는 뜻으로, 인생의 부귀영화가 덧없이 사라짐을 비유하는 말. 예 큰돈을 벌 것으로 기대하고 시작한 사업은 일장춘몽으로 끝났다.
④ 수구초심(首丘初心): 여우가 죽을 때 머리를 자기가 살던 굴 쪽으로 둔다는 뜻으로, 고향을 그리워하는 마음을 일컫는 말. 예 고향을 떠난 지 십 년이 넘었지만 잠자리에 누우면 그의 마음은 늘 수구초심이었다.
⑤ 오매불망(寤寐不忘): 자나 깨나 잊지 못함. 예 오매불망 그리워하던 임이 마침내 돌아왔다.

20 ⑤ 천재지변으로

✅ 정답 풀이 '천재지변(하늘 天 재앙 災 땅 地 변할 變)'은 '지진, 홍수, 태풍 따위의 자연 현상으로 인한 재앙.'을 의미하는 한자성어이다.

❌ 오답 풀이 ① 청천벽력(靑天霹靂): 맑게 갠 하늘에서 치는 날벼락이라는 뜻으로, 뜻밖에 일어난 큰 변고나 사건을 비유적으로 이르는 말. 예 김구 선생이 암살되었다는 청천벽력의 비보를 듣고 사람들이 몰려들기 시작했다.
② 여리박빙(如履薄氷): 살얼음을 밟는 것과 같다는 뜻으로, 아슬아슬하고 위험한 일을 비유적으로 이르는 말. 예 사소한 거짓말을 한 후 그것이 밝혀질까 여리박빙의 심정으로 지냈다.
③ 함포고복(含哺鼓腹): 잔뜩 먹고 배를 두드린다는 뜻으로, 먹을 것이 풍족하여 즐겁게 지냄을 이르는 말. 예 진정한 태평성대란 모두가 함포고복하는 것이 아니겠느냐?
④ 명경지수(明鏡止水): 맑은 거울과 고요한 물. 예 스승님의 마음은 명경지수처럼 맑고 흔들림이 없다.

35일차 한자성어 ⑦

01 진퇴양난 – ⓒ 진퇴유곡

✅ 정답 풀이 '진퇴양난(나아갈 進 물러날 退 두 兩 어려울 難)'은 '이러지도 저러지도 못하는 어려운 처지.'를 의미하는 한자성어이다. '진퇴유곡(나아갈 進 물러날 退 벼리 維 골 谷)'은 '이러지도 저러지도 못하고 꼼짝할 수 없는 궁지.'를 의미하는 한자성어이다. 둘 다 이러지도 저러지도 못하는 어려운 처지를 일컫는다.
예 이럴 수도 없고 저럴 수도 없는 진퇴양난의 길에 빠졌다.
예 고향에 돌아갈 돈도 없고 그렇다고 다른 능력도 없는 그는 진퇴유곡의 처지에 있다.

02 요산요수 – ㉠ 천석고황

✅ 정답 풀이 '요산요수(좋아할 樂 뫼 山 좋아할 樂 물 水)'는 '산수의 자연을 즐기고 좋아함.'을 의미하는 한자성어이다. '천석고황(샘 泉 돌 石 기름 膏 명치끝 肓)'은 '샘과 돌이 고황에 들었다

는 뜻으로, 고질병이 되다시피 산수와 풍경을 좋아함.'을 의미하는 한자성어이다. 두 한자성어 모두 자연을 즐기고 좋아함을 의미한다.
예 그 아이는 어린 시절부터 **요산요수**의 모습을 보였다.
예 김 교수는 결국 **천석고황**의 기질을 버리지 못하고 산속에 집을 지었다.

03 ④

✔정답풀이 '전대미문(앞 前 대신할 代 아닐 未 들을 聞)'은 '이제까지 들어 본 적이 없음.'을 의미하는 한자성어이다.
예 그 수영 선수는 **전대미문**의 기록을 세웠다.
✘오답풀이 ① 과유불급(過猶不及): 정도를 지나침은 미치지 못함과 같다는 뜻으로, 중용(中庸)이 중요함을 이르는 말. 예 **과유불급**이라고, 자식에 대한 사랑도 정도를 지나치면 부족한 것보다 못할 수 있다.
② 권불십년(權不十年): 권세는 십 년을 가지 못한다는 뜻으로, 아무리 높은 권세라도 오래가지 못함을 이르는 말. 예 **권불십년**이라고, 높은 자리에 있더라도 언제 내려올지 모르니 겸손해야 한다.
③ 동문서답(東問西答): 물음과는 전혀 상관없는 엉뚱한 대답. 예 **동문서답**도 유분수지, 너 지금 도대체 무슨 말을 하는 거야?
⑤ 자문자답(自問自答): 스스로 묻고 스스로 대답함. 예 나는 혼자서 **자문자답**을 계속하고 있었다.

04 ③

✔정답풀이 '은인자중(숨을 隱 참을 忍 스스로 自 무거울 重)'은 '마음속에 감추어 참고 견디면서 몸가짐을 신중하게 행동함.'을 의미하는 한자성어이다.
예 나는 **은인자중**의 자세로 뜻을 펼칠 때까지 노력하겠다.
✘오답풀이 ① 혼정신성(昏定晨省): 밤에는 부모의 잠자리를 보아 드리고 이른 아침에는 부모의 밤새 안부를 묻는다는 뜻으로, 부모를 잘 섬기고 효성을 다함을 이르는 말. 예 그 친구는 부모님께 **혼정신성**의 정성을 다한다.
② 사필귀정(事必歸正): 모든 일은 반드시 바른길로 돌아감. 예 **사필귀정**이니 곧 잘잘못이 가려질 것이다.
④ 빈천지교(貧賤之交): 가난하고 천할 때 사귄 사이. 또는 그런 벗. 예 너와 나는 **빈천지교**여서 그런지 마음이 잘 통한다.
⑤ 위편삼절(韋編三絕): 공자가 주역을 즐겨 읽어 책의 가죽끈이 세 번이나 끊어졌다는 뜻으로, 책을 열심히 읽음을 이르는 말. 예 우리 중 **위편삼절**할 사람이 있다면 그것은 바로 너다.

05 ④ 위풍당당

✔정답풀이 '위풍당당(위엄 威 바람 風 집 堂 집 堂)'은 '풍채나 기세가 위엄 있고 떳떳함.'을 의미하는 한자성어이다.
✘오답풀이 ① 부화뇌동(附和雷同): 줏대 없이 남의 의견에 따라 움직임. 예 군자는 남과 화목하게 지내되, 결코 남과 **부화뇌동**하지 않는다.

② 상전벽해(桑田碧海): 뽕나무밭이 변하여 푸른 바다가 된다는 뜻으로, 세상일의 변천이 심함을 비유적으로 이르는 말. 예 어릴 적 고향이 이토록 변한 것을 보니 **상전벽해**라는 말이 생각난다.
③ 견강부회(牽強附會): 이치에 맞지 않는 말을 억지로 끌어 붙여 자기에게 유리하게 함. 예 친구의 말은 그저 현재의 상황을 넘겨 보려는 **견강부회**일 뿐이었다.
⑤ 허장성세(虛張聲勢): 실속은 없으면서 큰소리치거나 허세를 부림. 예 빚더미에 나앉은 상태에서도 허황된 사업 이야기를 하다니 **허장성세**가 아닐 수 없다.

06 ③ 입신양명

✔정답풀이 '입신양명(설 立 몸 身 날릴 揚 이름 名)'은 '출세하여 이름을 세상에 떨침.'을 의미하는 한자성어이다.
✘오답풀이 ① 일거양득(一擧兩得): 한 가지 일을 하여 두 가지 이득을 얻음. 예 이 일을 통해 공부도 하고 사랑도 찾았으니 **일거양득**인 셈입니다.
② 자강불식(自強不息): 스스로 힘써 몸과 마음을 가다듬어 쉬지 아니함. 예 피고 지고 또 피는 무궁화에서 **자강불식**의 기상을 찾아볼 수 있다.
④ 시종일관(始終一貫): 일 따위를 처음부터 끝까지 한결같이 함. 예 그녀는 **시종일관** 미소를 띠었다.
⑤ 애이불비(哀而不悲): 슬프지만 겉으로는 슬픔을 나타내지 아니함. 예 그녀는 이별을 하였음에도 **애이불비**한 태도를 보였다.

07 ⑤ 이왕지사

✔정답풀이 '이왕지사(이미 已 갈 往 갈 之 일 事)'는 '이미 지나간 일.'을 의미하는 한자성어이다.
✘오답풀이 ① 동분서주(東奔西走): 동쪽으로 뛰고 서쪽으로 뛴다는 뜻으로, 사방으로 이리저리 몹시 바쁘게 돌아다님을 이르는 말. 예 투표일이 임박해 오자 선거구민들의 인심을 얻기 위해 각 후보들이 **동분서주**한다.
② 망연자실(茫然自失): 멍하니 정신을 잃음. 예 불합격 소식을 들은 동생은 **망연자실**했다.
③ 고진감래(苦盡甘來): 쓴 것이 다하면 단 것이 온다는 뜻으로, 고생 끝에 즐거움이 옴을 이르는 말. 예 나는 힘든 일이 닥칠 때마다 **고진감래**라는 말을 생각하며 어려움을 참아 냈다.
④ 태연자약(泰然自若): 마음에 어떠한 충동을 받아도 움직임이 없이 천연스러움. 예 그녀는 **태연자약**을 가장하긴 했어도 마음은 떨리고 있었다.

08 ① 혈혈단신

✔정답풀이 '혈혈단신(외로울 孑 외로울 孑 홀 單 몸 身)'은 '의지할 곳이 없는 외로운 홀몸.'을 의미하는 한자성어이다.
✘오답풀이 ② 유아독존(唯我獨尊): 세상에서 자기 혼자 잘났다고 뽐내는 태도. 예 주연 배우가 **유아독존**으로 행동하는 바람에 촬

영장의 분위기가 냉랭했다.

③ 호사유피(虎死留皮): 호랑이는 죽어서 가죽을 남긴다는 뜻으로, 사람은 죽어서 명예를 남겨야 함을 이르는 말. 예 **호사유피**라는 말이 있듯, 나도 열심히 공부하여 과학자로서 내 이름을 알릴 것이다.

④ 독야청청(獨也靑靑): 남들이 모두 절개를 꺾는 상황 속에서도 홀로 절개를 굳세게 지키고 있음을 비유적으로 이르는 말. 예 소나무는 겨울에도 **독야청청**이다.

⑤ 발본색원(拔本塞源): 좋지 않은 일의 근본 원인이 되는 요소를 완전히 없애 버려서 다시는 그러한 일이 생길 수 없도록 함. 예 그는 부정부패의 **발본색원**만이 우리 사회에 희망을 되찾아줄 것이라고 생각했다.

09 ② 일도양단

✔ 정답 풀이 '일도양단(한 一 칼 刀 둘 兩 끊을 斷)'은 '어떤 일을 머뭇거리지 아니하고 선뜻 결정함.'을 비유적으로 이르는 한자성어이다.

❌ 오답 풀이 ① 일진일퇴(一進一退): 한 번 앞으로 나아갔다 한 번 뒤로 물러섰다 함. 예 우리 군은 **일진일퇴**하며 적진으로 나아갔다.
③ 막무가내(莫無可奈): 달리 어찌할 수 없음. 예 아무리 말려도 **막무가내**로 덤벼든다.
④ 일촉즉발(一觸卽發): 한 번 건드리기만 해도 폭발할 것같이 몹시 위급한 상태. 예 그들 사이에는 **일촉즉발**의 긴장감이 감돌았다.
⑤ 기사회생(起死回生): 거의 죽을 뻔하다가 도로 살아남. 예 그는 극적으로 **기사회생**하였다.

10 ③ 후생가외

✔ 정답 풀이 '후생가외(뒤 後 날 生 옳을 可 두려울 畏)'는 '젊은 후학들을 두려워할 만하다는 뜻으로, 후진들이 선배들보다 젊고 기력이 좋아, 학문을 닦음에 따라 큰 인물이 될 수 있으므로 가히 두렵다.'를 의미하는 한자성어이다.

❌ 오답 풀이 ① 설상가상(雪上加霜): 눈 위에 또 서리가 덮인다는 뜻으로, 난처한 일이나 불행이 잇따라 일어남을 이르는 말. 예 감기 때문에 고생하고 있는데 **설상가상**으로 장염까지 걸렸다.
② 동량지재(棟梁之材): 기둥과 들보로 쓸 만한 재목이라는 뜻으로, 한 집안이나 한 나라를 떠받치는 중대한 일을 맡을 만한 인재를 이르는 말. 예 그 친구는 어릴 때부터 **동량지재**라는 소리를 듣고 자랐다.
④ 일희일비 (一喜一悲): 한편으로는 기쁘고 한편으로는 슬픔. 예 나는 **일희일비**한 마음으로 사태의 추이를 지켜보고 있었다.
⑤ 혹세무민(惑世誣民): 세상을 어지럽히고 백성을 미혹하게 하여 속임. 예 그는 다른 사람을 **혹세무민**하는 무리들을 처단하기로 결심했다.

11 ① 천인공노

✔ 정답 풀이 '천인공노(하늘 天 사람 人 함께 共 성낼 怒)'는 '하늘과 사람이 함께 노한다는 뜻으로, 누구나 분노할 만큼 증오스럽거나 도저히 용납할 수 없음.'을 의미하는 한자성어이다. 제시된 예문은 그의 용납할 수 없는 행동에 모든 사람들이 혀를 내둘렀다는 의미이므로 '천인공노'가 적절하다.

❌ 오답 풀이 ② 부지불식(不知不識): 생각하지도 못하고 알지도 못함. 예 모든 일은 **부지불식**간에 이루어졌다.
③ 유명무실(有名無實): 이름만 그럴듯하고 실속은 없음. 예 그 회사는 **유명무실**해서 직원들에게 월급도 제대로 주지 못했다.
④ 비몽사몽(非夢似夢): 완전히 잠이 들지도 잠에서 깨어나지도 않은 어렴풋한 상태. 예 나는 **비몽사몽** 중에 친구의 말에 대답했다.
⑤ 인자무적(仁者無敵): 어진 사람은 남에게 덕을 베풂으로써 모든 사람의 사랑을 받기에 모든 사람이 사랑하므로 세상에 적이 없음. 예 그 남자는 **인자무적**하여 모두에게 인기가 있다.

12 ⑤ 불문가지

✔ 정답 풀이 '불문가지(아닐 不 물을 問 옳을 可 알 知)'는 '묻지 아니하여도 알 수 있음.'을 의미하는 한자성어이다. 제시된 예문은 꾸벅꾸벅 조는 모습을 보니 묻지 않아도 어제 밤새도록 게임을 했음을 알겠다는 의미이므로 '불문가지'가 적절하다.

❌ 오답 풀이 ① 포복절도(抱腹絶倒): 배를 그러안고 넘어질 정도로 몹시 웃음. 예 그와 함께 있으면 **포복절도**할 일이 넘쳐난다.
② 읍참마속(泣斬馬謖): 큰 목적을 위하여 자기가 아끼는 사람을 버림을 이르는 말. 예 나는 **읍참마속**을 할지라도 내 뜻을 반드시 이루고 말 것이다.
③ 호사다마(好事多魔): 좋은 일에는 흔히 방해되는 일이 많음. 또는 그런 일이 많이 생김. 예 **호사다마**라더니 대학에 합격하자마자 발목을 접질렸다.
④ 일사불란(一絲不亂): 한 오리 실도 엉키지 아니함이란 뜻으로, 질서가 정연하여 조금도 흐트러지지 아니함을 이르는 말. 예 사관생도들의 행진, 그것은 **일사불란**의 움직임이었다.

13 ⑤ 화용월태

✔ 정답 풀이 '화용월태(꽃 花 얼굴 容 달 月 모습 態)'는 '아름다운 여인의 얼굴과 맵시.'를 의미하는 한자성어이다.
예 그 부인의 모습은 **화용월태**가 따로 없어, 보는 이의 넋을 잃게 만들었다.

❌ 오답 풀이 ① 갑남을녀(甲男乙女): 갑이란 남자와 을이란 여자라는 뜻으로, 평범한 사람들을 이르는 말. 예 나는 **갑남을녀**처럼 평범하게 살고 싶다.
② 장삼이사(張三李四): 장씨(張氏)의 셋째 아들과 이씨(李氏)의 넷째 아들이라는 뜻으로, 이름이나 신분이 특별하지 아니한 평범한 사람들을 이르는 말. 예 그의 외양은 **장삼이사**여서 길거리에서 한눈에 알아볼 수 없었다.
③ 필부필부(匹夫匹婦): 평범한 남녀. 예 그들은 **필부필부**로 만나 백년가약을 맺게 되었다.
④ 초동급부(樵童汲婦): 땔나무를 하는 아이와 물을 긷는 아낙네라는 뜻으로, 평범한 사람을 이르는 말. 예 우리 **초동급부**처럼 오

순도순 살아갑시다.

14 ④ 언감생심

✅정답풀이 '언감생심(어찌 焉 감히 敢 날 生 마음 心)'은 '어찌 감히 그런 마음을 품을 수 있겠냐는 뜻으로, 전혀 그런 마음이 없었음.'을 의미하는 한자성어이다.
예 이놈, 누구 앞이라고 언감생심 그런 말을 하는 것이냐?

❌오답풀이 ① 회빈작주(回賓作主): 손님으로 온 사람이 도리어 주인 행세를 한다는 뜻으로, 어떤 일에 대하여 주장하는 사람을 제쳐 놓고 자기 마음대로 처리함을 이르는 말. 예 그는 자신의 일도 아닌데 왜 회빈작주를 하는 것일까?
② 안하무인(眼下無人): 눈 아래에 사람이 없다는 뜻으로, 방자하고 교만하여 다른 사람을 업신여김을 이르는 말. 예 그는 안하무인으로 행동한다.
③ 오만불손(傲慢不遜): 태도나 행동이 거만하고 공손하지 못함. 예 나는 그의 오만불손함에 몹시 불쾌해졌다.
⑤ 방약무인(傍若無人): 곁에 사람이 없는 것처럼 아무 거리낌 없이 함부로 말하고 행동하는 태도가 있음. 예 남이 싫어하는 줄도 모르고 방약무인으로 떠들어 댄다.

15 ⑤ 회자정리

✅정답풀이 '회자정리(모일 會 사람 者 정할 定 떠날 離)'는 '만난 자는 반드시 헤어짐.'을 의미하는 한자성어이다.
예 회자정리라는 말처럼 우리는 학년이 바뀌자 헤어지게 되었다.

❌오답풀이 ① 수어지교(水魚之交): 물이 없으면 살 수 없는 물고기와 물의 관계라는 뜻으로, 아주 친밀하여 떨어질 수 없는 사이를 비유적으로 이르는 말. 예 그녀와 그는 수어지교 같은 사이이다.
② 막역지간(莫逆之間): 서로 거스르지 않는 사이라는 뜻으로, 허물이 없는 아주 친한 사이를 이르는 말. 예 그와 나는 막역지간이다.
③ 간담상조(肝膽相照): 서로 속마음을 털어놓고 친하게 사귐. 예 간담상조하던 벗이 떠나 마음이 쓸쓸하다.
④ 죽마고우(竹馬故友): 대말을 타고 놀던 벗이라는 뜻으로, 어릴 때부터 같이 놀며 자란 벗. 예 너는 만난 지 얼마 되지 않았지만 마치 죽마고우처럼 느껴진다.

16 ⑤ 만경창파

✅정답풀이 '만경창파(일만 萬 이랑 頃 푸를 蒼 물결 波)'는 '만 이랑의 푸른 물결이라는 뜻으로, 한없이 넓고 넓은 바다.'를 의미하는 한자성어이다.
예 만경창파를 보고 있노라니 마음이 평온해지는 느낌이다.

❌오답풀이 ① 태평성대(太平聖代): 어진 임금이 잘 다스리어 태평한 세상이나 시대. 예 요순시대에는 백성들이 태평성대를 구가하였다.
② 태평성세(太平聖歲): 태평한 세상이나 시대. 예 모든 전쟁의 흔적이 사라지고 한동안 태평성세가 계속됐다.

③ 강구연월(康衢煙月): 번화한 큰 길거리에서 달빛이 연기에 은은하게 비치는 모습을 나타내는 말로, 태평한 세상의 평화로운 풍경을 이르는 말. 예 급한 일을 다 끝내고 집에 오니 이곳이야말로 강구연월과 같다.
④ 함포고복(含哺鼓腹): 잔뜩 먹고 배를 두드린다는 뜻으로, 먹을 것이 풍족하여 즐겁게 지냄을 이르는 말. 예 진정한 천국은 모든 사람들이 함포고복하는 곳이 아닐까?

17 ③ 빛 좋은 개살구

✅정답풀이 '양두구육(양 羊 머리 頭 개 狗 고기 肉)'은 '양의 머리를 걸어 놓고 개고기를 판다는 뜻으로, 겉보기만 그럴듯하게 보이고 속은 변변하지 아니함.'을 의미하는 한자성어이다. '빛 좋은 개살구'는 '겉보기에는 먹음직스러운 빛깔을 띠고 있지만 맛은 없는 개살구라는 뜻으로, 겉만 그럴듯하고 실속이 없는 경우.'를 비유적으로 이르는 속담으로, 겉보기에 번지르르하나 실속은 없다는 '양두구육'과 바꿔 쓰기에 적절하다.

❌오답풀이 ① 꿩 대신 닭: 꼭 적당한 것이 없을 때 그와 비슷한 것으로 대신하는 경우를 비유적으로 이르는 말.
② 개 발에 편자: 옷차림이나 지닌 물건 따위가 제격에 맞지 아니하여 어울리지 않음을 비유적으로 이르는 말.
④ 가는 날이 장날: 일을 보러 가니 공교롭게 장이 서는 날이라는 뜻으로, 어떤 일을 하려고 하는데 뜻하지 않은 일을 공교롭게 당함을 비유적으로 이르는 말.
⑤ 가게 기둥에 입춘: 추하고 보잘것없는 가겟집 기둥에 '입춘대길(立春大吉)'이라 써 붙인다는 뜻으로, 제격에 맞지 않음을 비유적으로 이르는 말.

18 ③ 중구난방

✅정답풀이 '중구난방(무리 衆 입 口 어려울 難 막을 防)'은 '사람의 말을 막기가 어렵다는 뜻으로, 막기 어려울 정도로 여럿이 마구 지껄임.'을 의미하는 한자성어이다. 제시문의 밑줄 친 부분은 수십 명이 동시에 떠들어대는 상황을 의미하므로 '중구난방'이 적절하다.

❌오답풀이 ① 유구무언(有口無言): 입은 있어도 말은 없다는 뜻으로, 변명할 말이 없거나 변명을 못함을 이르는 말. 예 전적으로 저의 잘못이니 유구무언입니다.
② 우이독경(牛耳讀經): 쇠귀에 경 읽기라는 뜻으로, 아무리 가르치고 일러 주어도 알아듣지 못함을 이르는 말. 예 너에게 상대성 이론을 알려 줘 보았자 우이독경이로구나.
④ 교언영색(巧言令色): 아첨하는 말과 알랑거리는 태도. 예 교언영색에 속아 넘어가지 말고 사람의 진심을 볼 수 있어야 한다.
⑤ 횡설수설(橫說竪說): 조리가 없이 말을 이러쿵저러쿵 지껄임. 예 횡설수설하지 말고 제대로 말해 봐.

19 ② 초지일관

✅정답풀이 '초지일관(처음 初 뜻 志 한 一 꿸 貫)'은 '처음에 세운 뜻을 끝까지 밀고 나감.'을 의미하는 한자성어이다. 제시문의

밑줄 친 부분은 어린 시절의 꿈을 아직도 간직하고 있다는 의미이므로 '초지일관'이 적절하다.

✖ 오답 풀이 ① 괄목상대(刮目相對): 눈을 비비고 상대편을 본다는 뜻으로, 남의 학식이나 재주가 놀랄 만큼 부쩍 늘음을 이르는 말. 예 그는 피나는 노력의 결과 기타 연주 실력이 **괄목상대**했다.
③ 고식지계(姑息之計): 우선 당장 편한 것만을 택하는 꾀나 방법. 한때의 안정을 얻기 위하여 임시로 둘러맞추어 처리하거나 이리저리 주선하여 꾸며 내는 계책을 이른다. 예 자꾸 **고식지계**만 도모하다 보면 언젠가 큰 일이 나고 말 것이다.
④ 일취월장(日就月將): 나날이 다달이 자라거나 발전함. 예 꾸준히 노력하더니 실력이 **일취월장**했구나!
⑤ 곡학아세(曲學阿世): 바른 길에서 벗어난 학문으로 세상 사람에게 아첨함. 예 배운 사람들이 뇌물을 받고 관직에 오르다니, **곡학아세**로구나.

20 ②

✔ 정답 풀이 '염량세태(불꽃 炎 서늘할 涼 인간 世 모습 態)'는 '세력이 있을 때는 아첨하여 따르고 세력이 없어지면 푸대접하는 세상인심.'을 비유적으로 이르는 한자성어이다. '현실성이 없는 허황한 이론이나 논의.'를 이르는 한자성어는 '탁상공론(높을 卓 윗 上 빌 空 논할 論)'이다.
예 성적이 낮을 때는 거들떠보지도 않다가 좋은 성적을 받으니 온갖 아첨과 인사가 들어오니 **염량세태**가 바로 이런 것이구나.
예 회의가 **탁상공론**으로 끝났다.

✖ 오답 풀이 ① 망운지정(望雲之情): 자식이 객지에서 고향에 계신 어버이를 생각하는 마음. 예 부모님과 떨어져 살다 보니 **망운지정**이 점점 커진다.
③ 천하일색(天下一色): 세상에 드문 아주 뛰어난 미인. 예 그 집 자식들의 인물이 **천하일색**이라던데.
④ 천재일우(千載一遇): 천 년 동안 단 한 번 만난다는 뜻으로, 좀처럼 만나기 어려운 좋은 기회를 이르는 말. 예 그가 스승을 만난 것은 **천재일우**의 기회였다.
⑤ 일확천금(一攫千金): 단번에 천금을 움켜쥔다는 뜻으로, 힘들이지 아니하고 단번에 많은 재물을 얻음을 이르는 말. 예 나는 **일확천금**을 꿈꾸기보다는 내 힘으로 열심히 살아 보고 싶다.

적용 문제

1 ① 결초보은

✔ 정답 풀이 '결초보은(맺을 結 풀 草 갚을 報 은혜 恩)'은 '죽은 뒤에라도 은혜를 잊지 않고 갚음.'을 의미하는 한자성어이다. ㉠의 앞뒤를 살펴보면 ㉠에는 진 소저가 은혜를 갚고자 한다는 의미의 한자성어가 들어가야 한다. 따라서 '결초보은'이 적절하다.

✖ 오답 풀이 ② 명약관화(明若觀火): 불을 보듯 분명하고 뻔함. 예 네가 거짓말을 하고 있다는 것은 **명약관화**하다.

③ 형설지공(螢雪之功): 반딧불 · 눈과 함께 하는 노력이라는 뜻으로, 고생을 하면서 부지런하고 꾸준하게 공부하는 자세를 이르는 말. 예 그는 **형설지공**으로 공부에 매진하였다.
④ 파안대소(破顔大笑): 매우 즐거운 표정으로 활짝 웃음. 예 네가 **파안대소**하는 모습이 보기가 좋다.
⑤ 자중지란(自中之亂): 같은 편끼리 하는 싸움. 예 **자중지란**으로 일을 망치지 마.

2 ② 배은망덕

✔ 정답 풀이 '배은망덕(배반할 背 은혜 恩 잊을 忘 덕 德)'은 '남에게 입은 은덕을 저버리고 배신하는 태도가 있음.'을 의미하는 한자성어이다. 조문화는 진 소저가 은혜를 갚을 줄 아는 사람이라고 생각하여 화를 돋우지 않으려 하였는데, 진 소저가 자신의 은혜를 저버리고 배신하였다는 것을 알게 되었으므로 빈칸에는 '배은망덕'이 적절하다.

✖ 오답 풀이 ① 각골통한(刻骨痛恨): 뼈에 사무칠 만큼 원통하고 한스러움. 또는 그런 일. 예 원수를 눈앞에서 놓치다니 **각골통한**이다.
③ 선견지명(先見之明): 어떤 일이 일어나기 전에 미리 앞을 내다보고 아는 지혜. 예 그는 **선견지명**이 있어 주식 투자에서 큰 성공을 거두었다.
④ 오비이락(烏飛梨落): 까마귀 날자 배 떨어진다는 뜻으로, 아무 관계도 없이 한 일이 공교롭게도 때가 같아 억울하게 의심을 받거나 난처한 위치에 서게 됨을 이르는 말. 예 **오비이락**도 유분수지. 하필 그때 거기에 갔다가 절도범으로 몰릴 뻔했네.
⑤ 전전반측(輾轉反側): 누워서 몸을 이리저리 뒤척이며 잠을 이루지 못함. 예 나는 어젯밤 **전전반측**하며 그녀를 생각했다.

3 ② 무아지경

✔ 정답 풀이 '무아지경(없을 無 나 我 갈 之 지경 境)'은 '정신이 한곳에 온통 쏠려 스스로를 잊고 있는 경지.'를 의미하는 한자성어이다. 제시문의 밑줄 친 부분은 나비가 되어 본래의 자신을 잊어버렸다는 의미이므로 '무아지경'이 적절하다.

✖ 오답 풀이 ① 명실상부(名實相符): 이름과 실상이 서로 꼭 맞음. 예 브라질은 **명실상부**한 축구 강국이다.
③ 함흥차사(咸興差使): 심부름을 가서 오지 아니하거나 늦게 온 사람. 조선 태조 이성계가 왕위를 물려주고 함흥에 있을 때에, 태종이 보낸 차사를 혹은 죽이고 혹은 잡아 가두어 돌려보내지 아니하였던 데서 유래한다. 예 심부름을 보낸 지가 언제인데 아직도 **함흥차사**란 말인가.

④ 경거망동(輕擧妄動): 경솔하여 생각 없이 망령되게 행동함. 또는 그런 행동. 예 경거망동하면 나중에 반드시 후회할 일이 생긴다.
⑤ 환골탈태(換骨奪胎): 사람이 보다 나은 방향으로 변하여 전혀 딴사람처럼 됨. 예 머리카락을 새로 자르고 옷을 다르게 입으니 사람이 환골탈태하였다.

4 청출어람

✅ **정답풀이** '청출어람(푸를 靑 날 出 어조사 於 쪽 藍)'은 '쪽에서 뽑아낸 푸른 물감이 쪽보다 더 푸르다는 뜻으로, 제자나 후배가 스승이나 선배보다 나음.'을 비유적으로 이르는 한자성어이다.
예 이제 네가 스승인 나보다 가야금을 더 잘 연주하게 되었구나. 청출어람이라 기쁘다.

---

36 일차 헷갈리는 어휘 ①

01 ㉠ – 결재, ㉡ – 결제

✅ **정답풀이** '결제(결단할 決 건널 濟)'는 '증권 또는 대금을 주고받아 매매 당사자 사이의 거래 관계를 끝맺는 일.'을 의미하는 한자어이다. '결재(결단할 決 마를 裁)'는 '결정할 권한이 있는 상관이 부하가 제출한 안건을 검토하여 허가하거나 승인함.'을 의미하는 한자어이다. ㉠은 부장님께 제출한 안건의 승인을 받으러 간다는 의미이므로 '결재'가 적절하다. ㉡은 신용 카드로 물품 대금을 준다는 의미이므로 '결제'가 적절하다.

02 ㉠ – 곤욕, ㉡ – 곤혹

✅ **정답풀이** '곤욕(곤할 困 욕될 辱)'은 '심한 모욕. 또는 참기 힘든 일.'을 의미하는 한자어이다. '곤혹(곤할 困 미혹할 惑)'은 '곤란한 일을 당하여 어찌할 바를 모름.'을 의미하는 한자어이다. ㉠은 그가 추위에 약해 겨울마다 참기 힘든 일을 치른다는 의미이므로 '곤욕'이 적절하다. ㉡은 예기치 못한 질문에 어찌할 바를 모른다는 의미이므로 '곤혹'이 적절하다.

03 ㉠ – 막연하다, ㉡ – 막역하다

✅ **정답풀이** '막연(넓을 漠 그럴 然)하다'는 '갈피를 잡을 수 없게 아득하다.'를 의미한다. '막역(없을 莫 거스릴 逆)하다'는 '허물이 없이 아주 친하다.'를 의미한다. ㉠은 앞으로 살아갈 길이 아득하다는 의미이므로 '막연하다'가 적절하다. ㉡은 그들이 어렸을 때부터 친했다는 의미이므로 '막역하다'가 적절하다.

04 ㉠ – 담합, ㉡ – 단합

✅ **정답풀이** '단합(둥글 團 합할 合)'은 '단결, 많은 사람이 마음과 힘을 한데 뭉침.'을 의미하는 한자어이다. '담합(말씀 談 합할 合)'은 '서로 의논하여 합의함.'을 의미하는 한자어이다. ㉠은 두 기업이 합의해 가격을 인상했다는 의미이므로 '담합'이 적절하

다. ㉡은 우리 팀이 힘을 잘 합쳐 우승을 했다는 의미이므로 '단합'이 적절하다.

05 ㉠ – 반증, ㉡ – 방증

✅ **정답풀이** '반증(돌이킬 反 증거 證)'은 '어떤 사실이나 주장이 옳지 아니함을 그에 반대되는 근거를 들어 증명함. 또는 그런 증거.'를 의미하는 한자어이다. '방증(곁 傍 증거 證)'은 '사실을 직접 증명할 수 있는 증거가 되지는 않지만, 주변의 상황을 밝힘으로써 간접적으로 증명에 도움을 줌. 또는 그 증거.'를 의미하는 한자어이다. ㉠은 어떠한 사실을 뒤집을 수 있는 반대 근거가 없다는 의미이므로 '반증'이 적절하다. ㉡은 강의가 그의 해박한 지식을 간접적으로 보여 준다는 의미이므로 '방증'이 적절하다.

06 ㉠ – 관여, ㉡ – 간여

✅ **정답풀이** '간여(방패 干 더불 與)'는 '관계하여 참견함.'을 의미하는 한자어이다. '관여(관계할 關 더불 與)'는 '어떤 일에 관계하여 참여함.'을 의미하는 한자어이다. ㉠은 이 작업에 참여한 사람이 많다는 의미이므로 '관여'가 적절하다. ㉡은 내가 그 사람의 감정에 참견할 바가 아니라는 의미이므로 '간여'가 적절하다.

07 ㉠ – 자청, ㉡ – 자처

✅ **정답풀이** '자처(스스로 自 곳 處)'는 '자기를 어떤 사람으로 여겨 그렇게 처신함.'을 의미하는 한자어이다. '자청(스스로 自 청할 請)'은 '어떤 일에 나서기를 스스로 청함.'을 의미하는 한자어이다. ㉠은 분리수거를 담당하겠다고 스스로 청한다는 의미이므로 '자청'이 적절하다. ㉡은 자신들이 아시아 최강이라고 여기고 처신한다는 의미이므로 '자처'가 적절하다.

> **어·휘·력 Up** '스스로 자(自)'가 사용된 한자어
>
> • **자제(스스로 自 절제할 制):** 자기의 감정이나 욕망을 스스로 억제함.
> 예 시민 단체는 호화 해외여행에 대한 자제를 촉구했다.
> • **자초(스스로 自 부를 招):** 어떤 결과를 자기가 생기게 함. 또는 제 스스로 끌어들임.
> 예 그는 무례한 언행으로 이미지 실추를 자초하였다.
> • **자성(스스로 自 살필 省):** 자기 자신의 태도나 행동을 스스로 반성함.
> 예 과거에 대한 자성이 없이는 미래의 발전을 기대하기 어렵다.
> • **자정(스스로 自 깨끗할 淨):** 오염된 물이나 땅 따위가 물리학적·화학적·생물학적 작용으로 저절로 깨끗해짐.
> 예 생태계의 자정 능력은 정말 놀라운 것이다.
> • **자존심(스스로 自 높을 尊 마음 心):** 남에게 굽히지 아니하고 자신의 품위를 스스로 지키는 마음.
> 예 나는 내 자존심을 걸고 이번 시험에서 높은 점수를 받고야 말 것이다.

08 ㉠ – 후송, ㉡ – 호송

✅ **정답풀이** '후송(뒤 後 보낼 送)'은 '적군과 맞대고 있는 지역에서 부상자, 전리품, 포로 따위를 후방으로 보냄.'을 의미하는 한자어이다. '호송(도울 護 보낼 送)'은 '목적지까지 보호하여 운반함.'을 의미하는 한자어이다. ㉠은 병원으로 환자를 보낸다는 의

미이므로 '후송'이 적절하다. ⓒ은 현금 수송을 할 때 경찰에게 목적지까지 현금을 보호하여 운반해 줄 것을 요청한다는 의미이므로 '호송'이 적절하다.

09 달린다

✅ **정답 풀이** '딸리다'는 '어떤 것에 매이거나 붙어 있다. 어떤 부서나 종류에 속하다.'를 의미한다. '달리다'는 '재물이나 기술, 힘 따위가 모자라다.'를 의미한다. 제시된 예문은 축구에 있어서는 내가 다른 친구들에 비해 실력이 모자란다는 의미이므로 '달린다'가 적절하다.

📝 그 집에는 비교적 넓은 앞마당이 <u>딸려</u> 있다.

10 그저

✅ **정답 풀이** '그저'는 '변함없이 이제까지.'를 의미한다. '거저'는 '아무런 노력이나 대가 없이.'를 의미한다. 제시된 예문은 그는 이제까지 잠만 자고 있다는 의미이므로 '그저'가 적절하다.

📝 내가 보던 책을 <u>거저</u> 줄 테니, 넌 공부나 열심히 해라.

11 걷잡을

✅ **정답 풀이** '걷잡다'는 '한 방향으로 치우쳐 흘러가는 형세 따위를 붙들어 잡다.'를 의미한다. '겉잡다'는 '겉으로 보고 대강 짐작하여 헤아리다.'를 의미한다. 제시된 예문은 불길이 붙들어 잡을 수 없을 정도로 번져 나갔다는 의미이므로 '걷잡을'이 적절하다.

📝 그 과제는 <u>겉잡아도</u> 다 하는 데 일주일은 걸리겠다.

12 합병

✅ **정답 풀이** '합방(합할 合 나라 邦)'은 '둘 이상의 나라가 하나로 합쳐짐. 또는 둘 이상의 나라를 합침.'을 의미하는 한자어이다. '합병(합할 合 아우를 倂)'은 '둘 이상의 기구나 단체, 나라 따위가 하나로 합쳐짐. 또는 그렇게 만듦.'을 의미하는 한자어이다. 제시된 예문은 연구소가 대학 연구소에 합쳐졌다는 의미이므로 '합병'이 적절하다.

📝 약소국은 강대국에 <u>합방</u>되기도 한다.

13 그슬렸다

✅ **정답 풀이** '그을리다'는 '햇볕이나 불, 연기 따위를 오래 쬐어 검게 되다.'를 의미하는 '그을다'의 피동사이다. '그슬리다'는 '불에 겉만 약간 타게 하다.'를 의미하는 '그슬다'의 피동사이다. 제시된 예문은 불에 머리카락이 약간 탔다는 의미이므로 '그슬렸다'가 적절하다.

📝 여름휴가를 다녀왔더니 얼굴이 꺼멓게 <u>그을렸다</u>.

14 깃들었다

✅ **정답 풀이** '깃들다'는 '감정, 생각, 노력 따위가 어리거나 스미다.'를 의미한다. '깃들이다'는 '사람이나 건물 따위가 어디에 살거나 그곳에 자리 잡다.'를 의미한다. 제시된 예문은 스웨터에는 어머니의 정성이 어려 있다는 의미이므로 '깃들었다'가 적절하다.

📝 우리 집 근처에 있는 산에는 유명한 사찰이 곳곳에 <u>깃들여</u> 있다.

15 껍데기

✅ **정답 풀이** '껍질'은 '물체의 겉을 싸고 있는 단단하지 않은 물질.'을 의미한다. '껍데기'는 '달걀이나 조개 따위의 겉을 싸고 있는 단단한 물질.'을 의미한다. 제시된 예문에서 굴은 단단한 겉면을 가지고 있으므로 '껍데기'가 적절하다.

📝 이 사과는 <u>껍질</u>이 너무 두껍다.

16 나아가야

✅ **정답 풀이** '나아가다'는 '목적하는 방향을 향하여 가다.'를 의미한다. '나가다'는 '일정한 지역이나 공간의 범위와 관련하여 그 안에서 밖으로 이동하다.'를 의미한다. 제시된 예문은 다른 것에 눈 돌리지 말고 목표를 향해 가야 한다는 의미이므로 '나아가야'가 적절하다.

📝 학생들은 수업이 끝나자 모두 운동장으로 <u>나가서</u> 공을 차며 놀았다.

17 ① 개재, 계제, 게재

✅ **정답 풀이** '개재(낄 介 있을 在)'는 '어떤 것들 사이에 끼여 있음.'을 의미하는 한자어이다. '계제(섬돌 階 사다리 梯)'는 '어떤 일을 할 수 있게 된 형편이나 기회.'를 의미하는 한자어이다. '게재(높이 들 揭 실을 載)'는 '글이나 그림 따위를 신문이나 잡지 따위에 실음.'을 의미하는 한자어이다. 첫 번째 예문은 이번 협상에는 많은 변수가 끼여 있다는 의미이므로 ㉠은 '개재'가 적절하다. 두 번째 예문은 내 상황은 이것저것 가릴 형편이 못 된다는 의미이므로 ㉡은 '계제'가 적절하다. 세 번째 예문은 그는 주 1회씩 칼럼을 신문에 신기로 했다는 의미이므로 ㉢은 '게재'가 적절하다.

18 ④ 갈음, 가름, 가늠

✅ **정답 풀이** '갈음'은 '다른 것으로 바꾸어 대신함.'을 의미한다. '가름'은 '승부나 등수 따위를 정하는 일.'을 의미한다. '가늠'은 '사물을 어림잡아 헤아림.'을 의미한다. 첫 번째 예문은 별도의 인사말보다는 행운이 가득하길 기원하는 것으로 대신하겠다는 의미이므로 ㉠은 '갈음'이 적절하다. 두 번째 예문은 선수들의 투지가 승패를 결정했다는 의미이므로 ㉡은 '가름'이 적절하다. 세 번째 예문은 경기가 팽팽하여 승패를 헤아리기 어렵다는 의미이므로 ㉢은 '가늠'이 적절하다.

🔵 **어·휘·력 Up** '갈음'의 적절한 표현

1) 이로써 저의 인사말을 갈음하겠습니다.
2) 이로써 저의 인사말에 갈음하겠습니다.

'(-을 -으로) 바꾸어 대신하다.'를 의미하는 '갈음하다'는 목적어가 있어야 한다. 따라서 '이로써 저의 인사말에 갈음하겠습니다.'보다는 '이로써 저의 인사말을 갈음하겠습니다.'가 더 적절한 표현이다.

19 ② 실제, 실체, 실재

✅정답풀이 '실제(열매 實 즈음 際)'는 '사실의 경우나 형편.'을 의미하는 한자어이다. '실체(열매 實 몸 體)'는 '실제의 물체. 또는 외형에 대한 실상.'을 의미하는 한자어이다. '실재(열매 實 있을 在)'는 '실제로 존재함.'을 의미하는 한자어이다. 첫 번째 예문은 그가 자신의 진짜 나이보다 젊게 보인다는 의미이므로 ㉠은 '실제'가 적절하다. 두 번째 예문은 사건의 실상을 파악하는 것이 급선무라는 의미이므로 ㉡은 '실체'가 적절하다. 세 번째 예문은 병풍의 그림에는 식물의 실제 존재하는 모습을 본뜬 것이 많다는 의미이므로 ㉢은 '실재'가 적절하다.

20 ④ 보조, 보완, 보충

✅정답풀이 '보조(도울 補 도울 助)'는 '보태어 도움.'을 의미하는 한자어이다. '보완(도울 補 완전할 完)'은 '모자라거나 부족한 것을 보충하여 완전하게 함.'을 의미하는 한자어이다. '보충(도울 補 채울 充)'은 '부족한 것을 보태어 채움.'을 의미하는 한자어이다. 첫 번째 예문은 나는 삼촌의 도움으로 대학을 마칠 수 있었다는 의미이므로 ㉠은 '보조'가 적절하다. 두 번째 예문은 법 시행에 허점이 있어 제도적으로 보충하여 완전하게 할 필요가 있다는 의미이므로 ㉡은 '보완'이 적절하다. 세 번째 예문은 성장기 청소년들에게는 다양한 영양을 채워 주는 것이 필수적이라는 의미이므로 ㉢은 '보충'이 적절하다.

21 ① 근본, 근간, 근원

✅정답풀이 '근본(뿌리 根 근본 本)'은 '자라 온 환경이나 혈통.'을 의미하는 한자어이다. '근간(뿌리 根 줄기 幹)'은 '사물의 바탕이나 중심이 되는 중요한 것.'을 의미하는 한자어이다. '근원(뿌리 根 근원 源)'은 '물줄기가 나오기 시작하는 곳.' 또는 '사물이 비롯되는 근본이나 원인.'을 의미하는 한자어이다. 첫 번째 예문은 그가 혈통이 있는 집안에서 자란 사람이라는 의미이므로 ㉠에는 '근본'이 적절하다. 두 번째 예문은 유생들이 중심이 되어 자위단이 결성되었다는 의미이므로 ㉡은 '근간'이 적절하다. 세 번째 예문은 그 소년과 자신이 비롯되는 근본 혈통이 같다는 의미이므로 ㉢은 '근원'이 적절하다.

37일차 헷갈리는 어휘 ②

01 ③

✅정답풀이 '단순(홑 單 순수할 純)하다'는 '복잡하지 않고 간단하다.'를 의미한다. 제시된 예문은 이 집의 반찬 맛이 산뜻해서 자주 온다는 의미이므로 '담백(淡白)해서'로 바꾸는 것이 적절하

다. '담백(맑을 淡 흰 白)하다'는 '음식이 느끼하지 않고 산뜻하다.'를 의미한다.

❌오답풀이 ① '결여(缺如)'는 '마땅히 있어야 할 것이 빠져서 없거나 모자람.'을 의미하는 한자어이다. 제시된 예문은 영화가 작품성이 모자라서 혹평을 받았다는 의미이므로 '결여'는 적절하다.
② '면목(面目)'은 '사람이나 사물의 겉모습.'을 의미하는 한자어이다. 제시된 예문은 서울이 세계적인 도시의 겉모습을 지녔다는 의미이므로 '면목'은 적절하다.
④ '공표(公表)되다'는 '여러 사람에게 널리 드러나 알려지다.'를 의미한다. 제시된 예문은 논문의 재심 결과가 여러 사람들에게 널리 드러내어 알려지지 않았다는 의미이므로 '공표되지'는 적절하다.
⑤ '암시(暗示)'는 '넌지시 일림. 또는 그 내용.'을 의미하는 한자어이다. 제시된 예문은 그 말에는 앞으로 어떤 일이 벌어질 것이라는 것을 넌지시 알리는 내용이 담겨 있다는 의미이므로 '암시'는 적절하다.

> **어·휘·력 Up '공포하다'와 '공표하다'**
>
> '공포(공평할 公 베 布)하다'는 '일반 대중에게 널리 알리다.'의 의미 외에도 '이미 확정된 법률, 조약, 명령 따위를 일반 국민에게 널리 알리다.'의 의미를 갖고 있다. 따라서 주로 공적인 상황에서 주로 사용된다. 한편 '공표(공평할 公 겉 表)하다'는 '여러 사람에게 널리 드러내어 알리다.'의 의미만 갖고 있어 '여러 사람'을 대상으로 알릴 때 주로 사용된다.

02 ⑤

✅정답풀이 '개량(고칠 改 좋을 良)되다'는 '나쁜 점이 보완되어 더 좋게 되다.'를 의미한다. '개량되다'는 주로 품종이나 기계, 도구, 방법 따위와 어울려 사용된다. 제시된 예문은 공부 환경에 다소 부족한 점이 있었으나 이것이 더 좋게 바뀌었다는 의미이므로 '개선(改善)되어서'로 바꾸는 것이 적절하다. '개선(고칠 改 좋을 善)되다'는 '잘못된 것이나 부족한 것, 나쁜 것 따위가 고쳐져 더 좋게 되다.'를 의미한다. '개선되다'는 주로 생활 환경이나 교육 환경, 체질, 처우 따위와 어울려 사용된다.

❌오답풀이 ① '낭패(狼狽)'는 '계획한 일이 실패로 돌아가거나 기대에 어긋나 매우 딱하게 됨.'을 의미하는 한자어이다. 제시된 예문은 기차가 떠나서 계획한 일이 어긋나게 되었다는 의미이므로 '낭패'는 적절하다.
② '신중(愼重)하다'는 '매우 조심스럽다.'를 의미한다. 제시된 예문은 수행 평가 주제를 매우 조심스럽게 선택해야 한다는 의미이므로 '신중하게'는 적절하다.
③ '변동(變動)'은 '바뀌어 달라짐.'을 의미하는 한자어이다. 제시된 예문은 여행 계획이 바뀌어 달라지면 알려 달라는 의미이므로 '변동'은 적절하다.
④ '대처(對處)하다'는 '어떤 정세나 사건에 대하여 알맞은 조치를 취하다.'를 의미한다. 제시된 예문은 위기 상황에 대하여 알맞은 조치를 취한다는 의미이므로 '대처했다'는 적절하다.

03 ③

✅**정답풀이** '어느'는 '둘 이상의 것 가운데 대상이 되는 것이 무엇인지 물을 때 쓰는 말.'이다. 제시된 예문은 보통 때와 달리 오늘은 일찍 자리에서 일어났다는 의미이므로 '여느'로 바꾸는 것이 적절하다. '여느'는 '그 밖의 예사로운. 또는 다른 보통의.'를 의미한다.

❌**오답풀이** ① '살지다'는 '과실이나 식물의 뿌리 따위에 살이 많다.'를 의미한다. 제시된 예문은 맛이 오른 과일이 살이 많다는 의미이므로 '살진'은 적절하다.
② '여의다'는 '부모나 사랑하는 사람이 죽어서 이별하다.'를 의미한다. 제시된 예문은 그의 부모님이 일찍 돌아가셨다는 의미이므로 '여의고'는 적절하다.
④ '오죽'은 (주로 추측을 나타내는 어미 '-겠-'과 의문형 어미를 가진 서술어, 또는 '-으면' 어미를 가진 서술어와 함께 쓰여) '얼마나'의 뜻을 나타내는 말이다. 제시된 예문은 밖이 얼마나 춥겠냐는 의미이므로 '오죽'은 적절하다.
⑤ '좇다'는 '목표, 이상, 행복 따위를 추구하다.'를 의미한다. 제시된 예문은 그가 이상을 추구하고 싶었다는 의미이므로 '좇고'는 적절하다.

04 ㉠ – 넓이, ㉡ – 너비

✅**정답풀이** '너비'는 '평면이나 넓은 물체의 가로로 건너지른 거리.'를 의미한다. '넓이'는 '일정한 평면에 걸쳐 있는 공간이나 범위의 크기.'를 의미한다. 첫 번째 예문은 방의 크기가 두 사람이 겨우 누울 만하다는 의미이므로 ㉠은 '넓이'가 적절하다. 두 번째 예문은 어깨를 가로지른 거리만큼 벌리고 서라는 의미이므로 ㉡은 '너비'가 적절하다.

05 ㉠ – 두껍게, ㉡ – 두텁게

✅**정답풀이** '두텁다'는 '신의, 믿음, 관계, 인정 따위가 굳고 깊다.'를 의미한다. '두껍다'는 '두께가 보통의 정도보다 크다.'를 의미한다. 첫 번째 예문은 날씨가 추워 옷의 두께를 더 크게 해 입었다는 의미이므로 ㉠은 '두껍다'의 활용형인 '두껍게'가 적절하다. 두 번째 예문은 친구와 우정을 깊게 쌓았다는 의미이므로 ㉡은 '두텁다'의 활용형인 '두텁게'가 적절하다.

06 ㉠ – 들러, ㉡ – 들려

✅**정답풀이** '들르다'는 '지나는 길에 잠깐 들어가 머무르다.'를 의미한다. '들리다'는 '사람이나 동물이 소리를 감각 기관을 통해 알아차리다.'를 의미하는 '듣다'의 피동사이다. 첫 번째 예문은 하굣길에 서점에 들어가 친구를 만났다는 의미이므로 ㉠은 '들르다'의 활용형인 '들러'가 적절하다. 두 번째 예문은 밤새 천둥소리가 나서 잠을 푹 자지 못했다는 의미이므로 ㉡은 '들리다'의 활용형인 '들려'가 적절하다.

07 ㉠ – 띄게, ㉡ – 띠기

✅**정답풀이** '띠다'는 '감정이나 기운 따위를 나타내다.'를 의미한다. '띄다'는 '뜨이다'의 준말로, '('눈에'와 함께 쓰여) 남보다 훨씬 두드러지다.'를 의미한다. 첫 번째 예문은 형의 행동이 두드러지게 달라졌다는 의미이므로 ㉠은 '띄다'의 활용형인 '띄게'가 적절하다. 두 번째 예문은 대화가 열띤 기운을 나타내게 되었다는 의미이므로 ㉡은 '띠다'의 활용형인 '띠기'가 적절하다.

> **어·휘·력 Up** '띄다'와 '띠다'
> • '띄다'는 눈이 벌어지거나 청각의 신경이 긴장되거나 '눈에 보이다.', '남보다 두드러지다.'의 의미로, 주로 눈이나 청각과 관계된 표현에 사용된다.
> **예** 빨간 지붕이 눈에 띄는 집이 그녀의 집이다.
> • '띠다'는 '용무, 사명, 빛깔, 성질, 감정 등을 가지거나 나타내다.'의 의미로, 다양한 표현에 사용된다.
> **예** 그는 중대한 임무를 띠고 떠나게 되었다.

08 ㉠ – 길었다, ㉡ – 기웠다

✅**정답풀이** '깁다'는 '떨어지거나 해어진 곳에 다른 조각을 대거나 또는 그대로 꿰매다.'를 의미한다. '긷다'는 '우물이나 샘 따위에서 두레박이나 바가지 따위로 물을 떠내다.'를 의미한다. 첫 번째 예문은 할머니께서 우물에서 물을 떠냈다는 의미이므로 '긷다'의 활용형인 '길었다'가 적절하다. 두 번째 예문은 언니가 구멍 난 양말을 꿰맸다는 의미이므로 '깁다'의 활용형인 '기웠다'가 적절하다.

09 ㉠ – 돋굴, ㉡ – 돋울

✅**정답풀이** '돋구다'는 '안경의 도수 따위를 더 높게 하다.'를 의미한다. '돋우다'는 '감정이나 기색 따위가 생겨나다.'를 의미하는 '돋다'의 사동사이다. 첫 번째 예문은 안경의 도수를 높일 때가 되었다는 의미이므로 ㉠은 '돋구다'의 활용형인 '돋굴'이 적절하다. 두 번째 예문은 동생의 행동이 아버지의 화를 생겨나게 한다는 의미이므로 ㉡은 '돋다'의 사동사 '돋우다'의 활용형인 '돋울'이 적절하다.

10 ㉠ – 비추었다, ㉡ – 비치었다

✅**정답풀이** '비추다'는 '빛을 내는 대상이 다른 대상에 빛을 보내어 밝게 하다.'를 의미한다. '비치다'는 '물체의 그림자나 영상이 나타나 보이다.'를 의미한다. 첫 번째 예문은 햇살이 교실을 밝게 했다는 의미이므로 ㉠은 '비추다'의 활용형인 '비추었다'가 적절하다. 두 번째 예문은 번갯불에 그의 모습이 나타나 보였다는 의미이므로 ㉡은 '비치다'의 활용형인 '비치었다'가 적절하다.

11 가르쳐

✅**정답풀이** '가리키다'는 '손가락 따위로 어떤 방향이나 대상을 집어서 보이거나 말하거나 알리다.'를 의미한다. 제시된 예문은 영수가 내게 수학 문제를 알도록 하는 것이므로 '지식이나 기능, 이치 따위를 깨닫게 하거나 익히게 하다.'를 의미하는 '가르치다'

의 활용형인 '가르쳐'가 적절하다.
예 그는 손가락으로 북쪽을 <u>가리켰다</u>.

12 곯았다

✓정답풀이 '골다'는 '잠잘 때 거친 숨결이 콧구멍을 울려 드르렁거리는 소리를 내다.'를 의미한다. 제시된 예문은 아침밥을 잘 챙겨 먹지 못해 몸이 상했다는 의미이므로 '(비유적으로) 은근히 해를 입어 골병이 들다.'를 의미하는 '곯다'의 활용형인 '곯았다'가 적절하다.
예 내가 방문했을 때 그는 세상 모르고 코를 <u>골고</u> 있었다.

13 느긋하게

✓정답풀이 '누긋하다'는 '성질이나 태도가 좀 부드럽고 순하다.'를 의미한다. 제시된 예문은 서두르지 말고 마음의 여유를 가지고 결과를 기다리자는 의미이므로 '마음에 흡족하여 여유가 있고 넉넉하다.'를 의미하는 '느긋하다'의 활용형인 '느긋하게'가 적절하다.
예 화내지 말고 <u>누긋하게</u> 참고 기다려라.

14 다려

✓정답풀이 '달이다'는 '약재 따위에 물을 부어 우러나도록 끓이다.'를 의미한다. 제시된 예문은 아버지께서 다리미로 면바지에 줄을 세우셨다는 의미이므로 '옷이나 천 따위의 주름이나 구김을 펴고 줄을 세우기 위하여 다리미나 인두로 문지르다.'를 의미하는 '다리다'의 활용형인 '다려'가 적절하다.
예 나는 건강을 위해 보약을 <u>달여</u> 먹는다.

15 왠지

✓정답풀이 '웬'은 '어찌 된.' 또는 '어떠한.'을 의미한다. 제시된 예문은 매일 만나는 사람이 오늘따라 이유 없이 멋있어 보인다는 의미이므로 '왜 그런지 모르게. 또는 뚜렷한 이유도 없이.'를 의미하는 '왠지'가 적절하다. '웬지'는 '왠지'를 잘못 표기한 것이다.
예 <u>웬</u> 걱정이 그리 많아?

16 삭이느라

✓정답풀이 '삭히다'는 '김치나 젓갈 따위의 음식물이 발효되어 맛이 들다.'를 의미하는 '삭다'의 사동사이다. 제시된 예문은 그녀는 마음을 가라앉히느라 애를 썼다는 의미이므로 '긴장이나 화가 풀려 마음이 가라앉다.'를 의미하는 '삭다'의 사동사인 '삭이다'의 활용형인 '삭이느라'가 적절하다. 사동사는 문장의 주체가 자기 스스로 행하지 않고 남에게 그 행동이나 동작을 하게 함을 나타내는 동사를 가리킨다.
예 김치를 맛있게 먹으려면 적당히 <u>삭혀야</u> 한다.

17 으슥한

✓정답풀이 '이슥하다'는 '밤이 꽤 깊다.'를 의미한다. 제시된 예문은 깊숙하고 후미진 골목길에 들어서니 귀신이 나올 것 같다는 의미이므로 '무서움을 느낄 만큼 깊숙하고 후미지다.'를 의미하는 '으슥하다'의 활용형인 '으슥한'이 적절하다.
예 아버지는 밤이 <u>이슥해서야</u> 집에 돌아오셨다.

18 ⑤ 검증, 검역, 검정

✓정답풀이 '검증(검사할 檢 증거 證)'은 '검사하여 증명함.'을 의미하는 한자어이다. '검역(검사할 檢 전염병 疫)'은 '해외에서 전염병이나 해충이 들어오는 것을 막기 위하여 공항과 항구에서 하는 일들.'을 통틀어 이르는 말이다. '검정(검사할 檢 정할 定)'은 '일정한 규정에 따라 자격이나 조건을 검사하여 결정함.'을 의미하는 한자어이다. 첫 번째 예문은 그 이론은 증명을 거치지 않았다는 의미이므로 ㉠에는 '검증'이 적절하다. 두 번째 예문은 동남아에 콜레라가 발생해 여행객을 대상으로 해외에서 전염병이 들어오는 것을 막기 위해 여러 가지 일을 한다는 의미이므로 ㉡에는 '검역'이 적절하다. 세 번째 예문은 자격을 검사한 결과에 따라 납품 업체를 결정한다는 의미이므로 ㉢에는 '검정'이 적절하다.

19 ① 착안, 혜안, 심안

✓정답풀이 '착안(붙을 着 눈 眼)'은 '어떤 일을 주의하여 봄. 또는 어떤 문제를 해결하기 위한 실마리를 잡음.'을 의미한다. '혜안(슬기로울 慧 눈 眼)'은 '사물을 꿰뚫어 보는 안목과 식견.'을 의미한다. '심안(마음 心 눈 眼)'은 '사물을 살펴 분별하는 능력. 또는 그런 작용.'을 의미한다. 첫 번째 예문은 사진기를 발명할 때 눈의 구조를 이용한 것이 대단한 실마리였다는 의미이므로 ㉠에는 '착안'이 적절하다. 두 번째 예문은 그 사람이 앞날을 꿰뚫어 볼 줄 아는 안목을 지녔다는 의미이므로 ㉡에는 '혜안'이 적절하다. 세 번째 예문은 내가 사물을 분별하는 능력을 지니지 못했다는 의미이므로 ㉢에는 '심안'이 적절하다.

20 ⑤ 한창, 한참, 앉히고, 안쳤다, 담가, 담아

✓정답풀이 '한창'은 '어떤 일이 가장 활기 있고 왕성하게 일어나는 때. 또는 어떤 상태가 가장 무르익을 때.'를 의미한다. '한참'은 '시간이 상당히 지나는 동안.'을 의미한다. 첫 번째 예문은 축제가 활기 있고 왕성하게 벌어지고 있는 교정을 시간이 상당히 지나는 동안 거닐었다는 의미이므로 ㉠에는 '한창'이, ㉡에는 '한참'이 적절하다.
'앉히다'는 '사람이나 동물이 윗몸을 바로 한 상태에서 엉덩이에 몸무게를 실어 다른 물건이나 바닥에 몸을 올려놓다.'를 의미하는 '앉다'의 사동사이다. '안치다'는 '밥, 떡, 찌개 따위를 만들기 위하여 그 재료를 솥이나 냄비 따위에 넣고 불 위에 올리다.'를 의미한다. 두 번째 예문은 어머니가 아이를 의자에 앉게 하고 밥솥에 쌀을 넣어 밥을 한다는 의미이므로 ㉢에는 '앉히고'가, ㉣에는 '앉혔다'가 적절하다.

'담그다'는 '김치 · 술 · 장 · 젓갈 따위를 만드는 재료를 버무리거나 물을 부어서, 익거나 삭도록 그릇에 넣어 두다.'를 의미한다. '담다'는 '어떤 물건을 그릇 따위에 넣다.'를 의미한다. 세 번째 예문은 젓갈을 만드는 재료를 버무려 항아리에 넣어 보관하면 좋다는 의미이므로 ⓜ에는 '담가'가, ⓗ에는 '담아'가 적절하다.

38일차 헷갈리는 어휘 ③

01 너머

✅정답풀이 '넘어'는 '높은 부분의 위를 지나가다.'를 의미하는 '넘다'의 활용형이다. '너머'는 '높이나 경계로 가로막은 사물의 저쪽. 또는 그 공간.'을 의미한다. 제시된 예문은 돌담의 저쪽에 있는 붉은 지붕 건물이 친구의 집이라는 의미이므로 '너머'가 적절하다.
ⓔ 오늘 내로 산을 **넘어** 보자.

02 낟알

✅정답풀이 '낟알'은 '껍질을 벗기지 아니한 곡식의 알.'을 의미한다. '낱알'은 '하나하나 따로따로인 알.'을 의미한다. 제시된 예문은 껍질을 벗기지 않은 곡식의 알을 기계에 넣으니 하얀 쌀이 나왔다는 의미이므로 '낟알'이 적절하다.
ⓔ 집안에는 아무도 없는지 닭들이 한가롭게 흩어진 곡식 **낱알**들을 쪼고 있었다.

03 거죽

✅정답풀이 '거죽'은 '물체의 겉 부분.'을 의미한다. '가죽'은 '동물의 몸을 감싸고 있는 질긴 껍질. 동물의 몸에서 벗겨 낸 껍질을 가공해서 만든 물건.'을 의미한다. 제시된 예문은 책의 겉 부분에 자기 이름을 쓴다는 의미이므로 '거죽'이 적절하다.
ⓔ 호랑이 **가죽**은 처음 봐.

04 건넛방

✅정답풀이 '건넌방'은 '안방에서 대청을 건너 맞은편에 있는 방.'을 의미한다. '건넛방'은 '건너편에 있는 방.'을 의미한다. 제시된 예문은 학생들이 선생님들이 묵고 있는 방의 건너편에 있는 방에 묵었다는 의미이므로 '건넛방'이 적절하다.
ⓔ 오빠는 들어오자마자 말 한마디 없이 **건넌방**으로 들어간다.

05 꼬리

✅정답풀이 '꽁지'는 '새의 꽁무니에 붙은 깃.'을 의미한다. '꼬리'는 '사물의 한쪽 끝에 길게 내민 부분.'을 비유적으로 이르는 말이다. 제시된 예문은 혜성의 한쪽 끝에 달려 있는 것이 날아갔다는 의미이므로 '꼬리'가 적절하다.
ⓔ 공작이 **꽁지**를 활짝 폈다.

06 멨더니

✅정답풀이 '메다'는 '어깨에 걸치거나 올려놓다.'를 의미한다. '매다'는 '끈이나 줄 따위의 두 끝을 엇걸고 잡아당기어 풀어지지 아니하게 마디를 만들다.'를 의미한다. 제시된 예문은 배낭을 어깨에 걸쳤다는 의미이므로 '메다'의 활용형인 '멨더니'가 적절하다.
ⓔ 그녀는 달리기를 위해 운동화 끈을 질끈 **맸다**.

07 봉우리

✅정답풀이 '봉오리'는 '꽃봉오리. 망울만 맺히고 아직 피지 아니한 꽃.'을 의미한다. '봉우리'는 '산봉우리, 산에서 뾰족하게 높이 솟은 부분.'을 의미한다. 제시된 예문은 산의 높게 솟은 부분까지 올랐다는 의미이므로 '봉우리'가 적절하다.
ⓔ 매화 **봉오리**가 막 터질 듯이 부풀어 있었다.

08 비껴

✅정답풀이 '비키다'는 '무엇을 피하여 있던 곳에서 한쪽으로 자리를 조금 옮기다.'를 의미한다. '비끼다'는 '비스듬히 비치다.'를 의미한다. 제시된 예문은 봄 햇살이 창문으로 비스듬히 들어왔다는 의미이므로 '비끼다'의 활용형인 '비껴'가 적절하다.
ⓔ 길에서 놀던 아이가 자동차 소리에 깜짝 놀라 옆으로 **비켰다**.

09 뻐기고

✅정답풀이 '뻐기다'는 '얄미울 정도로 매우 우쭐거리며 자랑하다.'를 의미한다. '뻐개다'는 '크고 단단한 물건을 두 쪽으로 가르다.'를 의미한다. 제시된 예문은 그가 상을 받았다고 우쭐거리며 다닌다는 의미이므로 '뻐기다'의 활용형인 '뻐기고'가 적절하다.
ⓔ 그 단단한 돌을 맨손으로 **뻐갠다**는 것은 있을 수 없는 일이다.

10 ㉠ – 딴죽, ㉡ – 딴지

✅정답풀이 '딴지'는 '일이 순순히 진행되지 못하도록 훼방을 놓거나 어기대는 것.'을 의미한다. '딴죽'은 '이미 동의하거나 약속한 일에 대하여 딴전을 부림.'을 비유적으로 이르는 말이다. ㉠은 약속해 놓고 이제 와서 그 일과 관계없는 행동을 한다는 의미이므로 '딴죽'이 적절하다. ㉡은 일을 할 때 훼방을 놓는 사람들이 있다는 의미이므로 '딴지'가 적절하다.

11 ㉠ – 벼르다, ㉡ – 벼리다

✅정답풀이 '벼르다'는 '어떤 일을 이루려고 마음속으로 준비를 단단히 하고 기회를 엿보다.'를 의미한다. '벼리다'는 '무디어진 연장의 날을 불에 달구어 두드려서 날카롭게 만들다.'를 의미한

다. ㉠은 밤늦게까지 들어오지 않은 동생을 야단치려 단단히 준비를 하고 기다리고 있었다는 의미이므로 '벼르다'가 적절하다. ㉡은 대장간에서 낫과 호미를 날카롭게 만든다는 의미이므로 '벼리다'가 적절하다.

12 ㉠ – 유도하다, ㉡ – 유인하다

✅정답풀이 '유도(꾈 誘 인도할 導)하다'는 '사람이나 물건을 목적한 장소나 방향으로 이끌다.'를 의미한다. '유인(꾈 誘 끌 引)하다'는 '주의나 흥미를 일으켜 꾀어내다.'를 의미한다. ㉠은 손님이 옷을 입어 보도록 이끈다는 의미이므로 '유도하다'가 적절하다. ㉡은 물고기가 미끼를 물도록 꾀어낸다는 의미이므로 '유인하다'가 적절하다.

13 ㉠ – 경우, ㉡ – 경위

✅정답풀이 '경우(지경 境 만날 遇)'는 '(흔히 관형어 뒤에 쓰여) 놓여 있는 조건이나 놓이게 된 형편이나 사정.'을 의미한다. '경위(지날 經 씨 緯)'는 '일이 진행되어 온 과정.'을 의미한다. ㉠은 어려운 형편에 처하게 되었다는 의미이므로 '경우'가 적절하다. ㉡은 그 일이 진행된 과정은 알 수 없다는 의미이므로 '경위'가 적절하다.

14 ㉠ – 벌이다, ㉡ – 벌리다

✅정답풀이 '벌리다'는 '둘 사이를 넓히거나 멀게 하다.'를 의미한다. '벌이다'는 '일을 계획하여 시작하거나 펼쳐 놓다.'를 의미한다. ㉠은 여러 가지 사업을 시작하고 있다는 의미이므로 '벌이다'가 적절하다. ㉡은 하품을 하듯이 양 입술 사이를 크게 넓힌다는 의미이므로 '벌리다'가 적절하다.

15 ㉠ – 부시다, ㉡ – 부수다

✅정답풀이 '부수다'는 '단단한 물체를 여러 조각이 나게 두드려 깨뜨리다.'를 의미한다. '부시다'는 '빛이나 색채가 강렬하여 마주 보기가 어려운 상태에 있다.'를 의미한다. ㉠은 어두운 곳에 있다 밖으로 나오자 눈을 뜨고 사물을 보는 것이 어려운 상태가 되었다는 의미이므로 '부시다'가 적절하다. ㉡은 큰 알약을 잘게 조각낸다는 의미이므로 '부수다'가 적절하다.

16 ④

✅정답풀이 '주책없다'는 '일정한 줏대가 없이 이랬다저랬다 하여 몹시 실없다.'를 의미한다.

❌오답풀이 ① '까다롭다'는 '조건 따위가 복잡하거나 엄격하여 다루기에 순탄하지 않다.'를 의미한다. '까탈스럽다'는 잘못된 표현이다. 🔵 그 회사는 면접이 무척 까다롭다.
② '안절부절못하다'는 '마음이 초조하고 불안하여 어찌할 바를 모르다.'를 의미한다. '안절부절하다'는 잘못된 표현이다. 🔵 나는 합격자 발표를 기다리며 안절부절못했다.
③ '괴팍하다'는 '붙임성이 없이 까다롭고 별나다.'를 의미한다.

'괴퍅하다'는 잘못된 표현이다. 🔵 그 사람은 성격이 괴팍해 사람들과 잘 화합하지 못한다.
⑤ '으레'는 '두말할 것 없이 당연히.'를 의미한다. '으례'는 잘못된 표현이다. 🔵 그녀는 선비는 으레 가난하려니 하고 한평생을 살아왔다.

17 ③

✅정답풀이 '허투루'는 '아무렇게나 되는대로.'를 의미한다.

❌오답풀이 ① '쇠다'는 '명절, 생일, 기념일 같은 날을 맞이하여 지내다.'를 의미한다. 어간 '쇠–'에 어미 '–어서'가 결합된 표현이므로 '쇄서'라고 표기해야 한다. 🔵 자네 덕에 생일을 잘 쇄서 고맙네.
② '별의별(別–別)'은 '보통과 다른 갖가지의.'를 의미한다. '별에별'은 잘못된 표현이다. 🔵 우리 부모님은 별의별 고생을 다 하셨다.
④ '괴발개발'은 '고양이의 발과 개의 발이라는 뜻으로, 글씨를 되는대로 아무렇게나 써 놓은 모양.'을 의미한다. '괴발새발'은 잘못된 표현이다. 참고로 '개의 발과 새의 발이라는 뜻으로, 글씨를 되는대로 아무렇게나 써 놓은 모양.'을 의미하는 '개발새발'도 '괴발개발'의 복수 표준어로 인정되었다. 🔵 써 놓고 보니, 내 글씨가 너무 괴발개발이다.
⑤ '여태껏'은 '지금까지. 또는 아직까지.'를 의미하는 '여태'를 강조하여 이르는 말이다. '여지껏'은 잘못된 표현이다. 🔵 그는 여태껏 대학 시절의 그 일을 모르는 척했다.

> **어·휘·력 ⬆️Up** '괴다', '죄다', '쇠다'의 명령형
>
> '괴다', '죄다', '쇠다'에 명령형 어미 '–어라'가 결합되면, 그 형태는 각각 '죄어라/쫴라', '괴어라/괘라', 쇠어라/쇄라'가 된다.
> • 괴다: 기울어지거나 쓰러지지 않도록 아래를 받쳐 안정시키다.
>   🔵 오른쪽 책상 다리가 짧으니 책으로 괴어라.
> • 죄다: 느슨하거나 헐거운 것이 단단하거나 팽팽하게 되다. 또는 그렇게 되게 하다.
>   🔵 물이 새지 않게 수도꼭지를 꽉 죄어라.
> • 쇠다: 명절, 생일, 기념일 같은 날을 맞이하여 지내다.
>   🔵 이번 추석은 고향에 가서 쇠어라.

18 ②

✅정답풀이 '누이다'는 '몸을 바닥 따위에 대고 수평 상태가 되게 하다.'를 의미하는 '눕다'의 사동사이다. '누였다'는 '누이–+–었–+–다'와 같이 분석할 수 있다.

❌오답풀이 ① '걸쭉하다'는 '액체가 묽지 않고 꽤 걸다.'를 의미한다. '걸죽하다'는 잘못된 표현이다. 🔵 걸쭉한 콩국이 꽤 고소하다.
③ '당최'는 '(부정의 뜻이 있는 말과 함께 쓰여) '도무지', '영'의 뜻을 나타내는 말이다. '당췌'는 잘못된 표현이다. 🔵 그게 어찌 된 일인지 당최 알 수가 없어.
④ '걷다'는 '늘어진 것을 말아 올리거나 열어 젖히다.'를 의미한다. '겉다'는 잘못된 표현이다. 🔵 내 동생은 소맷자락을 걷고 설거지를 하고 있다.

⑤ '널브러지다'는 '너저분하게 흐트러지거나 흩어지다.' 또는 '몸에 힘이 빠져 몸을 추스르지 못하고 축 늘어지다.'를 의미한다. '널부러지다'는 잘못된 표현이다. 🖎 운동회가 끝난 운동장에 쓰레기가 <u>널브러져</u> 있었다.

19 ⑤

✅ **정답 풀이** '널따랗다'는 '(실제적인 공간을 나타내는 명사와 함께 쓰여) 꽤 넓다.'를 의미한다.

❌ **오답 풀이** ① '멋쩍다'는 '하는 짓이나 모양이 격에 어울리지 않다.' 또는 '어색하고 쑥스럽다.'를 의미한다. '멋적다'는 잘못된 표현이다. 🖎 나는 그들을 다시 보기가 <u>멋쩍었다</u>.
② '어이없다'는 '어처구니없다. 일이 너무 뜻밖이어서 기가 막히는 듯하다.'를 의미한다. '어의없다'는 잘못된 표현이다. 🖎 우리 팀은 결승에서 <u>어이없이</u> 지고 말았다.
③ '들이켜다'는 '물이나 술 따위의 액체를 단숨에 마구 마시다.'를 의미한다. '들이키다'는 잘못된 표현이다. 🖎 그는 목이 마르다며 물을 벌컥벌컥 <u>들이켜고</u> 있다.
④ '시답잖다'는 '볼품이 없어 만족스럽지 못하다.'를 의미한다. '시답찮다'는 잘못된 표현이다. 🖎 그는 음식을 맛보고는 <u>시답잖은</u> 표정으로 수저를 놓았다.

20 ①

✅ **정답 풀이** '자그마치'는 '예상보다 훨씬 많이. 또는 적지 않게. 조금 작게.'를 의미한다.

❌ **오답 풀이** ② '두루마리'는 '길게 둘둘 만 물건.'을 의미한다. '두루말이'는 잘못된 표현이다. 🖎 그는 친구에게 <u>두루마리</u> 화장지를 사 주었다.
③ '곱빼기'는 '음식에서, 두 그릇의 몫을 한 그릇에 담은 분량.' 또는 '계속하여 두 번 거듭하는 일.'을 의미한다. '곱배기'는 잘못된 표현이다. 🖎 나는 그 일로 인해 어려움을 <u>곱빼기</u>로 겪었다.
④ '치르다'는 '무슨 일을 겪어 내다.'를 의미한다. '치루다'는 잘못된 표현이다. 🖎 그렇게 큰일을 <u>치렀으니</u> 몸살이 날 만도 하다.
⑤ '해쓱하다'는 '얼굴에 핏기나 생기가 없어 파리하다.'를 의미한다. '핼쓱하다'는 잘못된 표현이다. 🖎 그녀는 몹시 <u>해쓱했지만</u> 전신에 생기가 넘쳤다.

21 ③

✅ **정답 풀이** '충고(충성 忠 고할 告)'는 '남의 결함이나 잘못을 진심으로 타이름. 또는 그런 말.'을 의미한다. 그런데 ③은 그녀가 아름답다는 긍정적인 측면을 언급하는 것이므로 '충고'는 적절하지 않다. 그녀가 자신이 아름답지 않다고 생각해 위축되어 있는 상황이라면 '조언'을 활용하여 '나는 그녀에게 매우 아름답다고 <u>조언</u>해 주었다.'라고 표현하는 것은 가능하다.

❌ **오답 풀이** ① '자문(諮問)'은 '그 방면의 전문가나, 전문가들로 이루어진 기구에 의견을 물음.'을 의미한다. 정부가 그 기관에 경제 정책에 관한 의견을 물었다는 내용이므로 '자문'은 적절하다.
② '충고(忠告)'는 '남의 결함이나 잘못을 진심으로 타이름. 또는 그런 말.'을 의미한다. 쉽게 판단하지 말라는 말로 친구의 잘못을 타일렀다는 내용이므로 '충고'는 적절하다.
④ '조언(助言)'은 '말로 거들거나 깨우쳐 주어서 도움. 또는 그 말.'을 의미한다. 사업 시작 전에 경제 전문가에게 도움을 받았다는 내용이므로 '조언'은 적절하다.
⑤ '조언(助言)'은 '말로 거들거나 깨우쳐 주어서 도움. 또는 그 말.'을 의미한다. 의사가 환자에게 정밀 진단을 받아 볼 필요가 있음을 말로 깨우쳐 주었다는 내용이므로 '조언'은 적절하다.

22 ②

✅ **정답 풀이** '방조(도울 幇 도울 助)'는 '형법에서, 남의 범죄 수행에 편의를 주는 모든 행위.'를 의미한다. 그런데 ②는 회사 발전을 위해 노사가 힘을 합쳐 노력해야 한다는 의미이므로 '방조'는 적절하지 않다. '힘을 합하여 서로 조화를 이룸.'을 뜻하는 '협조(화합할 協 고를 調)'가 적절하다.

❌ **오답 풀이** ① '동조(同調)'는 '남의 주장에 자기의 의견을 일치시키거나 보조를 맞춤.'을 의미한다. 마을 사람들이 이장의 의견에 자신들의 의견을 일치시켰다는 내용이므로 '동조'는 적절하다.
③ '동조(同調)'는 '남의 주장에 자기의 의견을 일치시키거나 보조를 맞춤.'을 의미한다. 고개를 끄덕여 그와 자신의 의견이 일치한다는 태도를 보였다는 내용이므로 '동조'는 적절하다.
④ '방조(幇助)'는 '형법에서, 남의 범죄 수행에 편의를 주는 모든 행위.'를 의미한다. 그가 그 사건이 행해지는 데 편의를 주는 행위를 한 혐의로 수배되었다는 내용이므로 '방조'는 적절하다.
⑤ '협조(協調)'는 '생각이나 이해가 대립되는 쌍방이 평온하게 상호 간의 문제를 협력하여 해결하려 함.'을 의미한다. 업무 추진을 위해 관계 부처와 긴밀하게 협력해야 한다는 내용이므로 '협조'는 적절하다.

39 일차　헷갈리는 어휘 ④

01 ② 규명, 발언, 상술

✅ **정답 풀이** '규명(얽힐 糾 밝을 明)'은 '어떤 사실을 자세히 따져서 바로 밝힘.'을 의미한다. '발언(필 發 말씀 言)'은 '말을 꺼내어 의견을 나타냄. 또는 그 말.'을 의미한다. '상술(자세할 詳 펼 述)'은 '자세하게 설명하여 말함.'을 의미한다. 첫 번째 예문은 회사 측이 사고의 원인을 자세히 따져서 바로 밝히지 못하고 있다는 의미이므로 ㉠에는 '규명'이 적절하다. 두 번째 예문은 국회에서 국민의 기본권에 대한 의견을 말했다는 의미이므로 ㉡에는 '발언'이 적절하다. 세 번째 예문은 사건 관계자들이 사건의 경위에 대해 자세하게 설명하여 말하였다는 의미이므로 ㉢에는 '상술'이 적절하다.

02 ⑤ 매기지, 먹이지, 메기지

✅ **정답 풀이** '매기다'는 '일정한 기준에 따라 사물의 값이나 등수 따위를 정하다.'를 의미한다. '먹이다'는 '음식 따위를 입을 통하여 배 속에 들여보내다.'를 뜻하는 '먹다'의 사동사이다. '메기다'는 '두 편이 노래를 주고받고 할 때 한편이 먼저 부르다.'를 의미한다. 첫 번째 예문은 초등학교에서는 석차를 정하지 않는다는 의미이므로 ㉠에는 '매기지'가 적절하다. 두 번째 예문은 깜빡 잊고 딸에게 약을 먹게 하지 않았다는 의미이므로 ㉡에는 '먹이지'가 적절하다. 세 번째 예문은 앞소리를 부르지 않기로 했다는 의미이므로 ㉢에는 '메기지'가 적절하다.

03 ③ 혼잡, 혼동, 혼선

✅ **정답 풀이** '혼잡(섞을 混 섞일 雜)'은 '여럿이 한데 뒤섞이어 어수선함.'을 의미한다. '혼동(섞을 混 한가지 同)'은 '구별하지 못하고 뒤섞어서 생각함.'을 의미한다. '혼선(섞을 混 줄 線)'은 '말이나 일 따위를 서로 다르게 파악하여 혼란이 생김.'을 의미한다. ㉠은 많은 차량으로 회사 부근이 어수선하다는 의미이므로 '혼잡'이 적절하다. ㉡은 약속 장소를 구별하지 못했다는 의미이므로 '혼동'이 적절하다. ㉢은 약속 장소를 자신과 고객이 서로 다르게 파악해 혼란이 생겼다는 의미이므로 '혼선'이 적절하다.

❌ **오답 풀이** • 혼란(混亂): 뒤죽박죽이 되어 어지럽고 질서가 없음. 예 불이 나자 선생님들은 혼란을 수습하고 학생들을 학교 밖으로 내보냈다.

• 혼돈(混沌): 마구 뒤섞여 있어 갈피를 잡을 수 없음. 또는 그런 상태. 예 외래문화의 무분별한 수입은 가치관의 혼돈을 초래하였다.

04 ② 당겼다, 댕겼다, 땅겼다

✅ **정답 풀이** '당기다'는 '좋아하는 마음이 일어나 저절로 끌리다.'를 의미한다. '댕기다'는 '불이 옮아 붙다. 또는 그렇게 하다.'를 의미한다. '땅기다'는 '몹시 단단하고 팽팽하게 되다.'를 의미한다. 첫 번째 예문은 그 얘기에 호기심이 일어났다는 의미이므로 ㉠에는 '당겼다'가 적절하다. 두 번째 예문은 그가 마른 섶에 불을 붙였다는 의미이므로 ㉡에는 '댕겼다'가 적절하다. 세 번째 예문은 종아리가 단단해지고 팽팽해졌다는 의미이므로 ㉢에는 '땅겼다'가 적절하다.

05 ④ 째, 채, 체

✅ **정답 풀이** '째'는 일부 명사 뒤에 붙어 '그대로' 또는 '전부'의 뜻을 더하는 접미사이다. '채'는 '이미 있는 상태 그대로 있음.'을 나타내는 의존 명사이다. '체'는 '그럴듯하게 꾸미는 거짓 태도나 모양.'을 나타내는 의존 명사이다. 첫 번째 예문은 태풍으로 나무가 뿌리까지 전부 뽑혔다는 의미이므로 ㉠에는 '째'가 적절하다. 두 번째 예문은 옷을 입은 상태 그대로 잠이 들었다는 의미이므로 ㉡에는 '채'가 적절하다. 세 번째 예문은 그가 내 말을 들은 듯이 꾸미는 태도도 취하지 않았다는 의미이므로 ㉢에는 '체'가 적절하다.

06 로서

✅ **정답 풀이** '로서'는 '지위나 신분 또는 자격.'을 나타내는 격 조사이다. '로써'는 '어떤 물건의 재료나 원료.' 또는 '어떤 일의 수단이나 도구.'를 나타내는 격 조사이다. 제시된 예문은 언니가 아버지의 딸이라는 신분이나 자격으로 볼 때 부족함이 없다는 의미이므로 '로서'가 적절하다.

예 쌀로써 떡을 만든다.

07 마는

✅ **정답 풀이** '마는'은 '앞의 사실을 인정을 하면서도 그에 대한 의문이나 그와 어긋나는 상황 따위.'를 나타내는 보조사이다. '만은'은 '다른 것으로부터 제한하여 어느 것을 한정함.'을 나타내는 보조사인 '만'과, '어떤 대상이 다른 것과 대조됨.'을 나타내는 보조사 '은'이 결합된 것이다. 제시된 예문은 영화를 보고 싶기는 하지만 시간이 없다는 의미이므로 '마는'이 적절하다.

예 다른 사람은 몰라도 너만은 꼭 와야 한다.

08 부쳤다

✅ **정답 풀이** '붙이다'는 '맞닿아 떨어지지 아니하다.'를 의미하는 '붙다'의 사동사이다. '부치다'는 '편지나 물건 따위를 일정한 수단이나 방법을 써서 상대에게로 보내다.'를 의미한다. 제시된 예문은 동생의 겨울옷을 기숙사로 보냈다는 의미이므로 '부쳤다'가 적절하다.

예 건망증이 심해 메모지를 벽에 덕지덕지 붙여 두었다.

09 빠른

✅ **정답 풀이** '이르다'는 '대중이나 기준을 잡은 때보다 앞서거나 빠르다.'를 의미한다. '빠르다'는 '어떤 일이 이루어지는 과정이나 기간이 짧다.'를 의미한다. 제시된 예문은 회복이 되기까지의 시간이 짧다는 의미이므로 '빠른'이 적절하다.

예 올해는 지난해보다 첫눈이 이르다.

어·휘·력 Up **'이르다'와 '빠르다'**

'이르다'와 '빠르다'는 의미가 유사하여 혼동되는 경우가 많다. '이르다'는 시기적으로 앞서 있음을 의미하는 단어이며, '이르다'의 반의어는 '늦다'이다. '빠르다'는 어떤 행동을 하거나 어떤 결과가 나타나는 데 걸리는 시간이 짧음을 의미하는 단어이며, '빠르다'의 반의어는 '느리다'이다. 따라서 두 단어의 구별이 어려울 경우 반의어로 판단하는 것이 도움이 된다.

---

10 주리지

✅ **정답 풀이** '주리다'는 '제대로 먹지 못하여 배를 곯다.'를 의미한다. '줄이다'는 '물체의 길이나 넓이, 부피 따위가 본디보다 작아지다.'를 의미하는 '줄다'의 사동사이다. 제시된 예문은 배를 곯지 않게 된 것만으로도 다행이라는 의미이므로 '주리지'가 적절하다.

예 나는 형이 입던 옷을 줄여서 입었다.

11 적어서

✅ **정답 풀이** '작다'는 '길이, 넓이, 부피 따위가 비교 대상이나 보통보다 덜하다.'를 의미한다. '적다'는 '수효나 분량, 정도가 일정한 기준에 미치지 못하다.'를 의미한다. 제시된 예문은 도서관에 있는 사람의 수가 평상시 도서관에 있던 사람의 수에 미치지 못한다는 의미이므로 '적어서'가 적절하다.

예 그는 동생보다 키가 <u>작다</u>.

12 잃어버렸다

✅ **정답 풀이** '잊어버리다'는 '한번 알았던 것을 모두 기억하지 못하거나 전혀 기억하여 내지 못하다.'를 의미한다. '잃어버리다'는 '가졌던 물건이 자신도 모르게 없어져 그것을 아주 갖지 아니하게 되다.'를 의미한다. 제시된 예문은 복잡한 거리에서 헤매는 동안 지갑이 없어졌다는 의미이므로 '잃어버렸다'가 적절하다.

예 본 지 오래된 영화라서 그 제목을 <u>잊어버렸다</u>.

13 저려서

✅ **정답 풀이** '저리다'는 '뼈마디나 몸의 일부가 오래 눌려서 피가 잘 통하지 못하여 감각이 둔하고 아리다.'를 의미한다. '절이다'는 '푸성귀나 생선 따위에 소금기나 식초, 설탕 따위가 배어들다.'를 의미하는 '절다'의 사동사이다. 제시된 예문은 다리가 아려 온다는 의미이므로 '저려서'가 적절하다.

예 김장을 위해 배추 100포기를 소금물에 <u>절였다</u>.

14 젖히고

✅ **정답 풀이** '제치다'는 '거치적거리지 않게 처리하다.'를 의미한다. '젖히다'는 '안쪽이 겉으로 나오게 하다.'를 의미한다. 제시된 예문은 이불의 안쪽이 겉으로 나오도록 하면서 일어났다는 의미이므로 '젖히고'가 적절하다.

예 그 선수는 양옆에서 달려드는 일본 선수들을 <u>제치고</u> 골을 넣었다.

15 졸이며

✅ **정답 풀이** '조리다'는 '양념을 한 고기나 생선, 채소 따위를 국물에 넣고 바짝 끓여서 양념이 배어들게 하다.'를 의미한다. '졸이다'는 '속을 태우다시피 초조해하다.'를 의미한다. 제시된 예문은 속을 태우며 경기를 지켜봤다는 의미이므로 '졸이며'가 적절하다.

예 멸치와 고추를 간장에 <u>조렸다</u>.

> **어·휘·력 Up** '졸이다'와 '조리다'
>
> '조리다'는 '양념을 한 고기나 생선, 채소 따위를 국물에 넣고 바짝 끓여서 양념이 배어들게 하다.'를 의미한다. 한편 '졸이다'는 '찌개, 국, 한약 따위의 물이 증발하여 분량이 적어지다.'를 의미하는 '졸다'의 사동사로 쓰이기도 하는데, 이때의 '졸이다'는 '국물을 졸이다.'와 같이 활용될 수 있다. 또는 '졸이다'라는 사동사가 아닌 '졸다'를 사용하여 '국물이 졸다.'와 같이 표현할 수도 있다.
>
> 예 생선을 <u>조리다</u>. (○) / 생선을 졸이다. (×)
> 국물을 <u>졸이다</u>. (○) / 국물을 조리다. (×) / 국물이 졸다. (○)

16 여의고

✅ **정답 풀이** '여위다'는 '몸의 살이 빠져 파리하게 되다.'를 의미한다. '여의다'는 '부모나 사랑하는 사람이 죽어서 이별하다.'를 의미한다. 제시된 예문은 사랑하는 사람이 죽어서 이별했다는 의미이므로 '여의고'가 적절하다.

예 얼굴은 홀쭉하게 <u>여위고</u> 두 눈만 퀭하였다.

17 읽느라고

✅ **정답 풀이** '-노라고'는 '화자의 행동에 대한 의도나 목적.'을 나타내는 연결 어미이다. '-느라고'는 '앞 절의 사태가 뒤 절의 사태에 목적이나 원인이 됨.'을 나타내는 연결 어미이다. 제시된 예문은 책을 읽었기 때문에 밤을 샜다는 의미이므로 어간 '읽-'에 연결 어미 '-느라고'를 결합한 '읽느라고'가 적절하다.

예 하<u>노라고</u> 했는데 마음에 드실지 모르겠습니다.

> **어·휘·력 Up** '-느라고'와 '-어서'
>
> '-느라고'는 '앞 절의 사태가 뒤 절의 사태에 목적이나 원인이 됨.'을 나타내는 연결 어미로, 동사 어간이나 어미 '-으시-' 뒤에 붙어 앞의 행위를 하는 과정에서 뒤의 상황이 일어남을 의미한다. '-어서'는 '이유나 근거'를 나타내는 연결 어미로, 끝음절의 모음이 'ㅏ', 'ㅗ'가 아닌 용언의 어간 뒤나 '이다', '아니다'의 어간 뒤에 붙어 앞 상황의 결과로서 뒤 상황이 일어남을 의미한다.
>
> 예 학생들이 시험 문제를 푸<u>느라고</u> 진땀을 흘렸다. (○)
> 학생들이 시험 문제를 풀<u>어서</u> 진땀을 흘렸다. (×)
> 너무 많이 먹<u>느라고</u> 배가 아프다. (×)
> 너무 많이 먹<u>어서</u> 배가 아프다. (○)

18 해어진

✅ **정답 풀이** '헤어지다'는 '모여 있던 사람들이 따로따로 흩어지다.' 또는 '사귐이나 맺은 정을 끊고 갈라서다.'를 의미하며, 준말은 '헤지다'이다. '해어지다'는 '닳아서 떨어지다.'를 의미하며, 준말은 '해지다'이다. 제시된 예문은 그녀가 가방 속에서 낡고 닳은 옛 사진을 꺼냈다는 의미이므로 '해어진'이 적절하다.

예 나는 일행과 <u>헤어져</u> 집으로 왔다.

예 삼촌은 오랫동안 만나 왔던 애인과 <u>헤어졌다</u>.

19 햇빛

✅ **정답 풀이** '햇볕'은 '해가 내리쬐는 기운.'을 의미한다. '햇빛'은 '해의 빛.'을 의미한다. 제시된 예문은 이슬방울이 해의 빛을 받아 반짝였다는 의미이므로 '햇빛'이 적절하다.

예 <u>햇볕</u>이 쨍쨍 내리쬔다.

20 묻혀

✅ **정답 풀이** '무치다'는 '나물 따위에 갖은양념을 넣고 골고루 한데 뒤섞다.'를 의미한다. '묻히다'는 '모습이 어떤 것에 가려지거나 소리가 어떤 것에 막혀 들리지 않게 되다.'를 의미한다. 제시된 예문은 어머니의 뒷모습이 사람들에 가려 보이지 않게 되었

다는 의미이므로 '묻혀'가 적절하다.
예 저녁 반찬으로 콩나물을 **무쳐** 먹자.

21 ② 각별한

✅정답풀이 '각별(각각 各 나눌 別)하다'는 '어떤 일에 대한 마음 가짐이나 자세 따위가 유달리 특별하다.'를 의미한다. 제시된 부분은 겸재 정선이 어려서부터 그림에 재주가 뛰어났다는 의미이므로 '각별한'이 아니라 '특출한'이나 '탁월한'이 적절하다. '특출(특별할 特 날 出)하다'는 '특별히 뛰어나다.'를 의미한다. '탁월(높을 卓 넘을 越)하다'는 '남보다 두드러지게 뛰어나다.'를 의미한다.
예 그는 사진에 대한 관심이 **각별하였다**.

❌오답풀이 ① '몰락(沒落)하다'는 '재물이나 세력 따위가 쇠하여 보잘것없어지다.'를 의미한다. 제시된 부분은 정선이 쇠하여 보잘것없어진 가문의 출신이라는 의미이므로 '몰락한'이 적절하다.
③ '파격적(破格的)'은 '일정한 격식을 깨뜨리는. 또는 그런 것.'을 의미한다. 제시된 부분은 정선이 화가로서는 드물게 높은 벼슬에 올랐다는 의미이므로 '파격적'이 적절하다.
④ '원동력(原動力)'은 '어떤 움직임의 근본이 되는 힘.'을 의미한다. 제시된 부분은 정선이 당대 문인들과 가깝게 지낸 것이 그의 작품 세계를 넓히는 힘이 되었다는 의미이므로 '원동력'이 적절하다.
⑤ '완숙(完熟)하다'는 '재주나 기술 따위가 아주 능숙하다.'를 의미한다. 제시된 부분은 정선의 작품 세계가 말년으로 갈수록 깊어졌다는 의미이므로 '완숙한'이 적절하다.

22 ② 통제 – 지향 – 분화

✅정답풀이 '통제(거느릴 統 절제할 制)'는 '일정한 방침이나 목적에 따라 행위를 제한하거나 제약함.'을 의미한다. '억제(누를 抑 절제할 制)'는 '감정이나 욕망, 충동적 행동 따위를 내리눌러서 그치게 함.'을 의미한다. 제시된 부분은 교육이 개인의 행동을 제한한다는 의미이므로 '통제'가 적절하다.
예 나는 솟아오르는 눈물을 **억제**할 수가 없었다.
'지양(그칠 止 날릴 揚)'은 '더 높은 단계로 오르기 위하여 어떠한 것을 하지 아니함.'을 의미한다. '지향(뜻 志 향할 向)'은 '어떤 목표로 뜻이 쏠리어 향함.'을 의미한다. 제시된 부분은 사회적 통합을 추구하는 태도를 길러 준다는 의미이므로 '지향'이 적절하다.
예 우리 아이들을 하나의 틀에 고정시키는 교육은 **지양**해야 한다.
'분리(나눌 分 떠날 離)'는 '서로 나뉘어 떨어짐.'을 의미한다. '분화(나눌 分 될 化)'는 '단순하거나 등질인 것에서 복잡하거나 이질인 것으로 변하게 됨.'을 의미한다. 제시된 부분은 현대 사회에서는 복잡해진 조직과 기능이 존재한다는 의미이므로 '분화'가 적절하다.
예 쓰레기 더미에서 재활용할 쓰레기를 **분리**했다.

01 ㉠ – 가엾은, ㉡ – 가없는

✅정답풀이 '가없다'는 '끝이 없다.'를 의미한다. '가엾다'는 '마음이 아플 만큼 안 되고 처연하다.'를 의미한다. 첫 번째 예문은 그가 의지할 곳 하나 없는 처연한(애달프고 구슬픈) 존재라는 의미이므로 ㉠에는 '가엾은'이 적절하다. 두 번째 예문은 어머니의 은혜가 끝이 없다는 의미이므로 ㉡에는 '가없는'이 적절하다.

02 ㉠ – 아름, ㉡ – 알음

✅정답풀이 '아름'은 '둘레의 길이를 나타내는 단위.'를 의미한다. '알음'은 '사람끼리 서로 아는 일.'을 의미한다. 첫 번째 예문은 느티나무의 둘레 길이를 의미하므로 ㉠에는 '아름'이 적절하다. 두 번째 예문은 아버지가 그와 서로 알고 지내는 사이라는 의미이므로 ㉡에는 '알음'이 적절하다.

03 ㉠ – 깎듯이, ㉡ – 깍듯이

✅정답풀이 '깍듯이'는 '분명하게 예의범절을 갖추는 태도로.'를 의미한다. '깎듯이'는 '칼 따위로 물건의 거죽이나 표면을 얇게 벗겨 내다.'를 의미하는 '깎다'에, '뒤 절의 내용이 앞 절의 내용과 거의 같음.'을 나타내는 연결 어미인 '–듯이'가 결합된 말이다. 첫 번째 예문은 사과를 깎는 것처럼 무를 돌려 가며 껍질을 벗겨 냈다는 의미이므로 ㉠에는 '깎듯이'가 적절하다. 두 번째 예문은 그녀가 예의를 갖춰 어른들을 모셨다는 의미이므로 ㉡에는 '깍듯이'가 적절하다.

04 ㉠ – 날랐다, ㉡ – 날았다

✅정답풀이 '나르다'는 '물건을 한 곳에서 다른 곳으로 옮기다.'를 의미한다. '날다'는 '공중에 떠서 어떤 위치에서 다른 위치로 움직이다.'를 의미한다. 첫 번째 예문은 그녀가 화분을 옥상으로 옮겼다는 의미이므로 ㉠에는 '날랐다'가 적절하다. 두 번째 예문은 기러기가 공중에 떠서 다른 곳으로 이동했다는 의미이므로 '날았다'가 적절하다.

05 ㉠ – 늘여, ㉡ – 늘려

✅정답풀이 '늘리다'는 '물체의 넓이, 부피 따위를 본디보다 커지게 하다.'를 의미한다. '늘이다'는 '본디보다 더 길게 하다.'를 의미한다. 첫 번째 예문은 바지의 길이를 길게 하여 입는다는 의미이므로 ㉠에는 '늘여'가 적절하다. 두 번째 예문은 집의 평수를 더 넓게 하여 이사했다는 의미이므로 ㉡에는 '늘려'가 적절하다.

06 ㉠ – 들였다, ㉡ – 드렸다

✅정답풀이 '드리다'는 '물건 따위를 남에게 건네어 가지거나 누리게 하다.'를 의미하는 '주다'의 높임말이다. '들이다'는 '어떤 일

에 돈, 시간, 노력, 물자 따위가 쓰이다.'를 의미하는 '들다'의 사동사이다. 첫 번째 예문은 이번 활동에 모든 노력을 기울였다는 의미이므로 ㉠에는 '들였다'가 적절하다. 두 번째 예문은 부모님께 선물을 건넸다는 의미이므로 ㉡에는 '드렸다'가 적절하다.

07 ㉠ – 베고, ㉡ – 배고

✅ **정답 풀이** '배다'는 '스며들거나 스며 나오다.'를 의미한다. '베다'는 '누울 때, 베개 따위를 머리 아래에 받치다.'를 의미한다. 첫 번째 예문은 어머니의 무릎을 머리 아래에 받쳤다는 의미이므로 ㉠에는 '베고'가 적절하다. 두 번째 예문은 옷에 땀이 스며들었다는 의미이므로 ㉡에는 '배고'가 적절하다.

어·휘·력 Up '배다'와 '베다'

'배다'는 '스며들거나 스며 나오다.'를 의미하기도 하지만 '배 속에 아이나 새끼를 가지다.'를 의미하기도 한다. 따라서 '배다'는 소리는 같으나 뜻이 다른 동음이의어이다.
예 지금은 명태가 알을 배는 시기이다.
'베다'는 '누울 때, 베개 따위를 머리 아래에 받치다.'를 의미하기도 하지만 '날이 있는 연장 따위로 무엇을 끊거나 자르거나 가르다.' 또는 '날이 있는 물건으로 상처를 내다.'를 의미하기도 한다. 따라서 '베다'도 소리는 같으나 뜻이 다른 동음이의어이다.
예 할아버지께서는 낫으로 벼를 베셨다.
칼로 종이를 자르다 손을 베어 피가 났다.

08 ㉠ – 스러져, ㉡ – 쓰러져

✅ **정답 풀이** '스러지다'는 '불기운이 약해져서 꺼지다.'를 의미한다. '쓰러지다'는 '힘이 빠지거나 외부의 힘에 의하여 서 있던 상태에서 바닥에 눕는 상태가 되다.'를 의미한다. 첫 번째 예문은 바람 때문에 불꽃이 약해져서 꺼져 가고 있었다는 의미이므로 ㉠에는 '스러져'가 적절하다. 두 번째 예문은 침대에 누워 잠이 들었다는 의미이므로 ㉡에는 '쓰러져'가 적절하다.

09 ②

✅ **정답 풀이** '뒤처지다'는 '어떤 수준이나 대열에 들지 못하고 뒤로 처지거나 늦게 되다.'를 의미한다. 제시된 예문은 그가 친구들보다 걸음이 느려 뒤로 처지게 된다는 의미이므로 '뒤처진다'가 적절하다.

❌ **오답 풀이** ① '비비다'는 '두 물체를 맞대어 문지르다.'를 의미한다. 제시된 예문은 아이가 엄마에게 자신의 뺨을 문지른다는 의미이므로 '비빈다'가 적절하다. '부빈다'는 잘못된 표현이다.
③ '추스르다'는 '몸을 가누어 움직이다.'를 의미한다. 제시된 예문은 어머니가 며칠째 몸을 가누지 못하고 누워만 계신다는 의미이므로 '추스르고'가 적절하다. '추스리고'는 잘못된 표현이다.
④ '간질이다'는 '살갗을 문지르거나 건드려 간지럽게 하다.'를 의미한다. 제시된 예문은 자갈이 발바닥을 건드려 간지럽게 한다는 의미이므로 '간질인다'가 적절하다. '간지른다'는 잘못된 표

현이다.
⑤ '치다꺼리'는 '남의 자잘한 일을 보살펴서 도와줌. 또는 그런 일.'을 의미한다. 제시된 예문은 일곱 명의 일을 보살펴서 도와주는 일을 맡은 그녀가 피곤함을 느꼈다는 의미이므로 '치다꺼리'가 적절하다. '치닥거리'는 잘못된 표현이다.

10 ③

✅ **정답 풀이** '귀띔'은 '상대편이 눈치로 알아차릴 수 있도록 미리 슬그머니 일깨워 줌.'을 의미한다. 제시된 예문은 그가 나에게 자리를 피하도록 슬그머니 일깨워 줬다는 의미이므로 '귀띔'이 적절하다.

❌ **오답 풀이** ① '움큼'은 '손으로 한 줌 움켜쥘 만한 분량을 세는 단위.'를 의미한다. 제시된 예문은 동생이 통에서 사탕을 한 줌 움켜쥐어 집었다는 의미이므로 '움큼'이 적절하다. '웅큼'은 잘못된 표현이다.
② '닦달하다'는 '남을 단단히 윽박질러서 혼을 내다.'를 의미한다. 제시된 예문은 어머니가 성적표를 가져오라고 나를 윽박질러 혼을 냈다는 의미이므로 '닦달하셨다'가 적절하다. '닥달하셨다'는 잘못된 표현이다.
④ '굽이굽이'는 '여러 굽이로 구부러지는 모양.'을 의미한다. 제시된 예문은 강물이 여러 굽이로 구부러져 흘러간다는 의미이므로 '굽이굽이'가 적절하다. '구비구비'는 잘못된 표현이다.
⑤ '내로라하다'는 '어떤 분야를 대표할 만하다.'를 의미한다. 제시된 예문은 각 학교를 대표할 만한 선수들이 한곳에 모였다는 의미이므로 '내로라하는'이 적절하다. '내노라하는'은 잘못된 표현이다.

11 ⑤

✅ **정답 풀이** '오랜만'은 '어떤 일이 있은 때로부터 긴 시간이 지난 뒤.'를 의미하는 '오래간만'의 준말이다. 제시된 예문은 내가 지난번 만남 이후 긴 시간이 지난 뒤 다시 만난 친구와 즐거운 이야기를 나누었다는 의미이므로 '오랜만'이 적절하다.

❌ **오답 풀이** ① '설레다'는 '마음이 가라앉지 아니하고 들떠서 두근거리다.'를 의미한다. 제시된 예문은 내일 소풍을 간다는 생각에 마음이 들떠서 두근거린다는 의미이므로 '설렌다'가 적절하다. '설레인다'는 잘못된 표현이다.
② '발자국'은 '발로 밟은 자리에 남은 모양.'을 의미한다. 제시된 예문은 아버지가 눈길에 발로 밟은 흔적을 남기며 걸어갔다는 의미이므로 '발자국'이 적절하다. '발자욱'은 잘못된 표현이다.
③ '개다'는 '흐리거나 궂은 날씨가 맑아지다.'를 의미한다. 제시된 예문은 아침부터 날이 맑아졌다는 의미이므로 '개고'가 적절하다. '개이고'는 잘못된 표현이다.
④ '짓궂다'는 '장난스럽게 남을 괴롭고 귀찮게 하여 달갑지 아니하다.'를 의미한다. 제시된 예문은 선생님은 우리의 장난스러운 질문에 웃기만 하셨다는 의미이므로 '짓궂은'이 적절하다. '짖궂은'은 잘못된 표현이다.

'오랫동안'은 '시간이 지나가는 동안이 길게.'를 의미하는 부사 '오래'
와 '어느 한때에서 다른 한때까지 시간의 길이.'를 의미하는 명사 '동
안'이 결합하여 만들어진 합성어로, '시간상으로 썩 긴 동안.'을 의미
하는 명사이다. '오래'가 모음으로 끝나고 '동안'이 [똥안]과 같이 된소
리로 발음되어 사이시옷을 받치어 '오랫동안'과 같이 적는다.
예 나는 오랫동안 망설인 끝에 드디어 결심했다.

12 ⑤

✔정답 풀이 '흉측하다'는 '몹시 흉악하다(모습이 보기에 언짢을
만큼 고약하다.).'를 의미한다. 제시된 예문은 비행기가 날개가
부러지고 몸만 남아 보기에 몹시 흉악하다는 의미이므로 '흉측
한'이 적절하다.

✘오답 풀이 ① '흩트리다'는 '태도, 마음, 옷차림 따위를 바르게
하지 못하다.'를 의미한다. 제시된 예문은 그녀가 정신을 바르게
한다는 의미이므로 '흩트리지'가 적절하다. '흐트리지'는 잘못된
표현이다.
② '웬만큼'은 '보통은 넘는 정도로.'를 의미한다. 제시된 예문은
그 친구가 영어를 보통은 넘는 정도로 한다는 의미이므로 '웬만
큼'이 적절하다. '왠만큼'은 잘못된 표현이다.
③ '으스대다'는 '어울리지 아니하게 우쭐거리며 뽐내다.'를 의미
한다. 제시된 예문은 친구가 시험을 잘 쳤다며 뽐낸다는 의미이
므로 '으스대는'이 적절하다. '으시대는'은 잘못된 표현이다.
④ '에다'는 '마음을 몹시 아프게 하다.'를 의미한다. 제시된 예문
은 그가 그녀의 소식에 마음이 아팠다는 의미이므로 '에는'이 적
절하다. '에이는'은 '가슴이 에이는 듯한 슬픔을 느꼈다.'와 같이
사용되는 피동형이다.

13 닫치고

✔정답 풀이 '닫치다'는 '열린 문짝, 뚜껑, 서랍 따위를 꼭꼭 또는
세게 닫다.'를 의미한다. '닫히다'는 '열린 문짝, 뚜껑, 서랍 따위
를 도로 제자리로 가게 하여 막다.'를 의미하는 '닫다'의 피동사
이다. 제시된 예문은 그가 화가 나서 문을 세게 닫고 나갔다는
의미이므로 '닫치고'가 적절하다.
예 열어 놓은 문이 바람에 닫혔다.

14 강우량

✔정답 풀이 '강수량(내릴 降 물 水 헤아릴 量)'은 '비, 눈, 우박,
안개 따위로 일정 기간 동안 일정한 곳에 내린 물의 총량.'을 의
미한다. '강우량(내릴 降 비 雨 헤아릴 量)'은 '일정 기간 동안 일
정한 곳에 내린 비의 분량.'을 의미한다. 제시된 예문은 기상청
이 비의 양을 측정한다는 의미이므로 '강우량'이 적절하다.
예 이 지역은 강수량이 적어 식수가 부족하다.

15 합의

✔정답 풀이 '협의(화합할 協 의논할 議)'는 '여러 사람이 모여 서

로 의논함.'을 의미한다. '합의(합할 合 뜻 意)'는 '서로 의견이 일
치함.'을 의미한다. 제시된 예문은 서로에게 손해를 끼치는 행위
는 하지 않기로 그와 의견의 일치를 보았다는 의미이므로 '합의'
가 적절하다.
예 학과장은 학과 운영의 방향을 교수들과 협의하여 처리했다.

16 한자

✔정답 풀이 '한문(한나라 漢 글월 文)'은 '한자만으로 쓰인 문장
이나 문학.'을 의미한다. '한자(한나라 漢 글자 字)'는 '고대 중국
에서 만들어져 오늘날에도 쓰이고 있는 표의 문자.'를 의미한다.
제시된 예문은 학생들이 자기 이름을 중국에서 만들어진 문자로
쓰는 것을 어려워한다는 의미이므로 '한자'가 적절하다.
예 「금오신화」는 한문으로 된 소설이다.

17 바랐다

✔정답 풀이 '바라다'는 '생각이나 바람대로 어떤 일이나 상태가
이루어지거나 그렇게 되었으면 하고 생각하다.'를 의미한다. '바
래다'는 '볕이나 습기를 받아 색이 변하다.'를 의미한다. 제시된
예문은 그가 이번만큼은 자신의 바람대로 실패하지 않게 되었으
면 하고 생각했다는 의미이므로 '바랐다'가 적절하다.
예 누렇게 바랜 벽지를 뜯어내고 도배를 시작했다.

18 이따가

✔정답 풀이 '있다가'는 '사람이나 동물이 어떤 상태를 계속 유지
하다.'를 의미하는 '있다'에 연결 어미인 '−다가'가 결합된 것이
다. '이따가'는 '조금 지난 뒤에.'를 의미한다. 제시된 예문은 잠
시 후에 이야기하자는 의미이므로 '이따가'가 적절하다.
예 여기서 짐을 풀고 조금만 있다가 가자.

19 ③ 경신, 남용, 개선

✔정답 풀이 '경신(고칠 更 새 新)'은 '기록경기 따위에서, 종전의
기록을 깨뜨림.'을 의미한다. '남용(넘칠 濫 쓸 用)'은 '권리나 권
한 따위를 본래의 목적이나 범위를 벗어나 함부로 행사함.'을 의
미한다. '개선(고칠 改 좋을 善)'은 '잘못된 것이나 부족한 것, 나
쁜 것 따위를 고쳐 더 좋게 만듦.'을 의미한다. 첫 번째 예문은
마라톤에서 종전의 기록을 깨는 것은 인간 한계에 대한 도전이
라는 의미이므로 ㉠에는 '경신'이 적절하다. 두 번째 예문은 민주
국가에서는 권력이 함부로 행사되는 것을 견제하는 장치가 필요
하다는 의미이므로 ㉡에는 '남용'이 적절하다. 세 번째 예문은 근
무 여건을 더 좋게 만들기 위해 노력해야 한다는 의미이므로 ㉢
에는 '개선'이 적절하다.

✘오답 풀이 • 갱신(다시 更 새 新): 법률관계의 존속 기간이 끝
났을 때 그 기간을 연장하는 일. 예 기한이 만료되어 비자 갱신을
받았다.
• 오용(그르칠 誤 쓸 用): 잘못 사용함. 예 약물 오용으로 부작용
이 생길 수 있다.

• 개정(고칠 改 바를 正): 주로 문서의 내용 따위를 고쳐 바르게 함. 예 위헌 법률 조항의 <u>개정</u>을 통해 선의의 피해자를 구제해야 한다.

20 ①

 정답 풀이 '번듯하다 ㉢'은 '형편이나 위세 따위가 버젓하고 당당하다.'를 의미한다. 제시된 예문은 농사만은 그 결과가 버젓하고 당당하게 나오도록 해낼 수 있다는 의미이므로 '번듯하게'가 적절하다.

오답 풀이 ② 제시된 예문은 신랑의 이목구비가 훤하고 멀끔하게 생겼다는 의미일 수도 있고, 아담하고 말끔하게 생겼다는 의미일 수도 있으므로 '번듯하게'와 '반듯하게' 모두 적절하다.
③ 제시된 예문은 모자를 바르게 쓰라는 의미이므로 '작은 물체, 또는 생각이나 행동 따위가 비뚤어지거나 기울거나 굽지 아니하고 바르다.'를 의미하는 '반듯하다 ㉠'을 활용한 '반듯하게'가 적절하다.
④ 제시된 예문은 그가 이미 자신의 주장과 의견이 바른 성인으로 성장했다는 의미이므로 '작은 물체, 또는 생각이나 행동 따위가 비뚤어지거나 기울거나 굽지 아니하고 바르다.'를 의미하는 '반듯하다 ㉠'을 활용한 '반듯한'이 적절하다.
⑤ 제시된 예문은 덩그렇게 높고 큰 기와집이 서 있는 모습이 바르다는 의미일 수도 있고, 기와집의 형편이나 위세가 버젓하고 당당하다는 의미일 수도 있으므로 '번듯하다 ㉠'이나 '번듯하다 ㉢'을 활용한 '번듯하게'가 적절하다.

적용 문제

1 ①

 정답 풀이 '되다'는 '('-어도' 다음에 쓰여) 어떤 일이 가능하거나 허락될 수 있음.'을 의미한다. '되다'의 어간 '되-'에 물음을 나타내는 종결 어미 '-어'가 결합된 후에, 청자에게 존대의 뜻을 나타내는 보조사 '요'가 결합된 형태인 '되어요'의 준말이므로, '되요'가 아니라 '돼요'가 적절하다.

오답 풀이 ② '비치다'는 '물체의 그림자나 영상이 나타나 보이다.'를 의미한다. '비추다'는 '빛을 내는 대상이 다른 대상에 빛을 보내어 밝게 하다.'를 의미한다. 제시된 예문은 손전등으로 그의 얼굴에 빛을 보내어 밝게 했다는 의미이므로 '비췄다'가 적절하다. 예 어둠 속에 달빛이 <u>비쳤다</u>.
③ '늘리다'는 '수나 분량, 시간 따위가 본디보다 많아지다.'를 의미하는 '늘다'의 사동사이다. '늘이다'는 '본디보다 더 길게 하다.'를 의미한다. 제시된 예문은 인원을 본디보다 많아지게 하여 일을 빨리 마치라는 의미이므로 '늘려'가 적절하다. 예 물건을 묶기 위해 고무줄을 <u>늘였다</u>.
④ '돋우다'는 '입맛이 당기다.'를 의미하는 '돋다'의 사동사이다.

'돋구다'는 '안경의 도수 따위를 더 높게 하다.'를 의미한다. 제시된 예문은 입맛을 당기게 하는 음식을 보니 시장기가 느껴진다는 의미이므로 '돋우는'이 적절하다. 예 눈이 침침한 걸 보니 안경의 도수를 <u>돋굴</u> 때가 되었나 보다.
⑤ '부치다'는 '모자라거나 미치지 못하다.'를 의미한다. '붙이다'는 '맞닿아 떨어지지 아니하다.'를 의미하는 '붙다'의 사동사이다. 제시된 예문은 밤을 새워 공부하려니 힘이 모자란다는 의미이므로 '부친다'가 적절하다. 예 편지를 보내기 위해 봉투에 우표를 <u>붙였다</u>.

2 ⑤

 정답 풀이 '벗어지다'는 '머리카락이나 몸의 털 따위가 빠지다.'를 의미한다. '벗겨지다'는 '덮이거나 씌워진 물건이 외부의 힘에 의하여 떼어지거나 떨어지다.'를 의미한다. 첫 번째 예문은 구두가 잘 떨어지지 않는다는 의미이므로 '구두가 꽉 끼어 벗겨지지 않는다.'로 바꾸어 써야 적절하다. 두 번째 예문은 나이가 들어 머리카락이 빠진다는 의미이므로 '나이가 들어 머리가 많이 벗어졌다.'로 바꾸어 써야 적절하다.

오답 풀이 ① 띠다: 감정이나 기운 따위를 나타내다.
띄다: 뜨이다의 준말. ('눈에'와 함께 쓰여) 남보다 훨씬 두드러지다.
② 메다: 어깨에 걸치거나 올려놓다.
매다: 끈이나 줄 따위로 어떤 물체를 가로 걸거나 드리우다.
③ 썩이다: '걱정이나 근심 따위로 마음이 몹시 괴로운 상태가 되다.'를 의미하는 '썩다'의 사동사.
썩히다: '물건이나 사람 또는 사람의 재능 따위가 쓰여야 할 곳에 제대로 쓰이지 못하고 내버려진 상태에 있다.'를 의미하는 '썩다'의 사동사.
④ 묻히다: '가루, 풀, 물 따위가 그보다 큰 다른 물체에 들러붙거나 흔적이 남게 되다.'를 의미하는 '묻다'의 사동사.
무치다: 나물 따위에 갖은양념을 넣고 골고루 한데 뒤섞다.

3 ③

 정답 풀이 '고안(생각할 考 생각 案)'은 '연구하여 새로운 안을 생각해 냄. 또는 그 안.'을 의미한다. '복안(배 腹 생각 案)'은 '겉으로 드러내지 아니하고 마음속으로만 생각함. 또는 그런 생각.'을 의미한다. 제시된 예문은 마음속으로 생각한 것이 있느냐는 의미이므로 '고안'이 아니라 '복안'이 적절하다.

오답 풀이 ① '고안'은 '연구하여 새로운 안을 생각해 냄. 또는 그 안.'을 의미한다. 제시된 예문은 그가 쉽고 편리한 방법을 생각해 내는 중이라는 의미이므로 '고안'은 적절하다.
② '묘안'은 '뛰어나게 좋은 생각.'을 의미한다. 제시된 예문은 그것이 그가 궁리 끝에 생각해 낸 좋은 생각이라는 의미이므로 '묘안'은 적절하다.
④ '묘안'은 '뛰어나게 좋은 생각.'을 의미한다. 제시된 예문은 아무리 머리를 굴려도 좋은 생각이 떠오르지 않는다는 의미이므로 '묘안'은 적절하다.

⑤ '복안'은 '겉으로 드러내지 아니하고 마음속으로만 생각함. 또는 그런 생각.'을 의미한다. 제시된 예문은 마음속으로 생각이 서기 전까지 말을 하지 말라는 의미이므로 '복안'은 적절하다.

4 ④ 마치어, 맞히어, 맞추어

✔정답풀이 '마치다'는 '어떤 일이나 과정, 절차 따위가 끝나다. 또는 그렇게 하다.'를 의미한다. '맞히다'는 '문제에 대한 답이 틀리지 아니하다.'를 의미하는 '맞다'의 사동사이다. '맞추다'는 '둘 이상의 일정한 대상들을 나란히 놓고 비교하여 살피다.'를 의미한다. 첫 번째 예문은 득점 없이 전반전을 끝냈다는 의미이므로 ㉠에는 '마치어'가 적절하다. 두 번째 예문은 수수께끼에 대한 답을 틀리지 않아 상품을 받았다는 의미이므로 ㉡에는 '맞히어'가 적절하다. 세 번째 예문은 시험이 끝나면 서로의 답을 비교해 보느라 정신이 없다는 의미이므로 ㉢에는 '맞추어'가 적절하다.

5 ① 받쳐, 받혀, 밭쳐

✔정답풀이 '받치다'는 '물건의 밑이나 옆 따위에 다른 물체를 대다.'를 의미한다. '받히다'는 '머리나 뿔 따위로 세차게 부딪치다.'를 뜻하는 '받다'의 피동사이다. '밭치다'는 '구멍이 뚫린 물건 위에 국수나 야채 따위를 올려 물기를 빼다.'를 의미한다. 첫 번째 예문은 아이가 음료수 잔을 쟁반에 대어 들고서 걸어왔다는 의미이므로 ㉠에는 '받쳐'가 적절하다. 두 번째 예문은 아버지가 소뿔에 부딪혔다는 의미이므로 ㉡에는 '받혀'가 적절하다. 세 번째 예문은 국수를 체 위에 올려 물기를 빼 놓았다는 의미이므로 ㉢에는 '밭쳐'가 적절하다.

숨마쿰라우데® [국어 문제집]

어휘력 강화

'제대로' 공부를 해야 공부가 더 쉬워집니다!

"공부하는 사람은 언제나 생각이 명징하고 흐트러짐이 없어야 한다. 그러자면 우선 눈앞에 펼쳐진 어지러운 자료를 하나로 묶어 종합하는 과정이 필요하다. 비슷한 것끼리 갈래를 묶고 교통정리를 하고 나면 정보 간의 우열이 드러난다. 그래서 중요한 것을 가려내고 중요하지 않은 것을 추려 내는데 이 과정이 바로 '종핵(綜核)'이다." 이는 다산 정약용이 주장한 공부법입니다. 제대로 공부하는 과정은 종핵처럼 복잡한 것을 단순하게 만드는 과정입니다. 공부를 쉽게 하는 방법은 복잡한 내용들 사이의 관계를 잘 이해하여 간단히 정리해 나가는 것입니다. 이를 위해서는 무엇보다도 먼저 내용을 정확히 알아야 합니다. 숨마쿰라우데는 전체를 보는 안목을 기르고, 부분을 명쾌하게 파악할 수 있도록 친절하게 설명하였습니다. 좀 더 쉽게 공부하는 길에 숨마쿰라우데가 여러분들과 함께 하겠습니다.

국어 고득점을 위한 어휘 강화(强化) 프로젝트!

POINT 1 __ 다양한 어휘를 통한 〈내신 · 수능〉 국어의 맥(脈) 짚기!
- 다양한 어휘 학습을 통한 독해 능력 및 문제 해결 능력 강화
- OX형, 선택형, 문장 완성형, 수능형 등의 문제로 어휘 응용력 배양

POINT 2 __ 최적의 효율적 학습 시스템, 3회독 반복 구성!!
- '3회독 학습 계획표'를 통한 체계적인 반복 학습 구성
- '3회독 채점표'로 매일매일 어휘력을 점검하는 학습 시스템

POINT 3 __ 수능 · 평가원 · 교육청 기출 및 변형 문제 수록!!!
- 내신 및 수능 감각을 익히고 실전에 대비할 수 있는 능력 배양